KB064153

중학교

국어 2-1
자습서

이삼형 교과서편

새로운 길 　　　　　　　　　 윤동주

내를 건너서 숲으로
고개를 넘어서 마을로

어제도 가고 오늘도 갈
나의 길 새로운 길

민들레가 피고 까치가 날고
아가씨가 지나고 바람이 일고

나의 길은 언제나 새로운 길
오늘도… 내일도…

내를 건너서 숲으로
고개를 넘어서 마을로

이 책으로 공부하는 학생들에게

사랑하는 친구들

새로운 마음으로 한 학기를 시작하고 있겠구나.

또다시 시작된 공부의 길~ 포기하고 싶은 유혹이 들 때가 한두 번이 아닐 거야. 그렇지만 여기서 멈출 순 없지.

나의 길은 아직 시작도 되지 않았고, 나의 꿈은 원대하거든.

스스로 자, 익힐 습, 글 서……. 스스로 익히는 책!

하이라이트 자습서!

친절한 핵심 강의를 통해 내용을 이해하고 단계적으로 문제를 풀다 보면 스스로가 주인공이 되어 즐겁게 공부하는 자신의 모습을 만날 수 있을 거야.

언제나 너희가 꽃길을 만들어 나가는 데 든든한 공부의 동반자가 되어 줄게. 같이 떠나 보자고~

구성과 특징

갈래 특강

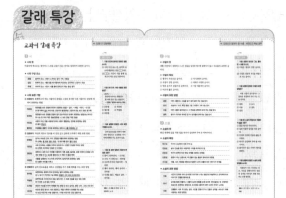

▶ 각 소단원에서 공부하게 될 갈래별 이론을 정리하여 확인 문제로 핵심 내용을 점검할 수 있도록 하였습니다.

대단원을 펼치며

▶ 도입 만화를 통해 대단원에서 공부할 내용을 미리 살펴볼 수 있도록 하였습니다.

소단원 도입

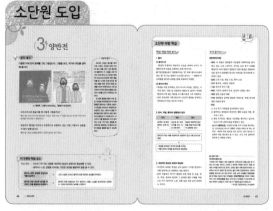

▶ 소단원에서 배워야 할 학습 요소, 핵심 개념을 제시하여 소단원에서 공부할 내용을 미리 살펴볼 수 있도록 하였습니다.

소단원 본문 학습

▶ 교과서 내용을 꼼꼼히 분석하여 제시하고 이를 문제로 확인할 수 있도록 하였습니다.
'찬찬샘 핵심 강의'를 통해 스스로 교과서 본문 내용을 이해할 수 있도록 하였습니다.

학습 활동

▶ '지학이가 도와줄게'와 같은 팁을 제시하고 예시 답을 자세하게 수록하여 교과서 학습 활동을 스스로 학습할 수 있도록 하였습니다.

소단원 콕! 짚고 가기

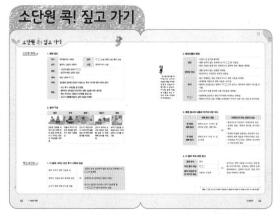

▶ 소단원에 제시된 작품의 핵심 내용과 주요 개념을 일목요연
하게 정리하여 주요 내용을 점검할 수 있도록 하였습니다.

소단원 나의 실력 다지기

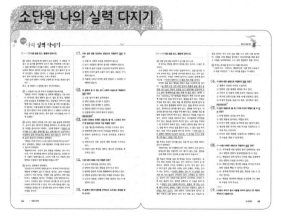

▶ 소단원에서 꼭 알아야 할 유형의 문제를 출제하여 자신의 실
력을 평가할 수 있도록 하였습니다.

단원+단원 / 대단원을 닫으며

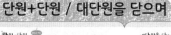
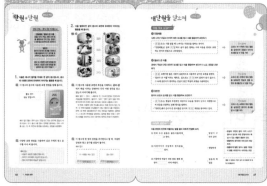

▶ 단원의 내용을 간략하게 정리하여 자신의 실력을 점검할 수
있도록 하였습니다.

대단원 평가 대비하기

▶ 시험에 꼭 나올 만한 문제를 선별하여 문제화함으로써 대단
원에서 배운 내용들을 점검하고 학교 시험에 효과적으로 대비
할 수 있도록 하였습니다.

더 읽기 자료

▶ 단원 학습과 관련된 '더 읽기 자료'를 제시하여
심화 학습이 가능하도록 하였습니다.

이 책의 차례

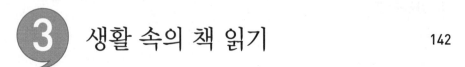

교과서 갈래 특강

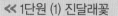

1 시

● 시의 뜻
마음속에 떠오르는 생각이나 느낌을 운율이 있는 언어로 압축하여 표현한 글이다.

● 시의 구성 요소

운율	음악적 요소: 시에서 느껴지는 말의 가락, 리듬감
심상	회화적 요소: 시를 읽을 때 마음속에 떠오르는 감각적인 느낌이나 모습
주제	의미적 요소: 시인이 시를 통해 말하고자 하는 중심 생각

● 시의 표현 기법

① **비유하기**: 표현하고자 하는 사물이나 관념을 그것과 유사한 다른 사물이나 관념에 빗대어 표현하는 방법

직유법	원관념을 보조 관념에 빗대어 표현하는 방법(~ 같이, ~처럼, ~듯이, ~인 양) 예 꽃가루와 같이 부드러운 고양이의 털(원관념: 고양이의 털, 보조 관념: 꽃가루)
은유법	원관념과 보조 관념을 연결어 없이 암시적으로 빗대어 표현하는 방법(A는 B이다) 예 나는 한 마리 작은 짐승(원관념: 나, 보조 관념: 작은 짐승)
의인법	사람이 아닌 것을 사람에 빗대어 사람이 행동하는 것처럼 표현하는 방법 예 꽃이 웃는다.
활유법	무생물을 생물인 것처럼 표현하는 방법 예 나를 에워싸는 산

② **강조하기**: 자신의 의도나 정서를 더 인상 깊고 강하게 드러내기 위한 표현 방법

반복법	같거나 비슷한 단어, 어구, 문장을 되풀이하여 표현하는 방법 예 산에는 꽃 피네. 꽃이 피네. / 갈 봄 여름 없이 꽃이 피네.
대조법	서로 반대되는 내용을 마주해 강조하거나 선명한 인상을 주려는 방법 예 산천은 의구하되 인걸은 간 데 없다.
영탄법	감탄사나 감탄 조사 따위를 이용하여 기쁨, 슬픔, 놀라움, 감동 따위의 감정을 나타내는 방법 예 아, 강낭콩 꽃보다도 더 푸른 저 물결 위에
과장법	사물을 실제보다 지나치게 크게/작게, 많게/적게 표현하는 방법 예 눈물이 바다를 이루고

③ **변화주기**: 글의 단조로움을 피하고 신선함을 주기 위해 변화를 주는 표현 방법

반어법	표현하려는 본래의 뜻과 반대되는 말로 표현하는 방법 예 나 보기가 역겨워 / 가실 때에는 / 죽어도 아니 눈물 흘리우리다.
역설법	표면적으로 이치에 맞지 않는 말이지만, 그 속에 진실을 담고 있는 방법 예 이것은 소리 없는 아우성
도치법	문장의 어순을 바꾸어 변화를 주는 방법 예 보고 싶어요, 붉은 산이, 그리고 흰 옷이
대구법	비슷한 문장 형식이 서로 호응하고, 짝을 이루면서 변화를 주는 방법 예 눈길 비었거든 바람 담을지네. / 바람 비었거든 인정 담을지네.

: 확인 문제

1. 다음 빈칸에 들어갈 알맞은 말을 쓰시오.
(1) 시의 구성 요소 중, 음악적 요소에 해당하는 것은 □□이다.
(2) □□는 시인이 시를 통해 말하고자 하는 중심 생각이다.

2. 다음 〈보기〉의 시에 사용된 표현법은?

> ┤보기├
> 돌담에 속삭이는 햇발같이
> 풀 아래 웃음 짓는 샘물같이
> – 김영랑, 「돌담에 속삭이는 햇발」

① 은유법　　② 직유법
③ 대조법　　④ 역설법
⑤ 과장법

3. 다음 설명에 알맞은 시의 표현 기법을 쓰시오.

> 글의 단조로움을 피하기 위한 표현 방법으로 신선함을 주기 위해 변화를 주는 효과가 있음.

4. 다음 중 표현 방법이 바르게 연결된 것은?
① 봄이 고양이로다. – 도치법
② 오라, 이 강변으로 – 반복법
③ 산산히 부서진 이름이여! – 영탄법
④ 해야 솟아라, 해야 솟아라 – 은유법
⑤ 인생을 짧고, 예술은 길다. – 반어법

정답: 1. (1) 운율 (2) 주제 2. ② 3. 변화주기 4. ③

---

2 수필

● 수필의 뜻

생활 주변에서 경험하고 느낀 것들을 일정한 형식에 얽매이지 않고 자유롭게 표현한 글이다.

● 수필의 특징

① 형식이 자유로운 글이다.   ② 자기표현의 글이다.
③ 개성이 강한 글이다.   ④ 제재가 다양한 글이다.
⑤ 멋과 운치가 곁들어진 문학이다.   ⑥ 가장 대중적인 글이다.
⑦ 비교적 짧은 글이다.

● 수필의 표현 방법

설명	어떤 사물이나 사실을 알기 쉽게 알려 주는 진술 방식
묘사	모습이나 소리, 특징 등을 그림 그리듯이 그려 내는 방식
서술	어떤 사물의 움직임이나 그 연속을 표현하여 보여 주는 진술 방식
설득	필자가 독자로 하여금 믿거나 받아들이도록 하는 진술 방식

3 소설

● 소설의 뜻

현실 세계에 있음 직한 일을 작가가 상상하여 꾸며 쓴 이야기이다.

● 소설의 특징

허구성	작가의 상상력에 의해 꾸며 냄.
진실성	삶의 진실을 찾고 바람직한 가치를 추구하고자 함.
모방성	허구의 문학이지만 현실 세계를 모방하고 반영함.
산문성	운문이 아닌 산문으로, 즉 운율이 없는 줄글의 형식으로 표현함.
서사성	인물, 사건, 배경을 바탕으로 일정한 시간의 흐름에 따라 이야기가 전개됨.

● 소설의 표현 방법

서술	사건의 전개에 따라 순서대로 이야기해 나가는 방법으로 해설적이고 요약적이어서 이야기의 진행을 빨리해 줌.
묘사	감각을 통해 인물이나 사물의 심리와 형태를 눈에 보이듯 귀에 들리는 듯 구체적인 모습으로 표현하는 방법으로, 묘사만을 사용하게 되면 사건의 전개가 느려짐.
대화	인물들이 서로 주고받는 말로, 사건을 진행시키거나 인물의 성격을 나타내기 위해 사용하는 표현 방법임.

⁚ 확인 문제

1. 다음 설명이 맞으면 ○표, 틀리면 ×표를 하시오.
(1) 수필은 개성이 강한 글이다.
(   )
(2) 수필은 전문적 지식을 바탕으로 쓰는 글이다. (   )

2. 다음 설명에 알맞은 수필의 표현 방법은?

> 어떤 사물의 움직임이나 그 연속을 표현하여 보여 주는 진술 방식임.

① 대화   ② 묘사
③ 서술   ④ 설득
⑤ 설명

3. 다음 중 소설의 특징으로 적절하지 않은 것은?
① 줄글 형식의 이야기이다.
② 실존 인물의 일생을 다룬 글이다.
③ 인생의 진리와 진실된 삶을 추구한다.
④ 작가가 상상하여 꾸며 낸 이야기이다.
⑤ 줄거리가 있는 이야기 형식을 취한다.

4. 다음 설명에 알맞은 소설의 표현 방법을 쓰시오.

> 인물들이 서로 주고받는 말로, 사건을 진행시키거나 인물의 성격을 나타내기 위해 사용하는 표현 방법임.

정답: 1. (1) ○ (2) × 2. ③ 3. ② 4. 대화

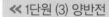

4 고전 소설

● 고전 소설의 뜻

- 일반적으로 갑오개혁(1894년) 이전까지 지어진 소설로, 현대 소설과 구분하여 부르는 소설의 갈래이다.
- 한국 고전 소설은 조선 시대에 등장한 한문 소설과 한글 소설이 있다.

● 고전 소설의 특징

주제	권선징악(착한 사람은 복을 받고, 악한 사람은 벌을 받음.)
구성	• 일대기적 구성: 인물의 출생부터 죽음에 이르기까지를 시간의 흐름에 따라 전개함. • 평면적 구성: 사건이 시간적 순서에 따라 진행됨. • 행복한 결말: 주인공이 원하는 것을 얻는 결말로 끝맺음.
인물	• 평면적 인물: 등장인물이 성격이 처음부터 끝까지 변하지 않음. • 영웅적 인물: 재자가인(才子佳人)적인 주인공이 등장함.
사건	• 우연성: 이야기의 앞뒤가 이유 없이 우연히 맞아떨어지는 사건이 발생함. • 비현실성: 현실에서는 일어나기 어려운 사건들이 전개됨.
배경	대부분의 공간적 배경은 중국과 조선
문체	• 운문체: 강독의 형식으로 읽혔기 때문에 듣기 편한 운율 • 문어체: 글을 쓸 때 사용하는 문어체의 형식
작가	대부분 작품의 작가가 알려져 있지 않음.

● 고전 소설의 발생

① **한문 소설:** 고전 소설은 전기적(傳奇的) 요소를 지니고 있는 한문 소설부터 출발하는데, 조선 전기 김시습이 지은 『금오신화(金鰲新話)』를 한국 고전 소설의 효시로 본다.
   *김시습, 『금오신화』: 민중 사이에서 구전되던 설화, 고려의 패관 문학, 가전(假傳) 등의 서사적 전통 위에 중국의 전기 소설(傳奇小說)인 「전등신화(剪燈新話)」의 영향을 받았다.
② **한글 소설:** 국문학으로서의 소설 문학은 허균이 지은 「홍길동전(洪吉童傳)」이 그 시작이다. 임진왜란과 병자호란 이후 조선 사회는 큰 변화를 겪게 된다. 신분제가 동요되었으며, 평민들의 자각 의식도 두드러지게 나타나기 시작하였다. 이러한 평민 계층의 문화적 참여는 문학에서 산문의 발달을 촉진시키고, 한글의 보급과 함께 국문 소설의 융성기를 맞게 된다.

---

5 기사문

● 기사문의 뜻
알릴 만한 가치가 있는 사건이나 사실을 신속하고 정확하게 전달하기 위해 쓴 글이다.

● 기사문의 특징
• 제목은 읽는 이가 관심을 가질 만한 것으로 붙여야 하고, 기사문의 내용을 포함할 수 있어야 한다.
• 육하원칙(누가, 언제, 어디서, 무엇을, 어떻게, 왜)에 따라 쓴다.
• 취재 대상을 정하고 자료를 수집하고 취재한 후, 이를 토대로 작성한다.

● 기사문의 구성

표제	내용 전체를 간결하게 나타내는 제목
부제	내용을 구체적으로 알리는 작은 제목
전문	기사 내용을 육하원칙에 따라 요약한 부분
본문	기사의 구체적인 내용을 서술한 부분
해설	기사에 대한 참고 사항이나 설명을 덧붙이는 부분

6 강연

● 강연의 뜻
청중을 대상으로 일정한 주제에 관하여 체계적으로 설명하는 말하기의 하나이다.

● 강연의 특징
• 청중의 규모가 다양하며, 다양한 소재를 다룬다.
• 강연자는 청중의 흥미를 유발하는 표현 전략을 구사한다.
• 청중과 상호 작용을 하기도 하지만 대체로 강연자의 일방적인 말하기가 중심이 된다.
• 청중이 강연 내용 중 이해하지 못한 점이나 궁금한 점은 강연이 끝난 후 질의응답 시간에 질문할 수 있다.

● 강연의 구성

서론(도입)	주제와 관련된 흥미 있는 말로 청중의 주의를 집중시킴.
본론(전개)	• 강연이 이루어지는 시간을 고려함. • 청중의 심리를 유도하면서 주제의 구체적인 내용을 전달함.
결론(집약)	내용을 요약하고 강조하여 주장하는 바를 종합적으로 정리함.

: 확인 문제

1. 다음 빈칸에 들어갈 알맞은 말을 쓰시오.
(1) 기사문은 □□□□에 따라 쓴다.
(2) 기사문의 □□은 읽는 이가 관심을 가질 만한 것으로 붙여야 한다.

2. 다음 중 기사문의 구성이 바르게 연결된 것은?
① 내용 전체를 간결하게 나타내는 제목 – 표제
② 내용을 구체적으로 알리는 작은 제목 – 전문
③ 기사 내용을 육하원칙에 따라 요약한 부분 – 부제
④ 기사의 구체적인 내용을 서술한 부분 – 해설
⑤ 기사에 대한 참고 사항이나 설명을 덧붙이는 부분 – 본문

3. 다음 중 강연의 특징으로 적절하지 <u>않은</u> 것은?
① 다양한 소재를 다룬다.
② 청중의 규모가 다양하다.
③ 대체로 도입, 전개, 집약으로 구성된다.
④ 강연이 끝난 후 질의응답 시간에 질문할 수 있다.
⑤ 서로 의견을 나누어 문제를 해결하고자 하는 말하기이다.

4. 다음 설명에 알맞은 강연의 구성 단계는?

> 청중의 주의를 집중시키기 위해 주제와 관련된 흥미 있는 말을 한다.

① 도입　　　② 전개
③ 본론　　　④ 결론
⑤ 집약

정답: 1. (1) 육하원칙 (2) 제목 2. ①
3. ⑤ 4. ①

문화 향유 역량

이 역량은 다양한 문화의 아름다움과 가치를 이해하고 자신의 것으로 만들어 수준 높은 문화를 누리고 만들 수 있는 능력을 말해. 이 단원에서는 문학 작품에 나타난 다양한 표현을 이해하고 이를 활용해 자신의 가치있는 경험을 개성적으로 표현해 보면서 이 능력을 키워 보자.

쓰기

문학

개성과 표현

1

자기 성찰 · 계발 역량

이 역량은 공동체의 가치와 공동체 구성원의 다양성을 존중하고 상호 협력하며 관계를 맺고 갈등을 조정할 수 있는 능력을 말해. 이 단원에서는 자기 생각이나 느낌, 경험을 다양한 표현을 활용해 글을 쓰고 교류하며 이 능력을 키워 보자.

대단원을 펼치며 도입과 계획

⊕ 도입 만화를 살펴보면서 이 단원에서 배울 내용을 짐작해 보아요!

핵심 질문

생각이나 느낌을 개성 있게 표현하려면 어떻게 해야 할까?

> 이 질문은 이 단원을 이끄는 핵심 질문이란다. 이 단원을 공부하면서 이 질
> 문의 답을 찾아낼 수 있도록 하는 것이 중요해. '개성 있는 표현'이 이 핵심 질
> 문의 답을 풀 수 있는 열쇠라는 것을 기억하자.

보조 질문

신문 표제의 표현으로 어느 쪽이 더 좋다고 생각하나요?

예시 답 | • 좌측 신문의 '오늘 꽃샘추위 절정, 아침 빙판 조심해야'가 더 좋다고 생각한다. 신문 표제
인 만큼 나타내려는 정보를 정확하게 표현하는 게 중요하기 때문이다.

• 우측 신문의 '꽁꽁 변덕 부린 날씨, 꽝꽝, 엉덩방아 조심'이 더 좋다고 생각한다. 같은 내용이라 하
더라도 개성 있게 표현하면 많은 사람의 관심을 불러일으킬 수 있기 때문이다.

일상생활에서 개성 있는 표현을 사용하면 좋은 경우를 말해 봅시다.

예시 답 | 개성 있는 표현은 상대방을 설득할 때 매우 효과적일 수 있다. 한번은 동생과 싸워 화가 났
었는데, 아빠는 무조건 참으라고만 말씀하셔서 수긍하기 어려웠다. 그렇지만 '지는 게 이기는 것이
다.'라는 엄마의 말씀을 들으니까 금방 마음이 풀렸다.

학습 목표

[문학] 자신의 가치 있는 경험을 개성적인 발상과 표현으로 형상화할 수 있다.
[쓰기] 생각이나 느낌, 경험을 드러내는 다양한 표현을 활용하여 글을 쓸 수 있다.

배울 내용

(1) 진달래꽃	(2) 열보다 큰 아홉	(3) 양반전	단원 + 단원
• 운율과 반어의 원리와 표현 효과 이해하기 • 운율과 반어를 활용해 표현하기	• 역설과 관용 표현의 원리와 표현 효과 이해하기 • 다양한 표현을 활용해 생각, 느낌, 경험을 참신하게 표현하기	• 풍자의 원리와 표현 효과 이해하기 • 가치 있는 경험, 생각을 개성 있게 표현하기	• 광고 속 다양한 표현 방법 찾아보기 • 다양한 표현 방법을 활용하여 광고의 추가 장면과 문구 만들기

(1) 진달래꽃

 생각 열기

'꽃' 하면 떠오르는 느낌을 생각하며 아래의 활동을 해 봅시다.

• 이렇게 열자 •

본 제재를 학습하기에 앞서 「진달래꽃」의 중심 소재인 꽃에 관한 생각을 자유롭게 떠올리고 이야기해 보는 활동이다.

작품 감상에 들어가기 전에 꽃을 통해 자기 생각과 느낌을 자유롭게 표현해 보고, 개성 있는 꽃 이름과 꽃말을 찾아보는 활동을 수행하면서 개성 있게 표현하는 방법과 그 효과를 실제로 경험하는 기회를 가져 보자.

그리고 개성을 살린 표현의 중요성을 알고 다양한 표현 방법을 활용하여 개성 있게 표현하는 능력을 기르는 것이 이 단원의 목표임을 확인할 수 있도록 한다.

• 오늘의 내 기분을 어떤 꽃으로 표현할지 말해 보고, 그 까닭을 이야기해 봅시다.

예시 답 | 나는 오늘 기분이 좋아서 내 기분을 아침에 활짝 핀 나팔꽃으로 표현할 수 있을 것 같다.

• 개성적인 꽃 이름과 꽃말을 찾아서 발표해 봅시다.

예시 답 | 애기똥풀꽃. 줄기를 꺾으면 나오는 것이 아기의 똥처럼 노랗다고 해서 지어진 이름이라고 한다. 그래서 꽃말도 '엄마의 사랑과 정성'이다.

이 단원의 학습 요소

학습 목표 | 자신의 가치 있는 경험을 개성적인 발상과 표현으로 형상화할 수 있다.

| 운율과 반어를 중심으로 작품 감상하기 | ▶ | 시에 나타난 특징적인 표현 방식의 원리와 효과를 파악한다. |
| 운율, 반어의 표현 원리와 효과를 파악하고 이를 활용하여 표현하기 | ▶ | 시에 드러난 표현 방식의 원리와 효과를 파악하고, 이를 활용하여 자신의 가치 있는 경험을 표현해 본다. |

소단원 바탕 학습

핵심 개념 미리 보기

1. 가치 있는 경험의 표현

가치 있는 경험이란 교훈이나 즐거움, 진한 감동을 주는 의미 있는 경험을 말한다. 이러한 경험을 개성적인 발상과 다양한 표현을 통해 형상화할 때 자신의 삶을 성찰할 수 있고 문학적 표현 능력도 키울 수 있다.

2. 운율

(1) 운율의 뜻

시를 읽을 때 느껴지는 말의 가락을 말한다.

(2) 운율 형성 방법

같은 소리, 단어, 구절, 문장의 반복	찰박 찰박 찰박 맨발들 맨발들 맨발들 맨발들
일정한 글자 수의 반복	사르르 봄이 피면 / 향그르 돋는 나물 3 2 2 3 2 2
일정한 음보의 반복	비 오자∨장독간에∨봉선화∨반만 벌어 해마다∨피는 꽃을∨나만 두고∨볼 것인 가.(4음보)
비슷한 문장 구조의 반복	아기가 잠드는 걸 / 보고 가려고 [중략] 아빠가 가시는 걸 / 보고 자려고
의성어나 의태어의 사용	연분홍 송이송이 못내 반가와 나비는 너훌너훌 춤을 춥니다.

(3) 운율의 종류

내재율	시 속에 자연스럽게 흐르는 운율로, 주로 자유시에 나타남.
외형률	시의 겉으로 뚜렷하게 드러나는 규칙적인 운율로, 주로 정형시에 나타남.

(4) 운율의 효과

- 흥을 돋우고 시적 안정감을 준다.
- 주제와 연결되면서 독특한 어조와 시의 분위기를 만들어 낸다.
- 시의 아름다움과 즐거움을 느끼게 한다.

3. 반어

(1) 반어의 뜻

표현의 효과를 높이기 위하여 말하는 이가 실제와 반대되는 뜻의 말을 하는 표현 방식을 말한다.

예) 김소월의 「먼 후일」에서 '잊었노라': 헤어진 임을 잊을 수 없는 마음을 잊었다고 반대로 표현하여 말하는 이의 임을 향한 그리움을 더욱 절실하게 나타내 줌.

(2) 반어의 특징

전달하고자 하는 의미가 문장의 표면에 나타나지 않기 때문에 독자는 상황과 맥락을 고려하여 반어적 표현을 해석해야 한다.

(3) 반어의 효과

반어를 통해 실제 말하고자 하는 바를 더욱 강조하여 드러낼 수 있다.

제재 흝어보기

진달래꽃(김소월)

- **해제:** 이 시는 연인과의 이별 상황을 가정하여 그 사랑의 감정을 시로 표현한 작품이다. 임이 떠날 때에 '진달래꽃'을 뿌리겠다고 하며 이별의 아픔을 인고(忍苦)의 의지로 극복해 내려는 말하는 이의 태도를 통해 '한(恨)'이라는 우리 민족의 전통적 정한을 예술적으로 형상화하고 있다.
- **갈래:** 자유시, 서정시
- **성격:** 전통적, 애상적, 민요적
- **제재:** 임과의 이별
- **주제:** 이별의 정한과 승화
- **특징**
  ① 전통적인 정서를 민요조의 3음보 율격으로 표현하고 있다.
  ② 반어적 표현을 활용하여 임이 떠나지 않기를 바라는 소망을 표현하고 있다.
  ③ 수미상관의 구조를 통해 주제를 강조하고 구성의 안정감을 주고 있다.

진달래꽃 _김소월

66 학습 포인트
· 말하는 이의 정서 파악하기
· 시의 운율상 특징 파악하기
· 시에 드러난 표현 방법 파악하기

❶나 보기가 ∨ 역겨워 ∨7자
　　　　　　몹시 싫어서
가실 때에는∨ 5자(7·5조, 3음보의 운율을 보임.)
이별의 상황을 가정함.
말 없이∨고이 보내∨드리 우리다 □: 종결 어미의 반복
7자　　　　　　5자　　　　→ 운율 형성

→ 이별의 상황과 체념

❷°영변에 약산

진달래꽃
말하는 이의 분신이자 사랑의 표상
㉠❸°아름 따다 가실 길에 뿌리 우리다

→ 떠나는 임에 대한 사랑과 축복

── 수미상관
　·형태적 안정감
　·운율 형성
　·주제 강조
　·시적 완결성 부여

가시는 걸음걸음

놓인 그 꽃을
임에 대한 '나'의 희생적 사랑
사뿐히 °즈려밟고 가시옵소서
자기희생을 통해 이별의 한을 숭고한 사랑으로 승화함.

→ 원망을 뛰어넘은 희생적 사랑

『나 보기가 역겨워
『 』: 1연 1~2행의 시구가 반복됨. → 운율 형성
가실 때에는』
❹죽어도 아니 눈물 흘리 우리다
　　슬픔을 참고 견디겠다는 '애이불비(哀而不悲)'의 정서

→ 슬픔의 극복과 승화

┃작가 소개: 김소월(1902~1934) 시인. 향토적이고 서정성이 강한 내용을 민요풍의 가락에 담아 전통적인 한의 정서를 노래한 시를 많이 남겼다. 주요 작품으로 「엄마야 누나야」, 「먼 후일」, 「산유화」 등이 있으며 시집으로 『진달래꽃』, 유고 시집 『소월시초』가 있다.

시어 풀이
· 영변(寧邊)에 약산(藥山): 영변은 평안북도의 한 지명으로, 그 부근의 약산은 진달래 군락으로 유명함.
· 아름: 두 팔을 둥글게 모아서 만든 둘레.
· 즈려밟다: 위에서 내리눌러 밟다.

시구 풀이
❶ 여기에서 '나'는 이 시의 말하는 이로, 말하는 이는 이별의 상황을 가정하며 그 상황을 묵묵히 받아들이고 원망이나 만류의 말 한 마디 없이 임을 보내드리겠다는 체념의 자세를 보이고 있다.
❷ '영변'과 '약산'이라는 구체적인 지명을 제시하여 향토적 정서를 불러일으키고 있다.
❸ 부처님 가시는 길에 꽃을 뿌려 그 발길을 영화롭게 한다는 축복의 의미를 지닌 '산화공덕(散花功德)'의 전통을 계승하고 있다.
❹ 말하는 이는 사랑하는 임이 떠난다고 하면 슬퍼서 눈물이 나겠지만 죽어도 눈물을 흘리지 않겠다고 하며 자신의 심정을 반어적으로 표현하고 있다.

찬찬샘 핵심 강의

• 말하는 이의 상황과 정서

이 시의 내용을 잘 이해했다면 이 시의 말하는 이('나')가 사랑하는 임과의 이별을 시적 상황으로 가정하여 노래하고 있다는 것을 알 수 있을 거야. 이러한 '나'의 태도를 토대로 그 정서를 정리해 보자.

> **핵심 포인트**

1연	내가 보기 싫어 가신다면 말없이 고이 보내 드리겠음.	체념
2연	진달래꽃을 임이 가실 길에 뿌리겠음.	축복
3연	임에게 진달래꽃을 밟고 가시라고 함.	희생
4연	임이 떠날 때 죽어도 눈물을 흘리지 않겠음.	슬픔의 극복

• 시의 운율상 특징

이 시는 7·5조 3음보의 전통(민요)적 율격을 사용하여 민족의 보편적 정서인 이별의 정한(情恨)을 더욱 효과적으로 노래하고 있는데, 그런 면에서 내용과 운율 모두 문학적 전통을 계승하고 있다고 볼 수 있단다.

> **핵심 포인트**

• 7·5조 3음보 • 같은 종결 어미(-우리다)의 반복 • 1연과 4연에서의 같은 시구의 반복 • 수미상관의 구조	—	운율을 형성하고 말하는 이의 정서를 효과적으로 표현해 줌.

• 시의 표현상 특징과 효과

이 시의 '나'는 4연의 마지막 행에서 임이 떠나면 슬퍼서 많이 울 것이라는 속마음과 다르게 눈물을 흘리지 않겠다고 반대로 표현하고 있단다. 이러한 표현법을 반어라고 하는데, 이는 말하는 이의 의도를 강조하여 표현의 효과를 높여 준단다.

> **핵심 포인트**

죽어도 아니 눈물 흘리우리다(반어)
↓
말하는 이의 심정을 반대로 표현하여 그 슬픔이 말로는 나타내기 힘든 큰 슬픔이라는 것을 강조함.

콕콕 확인 문제

1. 이 시의 말하는 이에 대한 설명으로 적절한 것은?
① 이별의 상황을 가정하고 있다.
② 임과 보낸 지난 세월을 돌아보고 있다.
③ 풍요로운 삶에 대한 애착을 드러내고 있다.
④ 떠난 임에 대한 미련을 버리지 못하고 있다.
⑤ 주어진 현실을 긍정적으로 보며 순응하고 있다.

2. 이 시에 대한 설명으로 적절하지 <u>않은</u> 것은?
① '체념–축복–희생–극복'의 정서가 드러나 있다.
② 3음보의 전통적인 율격을 바탕으로 하고 있다.
③ 동일한 어미를 사용하여 운율을 형성하고 있다.
④ 공감각적 심상을 통해 감각적으로 표현하고 있다.
⑤ 수미상관의 구조를 통해 말하는 이의 정서를 강조하고 있다.

3. 이 시의 중심 소재인 '진달래꽃'에 대한 이해로 적절하지 <u>않은</u> 것은?
① 말하는 이의 분신과 같은 존재야.
② 임에 대한 희생적 사랑과 정성을 의미해.
③ 말하는 이의 애절한 마음이 담긴 소재야.
④ 고향에 대한 향수를 불러일으키는 대상이야.
⑤ 이별의 슬픔을 시각적으로 형상화한 이미지야.

4. ㉠에서 두드러지게 드러나는 말하는 이의 태도로 적절한 것은?
① 자기희생적 태도
② 이별하는 임에 대한 축복
③ 이별에 대한 체념적 순응
④ 인고를 바탕으로 한 정한의 극복
⑤ 임에 대한 원망과 새로운 사랑에 대한 기대

5. 이 시에서 다음 설명에 해당하는 시구를 찾아 쓰시오.

> 이 시에서 말하는 이는 이별의 상황에서 참을 수 없는 슬픔을 겉으로 드러내지 않고 오히려 정반대로 말하고 있는데, 이렇게 표현함으로써 이별의 슬픔을 더욱 강조하고, 임이 떠나지 않기를 바라는 말하는 이의 소망을 효과적으로 드러내고 있다.

학습활동

이해 활동

1. 이 시에서 말하는 이의 정서와 태도를 정리해 봅시다.

예시 답 |

| 1연 | 이별의 상황을 가정하고 체념함. |

| 2연 | 떠나는 임에 대한 사랑과 축복 |

| 3연 | 원망을 뛰어넘는 희생적 사랑 |

| 4연 | 이별의 슬픔을 참아 내고자 함. |

1. 말하는 이의 정서와 태도 파악하기

지학이가 도와줄게!

시의 내용을 바탕으로 각 연에 드러나 있는 말하는 이의 정서와 태도가 어떻게 변화되어 가는지 정리해 보렴.

시험엔 이렇게!!

1. 이 시에 나타난 말하는 이의 정서와 태도로 적절하지 **않은** 것은?

① 임의 공덕을 예찬함.
② 이별의 슬픔을 참아 냄.
③ 떠나는 임의 앞길을 축복함.
④ 이별의 상황을 수용하고 체념함.
⑤ 임에 대한 원망을 초월해 자신을 희생함.

2. 이 시에서 진달래꽃이 뜻하는 바를 말해 봅시다.

예시 답 |

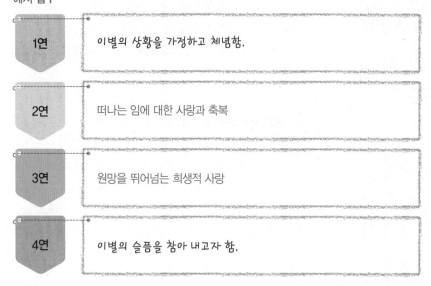

> 말하는 이의 애절한 마음이 담긴 소재야.

> 말하는 이의 임을 향한 사랑이야.

> 말하는 이의 분신이야.

• 임에 대한 원망과 슬픔을 담은 소재야.
• 임에게 헌신하려는 말하는 이의 순종과 정성을 담은 소재야.

2. 중심 소재의 상징적 의미 파악하기

지학이가 도와줄게!

'진달래꽃'은 이 시에서 핵심적인 역할을 하는 소재란다. 말하는 이의 정서, 태도와 관련하여 진달래꽃이 어떤 역할을 하고, 진달래꽃에 어떤 뜻이 담겨 있는지 파악해 보렴.

시험엔 이렇게!!

2. 다음에서 말하는 소재를 이 시에서 찾아 쓰시오.

> 지영: 말하는 이의 분신이자 떠나는 임의 앞길을 축복하는 소재야.
> 민호: 임에게 헌신하려는, 말하는 이의 순종과 정성을 담은 소재야.

 **목표 활동**

1. 다음 활동을 통해 이 시의 운율을 알아봅시다.

❶ 이 시를 소리 내어 읽을 때, 끊어 읽게 되는 곳에 다음과 같이 V 표시를 해 보고 규칙을 찾아봅시다.

> 나 보기가 V 역겨워 V
> 가실 때에는 V
> 말 없이 V 고이 보내 V 드리우리다 V

예시 답 | 영변에 V 약산 V / 진달래꽃 V / 아름 따다 V 가실 길에 V 뿌리우리다 V //
가시는 V 걸음걸음 V / 놓인 그 꽃을 V / 사뿐히 V 즈려밟고 V 가시옵소서 V //
나 보기가 V 역겨워 V / 가실 때에는 V / 죽어도 V 아니 눈물 V 흘리우리다
→ 1, 2행까지 세 번, 3행도 세 번 끊어 읽는다.(3음보율)

❷ 이 시에서 운율을 형성하기 위해 반복된 요소를 찾아봅시다.

예시 답 | 어미 '–우리다'의 반복, 3음보율, 1연과 4연에서 동일한 시구의 반복

❸ 이 시에서 형태상 가장 유사한 두 연과, 가장 이질적인 연을 찾아보고, 그 효과를 생각해 봅시다.

예시 답 |

> • 형태가 유사한 연: (1)연과 (4)연
> • 효과 4연을 1연과 비슷한 형태로 마무리하면서 주제를 강조하고 안정감을 주고 있다.

> • 형태가 가장 이질적인 연: (2)연
> • 효과 1, 3, 4연은 각각 1행이 일곱 자, 2행이 다섯 자, 3행이 일곱 자, 다섯 자로 끊어 읽히며 전체적으로 7·5조의 음수율을 형성하지만, 2연은 1행이 다섯 자, 2행이 네 자, 3행이 여덟 자, 다섯 자로 끊어 읽히며 변형을 보인다. 2연에서 이러한 운율의 변조는 시의 리듬에 변화를 주면서 읽는 이의 주의를 환기하며 시의 정서를 심화시킨다.

1. 시의 운율 파악하기

★ 지학이가 도와줄게!

이 시의 운율을 살펴보는 활동이란다. 운율은 시에서 느껴지는 말의 가락이니까 시의 운율을 알려면 시를 소리 내어 읽으며 말의 가락을 느끼는 게 중요하단다. 또한, 시에서 반복되는 부분을 찾아서 그 규칙을 있는지 파악해 보렴.

➕ **보충 자료**
음보율

음절의 수와 관계없이 발음 시간의 길이가 같은 소리의 덩어리가 규칙적으로 반복되어 형성되는 운율이다. 우리 시가에서는 보통 3, 4음절이 하나의 음보를 이루고, 이것이 세 번에서 네 번 반복되어 하나의 큰 휴지를 형성함으로써 음보율을 이룬다.
• 3음보율 ⓐ 아리랑 V 아리랑 V 아라리요
• 4음보율 ⓐ 이슬은 V 구슬이 되어 V 마디마디 V 달렸다.

🍎 시험엔 이렇게!!

3. 이 시의 끊어 읽을 곳을 표시한 것으로 적절하지 <u>않은</u> 것은?

① 나 보기가 V 역겨워 V / 가실 때에는 V
② 영변에 V 약산 V / 진달래꽃 V
③ 아름 따다 V 가실 길에 V 뿌리우리다 V
④ 가시는 V 걸음걸음 V / 놓인 그 꽃을 V
⑤ 사뿐히 V 즈려밟고 V 가시옵소서 V

4. 이 시에서 수미상관의 구조로 주제를 강조하고 구성의 안정감을 주고 있는 두 연을 찾아 쓰시오.

학습활동

2. 다음 창작 과정을 바탕으로, 자신의 경험을 운율을 살려 표현해 봅시다.

새벽에 잠이 깼는데 환경미화원이 청소하는 소리를 들었어. 아직 해도 다 뜨지 않아 어두운데도 부지런히 움직이시는 소리에 그분께 감사하는 마음과 함께 포근한 느낌을 받았지. 이러한 경험을 시로 표현해 보았어.

싸악싹

새벽을 깨우는

싸악싹

아침을 밝히는

싸악싹

세상을 데우는

바닥 쓰는 비질 소리

1 이 시에서 운율이 느껴지는 까닭을 말해 봅시다.

예시 답 | '싹싹'을 시적 허용에 의해 '싸악싹'으로 표현하며 리듬감을 살렸고, 이러한 의성어를 반복적으로 사용하여 운율을 형성하였다. 또한, '~을 ~는'의 구조가 반복되며 세 글자씩 끊어 읽게 됨으로써 운율이 느껴진다.

2 이 시와 같이 자신의 경험 속의 한 장면을 운율을 살려 표현해 봅시다.

예시 답 | 살랑살랑 부는 바람 / 살랑살랑 웃는 내 맘

시의 언어 표현에서 만나는 리듬감, 운율

시를 소리 내어 읽으면 음악을 들을 때처럼 리듬감을 느끼게 되는데, 이때의 리듬감을 '운율'이라고 합니다. 운율은 시어나 문장 구조를 반복하거나 시를 규칙적으로 끊어 읽게 하거나 의성어(소리를 흉내 낸 말), 의태어(모양을 흉내 낸 말)를 쓰는 등의 여러 방법으로 만들어집니다. 이러한 운율은 일상적으로 쓰이는 말에 새로운 감각을 일깨워 주어 시를 감상할 때 즐거움을 느끼게 하며, 시의 분위기를 형성해 줍니다.

---

2. 자신의 경험을 운율을 살려 표현하기

지학이가 도와줄게!

시 작품 속에서 운율이 어떻게 나타나고 있는지를 학습했으므로, 이를 적용해서 표현하는 활동이란다. 표현하고 싶은 경험을 먼저 떠올린 다음, 경험을 나타내는 표현 속에 운율을 느끼게 하는 요소를 넣어 한 구절이든 시 한 편이든 표현해 보렴.

➕ 보충 자료
운율

운율은 말소리의 규칙적인 반복을 뜻하는 것으로, 운과 율격으로 나뉜다.
- 운: 유사한 소리가 일정한 위치에서 규칙적으로 반복되어 나타나는 것.
  ⑩ 민들레가 피고 까치가 날고
- 율격: 일정한 시간적 거리를 두고 소리가 주기적으로 반복되어 나타나는 것. 주로 음보율에 의해 율격이 형성된다.

시험엔 이렇게!!

5. 다음 중 운율을 만드는 일반적인 요소로 보기 어려운 것은?

① 특정한 음의 반복
② 일정한 음보의 반복
③ 의태어나 의성어의 반복
④ 비슷한 문장 구조의 반복
⑤ 의미의 중첩을 통한 주제의 강조

|서술형|
6. 다음은 김억의 「연분홍」의 일부분이다. 이 부분에서 알 수 있는 운율적 요소를 찾아 쓰시오.

봄바람 하늘하늘 넘노는 길에 / 연분홍 살구꽃이 눈을 틉니다. // 연분홍 송이송이 못내 반가와 / 나비는 너훌너훌 춤을 춥니다. //

3. 「진달래꽃」에서 말하는 이의 마음을 어떻게 드러내고 있는지 파악해 봅시다.

1 4연의 표현 속에 감춰진 뜻을 써 보고, 표현의 효과를 알아봅시다.

예시 답 |

겉으로 드러난 표현	속에 감춰진 뜻
죽어도 아니 눈물 흘리우리다 ↔	눈물을 많이 흘리겠습니다.

표현의 효과

실제로 말하고자 하는 바와 반대되는 말을 함으로써, 말하고자 하는 바가 더욱 절실하고 강하게 전달된다.

2 **1**에서와 같은 표현이 사용된 예를 일상에서 찾아 발표해 봅시다.

미안해. 많이 늦었지.

참, 일찍 왔다. 1시간밖에 안 늦었어.

예시 답 | 그릇을 깨뜨리는 것처럼 무언가 잘못을 한 상황에서 상대방이 "잘했다."라고 얘기하는 경우

개성 있게 강조하고 싶을 땐, 반어

표현의 효과를 높이기 위해 말하는 이가 실제와 반대되는 뜻의 말을 하는 표현 방식을 '반어'라고 합니다. 분명하게 잘못한 사람을 보고 "잘했다."라고 하는 것이나, 문학 작품에서 그리워하는 임에게 "잊었노라."라며 자기 생각과 반대되는 뜻의 말을 하는 것을 예로 들 수 있는데 이를 통해 실제로 말하고자 하는 바를 더욱 강조하여 드러내는 효과를 보게 됩니다.

학습활동

창의·융합 활동

다음 노래를 듣고, 이어지는 활동을 해 봅시다.

좋은 날

김이나 작사 | 이민수 작곡 | 아이유 노래

어쩜 이렇게 하 늘은 더 파란 건지

오늘 따라 왜 바 람은 또 완벽한지

그냥 모르는 척 하나못 들은 척 지워버린 척 딴 애 길시 작할

까 아무 말 못하 게 입 맞출 까 눈물이 차 올

라서 고개 들어 흐르지 못 하게 또 살짝 웃어 내게 왜 이러

는지 무슨 말을 하 는지 오늘 했던 모 든 말 저 하늘 위로 한 번도 못

했 던 말 울면서 할 줄은 나 몰랐던 말 나 는 요

오빠 가 좋은 걸 어 떡 해

운율, 반어의 표현 방법을 활용하여 노래 가사 바꾸기

○ 활동 개관

노래의 가사는 시처럼 운율을 지니고 있으며, 여러 가지 표현 방법을 사용하므로 시와 비슷한 면이 많다. 제시된 노랫말의 제목에는 상황적 반어의 표현 방법이 나타나 있다. 노랫말 내용으로 보았을 때 노랫말 속 '나'에게 오늘이 과연 좋은 날일지 생각해 보게 하기 때문이다. 이 노랫말 제목에 담긴 반어적 의미를 이해하고 나아가 가사를 운율에 맞게 바꾸어 봄으로써 개성적인 표현을 연습하기 위한 방법으로 활용할 수 있을 것이다.

➕ 보충 자료

반어 표현이 두드러지는 작품들
• 대중가요 중에서
  잘 가 (가지 마)
  행복해 (떠나지 마)
  나를 잊어 줘 잊고 살아가 줘
  (나를 잊지 마)
  나는 (그래 나는)
  괜찮아 (아프잖아)
  내 걱정은 하지 말고 떠나가
  (제발 가지 마)
      – 지오디(GOD), 「거짓말」

• 현대시 중에서
  먼 훗날 당신이 찾으시면
  그때에 내 말이 "잊었노라." //
  당신이 속으로 나무라면
  "무척 그리다가 잊었노라." //
  그래도 당신이 나무라면
  "믿기지 않아서 잊었노라." //
  오늘도 어제도 아니 잊고
  먼 훗날 그때에 "잊었노라."
      – 김소월, 「먼 후일」

혼자 하기 😊

1. 이 노래의 제목에 쓰인 반어의 표현과 가사에 쓰인 운율을 이해해 봅시다.

가사의 내용을 볼 때 '좋은 날'이라는 제목은 <u>반어</u>의 표현인 것 같아.

<u>'-ㄴ지', '-ㄴ 척', '-어' 등</u>의 반복으로 운율이 형성되고 있어.

지학이가 도와줄게! - 1

노랫말 속에 나타나는 단어의 규칙적인 반복을 찾아보렴. 운율이 문학 작품에 국한되어 나타나는 것이 아니라, 우리 일상에서 널리 사용되는 표현 방법임을 알 수 있을 거야. 그리고 겉으로 표현한 말과 속마음에 있는 말이 서로 반대되는 모습을 보면서 반어 또한 일상에서 흔히 사용되는 표현 방법이라는 것을 알 수 있을 거야.

혼자 하기 😊

2. 이 노래에 사용된 운율 형성 방법과 반어의 표현을 참고하여 가사를 바꾸어 봅시다.

1 노래를 통해 전하고 싶은 주제를 생각해 봅시다.

예시 답ㅣ 성적이 좋지 않은 성적표를 받았을 때의 기분

2 주제를 표현하기에 적절한 공간과 상황을 설정해 봅시다.

예시 답ㅣ 학교가 끝난 후 집에 들어가 엄마께 성적표를 드리기 직전의 상황

3 이 노래에 사용된 운율을 참고하여, 가사를 바꿀 때 운율을 어떻게 형성할지 생각해 봅시다.

예시 답ㅣ '-ㄴ지', '-ㄴ 척' 등을 반복한다.

4 노래에 맞추어 제목과 가사를 바꾸어 봅시다.

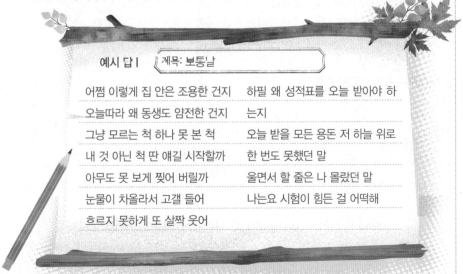

예시 답ㅣ 제목: 보통날

어쩜 이렇게 집 안은 조용한 건지	하필 왜 성적표를 오늘 받아야 하는지
오늘따라 왜 동생도 얌전한 건지	
그냥 모르는 척 하나 못 본 척	오늘 받을 모든 용돈 저 하늘 위로
내 것 아닌 척 딴 얘길 시작할까	한 번도 못했던 말
아무도 못 보게 찢어 버릴까	울면서 할 줄은 나 몰랐던 말
눈물이 차올라서 고갤 들어	나는요 시험이 힘든 걸 어떡해
흐르지 못하게 또 살짝 웃어	

지학이가 도와줄게! - 2

1의 활동을 통해 「좋은 날」의 노랫말에서 운율 형성 요소와 반어의 표현을 찾았다면, 이 활동에서는 그러한 표현 방법을 활용하여 자기 생각이나 경험을 노래 제목과 가사로 바꾸어 표현하는 거야. 먼저 표현하고 싶은 자신의 경험이나 생각을 정하고 실제적인 표현을 위한 구체적인 계획을 세워 보렴. 그리고 전하고자 하는 뜻을 제목과 반대되는 말과 상황으로 자유롭게 표현하고, 운율을 살려 가사를 재미있게 바꾸어 보렴.

🖊 활동 더 해 보기

「진달래꽃」과 대중가요를 비교하는 활동

「진달래꽃」에 나타나는 이별의 정서 또는 표현 방법을 오늘날 대중가요에서 찾아보기 예 「거짓말」(지오디), 「편지」(김광진), 「죽어도 못 보내」(투에이엠) 등

↓

이별을 대하는 정서와 표현 방법의 공통점과 차이점을 비교하기

소단원 제재

제재 정리

작가	김소월(1902~1934)	갈래	자유시, 서정시
성격	① □□□, 애상적, 민요적	제재	임과의 ② □□
주제	이별의 ③ □□과 승화		
특징	• 이별의 상황을 가정하여 시상을 전개함. • 전통적인 정서를 민요조의 3음보 율격으로 표현함. • 반어적 표현을 활용하여 임이 떠나지 않기를 바라는 소망을 표현함. • 4연을 1연과 비슷한 형태로 마무리하는 ④ □□□□의 구조를 통해 주제를 강조하고 구성의 안정감을 줌.		

핵심 포인트

1. 이 시의 운율상 특징과 효과

특징	효과
• 7 · 5조 ⑤ □음보의 민요적 율격을 사용함. • 같은 어미(−우리다), 같은 시구를 반복하여 사용함.	말하는 이의 정서와 시의 분위기를 효과적으로 표현해 줌.

→

2. '죽어도 아니 눈물 흘리우리다'에 나타난 표현법

겉으로 드러난 표현의 뜻		속에 감춰진 뜻
죽어도 눈물을 흘리지 않겠습니다.	↔	눈물을 많이 흘리겠습니다.

↓

반어	• 말하는 이의 심정을 ⑥ □□로 표현하여 그 슬픔이 말로는 나타내기 힘든 큰 슬픔이라는 것을 강조함. • 임이 떠나지 않기를 바라는 마음을 절실하고 강하게 전달함.

진심을 숨기고 겉으로 반대의 말을 함으로써 말하는 이의 슬프고 서러운 마음이 더욱 강조되고 있단다.

3. '진달래꽃'의 상징적 의미

진달래꽃	→	• 말하는 이의 ⑦ □□임. • 임에 대한 희생적 사랑과 정성을 상징함. • 이별의 슬픔을 형상화한 시각적 이미지임. • 떠나는 임의 앞길을 축복하는 소재임.

정답: ① 전통적 ② 이별 ③ 정한 ④ 수미상관 ⑤ 3 ⑥ 반대 ⑦ 분신

[01~06] 다음 시를 읽고, 물음에 답하시오.

나 보기가 역겨워
가실 때에는
㉠말 없이 고이 보내드리우리다

㉡영변에 약산
진달래꽃
㉢아름 따다 ㉣가실 길에 뿌리우리다

가시는 걸음걸음
놓인 그 꽃을
㉤사뿐히 즈려밟고 가시옵소서

나 보기가 역겨워
가실 때에는
ⓐ죽어도 아니 눈물 흘리우리다

---

01. 이 시에 대한 설명으로 적절하지 <u>않은</u> 것은?

① 7·5조 3음보를 바탕으로 한 자유시이다.
② 이별의 상황을 가정하여 시상을 전개하고 있다.
③ 구체적인 지명으로 향토적 정서를 풍기고 있다.
④ 영탄적 표현으로 이별의 슬픔을 드러내고 있다.
⑤ 시의 말하는 이는 슬픔을 인고의 의지로 극복해 내려 하고 있다.

활동 응용 문제
02. 〈보기〉를 참고할 때, 이 시에서 운율을 형성하는 요인을 바르게 설명한 것은?

> | 보기 |
>
> 운율은 수미상관의 구조, 유사한 문장 구조의 반복, 동일 음운의 반복, 동일 시어나 시구의 반복, 음보의 반복, 의성어나 의태어의 사용 등에 의해 형성되는 경우가 많다.

① 의성어를 활용하여 리듬감을 주고 있군.
② 같은 어미와 같은 시구를 반복하고 있군.
③ 음운 'ㅇ'과 'ㅊ'을 일정하게 반복하고 있군.
④ 시의 첫 행과 마지막 행을 대응시키고 있군.
⑤ 3음보와 4음보를 번갈아 가며 사용하고 있군.

03. ㉠~㉤에 대한 이해로 적절하지 <u>않은</u> 것은?

① ㉠: 순종과 체념의 정서가 드러나 있다.
② ㉡: 시상을 좁혀서 '진달래꽃'이라는 시어를 강조하고 있다.
③ ㉢: 임에 대한 사랑을 시각적으로 물량화하고 있다.
④ ㉣: 임이 가시는 길에 꽃을 뿌려 그 걸음을 영화롭게 한다는 축복의 의미를 지니고 있다.
⑤ ㉤: 다른 연과 달리 '즈려밟고 가'는 주체는 말하는 이다.

활동 응용 문제
04. ⓐ에 사용한 표현 방식을 일상생활에서 활용한 사례로 볼 수 <u>없는</u> 것은?

① (약속 시간에 늦은 친구에게) 일찍 왔네.
② (동생이 잘못한 일을 보고) 참 잘하는 짓이다.
③ (나들이 갔는데 비 오는 상황) 날씨 한번 참 좋다.
④ (먹을 걸 인색하게 주는 사람에게) 푸지게도 주네요.
⑤ (잘생긴 아이를 보고 어른이 웃으며) 그놈 참 잘생겼다.

05. 이 시를 읽고 난 뒤에 나눈 대화 내용 중 적절하지 <u>않은</u> 것은?

① 시우: 이 시를 읽다 보면 민요조의 리듬감을 느낄 수 있어.
② 용기: 이 시의 어조에서 여인이 호소하는 듯한 느낌을 받았어.
③ 정한: 이 시에서 '진달래꽃'은 임을 떠올리게 하는 매개물이야.
④ 지연: 요즘처럼 이기적인 사랑이 판을 치는 세상에 말하는 이의 헌신적인 사랑이 감동을 주는군.
⑤ 정진: 이 시의 말하는 이는 떠나는 임을 축복하고 있지만, 속마음은 헤어지기 싫은 거군.

활동 응용 문제 | 서술형
06. 이 시에서 형태가 유사한 두 연을 찾고, 그러한 구성이 주는 효과를 서술하시오.

• ____ 연과 ____ 연
• 효과: _____

(2) 열보다 큰 아홉

생각 열기

다음 속담은 어떤 상황에서 사용되는지 생각해 봅시다.

속담 설명하기

열 길 물속은 알아도, 한 길 사람의 속은 모른다.

• 열 길은 알아도 한 길은 모른다는 말이 논리적으로 성립하는 표현인지 말해 봅시다.

예시 답 | 열 길에 비해 훨씬 짧은 길이를 나타내는 한 길 속이 더 알기 어렵다고 하는 것이므로 논리적으로는 성립하지 않는 표현이다.

• 속담이 없다면 그 상황을 말로 나타내는 데 어떠한 어려움이 있을까요?

예시 답 | 상황에 관한 설명이 길어지고, 상대방에게 상황을 이해시키기가 어려울 것이다.

이렇게 열자

속담과 같은 관용 표현이 주는 효과를 직접 경험해 봄으로써 학습 목표와 학습 내용에 관심과 흥미를 불러일으킬 수 있도록 구성된 활동이다.

속담 내용에서 논리적으로 이해되지 않는 내용을 찾아보고, 속담이 사용되는 상황을 파악하여 속담의 의미를 파악해 본다.

그리고 속담을 사용하면 어떤 생각이나 느낌이 더욱 간결하고 분명하게 전달될 때가 있다는 것을 깨달을 수 있도록 한다. 또한, 이 밖에 나만의 생각이나 느낌, 경험을 효과적으로 표현할 수 있는 참신한 방법들에는 무엇이 있을지 생각해 보는 데까지 나아가 보자.

이 단원의 학습 요소

학습 목표 | • 생각이나 느낌, 경험을 드러내는 다양한 표현을 활용하여 글을 쓸 수 있다.
• 자신의 가치 있는 경험을 개성적인 발상과 표현으로 형상화할 수 있다.

| 역설과 관용 표현을 중심으로 작품 감상하기 | ▶ | 수필에 드러난 특징적인 표현 방식의 원리와 표현 효과를 파악한다. |
| 역설, 관용 표현 등의 원리와 표현 효과를 이해하고 이를 활용하여 표현하기 | ▶ | 자신의 삶과 경험에서 얻은 생각과 느낌을 개성적인 발상과 다양한 표현을 활용하여 글로 표현한다. |

소단원 바탕 학습

핵심 개념 미리 보기

1. 역설

(1) 역설의 뜻

겉보기에는 논리적으로 모순되는 것 같으나, 그 속에 나름의 진실, 진리를 담고 있는 표현을 말한다.

예 한용운의 「님의 침묵」에서 '님은 갔지만 나는 님을 보내지 아니하였습니다.' → 임이 갔는데 보내지 않았다는 표현 자체에 모순이 드러나지만, 이는 떠나간 임이 다시 돌아오리라는 희망을 역설적으로 표현한 것임.

(2) 역설의 특징

반대 개념을 가지거나 한 문맥 안에서 함께 사용될 수 없는 말들을 결합하는 모순 어법을 통해 나타난다.

(3) 역설의 효과

• 단조로운 문장의 형태에 변화를 주어 글쓴이의 의도를 효과적으로 전달하고 강조한다.
• 겉으로는 모순된 특징 때문에 듣는 이나 읽는 이의 호기심을 불러일으킨다.

2. 관용 표현

(1) 관용 표현의 뜻

오래전부터 일상 언어생활에서 습관처럼 사용되면서 특별한 뜻을 나타내는 표현으로, 관용어, 속담, 격언 등이 있다.

관용어	단어의 기본적인 의미를 합한 것과는 별개의 의미를 지닌 말로, 주로 비유적인 표현이 관습적으로 쓰이다가 하나의 형태로 굳어진 말. 예 손이 크다.(씀씀이가 후하고 크다.)
속담	사람들의 오랜 생활 체험에서 얻어진 삶의 지혜를 비유적 방식으로 나타낸 말. 대개 교훈적 의미를 전달하거나 풍자의 효과를 나타내는 경우가 많음. 예 가는 말이 고와야 오는 말이 곱다.
격언	오랜 역사적 생활 체험을 통하여 이루어진 인생에 대한 교훈이나 경계 따위를 간결하게 표현한 짧은 글. 예 시간은 금이다.

(2) 관용 표현의 특징과 효용성

특징	• 언어생활을 배경으로 하여 생겨난 표현으로, 민족의 사고나 풍속, 사상 등의 문화를 알아보는 데 좋은 자료가 됨. • 일반적인 낱말로 표현하는 것보다 다채로운 표현의 효과가 강함. • 시대의 변화에 따라 새롭게 만들어지기도 함.
효용성	• 상황을 비유적으로 표현하므로 내용을 강조하고 인상 깊게 함. • 주어진 상황을 함축적으로 간결하게 표현할 수 있음. • 비슷한 상황에서 두루 사용할 수 있음.

제재 훑어보기

열보다 큰 아홉(이문구)

• **해제:** 이 글은 아직 '열'이 되지 못한 '아홉'이 가지고 있는 가치의 소중함을 다양한 표현 방법을 활용하여 효과적으로 표현, 전달하고 있는 수필이다. 이 글에서는 역설, 관용 표현, 참신한 표현 등 다양한 표현 방법이 활용되고 있는 만큼 이 글을 읽으며 표현의 원리와 효과를 파악하고 이를 바탕으로 자기 생각이나 느낌, 가치 있는 경험을 개성 있게 표현하는 능력을 키울 수 있을 것이다.
• **갈래:** 수필
• **성격:** 교훈적, 설득적, 대조적
• **제재:** 숫자 '열'과 '아홉'
• **주제:** 숫자 '아홉'의 상징적인 의미 및 무한한 꿈과 가능성을 지닌 청소년의 가치와 소중함
• **특징**
  ① 다양한 표현 방식을 사용하여 숫자 열과 아홉을 비교, 대조하고 있다.
  ② 다양한 예를 제시함으로써 독자의 이해를 돕고 있다.
  ③ 역설적이고 인상적인 제목으로 독자의 호기심을 유발하고 있다.

열보다 큰 아홉 _이문구

66 학습 포인트
· 열과 아홉에 담긴 의미 파악하기
· 글에 나타난 관용 표현 파악하기

처음 **1** 오늘은 <u>아홉과 열이라는 수가 지니고 있는 뜻</u>에 대해서 생각해 보기로
이 글의 중심 소재
합시다.
→ 글쓴이가 말하고자 하는 대상-숫자 아홉과 열

> 처음　아홉과 열이라는 수의 뜻에 관해 생각해 보기로 함.

십진법으로 얻은 여러 가지의 단위에 붙는 이름. 십, 백, 천, 만, 억, 또는 할, 푼, 리, 모 따위가 있음.
중간 **2** 잘 아시다시피 열은 십·백·천·만·억 등의 <u>십진급수</u>에서 제일 먼저
열이라는 수의 일반적 의미
꽉 찬 수입니다. 그러므로 이 열에 얼마를 더 보태거나 빼거나 한다면 그것은 이
미 열이 아닌 다른 수가 됩니다.

　무엇을 하기에 그 이상 좋을 수가 없이 알맞은 경우에 "<u>십상 좋다</u>'고 말하는
십상도, 열 십(十)자와 이룰 성(成) 자에서 나온 말입니다. 그만큼 열이란 수는
'십상 좋다'라는 말의 어원
이미 이룰 것을 이룩한 완전한 수이며, 성공을 한 수인 것입니다.
열이라는 수의 상징적 의미
→ 완전한 수이자 성공을 한 수인 열

3 『그러면 아홉이란 수는 어떤 수입니까? 두말할 필요도 없이 열보다 하나가 모
『 』: 문답법-스스로 묻고 답함.　　아홉이라는 수의 일반적 의미
자라는 수입니다.』 다시 말하면, 완전에 거의 다다른 수, 거기에 하나만 보태면
완전에 이르게 되는 수, 그래서 매우 아쉬움을 느끼게 하는 수인 것입니다.
하나 차이로 완전하고 성공을 한 수가 아니기 때문 → 아홉이라는 수의 특징

4 ㉠『그러면 아홉은 정녕 열보다 적거나 작은 수일까요? 그렇지 않습니다.』 예
『 』: 문답법
를 들어 보겠습니다.
교과서 날개　　　　　□: 아홉이 열보다 적거나 작지 않음을 보여 주는 표현들
　끝없이 높고 너른 하늘을 십만 리 *장천이라고 하지 않고 구만리장천이라고
아득히 높고 먼 하늘
합니다. 젊은이더러 앞길이 구만리 같은 사람이라고 하는 말과 같은 뜻이지요.
아직 나이가 젊어 앞으로 어떤 큰일이라도 해낼 수 있는 세월이 충분히 있는
　굽이굽이 한없이 서린 마음을 구곡간장이라고 하고, 굽이굽이 에워 도는 산굽
굽이굽이 서린 창자라는 뜻으로 깊은 마음속 또는 시름이 쌓인 마음속
이가 얼마인지 모르는 길을 구절양장이라고 하고, 통과해야 할 문이 몇이나 되는
아홉 번 꼬부라진 양의 창자라는 뜻으로, 꼬불꼬불하며 험한 산길을 이름.
지 모르는 왕실을 구중궁궐이라고 하고, 죽을 고비를 수도 없이 넘기고 살아난
것을 구사일생이라고 표현하고 있습니다.

　또 있습니다. 끝 간 데가 어디인지 모르는 땅속이나 저승을 구천이라고 하고
임금보다 한 계급 모자라는 대신인 *삼공육경을 구경이라고 합니다. 문화재로
남아 있는 탑들을 보면, 구 층 탑은 *부지기수로 많아도, **❶**십 층 탑은 아직 보지
못하였습니다.
→ 아홉이 열보다 적거나 작지 않음을 보여 주는 예

│ 작가 소개: 이문구 (1941~2003)
소설가. 산업화에 따른 농촌의 해체와 잃어버린 고향을 향한 그리움의 문제에 주목하여 생생하고 구체적인 생활상을 사투리와 토속어가 반영된 독특한 문체로 형상화하였다. 주요 작품으로 장편 소설 「장한몽」, 「매월당 김시습」 등과 소설집 『관촌수필』, 『유자소전』 등이 있다.

읽기 중 활동

교과서 날개
글쓴이가 제시한 아홉이 들어간 표현을 모두 말해 봅시다.
→ 구만리장천, 앞길이 구만리 같은, 구곡간장, 구절양장, 구중궁궐, 구사일생, 구천, 구경, 구 층 탑

어휘 풀이
· 십상: 꼭 맞게.
· 장천(長天): 끝없이 잇닿아 멀고도 넓은 하늘.
· 삼공육경(三公六卿): 조선 시대에, 삼정승과 육조 판서를 통틀어 이르던 말.
· 부지기수(不知其數): 헤아릴 수가 없을 만큼 많음. 또는 그렇게 많은 수효.

어구 풀이
❶ 글쓴이는 십 층 탑을 아직 보지 못했다고 하고 있으나, 우리나라에는 국보 제2호인 원각사 십층 석탑, 국보 제86호인 경천사 십층 석탑 등의 십 층 석탑이 존재한다.

찬찬샘 핵심 강의

• '열'과 '아홉'을 나타낸 표현 ①

이 글의 처음 부분에서 글쓴이는 아홉과 열이라는 수의 뜻에 관해 이야기할 것을 예고하고 있어. 그리고 열과 아홉이라는 수의 의미를 독자에게 직접 말하듯이 서술하고 있단다.

╴핵심 포인트╴

열	• 십진급수에서 제일 먼저 꽉 찬 수 • 이미 이룰 것을 이룩한 완전한 수 • 성공을 한 수
아홉	• 열보다 하나가 모자라는 수 • 완전에 거의 다다른 수 • 하나만 보태면 완전에 이르는 수 • 매우 아쉬움을 느끼게 하는 수

• 아홉이라는 수가 들어간 다양한 표현들

글쓴이는 **4**에서 아홉이 들어간 표현들을 예를 들어 나열하고 있어. 이러한 표현들을 일일이 나열한 까닭은 뭘까? 그건 아홉이 열보다 적거나 작지 않다는 것을 알려 주고 싶었기 때문일 거야. 그럼 글쓴이가 제시한 아홉이 들어간 표현의 뜻을 정리해 볼까?

╴핵심 포인트╴

구만리장천	아득히 높고 먼 하늘.
앞길이 구만리 같다	아직 나이가 젊어서 앞으로 어떤 큰일이라도 해낼 수 있는 세월이 충분히 있다는 말.
구곡간장	굽이굽이 서린 창자라는 뜻으로, 깊은 마음속 또는 시름이 쌓인 마음속을 비유적으로 이르는 말.
구절양장	아홉 번 꼬부라진 양의 창자라는 뜻으로, 꼬불꼬불하며 험한 산길을 이르는 말.
구중궁궐	겹겹이 문으로 막은 깊은 궁궐이라는 뜻으로, 임금이 있는 대궐 안을 이르는 말.
구사일생	아홉 번 죽을 뻔하다 한 번 살아난다는 뜻으로, 죽을 고비를 여러 차례 넘기고 겨우 살아남을 이르는 말.
구천	땅속 깊은 밑바닥이란 뜻으로, 죽은 뒤에 넋이 돌아가는 곳을 이르는 말.

콕콕 확인 문제

1. 이 글에 나타난 서술상 특징으로 적절하지 <u>않은</u> 것은?
① 두 개의 숫자를 비교하여 설명하고 있다.
② 다양한 예를 들어 독자의 이해를 돕고 있다.
③ 관용 표현을 활용하여 자기 생각을 뒷받침하고 있다.
④ 복잡한 대상을 구성 요소나 부분들로 나누어 서술하고 있다.
⑤ 독자에게 하고 싶은 말을 직접 건네는 듯한 말투로 서술하고 있다.

2. 이 글에서 말한 숫자 '열'의 의미와 거리가 <u>먼</u> 것은?
① 완전한 수이다.
② 성공을 한 수이다.
③ 이미 이룰 것을 이룩한 수이다.
④ 매우 아쉬움을 느끼게 하는 수이다.
⑤ 십진급수에서 제일 먼저 꽉 찬 수이다.

3. 이 글에서 글쓴이가 제시한 사례들 중에서 그 성격이 <u>다른</u> 하나는?
① 끝없이 높고 너른 하늘을 구만리장천이라고 한다.
② 젊은이더러 앞길이 구만리 같은 사람이라고 한다.
③ 굽이굽이 한없이 서린 마음을 구곡간장이라고 한다.
④ 무엇을 하기에 그 이상 좋을 수가 없는 경우를 십상 좋다고 한다.
⑤ 통과해야 할 문이 몇이나 되는지 모르는 왕실을 구중궁궐이라고 한다.

4. ㉠에 쓰인 표현 방식에 대한 이해로 적절한 것은?
① 다른 사람의 말을 인용하여 신뢰도를 높인다.
② 스스로 묻고 답하는 형식을 통해 내용을 강조한다.
③ 비슷한 구절을 반복하여 내용을 인상 깊게 전달한다.
④ 표현하고자 하는 내용의 일부를 생략하여 여운을 준다.
⑤ 쉽게 판단할 수 있는 사실을 의문의 형식으로 표현한다.

|서술형|
5. 에서 숫자 아홉이 들어간 표현들을 예로 들어 나열한 까닭을 서술하시오.

> **조건**
> 글쓴이의 의도를 중심으로 서술할 것.

5 동양에서는, 그중에서도 특히 우리나라에서는, 오랜 옛날부터 열보다 아홉을 더 사랑했습니다. 『얼마나 사랑했으면 아홉 구 자가 두 번 든 음력 구월 구일을 *중양절이니, 중굿날이니 하는 이름으로 부르면서, 천 년이 넘도록 큰 명절로 정하고 쇠어 왔겠습니까.』

『 』: 설의법-누구나 아는 사실을 의문 형식으로 제시하여 독자 스스로 결론을 내리게 하는 표현법

→ 옛날부터 열보다 아홉을 더 사랑한 우리나라

명절, 생일, 기념일 같은 날을 맞이하여 지내다.

6 우리의 조상들이 열보다 아홉을 더 사랑한 것은 무슨 까닭이었을까요? 간단히 말해서 모든 일에 완벽함을 기대하지 않았다는 뜻이 아니었을까요? 다시 말하면, 이 세상에 완전한 것은 없다는 사실을, 우리의 선조들은 아주 오랜 옛날부터 익히 알고 있었다는 것입니다.

우리 조상들이 열보다 아홉을 더 사랑한 까닭 ①

→ 이 세상에 완전한 것은 없다는 사실을 안 조상들

7 ❶우리가 흔히 듣는 말에 ㉠"모든 기록은 깨어지기 위해서 있다."라는 말이 있습니다. ❷이 말이 맞지 않는 말이라면, 여러분이 아시다시피 세계 제일의 기록만을 수록하는 『기네스북』도 해마다 다시 찍어 내야 할 까닭이 없겠지요.

관용 표현(격언)

영국 기네스 맥주 회사에서 발행하는, 진기한 세계 기록을 모은 책

모든 기록이 반드시 깨어지기 마련인 것은, 그 기록을 *이룩한 것이 인간이기 때문이라고 생각합니다. 인간은 저마다 무한한 가능성을 타고난 사실과 아울러서, 이 세상에 완전한 인간은 결코 어디에도 있을 수가 없다는 사실 또한 그 스스로가 증명해 주는 존재이기도 합니다.

인간은 무한한 가능성을 타고남과 동시에 완전한 인간은 없기 때문임.

→ 저마다 무한한 가능성을 가진 존재인 인간

8 열이란 수가 넘치지도 않고 모자라지도 않고, 또 조금도 여유가 없는 꽉 찬 수, 그래서 다음도 없고 다음다음도 없이 아주 끝나 버린 수라는 점에서, 『아홉은 열보다 많고, 열보다 크고, 열보다 높고, 열보다 깊고, 열보다 넓고, 열보다 멀고, 열보다 긴 수였으며, 그리하여 다음, 또 그다음, 그도 아니면 그 다음다음을 바라볼 수 있는, 미래의 꿈과 그 가능성의 수였기에,』슬기롭고 끈기 있는 우리의 선조들에게 일찍부터 열보다 열 배도 넘는 사랑을 담뿍 받아 왔던 것입니다.

글쓴이가 생각하는 열의 의미   교과서 날개

『 』: 열거법, 반복법

우리 조상들이 열보다 아홉을 더 사랑한 까닭 ②

→ 미래의 꿈과 가능성을 지닌 수인 아홉

> **중간** 우리나라에서는 완전한 수인 열보다 미래의 꿈과 가능성을 가진 아홉을 더 사랑했음.

끝 **9** 하물며 여러분은 지금 한창 자라고, 한창 배우고, 한창 놀아야 할 중학생입니다. 여러분은 지금 무엇 한 가지도 완벽할 수가 없으며, 항상 어딘가가 부족하고 어설픈 것이 오히려 정상적인 학생입니다. ❸행여 무엇이 남들보다 모자란 것이 아닌가 싶어서 스스로 괴로워하고 외로워하고 서글퍼해 온 학생이 있다면, 어떨까요, 이제부터라도 열이란 수보다 아홉이란 수를 더 사랑해 보는 것은.

열거법, 반복법

중학생-숫자 아홉이 지닌 특성과 비슷한 특성을 지님.

어쩌다가, 혹시

글쓴이가 생각한 이 글의 예상 독자

도치법   → 아홉과도 같은 청소년에 대한 위로와 격려

> **끝** 청소년은 숫자 아홉이 지닌 특성을 닮음.

읽기 중 활동

교과서 날개
글쓴이가 이야기하는 아홉이 열보다 사랑받는 까닭은 무엇인지 정리해 봅시다.
→ 열이 조금도 여유가 없이 꽉 차고 다음이 없는 끝나 버린 수인 데 반해, 아홉은 다음을 바라볼 수 있는 미래의 꿈과 그 가능성의 수이기 때문이다.

어휘 풀이
· 중양절(重陽節): 세시 명절의 하나로 음력 9월 9일을 이르는 말. 이날 남자들은 시를 짓고 각 가정에서는 국화전을 만들어 먹고 놀았다.
· 이룩하다: 어떤 큰 현상이나 사업 따위를 이루다.

어구 풀이
❶ 도무지 깨지지 않을 것 같은 기록도 세월이 가면 언젠가 깨지기 마련이라는 뜻의 격언을 인용하여 표현하고 있다.
❷ 이 말이 맞는 말이기 때문에 아무리 대단한 기록이라도 결국은 깨어지므로 기네스북을 해마다 다시 찍어 내고 있다는 의미이다.
❸ 글쓴이는 스스로 완벽하지 못해 괴로운 학생이 있다면 아홉이라는 수의 의미를 생각해 볼 것을 권하고 있다. 즉 아홉이 그 부족함 때문에 열보다 큰 수로 여겨진 것과 같이 청소년도 완전하지 않기에 더 큰 존재라는 것을 알리고자 하는 것이다.

• '열'과 '아홉'을 나타낸 표현 ②

열과 아홉에 대한 글쓴이의 생각이 **8**에서는 다음과 같이 정리되고 있어. 앞부분에서 정리한 내용과 비교해 보도록 하렴.

▶핵심 포인트◀

열	• 넘치지도 모자라지도 않고, 또 조금의 여유가 없는 꽉 찬 수 • 다음다음도 없이 아주 끝나 버린 수
아홉	• 다음다음을 바라볼 수 있는 수 • 미래의 꿈과 그 가능성의 수

• 다양한 표현 방법–역설, 관용 표현

글쓴이는 자기 생각을 효과적으로 표현하기 위해 다양한 방법을 활용한단다. 이 글에서 글쓴이가 활용한 표현 방법을 살펴볼까?

• 역설

'열보다 큰 아홉'	아홉이 열보다 크다는 모순된 표현	→	아홉은 미래의 꿈과 가능성을 담은 수이므로 열보다 크다는 글쓴이의 생각을 강조함.

• 관용 표현

'앞길이 구만리 같다.'	아직 나이가 젊어서 앞으로 어떤 큰 일이라도 해낼 수 있는 세월이 충분히 있다는 말.	→	말하고자 하는 바를 더욱 명확하고 간결하게 표현하고 전달함.
'모든 기록은 깨어지기 위해서 있다.'	아무리 대단한 기록도 깨어질 수 있으므로 더 큰 목표의 달성이 가능하다는 말.		

• 글쓴이가 이 글을 쓴 이유

글쓴이는 열이 완전하고 성공한 수인 것은 맞지만, 아직 열이 되지 못한 아홉이 가지고 있는 가치도 크다는 것을 본문 내내 이야기하고 있어. 그리고 **9**에서는 청소년이 이 아홉이라는 숫자를 닮았다고 생각하고 있단다.

▶핵심 포인트◀

글쓴이의 의도	청소년은 아직 완전하지는 않지만, 아홉이라는 숫자처럼 미래를 향한 가능성이 있다는 것을 중학생 독자들에게 전달하고자 함.

---

6. 이 글에 대한 설명으로 적절하지 <u>않은</u> 것은?

① 누구나 쓸 수 있는 대중적인 글이다.

② 일정한 형식이 없이 자유롭게 쓴 글이다.

③ 지식이나 정보를 객관적으로 전달하고 있다.

④ 글쓴이의 생각과 인생관을 직접 드러내고 있다.

⑤ 주변 소재에서 가치 있는 의미를 찾아내고 있다.

7. 이 글의 제목에 활용된 표현 방법에 대한 설명으로 적절한 것은?

① 실제로 품고 있는 뜻과 반대로 표현하는 방법이다.

② 가락이 비슷한 말을 짝을 맞추어 나타내는 표현 방법이다.

③ 표현하고자 하는 대상을 다른 것에 빗대어 나타내는 표현 방법이다.

④ 부정적인 인물이나 현상 등을 과장된 모습으로 비꼬아 표현하는 방법이다.

⑤ 겉으로는 모순되어 앞뒤가 맞지 않으나, 그 속에 진실을 담고 있는 표현 방법이다.

8. 이 글을 읽고 난 후의 반응으로 적절하지 <u>않은</u> 것은?

① 글쓴이는 숫자 열을 완벽한 숫자로 생각해서 싫어하는군.

② 글쓴이는 아홉이 가지고 있는 가치가 열보다 더 크다고 생각하는군.

③ 아홉은 부족하지만 무엇이든 될 수 있는 청소년에 비유될 수 있겠군.

④ 모자란 능력 때문에 실의에 빠진 청소년들에게 이 글을 추천해 주면 좋겠군.

⑤ 글쓴이는 아직 완전하지 않은 청소년을 무한한 가능성이 있는 존재로 생각하는군.

9. ㉠에 대한 이해로 적절하지 <u>않은</u> 것은?

① 오래전부터 습관처럼 사용해 온 관용 표현이다.

② 특정 유명인이 한 말로 사리에 꼭 들어맞는 명언이다.

③ 깨지지 않을 것 같은 기록도 언젠가 깨진다는 뜻이다.

④ 말하고자 하는 바를 간결하고 인상적으로 표현해 준다.

⑤ 먼저 세워진 기록을 깰 수 없다고 포기하지 말라는 뜻을 함축하고 있다.

|서술형|

10. 우리 조상들이 열보다 아홉을 더 사랑한 까닭을 이 글의 내용을 바탕으로 서술하시오.

학습활동

이해 활동

1. 이 글에 제시된 '열'과 '아홉'이 뜻하는 바를 정리해 봅시다.

예시 답 |

'열'이 뜻하는 것

- 이미 이룰 것을 이룩한 완전한 수, 성공을 한 수

- 넘치지도 않고 모자라지도 않고 조금도 여유가 없는 꽉 찬 수

- 다음도 없고 다음다음도 없이 아주 끝나 버린 수(부족한 것 없이 모든 것을 이룬 수)

'아홉'이 뜻하는 것

- 완전에 거의 다다른 수, 하나만 보태면 완전에 이르게 되는 수, 아쉬움을 느끼게 하는 수

- 다음, 또 그다음, 그도 아니면 그 다음다음을 바라볼 수 있는 수

- 미래의 꿈과 가능성의 수 (앞으로 무엇이든 될 수 있는 청소년과 같은 수)

2. 글쓴이의 생각을 다음과 같이 정리해 봅시다.

예시 답 |

글쓴이의 생각

아홉은 ___미래의 꿈과 가능성의 수___ 이기 때문에 열보다 더 사랑받는다.

➕ **보충 자료**

「열보다 큰 아홉」의 주제 의식

이 글은 우리 조상들이 아홉이라는 숫자에 어떤 뜻을 부여해 왔는지를 이야기하면서, 꽉 차지 않은 가능성의 수인 아홉을 청소년에 대응시키고 있다. 청소년 시기는 아홉이라는 숫자처럼 아직 완결된 것이 아니므로 미래를 향한 가능성이 있는 시기이고, 그렇기 때문에 청소년은 더 소중하고 가치 있는 존재가 될 수 있다는 점을 개성 있게 전달하고 있다.

---

1. 글의 중심 소재에 담긴 뜻 파악하기

⭐ 지학이가 도와줄게!

이 글에서 열과 아홉의 뜻이 제시된 부분들을 찾아서, 두 수를 비교하면서 정리해 보도록 하렴.

시험엔 이렇게!!

1. 이 글에서 말한 숫자 아홉의 특징으로 볼 수 **없는** 것은?

① 완전에 거의 다다른 수
② 아쉬움을 느끼게 하는 수
③ 미래의 꿈과 가능성의 수
④ 다음다음을 바라볼 수 있는 수
⑤ 넘치지도 않고 모자라지도 않고 조금도 여유 없이 꽉 찬 수

2. 중심 소재에 대한 글쓴이의 생각 파악하기

⭐ 지학이가 도와줄게!

글쓴이가 아홉이라는 수에 관심을 두고 열보다 더 사랑하는 까닭은 뭘까? 이 글의 끝부분을 보면 아홉이라는 숫자를 바탕으로 글쓴이가 궁극적으로 하고 싶은 말이 무엇인지 파악하기 쉬울 거야.

시험엔 이렇게!! |서술형|

2. 다음과 같은 글쓴이의 생각을 바탕으로 글쓴이가 이 글을 쓴 의도를 독자를 고려하여 서술하시오.

아홉은 미래의 꿈과 가능성의 수이기 때문에 열보다 더 사랑받는다.

목표 활동

1. 이 글의 제목에 사용된 표현 방법과 그 효과를 알아봅시다.

예시 답 |

1. 역설의 표현 원리와 그 효과 파악하기

열보다 큰 아홉

 ← 모순된 표현 →

숫자 아홉은 원래 열보다 작다.

아홉이 열보다 크다.

🌟 지학이가 도와줄게!

제목에 활용된 역설 표현의 방법을 자료로 삼아 그 표현 원리를 파악하고, 효과를 살펴보는 활동이야. 만약 이 글의 제목을 '열보다 작은 숫자, 아홉' 이렇게 논리에 맞게 지었다면 지금과 비교해 그 느낌이 어땠을까? 이 점에 관해 생각해 보면서 '열보다 큰 아홉'이라는 제목이 주는 효과를 생각해 보자.

1 이 글의 내용을 바탕으로, '열보다 큰 아홉'이라는 말을 통해 글쓴이가 전달하고자 하는 생각은 무엇인지 말해 봅시다.

예시 답 | 아홉은 미래의 꿈과 가능성을 담고 있는 수이기 때문에 열보다 더 클 수 있다.

2 이러한 표현 방법이 갖는 효과를 생각해 봅시다.

예시 답 | 글쓴이의 생각을 더욱 강조할 수 있다.

숨어 있는 진실을 강조하는, 역설

역설은 겉으로는 모순되어 앞뒤가 맞지 않으나, 그 속에 진실이 함축된 표현 방식을 말합니다. 예를 들어 깃발을 '소리 없는 아우성'이라 표현한 것은 실제로 소리를 내는 것은 아니지만 아우성치듯 힘차게 나부끼는 깃발의 모습을 인상적으로 나타냅니다. 이러한 표현은 단조로운 문장의 형태에 변화를 주어 자기 생각을 강조하는 효과가 있습니다.

🍃 시험엔 이렇게!!

3. 이 글의 제목에 나타난 표현의 효과로 적절하지 <u>않은</u> 것은?

① 단조로운 문장의 형태에 변화를 준다.
② 글쓴이의 의도를 효과적으로 전달해 준다.
③ 글쓴이의 생각을 강조하는 효과가 있다.
④ 글쓴이의 생각을 인상적으로 나타내 준다.
⑤ 앞뒤가 맞지 않는 표현으로 독자에게 혼란을 준다.

4. 글쓴이가 제목을 통해 전달하고자 하는 생각은 무엇인지 빈칸을 채워 문장을 완성하시오.

아홉은 미래의 꿈과 가능성을 담고 있는 수이기 때문에, _____
_____.

➕ **보충 자료**

현대 시에 등장하는 역설의 표현

- 아아, <u>님은 갔지마는 나는 님을 보내지 아니하였습니다</u>. – 한용운, 「님의 침묵」
- <u>외로운 황홀한 심사</u>이어니 – 정지용, 「유리창」
- <u>찬란한 슬픔의 봄</u>을 – 김영랑, 「모란이 피기까지는」
- <u>결별이 이룩하는 축복</u>에 싸여 – 이형기, 「낙화」

학습활동

2. 이 글과 같이 제목에 역설 표현이 쓰인 책에 관한 서평을 읽고, 이어지는 활동을 해 봅시다.

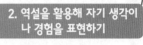

『오래된 미래』의 제목은 얼핏 이해하기 힘들다. '오래된'과 '미래'의 뜻이 서로 모순되기 때문이다. 하지만 책을 다 읽은 후에는 이를 충분히 이해할 수 있을 것이다.

이 글에서 다루고 있는 인도 북동부의 '라다크' 지역은 자연과 조화를 이루며 아주 오랫동안 전통을 간직하고 자급자족의 삶을 지키는 곳이었다. 그러나 서구의 문물을 받아들이면서 라다크 사람들은 자신의 가난을 알게 되었고, 돈의 가치를 따지기 시작했으며, 무분별한 개발과 관광객들이 남긴 쓰레기로 자연환경 역시 심각하게 훼손되었다.

글쓴이는 이러한 라다크의 현실을 알리며 서구식 개발을 비판하고 있다. 그러나 무조건 기술 문명을 거부하고 전통 사회로 돌아가자고 하는 것은 아니다. 글쓴이가 우리에게 얘기하는 것은 『오래된 미래』라는 역설적인 제목에서 보듯, 과거의 문화 속에서 우리가 나아가야 할 미래의 모습을 찾자는 것이다. 자연과의 공생, 자립, 검소함, 공동체, 그리고 내면적인 풍요로움 같은 것들, 라다크가 잃은 것들, 이미 지나간 '오래된' 것에 우리가 나아갈 '미래'가 있다.

1 '오래된 미래'라는 표현이 뜻하는 바는 무엇인지 이야기해 봅시다.

예시 답 | 과거를 통해 우리가 추구하는 미래를 엿볼 수 있다는 뜻이다.

2 '오래된 미래'라는 제목에 담긴 글쓴이의 의도를, 글쓴이의 태도와 관련지어 말해 봅시다.

예시 답 | 라다크의 사례를 바탕으로 서구식 개발 위주로 이루어진 현재를 비판하고, 과거 라다크의 자연과의 공생, 자립, 검소함, 공동체, 내면적인 풍요로움과 같은 가치를 배워 미래로 나아가야 함을 강조하기 위해서이다.

3 자신의 가치 있는 경험이나 생각을 역설의 표현을 활용해 나타내 봅시다.

예 만남은 곧 헤어짐이다. 학년이 올라간 것은 기쁘지만 1학년 때 친구들과 헤어지는 것은 슬픈 일이었다.

예시 답 | 나에게 방학식 날은 항상 우울한 환호이다. 방학이 되어 신나게 놀 생각에 기쁘지만 성적표가 나와 부모님께 야단맞을 각오를 해야 하니 말이다.

2. 역설을 활용해 자기 생각이나 경험을 표현하기

지학이가 도와줄게!

앞의 활동들을 수행하면서 역설의 표현 원리와 효과에 대해 이해를 했다면 이제 그 표현을 활용해 자기 경험이나 생각을 표현해 보자. 혹시 아직 그 개념이 머릿속에 잘 안 들어온다면 2번 활동에서 제시한 자료를 통해 좀 더 확실히 역설의 표현 원리를 이해해 보도록 하렴.

➕ **보충 자료**
『오래된 미래』
이 책은 스웨덴의 생태학자 헬레나 노르베리 호지가 서부 히말라야의 오지인 라다크에서 머물면서, 땅과 자연을 근간으로 한 라다크 공동체가 서구에 문호를 개방하면서 겪었던 변화 과정을 기록한 16년간의 보고서이다.

시험엔 이렇게!! |서술형|

5. 〈보기 1〉의 내용을 참조하여 일제 강점기 신문 기사 제목이었던 〈보기 2〉의 표현에 담긴 뜻을 설명해 보시오.

보기1
『오래된 미래』의 제목은 겉으로 보기에는 '오래된'과 '미래'의 뜻이 서로 모순되어 앞뒤가 맞지 않는 것처럼 보이지만, 그 속에는 과거를 통해 우리가 추구하는 미래를 엿볼 수 있다는 뜻을 함축하고 있다.

보기2
"마라토너 손기정, 슬픈 금메달을 따다"

3. 다음 활동을 통해 관용 표현을 알아봅시다.

① 이 글에 나타난 다음 관용 표현이 어떤 상황에서 쓰이는지 정리해 봅시다.

예시 답 |

> 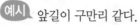 앞길이 구만리 같다.
> ➡ 아직 나이가 젊어서 앞으로 어떤 큰일이라도 해낼 수 있는 세월이 충분히 있음을 표현할 때 쓴다.
>
> ● 모든 기록은 깨어지기 위해서 있다.
> ➡ 아무리 대단한 기록이라도 깨어질 수 있으므로 더 큰 목표의 달성이 가능함을 표현하는 경우에 쓴다.

② 관용 표현을 쓰지 않았을 때와 비교하여 관용 표현의 효과를 적어 봅시다.

예시 답 |

한국 축구가 숱한 위기를 수도 없이 넘기고 간신히 본선에 진출했어.

한국 축구가 구사일생으로 본선에 진출했어.

> 말하고자 하는 바를 더욱 명확하고 간결하게 표현하고 전달하는 효과가 있다.

명확하고 간결하게 뜻을 전달하는, 관용 표현

관용 표현은 많은 사람이 습관적으로 사용하여 굳어진 표현입니다. '발이 넓다'와 같은 관용어, '발 없는 말이 천 리 간다.'와 같은 속담, '시간은 금이다.'와 같은 격언 등이 이에 해당합니다.

3. 관용 표현의 쓰임과 효과 이해하기

지학이가 도와줄게!

이 글에 나오는 관용 표현의 뜻을 알아보고 어떤 상황에서 쓰이는 표현인지 파악해 볼 거야. 또한, 관용 표현이 사용되는 맥락과 상황을 살펴보면서 표현의 효과를 생각해 보렴.

➕ **보충 자료**
관용 표현을 사용할 때의 유의점

• 관용 표현이 지니는 의미를 정확히 알고 사용해야 한다.
• 상대방과 상황에 알맞은 관용 표현을 잘 골라서 사용해야 한다.
• 하나의 낱말처럼 사용되기 때문에 다른 문장 성분이 끼어들기 어렵다는 점에 주의한다.

시험엔 이렇게!!

6. 다음에 제시된 표현들에 대한 설명으로 적절하지 <u>않은</u> 것은?

> • 앞길이 구만리 같다.
> • 모든 기록은 깨어지기 위해서 있다.
> • 구사일생(九死一生)

① 관용 표현들이다.
② 상황을 간결하게 표현해 준다.
③ 오래전부터 습관적으로 사용해 온 표현들이다.
④ 말하고자 하는 바를 더욱 명확하게 전달해 준다.
⑤ 표현들이 사용된 맥락이나 상황을 분리하여 의미를 파악해야 한다.

(2) 열보다 큰 아홉 **37**

학습활동

4. 관용 표현을 활용하여 자신의 생각이나 경험을 표현해 봅시다.

1 주제를 정한 후, 이와 관련된 관용 표현들을 찾아서 발표해 봅시다.
예시 답ㅣ

예시

> **주제: 신체 부위와 관련한 관용 표현**
>
> • 배꼽: 배보다 배꼽이 더 크다, 배꼽 빠진다.
> • 눈: 눈이 높다, 제 눈에 안경, 눈 가리고 아웅 한다, 눈에 콩깍지가 씌었다.
> • 발: 발이 넓다, 언 발에 오줌 누기

> **주제: 동물에 관한 관용 표현**
>
> • 소 잃고 외양간 고친다: 소를 도둑맞은 다음에서야 빈 외양간의 허물어진 데를 고치느라 수선을 떤다는 뜻으로, 일이 이미 잘못된 뒤에는 손을 써도 소용이 없음을 비꼬는 말.
> • 소 뒷걸음질 치다 쥐잡기: 소가 뒷걸음질 치다가 우연히 쥐를 잡게 되었다는 뜻으로, 우연히 공을 세운 경우를 이르는 말.
> • 쇠귀에 경 읽기(우이독경): 소의 귀에 대고 경을 읽어 봐야 단 한 마디도 알아듣지 못한다는 뜻으로, 아무리 가르치고 일러 주어도 알아듣지 못하거나 효과가 없는 경우를 이르는 말.
> • 낮말은 새가 듣고 밤말은 쥐가 듣는다: 아무도 안 듣는 데서라도 말조심해야 한다는 말.
> • 쥐구멍에도 볕 들 날 있다: 몹시 고생을 하는 삶도 좋은 운수가 터질 날이 있다는 말.
> • 쥐 죽은 듯: 매우 조용한 상태를 비유적으로 이르는 말.
> • 쥐 잡듯: 꼼짝 못 하게 하여 놓고 잡는 모양을 비유적으로 이르는 말.
> • 호랑이 담배 먹을 적: 지금과는 형편이 다른 아주 까마득한 옛날을 이르는 말.
> • 용호상박: 용과 범이 서로 싸운다는 뜻으로, 강자끼리 서로 싸움을 이르는 말.

2 찾은 표현의 정확한 뜻을 알아보고, 자신이 경험한 일 중에서 이러한 표현을 적용할 수 있는 사례가 있는지 이야기해 봅시다.

> ⓔ 수선 일을 하는 어머니께서 일을 맡으셨는데, 수선을 해서 버는 돈보다 수선에 필요한 단추를 구하는 비용이 더 드는 배보다 배꼽이 더 큰 일이었다.
>
> 예시 답ㅣ 짝꿍 민지와 함께 독서 공부 모임을 만들기로 했는데, 민지가 <u>발이 넓어서</u> 모임이 금방 꾸려졌다.

---

4. 관용 표현을 활용하여 생각이나 경험 표현하기

✨ 지학이가 도와줄게! – **1**, **2**

관용 표현의 수가 많고 종류가 다양한 만큼, 모둠별로 주제와 영역을 정해서 그와 관련된 관용 표현을 찾아보는 것이 효과적일 수 있어. 관용 표현을 활용하여 생각이나 경험을 표현하기 위해서는 생각이나 경험과 관련되는 관용 표현들을 떠올리고 적절하게 연결 짓는 것이 중요한 만큼, 관심을 갖고 활동에 참여해 보도록 하렴.

➕ 보충 자료

신체 부위와 관련된 관용 표현

• 배보다 배꼽이 더 크다: 기본이 되는 것보다 덧붙이는 것이 더 많거나 큰 경우를 이르는 말.
• 배꼽 빠진다: 몹시 우습다.
• 눈이 높다: 보는 수준이 높다.
• 제 눈에 안경: 보잘것없는 물건이라도 제 마음에 들면 좋게 보인다는 말.
• 눈 가리고 아웅 한다: 얕은수로 남을 속이려 한다는 말.
• 눈에 콩깍지가 씌었다: 앞이 가리어 사물을 정확하게 보지 못함을 이르는 말.
• 발이 넓다: 사귀어 아는 사람이 많아 활동하는 범위가 넓다.
• 언 발에 오줌 누기: 언 발을 녹이려고 오줌을 누어 봤자 효력이 별로 없다는 뜻으로, 임시변통은 될지 모르나 그 효력이 오래가지 못할 뿐만 아니라 결국에는 사태가 더 나빠짐을 이르는 말.

✏️ 시험엔 이렇게! ㅣ서술형ㅣ

7. 자신이 겪은 일이나 주변에서 보고 들은 일을 다음의 관용 표현을 활용하여 서술하시오.

> 코 묻은 돈

3 찾은 표현과 사례를 바탕으로 자신의 경험이 담긴 한 편의 짧은 이야기를 구성해 봅시다.

예시 답 |

예시

사용할 표현	배보다 배꼽이 더 크다
표현의 뜻	기본이 되는 것보다 덧붙이는 것이 더 많거나 큰 경우를 비유적으로 이르는 말
관련 경험	엄마의 옷 수선
인물	나, 엄마, 손님
이야기의 구성	• 옷 수선 일을 하시는 엄마 • 손님이 급하게 옷의 단추 수선을 맡겼는데, 그 단추가 가게에 없었음. • 엄마는 바로 택시를 타고 단추 가게에 가서 단추를 사 와서 옷을 수선함. • 단추를 사러 가느라 가게를 닫아야 했고 택시 요금도 15,000원이 넘게 나왔는데, 옷 수선값으로 10,000원을 받음. • 엄마는 손님의 옷이 잘 수선된 것을 보며 만족하셨음.

사용할 표현	쇠귀에 경 읽기
표현의 뜻	아무리 가르치고 일러 주어도 알아듣지 못하거나 효과가 없는 경우를 이르는 말
관련 경험	물건 정리와 관련한 나와 동생의 일화
인물	나, 동생
이야기의 구성	• 나와 동생은 방을 함께 씀. • 동생은 평소에 방을 잘 정리하지 않고, 물건을 아무 곳에나 두어 잘 잃어버림. • 동생에게 함께 쓰는 물건을 정해진 곳에 두어 달라고 말하지만, 항상 지켜지지 않음. • 결국 동생을 말로 설득하는 것을 포기한 나는, 앞으로 설거지를 벌칙으로 정하고 물건을 꼭 제자리에 두기로 약속함.

활동 더 해 보기 관용 표현을 활용해 짝과 상황극 만들기

관용 표현 고르기 → 관용 표현의 의미와 쓰이는 상황 파악하기 → 상황에 맞는 대사를 만들어 상황극 해 보기

지학이가 도와줄게! - 3

이제 앞의 활동에서 찾은 관용 표현 중 하나를 바탕으로 자신의 경험이 담긴 한 편의 이야기를 만들어 볼 건데, 이러한 글쓰기에 부담을 느낄 필요는 없단다. 교과서에 제시된 표의 빈칸을 하나씩 채우면서 내용을 구상하는 과정을 거치는 글쓰기 활동을 단계적으로 하면 된단다.

➕ **보충 자료**

속담, 관용어, 명언의 비교

속담은 우리 민족의 삶과 역사 속에서 터득된 삶의 지혜가 담긴, 우리말 고유의 관습화된 표현 양식이다. 주로 예로부터 민간에서 전해 오는 것으로, 일반 대중이 일상생활 속에서 얻은 지혜를 비유적이고 간결하게 나타낸 표현들을 말한다. 따라서 일반적으로 관용어는 간단한 비유로 한정된 의미를 지니는 데 비해 속담은 구체적이고 특수한 사례를 비유적으로 진술한다. 또 속담은 명언에 비해 작가나 출처가 불분명하고 보편성이 약하다.

시험엔 이렇게!!

8. 다음의 밑줄 친 상황에서 쓰기에 적절한 관용 표현은?

A: 오오, 저 자동차 정말 멋진걸?
B: 겉으로 보기에는 그럴듯하지.
A: 응? 그게 무슨 소리야?
B: 지난번에 탔는데, 에어컨도 고장 나고 창문도 안 열리더라고. 겉만 번지르르하지 뭐.

① 제 눈에 안경
② 빛 좋은 개살구
③ 눈 가리고 아옹 한다
④ 밑 빠진 독에 물 붓기
⑤ 배보다 배꼽이 더 크다

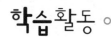

4 **3**에서 구성한 이야기를 바탕으로 한 편의 글을 써 봅시다.

예시 답ㅣ

| 제목 | 배보다 배꼽이 더 크면 어때? |

　　엄마는 작은 가게에서 옷 수선 일을 하신다. 어느 날 손님이 급하게 옷을 맡기며 내일 아침까지 옷에 단추를 달아 달라고 수선을 부탁했다. 그런데 수선을 하려고 보니 옷에 맞는 단추가 다 떨어지고 없었다. 급하게 단추 가게에 연락하니, 배달되려면 하루는 걸린다고 했다. 그때 엄마는 잠시의 망설임도 없이 택시를 타고 단추 가게에 가서 그 단추를 사서 돌아오셨다. 그 때문에 가게는 문을 일찍 닫아야 했고, 다른 수선 의뢰를 받지도 못했다. 엄마는 피곤하신 몸으로 그 옷을 밤늦도록 수선하셨다.

　　다음 날 아침 엄마는 그 손님에게 수선비로 10,000원을 받으셨다. 어제 택시비만 15,000원이 넘게 나왔는데도……. 배보다 배꼽이 큰 상황이었다. 그래서 엄마께 여쭤보았다.

　　"엄마, 왜 10,000원만 받으셨어요? 택시비도 안 되잖아요. 배보다 배꼽이 더 크네요."

　　"그 손님의 옷이 잘 수선되었으니 그걸로 충분해. 때로는 배보다 배꼽이 더 클 수도 있단다."

5 쓴 글을 친구들과 바꾸어 읽고, 다음 점검표를 이용하여 서로 평가해 봅시다.

예시 답ㅣ 생략

평가 기준	평가
❶ 일상의 경험을 자신의 개성이 드러나게 잘 나타내었는가?	☆☆☆☆☆
❷ 관용 표현의 뜻을 제대로 알고 이해하였는가?	☆☆☆☆☆
❸ 관용 표현과 자신의 경험을 긴밀하게 관련지었는가?	☆☆☆☆☆

지학이가 도와줄게! ─ **4**, **5**

이야기의 구성과 완결성도 중요하지만, 자신의 경험과 관용 표현을 적절하게 연결하여 참신하고 개성 있게 표현하는 것도 중요하단다. 앞의 활동에서 구성한 내용을 바탕으로 이제 자연스럽게 한 편의 글을 써 보자. 그리고 점검표를 활용해 친구들과 상호 점검을 해도 좋고, 그 전에 먼저 스스로 글쓰기 활동을 점검해 보는 것도 좋겠지?

시험엔 이렇게!!

9. 다음은 관용 표현의 효용성을 설명한 글이다. 빈칸에 들어갈 관용 표현으로 적절한 것은?

　　우리는 일상적인 언어생활에서 관용 표현을 적극적으로 활용할 수 있다. '누구나 할 수 있는 쉬운 일'을 '땅 짚고 헤엄치기'나 '누워서 떡 먹기'라고 표현한다든지 '정말 그 일이 사실일까? 만약 아무 일도 없다면 왜 그런 소문이 났을까?' 대신 이를 관용 표현인 [　　　　]로 표현한다면 말할 내용을 좀 더 재치 있게 전달하고 상황을 간결하게 나타내는 효과를 얻을 수 있기 때문이다.

① 아니 땐 굴뚝에 연기 날까
② 바늘 도둑이 소도둑 된다
③ 호랑이도 제 말 하면 온다
④ 소같이 벌어서 쥐같이 먹어라
⑤ 벼 이삭은 익을수록 고개를 숙인다

🎯 창의 · 융합 활동

혼자 하기 ☺

1. 다음 신문 기사를 읽고, 이어지는 활동을 해 봅시다.

> 지난 6월 17일부터 22일까지 50곳의 블로그에서는 동시다발적인 '공동 나눔' 행사가 열렸다. 공동 나눔은 '블로그 운영 1주년 기념' 등 각자 기념일을 정해 자신에게 필요 없지만 누군가에게는 절실한 물건을 블로그 방문자에게 나눠 주는 행사다. 그간 개인이 아무 때나 독서 후기를 통해 책을 나누는 '책 여행시키기' 등의 나눔은 진행됐으나 여러 명이 동시에 다양한 물건을 나누는 경우는 처음이다. 이를 통해 블로그 이용자들은 나눔의 효과를 높여 긍정적인 블로그 환경을 도모하며 블로그 이용자들의 축제로 자리매김할 것으로 기대하고 있다. 이번 행사는 세계 명작을 소개하는 블로그를 운영하는 한 이용자가 '공동 나눔'을 제안하면서 시작됐다. 행사의 제안자인 고 씨는 "나눔을 단순히 물질적인 것이라 생각하고 나눌 게 없다고 하시는데, **넷심전심**으로 생각을 조금만 바꾸면 나에겐 필요 없지만 타인에게는 인생을 바꿀 만한 물건이 주변에 많이 있을 것"이라며 나눔 문화 동참을 호소했다.
>
> – 「여성신문」(2009. 6. 26.)

1 이 기사에 쓰인 고사성어의 원래 뜻을 알아보고, 바뀐 표현이 어떤 뜻으로 사용되었는지 비교해 봅시다. 예시 답|

이심전심(以心傳心)	마음과 마음으로 서로 뜻이 통함.
넷심전심(net心傳心)	누리꾼 사이에 서로 뜻이 통하여 나눔.

2 다음과 같이 관용 표현 중 하나를 골라 표현과 뜻을 바꾸어 봅시다.

> 고진감래(苦盡甘來)는 쓴 것이 다하면 단 것이 온다는 뜻으로 고생 끝에 즐거움이 옴을 이르는 말이잖아. 그런데 나는 '단 것'을 너무 좋아해서 건강을 생각하자는 의미로 '감진비래(甘盡肥來)', 즉 '단 것을 좋아하면 비만이 온다.'는 뜻으로 바꾸어 보았어.

예시 답| 다다익선(多多益善)은 많으면 많을수록 더욱 좋다는 뜻이야. 하지만 어떤 것은 많으면 오히려 해가 되기도 해. 미움, 욕심 같은 나쁜 감정이나 우리에게 해를 끼치는 나쁜 물건들이 그렇지. 나는 이런 나쁜 것들을 가리키는 말로 적으면 적을수록 좋다는 뜻에서 소소익선(少少益善) 혹은 많을수록 나쁘다는 뜻에서 다다해악(多多害惡)으로 바꾸어 보았어.

관용 표현을 새로운 뜻을 담은 표현으로 참신하게 바꾸어 표현하기

◆ 활동 개관

우리가 아는 고사성어나 속담을 새로운 발상을 통해 바꿔 보는 활동이다. 관용 표현 중 하나인 고사성어나 속담을 자기 생각을 나타내는 데 활용하기 위해 바꾸어 표현해 봄으로써 창의적인 발상을 수행하는 활동을 경험할 수 있을 것이다.

✦ 지학이가 도와줄게! – 1

고사성어를 새로운 표현과 뜻으로 바꾸기 위해서는 먼저 활용할 고사성어에 담긴 기존의 관용적인 뜻을 알아야겠지? 그리고 이를 바꾸는 의도와 새로 부여한 뜻이 타당하고 설득력을 가질 수 있도록 하는 것이 중요한 과제이므로, 바꾸는 까닭과 함께 적절성을 생각해 표현해 보도록 하렴.

➕ 보충 자료
고사성어

고사성어란 옛이야기에서 유래한, 한자로 이루어진 말이다. 관용어, 속담과 비슷한 성격을 지니지만 특별한 유래가 있다는 점이 다르다. 대부분 중국의 역사와 고전 등 옛일에서 생겨나 지혜로운 옛 사람들의 삶과 경험이 녹아 있는 교훈을 담고 있다. 고사성어는 네 글자로 이루어진 말이 대부분이지만, '퇴고(推敲)'나 '등용문(登龍門)', '오십보백보(五十步百步)'처럼 네 글자가 아닌 것들도 있다.

(함께 하기)

2. 자기 생각을 담아 속담을 새롭게 바꿔 봅시다.

1 알고 있는 속담 중 하나를 골라 자기 생각을 담아 바꾸어 봅시다.

> "일찍 일어나는 새가 벌레를 잡는다."는 어떻게 바꾸면 좋을까?
>
> 일찍 일어나는 벌레가 일찍 잡아먹힌다.
>
> 도서관에 일찍 가는 학생이 좋은 자리를 잡는다.

예시 답 | • 열 번 찍어 안 넘어가는 나무 없다.

→ 백 번 찍어도 안 넘어가는 나무 있다.

• 가는 말이 고와야 오는 말도 곱다.

→ 가는 문자 고와야 오는 문자 곱다.

• 호랑이에게 물려 가도 정신만 차리면 산다.

→ 호랑이에게 물려 가도 휴대 전화만 꽉 쥐면 산다.

2 바꾼 속담을 통해 나타내고자 한 생각이 무엇인지 친구들에게 설명해 봅시다.

> 📖 시험 기간이 다가올수록 도서관에서 자리 맡기가 힘든데, 아침 일찍 가니 도서관이 조용하고 빈자리가 많아서 참 좋았어.

예시 답 | '백 번 찍어도 안 넘어가는 나무 있다.' – 용돈을 더 타고 싶어서 엄마께 매일매일 백 번도 넘게 졸랐지만, 엄마는 특별한 근거도 없다며 꿈적도 안 하셨어.

(활동 더 해 보기)

신문, 광고 등에 관용 표현이 사용된 사례 찾기

신문이나 광고 등에 관용 표현이 사용된 사례를 더 찾아봅시다. 교과서에 제시된 자료 외에 신문이나 광고 등에서 일상적으로 많이 사용하는 관용 표현을 좀 더 찾아보도록 합니다. 나아가 관용 표현을 일반적 어휘로 표현했을 때와 비교하여 관용 표현이 어떤 표현 효과를 지니는지 생각해 보도록 합니다.

📖 • 전국 봄맞이 꽃 축제, 바가지요금 기승
  • 칠전팔기, ○○○ 선수 결승 진출
  • 공원 조성의 첫발을 내딛다.

기존 속담이 지닌 뜻과 속담의 표현을 새롭게 바꾸어 보는 활동이야. 속담은 시대에 따라 새롭게 만들어지기도 하므로, 오늘날의 상황에 맞게 바뀔 수도 있단다. 기존 속담의 문장 구조와 틀을 유지하면서 그 속에 자신이 생각한 다른 뜻을 담아 표현해 보도록 해 보렴. 일반적인 말로 표현하는 것보다 전달 효과가 큰 만큼, 속담을 통해 전달하고자 하는 내용이 중요한 가치를 담고 있어야 한다는 점에 유의하여 신중하게 해 보렴.

➕ **보충 자료**

다양한 속담 이해하기

• 가랑비에 옷 젖는 줄 모른다: 가늘게 내리는 비는 조금씩 젖어 들기 때문에 여간해서도 옷이 젖는 줄을 깨닫지 못한다는 뜻으로, 아무리 사소한 것이라도 그것이 거듭되면 무시하지 못할 정도로 크게 됨을 비유적으로 이르는 말.

• 도둑이 제 발 저리다: 지은 죄가 있으면 자연히 마음이 조마조마하여짐을 비유적으로 이르는 말.

• 손 안 대고 코 풀기: 손조차 사용하지 아니하고 코를 푼다는 뜻으로, 일을 힘 안 들이고 아주 쉽게 해치움을 비유적으로 이르는 말.

• 호랑이 굴에 가야 호랑이 새끼를 잡는다: 뜻하는 성과를 얻으려면 그에 마땅한 일을 하여야 함을 비유적으로 이르는 말.

소단원 콕! 짚고 가기

소단원 제재

1. 제재 정리

작가	이문구(1941~2003)	갈래	수필
성격	교훈적, ①□□적, 대조적	제재	숫자 '열'과 '②□□'
주제	숫자 '아홉'의 상징적인 의미 및 무한한 꿈과 가능성을 지닌 청소년의 가치와 소중함		
특징	• 다양한 표현 방식을 사용하여 숫자 열과 아홉을 비교, 대조함. • 다양한 예를 제시함으로써 독자의 이해를 돕고 있음. • 역설적이고 인상적인 ③□□으로 독자의 호기심을 유발함.		

2. 글의 구성

처음	중간	끝
아홉과 열이라는 수의 뜻에 관해 생각해 보기로 함.	우리나라에서는 완전한 수인 열보다 미래의 꿈과 가능성을 가진 아홉을 더 사랑했음.	청소년은 숫자 아홉이 지닌 특성을 닮음.

핵심 포인트

1. 숫자 열과 아홉의 특징

열	아홉
• 십진급수에서 제일 먼저 꽉 찬 수 • 이룰 것을 이룩한 완전한 수 • 성공을 한 수	• 열보다 하나가 모자라는 수 • 완전에 거의 다다른 수 • 하나만 보태면 완전에 이르게 되는 수 • 아쉬움을 느끼게 하는 수

↓ ↓

• 넘치지도 모자라지도 않고, 또 조금의 여유가 없는 꽉 찬 수 • 다음다음도 없이 아주 끝나 버린 수	• 다음다음을 바라볼 수 있는 수 • 미래의 ④□과 그 ⑤□□□의 수

2. 이 글에 사용된 표현 방법과 그 효과

표현 방법	표현		효과
⑥□□	'열보다 큰 아홉'	→	아홉이 열보다 크다는 모순된 표현을 활용하여 아홉은 미래의 꿈과 가능성을 담은 수이므로 열보다 크다는 글쓴이의 생각을 강조함.
⑦□□ 표현	예 아홉의 의미를 담은 표현들('앞길이 구만리 같다', '구사일생', '구곡간장' 등), '모든 기록은 깨어지기 위해서 있다'	→	말하고자 하는 바를 더욱 명확하고 간결하게 표현하고 전달함.

정답: ① 설득 ② 아홉 ③ 제목
④ 꿈 ⑤ 가능성 ⑥ 역설 ⑦ 관
용

[01~05] 다음 글을 읽고, 물음에 답하시오.

가 오늘은 아홉과 열이라는 수가 지니고 있는 뜻에 대해서 생각해 보기로 합시다.

잘 아시다시피 열은 십·백·천·만·억 등의 십진급수에서 제일 먼저 꽉 찬 수입니다. 그러므로 이 열에 얼마를 더 보태거나 빼거나 한다면 그것은 이미 열이 아닌 다른 수가 됩니다. / 무엇을 하기에 그 이상 좋을 수가 없이 알맞은 경우에 '십상 좋다'고 말하는 십상도, 열 십(十) 자와 이룰 성(成) 자에서 나온 말입니다. 그만큼 열이란 수는 이미 이룰 것을 이룩한 완전한 수이며, 성공을 한 수인 것입니다. / 그러면 아홉이란 수는 어떤 수입니까? 두말할 필요도 없이 열보다 하나가 모자라는 수입니다. 다시 말하면, 완전에 거의 다다른 수, 거기에 하나만 보태면 완전에 이르게 되는 수, 그래서 매우 아쉬움을 느끼게 하는 수인 것입니다.

나 끝없이 높고 너른 하늘을 십만 리 장천이라고 하지 않고 구만리장천이라고 합니다. 젊은이더러 앞길이 구만리 같은 사람이라고 하는 말과 같은 뜻이지요. / 굽이굽이 한없이 서린 마음을 구곡간장이라고 하고, 굽이굽이 에워 도는 산굽이가 얼마인지 모르는 길을 구절양장이라고 하고, 통과해야 할 문이 몇이나 되는지 모르는 왕실을 구중궁궐이라고 하고, 죽을 고비를 수도 없이 넘기고 살아난 것을 구사일생이라고 표현하고 있습니다. / 또 있습니다. 끝 간 데가 어디인지 모르는 땅속이나 저승을 구천이라고 하고 임금보다 한 계급 모자라는 대신인 삼공육경을 구경이라고 합니다.

다 우리가 흔히 듣는 말에 ㉠"모든 기록은 깨어지기 위해서 있다."라는 말이 있습니다. 이 말이 맞지 않는 말이라면, 여러분이 아시다시피 세계 제일의 기록만을 수록하는 『기네스북』도 해마다 다시 찍어 내야 할 까닭이 없겠지요. / 모든 기록이 반드시 깨어지기 마련인 것은, 그 기록을 이룩한 것이 인간이기 때문이라고 생각합니다. 인간은 저마다 무한한 가능성을 타고난 사실과 아울러서, 이 세상에 완전한 인간은 결코 어디에도 있을 수가 없다는 사실 또한 그 스스로가 증명해 주는 존재이기도 합니다.

라 열이란 수가 넘치지도 않고 모자라지도 않고, 또 조금도 여유가 없는 꽉 찬 수, 그래서 다음도 없고 다음다음도 없이 아주 끝나 버린 수라는 점에서, 아홉은 열보다 많고, 열보다 크고, 열보다 높고, 열보다 깊고, 열보다 넓고, 열보다 멀고, 열보다 긴 수였으며, 그리하여 다음, 또 그다음, 그도 아니면 그 다음다음을 바라볼 수 있는, 미래의 꿈과 그 가능성의 수였기에, 슬기롭고 끈기 있는 우리의 선조들에게 일찍부터

열보다 열 배도 넘는 사랑을 담뿍 받아 왔던 것입니다.

01. 이 글에 대한 설명으로 적절하지 <u>않은</u> 것은?
① 관용 표현들을 사용하여 주장을 뒷받침하고 있다.
② 역설적인 제목으로 호기심을 불러일으키고 있다.
③ 말하고자 하는 대상을 예고하며 시작하고 있다.
④ 문답법을 활용하여 일반적 의미를 나타내고 있다.
⑤ 지난 일을 회고하며 자신의 삶을 성찰하고 있다.

활동 응용 문제
02. 이 글에서 가리키는 대상이 <u>다른</u> 것은?
① 완전에 거의 다다른 수
② 넘치지도 모자라지도 않는 수
③ 십진급수에서 제일 먼저 꽉 찬 수
④ 이미 이룰 것을 이룩한 완전한 수
⑤ 다음다음도 없이 아주 끝나 버린 수

03. (나)에서 글쓴이가 아홉이라는 수가 들어간 표현들을 나열한 까닭을 추측한 내용으로 가장 적절한 것은?
① 아홉이 들어간 표현들의 뜻을 알려 주려고
② 아홉이 얼마나 불완전한 숫자인지 증명하려고
③ 우리 조상들이 즐겨 사용한 표현들을 알려 주려고
④ 아홉이 열보다 적거나 작지 않다는 것을 증명하려고
⑤ 아홉이 열이 갖는 가치에 비하면 매우 아쉽다는 것을 증명하려고

04. ㉠과 같은 표현으로 얻을 수 있는 효과가 <u>아닌</u> 것은?
① 상황을 간결하게 표현할 수 있다.
② 말하고자 하는 바를 인상 깊게 전달할 수 있다.
③ 글쓴이의 생각을 좀 더 명확하게 전달할 수 있다.
④ 표현하고자 하는 의도를 좀 더 강조하여 전달할 수 있다.
⑤ 말하고자 하는 대상을 다른 대상에 빗대어 생생하게 전달할 수 있다.

|서술형|
05. (라)의 내용을 바탕으로 글쓴이가 아홉이라는 숫자를 더 크게 생각하는 까닭을 서술하시오.

[06~09] 다음 글을 읽고, 물음에 답하시오.

가 무엇을 하기에 그 이상 좋을 수가 없이 알맞은 경우에 '십상 좋다'고 말하는 십상도, 열 십(十) 자와 이룰 성(成) 자에서 나온 말입니다. 그만큼 열이란 수는 이미 이룰 것을 이룩한 완전한 수이며, 성공을 한 수인 것입니다. / 그러면 아홉이란 수는 어떤 수입니까? 두말할 필요도 없이 열보다 하나가 모자라는 수입니다. 다시 말하면, 완전에 거의 다다른 수, 거기에 하나만 보태면 완전에 이르게 되는 수, 그래서 매우 아쉬움을 느끼게 하는 수인 것입니다.

나 끝없이 높고 너른 하늘을 십만 리 장천이라고 하지 않고 구만리장천이라고 합니다. 젊은이더러 ⊙ _____(이)라고 하는 말과 같은 뜻이지요. / 굽이굽이 한없이 서린 마음을 구곡간장이라고 하고, 굽이굽이 에워 도는 산굽이가 얼마인지 모르는 길을 구절양장이라고 하고, 통과해야 할 문이 몇이나 되는지 모르는 왕실을 구중궁궐이라고 하고, 죽을 고비를 수도 없이 넘기고 살아난 것을 구사일생이라고 표현하고 있습니다. [중략] 동양에서는, 그중에서도 특히 우리나라에서는, 오랜 옛날부터 열보다 아홉을 더 사랑했습니다. 얼마나 사랑했으면 아홉 구 자가 두 번 든 음력 구월 구일을 중양절이니, 중굿날이니 하는 이름으로 부르면서, 천년이 넘도록 큰 명절로 정하고 쇠어 왔겠습니까.

다 우리의 조상들이 열보다 아홉을 더 사랑한 것은 무슨 까닭이었을까요? 간단히 말해서 모든 일에 완벽함을 기대하지 않았다는 뜻이 아니었을까요? 다시 말하면, 이 세상에 완전한 것은 없다는 사실을, 우리의 선조들은 아주 오랜 옛날부터 익히 알고 있었다는 것입니다.

라 열이란 수가 넘치지도 않고 모자라지도 않고, 또 조금도 여유가 없는 꽉 찬 수, 그래서 다음도 없고 다음다음도 없이 아주 끝나 버린 수라는 점에서, 아홉은 열보다 많고, 열보다 크고, 열보다 높고, 열보다 깊고, 열보다 넓고, 열보다 멀고, 열보다 긴 수였으며, 그리하여 다음, 또 그다음, 그도 아니면 그 다음다음을 바라볼 수 있는, 미래의 꿈과 그 가능성의 수였기에, 슬기롭고 끈기 있는 우리의 선조들에게 일찍부터 열보다 열 배도 넘는 사랑을 담뿍 받아 왔던 것입니다.

마 하물며 여러분은 지금 한창 자라고, 한창 배우고, 한창 놀아야 할 중학생입니다. 여러분은 지금 무엇 한 가지도 완벽할 수가 없으며, 항상 어딘가가 부족하고 어설픈 것이 오히려 정상적인 학생입니다. 행여 무엇이 남들보다 모자란 것이 아닌가 싶어서 스스로 괴로워하고 외로워하고 서글퍼해 온 학생이 있다면, 어떨까요, 이제부터라도 열이란 수보다 아홉이란 수를 더 사랑해 보는 것은.

06. 이 글을 읽고 답할 수 있는 질문이 **아닌** 것은?
① 열이라는 수가 지닌 특징은 무엇인가요?
② 아홉이라는 수가 들어간 표현에는 어떤 것들이 있나요?
③ 동양에 비해 서양에서 열을 더 사랑한 까닭은 무엇일까요?
④ 우리 조상들이 열보다 아홉을 더 사랑한 까닭은 무엇인가요?
⑤ 글쓴이가 아홉을 열보다 더 크게 생각한 까닭은 무엇인가요?

07. 이 글을 추천하기에 가장 적절한 대상은?
① 하는 일마다 무관심하고 지루해하는 학생
② 학업 성적이 우수해서 늘 칭찬을 받는 학생
③ 오늘 할 일을 내일로 미루는 버릇이 있는 학생
④ 친구들과의 사이가 좋아 즐겁게 생활하는 학생
⑤ 자신이 모자란다고 생각하고 실의에 빠진 학생

08. ⊙에 들어갈 관용 표현으로 적절한 것은?
① 손이 큰 사람
② 간이 부은 사람
③ 발이 넓은 사람
④ 앞길이 구만리 같은 사람
⑤ 배보다 배꼽이 더 큰 사람

| 서술형 |

09. 〈보기〉의 빈칸에 들어갈 말을 〈조건〉을 고려하여 서술하시오.

┤ 보기 ├

선생님; 글쓴이는 열이 완전하고 성공한 숫자인 것은 맞지만, 다음다음을 바라볼 수 있는, 미래의 꿈과 그 가능성의 수인 아홉의 가치도 크다는 것을 이야기하고 있어. 그리고 (마)에서 글쓴이는 ( )과 닮았다고 생각하며 청소년들에게 아홉이라는 수를 사랑하라고 말하고 있는 거란다.

┤ 조건 ├

• 글의 중심 소재를 청소년과 연결지어 서술할 것.
• 청소년의 가치를 표현해 주는 수식어를 넣어서 서술할 것.

양반전

 생각 열기

다음은 미세 먼지 문제를 그린 그림입니다. 그림을 보고, 작가의 의도를 생각해 봅시다.

▲ 계대욱, 「그레이 크리스마스」, 「꽃보다 미세 먼지」

• 크리스마스와 꽃놀이를 왜 이렇게 그렸을까요?

예시 답ㅣ크리스마스와 봄날에도 마음껏 밖을 다닐 수 없을 정도로 심각한 미세 먼지 문제를 이야기하기 위해서이다.

• 대상이나 현상을 비꼬아서 부정적으로 표현하고 있는 다른 그림이나 글들을 더 찾아 말해 봅시다.

예시 답ㅣ환경 오염을 풍자한 그림이 들어간 공익 광고

● **이렇게 열자** ●

제시된 그림은 풍자를 목적으로 사회나 인간에 대해 기지와 냉소 등을 섞어 그린 풍자화의 일종이야. 이 그림을 그린 작가는 미세 먼지, 비, 안개로 희뿌연 크리스마스이브와 한창 꽃놀이를 할 시기에 미세 먼지로 휩싸인 봄을 맞은 우리의 환경 문제를 비꼬아 부정적으로 그려 냄으로써 이러한 문제 상황을 만든 우리 사회를 넌지시 비판하고 있단다.

첫 번째 활동을 통해 이와 같은 의도를 파악하였다면 두 번째 활동을 통해서는 이렇게 대상이나 현상을 비꼬아서 부정적으로 표현하고 있는 그림이나 글을 더 찾아봄으로써 풍자의 표현 원리와 효과를 좀 더 이해해 보자. 더 나아가 이를 활용하여 자기 생각이나 느낌, 가치 있는 경험을 효과적으로 표현하는 데 풍자의 표현 방법을 활용해 볼 수 있도록 하자.

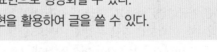

▶ 이 단원의 학습 요소

학습 목표ㅣ • 자신의 가치 있는 경험을 개성적인 발상과 표현으로 형상화할 수 있다.

• 생각이나 느낌, 경험을 드러내는 다양한 표현을 활용하여 글을 쓸 수 있다.

풍자의 표현 방법을 중심으로 작품 감상하기	▶	고전 소설에 드러난 풍자의 표현 원리와 효과를 파악한다.
풍자의 표현 원리와 효과를 파악하고 이를 활용하여 표현하기	▶	풍자의 표현 방법으로 자기 생각이나 경험, 느낌을 효과적으로 표현하는 가운데 창의적인 능력을 신장한다.

소단원 바탕 학습

핵심 개념 미리 보기

1. 풍자

(1) 풍자의 뜻

현실의 부정적인 대상이나 모순을 빗대어 넌지시 비판함으로써 웃음을 유발하는 표현 방식이다.
⑩「봉산탈춤」에서 '개잘량이라는 '양' 자에 개다리소반이라는 '반' 자 쓰는 양반이 나오신단 말이오.' → 양반의 무능력함을 풍자의 표현을 통해 조롱하며 비판함.

(2) 풍자의 특징

- 대상을 직접 공격하는 것이 아니라 비웃음, 말장난, 시치미 떼기, 과장 등 간접적인 방법으로 돌려서 부당한 현실이나 힘 있는 대상을 우스꽝스럽게 그려 비판한다.
- 주로 부조리한 사회 현상이나 인간의 잘못을 공격하고 바로잡고자 하는 의도로 쓰인다.

2. 반어, 역설, 풍자의 공통점과 효과

반어	역설	풍자
실제와 반대로 말하는 표현 방식	모순된 말 속에 진리를 담고 있는 표현 방식	현실의 부정적인 현상 등을 웃음거리로 만들어 표현하는 방식

⬇

말하고자 하는 바를 직설적으로 표현하지 않고 다른 방식으로 말함.

⬇

- 대상을 바라보는 작가의 태도를 드러냄.
- 작품 전체의 의미를 효과적으로 형상화함.

3. 개성적인 발상과 표현의 형상화

- 자신만의 독특한 개성을 살려 삶에서 가치를 발견하고 이를 창의적으로 표현하는 것을 말한다.
- 문학 작품에서 작가가 활용한 표현 방법 중 운율, 반어, 역설, 풍자의 원리와 그 효과에 대한 이해를 바탕으로 자기 생각이나 느낌, 경험 등을 개성 있게 표현하는 것이다.

제재 훑어보기

양반전(박지원)

- **해제:** 이 작품은 양반들의 무능함과 허례허식을 풍자하고 있는 고전 소설이다. 작가는 조선 후기 사회를 배경으로 하여 양반이 양반답지 못한 현실을 개탄하며 신분 질서가 문란해진 당시의 사회상을 적나라게 드러내고 있다.
- **갈래:** 고전 소설, 한문 소설, 풍자 소설
- **성격:** 풍자적, 고발적, 비판적
- **시점:** 전지적 작가 시점
- **배경:** 시간적-18세기 조선, 공간적-강원도 정선
- **제재:** 양반 신분의 매매
- **주제:** 양반들의 공허한 관념과 비생산성, 특권 의식에 대한 비판과 풍자
- **특징**

  ① 조선 후기 사회상을 잘 반영하고 있다.

  ② 몰락하는 양반들의 위선적인 생활 모습을 비판, 풍자하고 있다.

  ③ 평민 부자라는 새로운 인간형을 제시하고 있으며, 실사구시의 실학사상을 반영하고 있다.

- **실사구시(實事求是):** 사실에 토대를 두어 진리를 탐구하는 일. 공리공론을 떠나서 정확한 고증을 바탕으로 하는 과학적·객관적 학문 태도를 이른 것으로, 중국 청나라 고증학의 학문 태도에서 볼 수 있다. 조선 시대 실학파의 학문에 큰 영향을 주었다.

➕ **보충 자료**

작가(박지원)의 말

"선비란 것이 하늘이 내린 벼슬이며, 선비[士]의 마음[心]은 곧 지(志) 자가 되는 것이다. 그러면 그 뜻이란 어떠한 것인가. 첫째, 권세와 이익을 꾀하지 말 것이니 선비는 몸이 비록 높아지더라도 선비에서 떠나지 않아야 할 것이며, 몸이 비록 곤궁하더라도 선비의 본분을 잊어서는 아니 될 것이다. 지금 소위 선비들은 명절(名節)을 닦기에는 힘쓰지 않고 부질없이 문벌(門閥)만을 이득의 기회로 여겨 그의 세덕(世德)을 팔고 사게 되니, 이야말로 저 장사치에 비해서 무엇이 낫겠는가. 이에 나는 이 「양반전」을 써 보았노라."

— 박지원, 「방경각외전」 자서(自序)

양반전 _박지원 지음 / 성낙수 풀이

66 학습 포인트
· 양반의 처지 파악하기
· 부자가 양반 신분을 사려는 이유 파악하기

발단 **1** 양반이란, 사족들을 높여서 부르는 말이다.
선비나 무인(武人)의 집안. 또는 그 자손을 이름.

강원도 정선군에 한 양반이 살고 있었다. 이 양반은 어질고 글 읽기를 좋아하
공간적 배경
여 군수가 새로 부임하면 으레 몸소 그 집을 찾아와서 인사를 드렸다. 그런데 이
양반은 집이 가난하여 해마다 관아의 곡식을 타다 먹은 것이 쌓여서 천 *석에 이
양반의 경제적 무능력을 드러냄.
르렀다. 강원도 감사가 그 고을을 순시하다가 정선에 들러 *관곡 장부를 조사하
돌아다니며 사정을 보살피다가
고 크게 노하였다.

"어떤 놈의 양반이 이처럼 군량에 쓸 곡식을 축냈단 말이냐?"

하고, 곧 명해서 그 양반을 잡아 가두게 하였다. ㉠『군수는 그 양반이 가난해서 갚
『 』: 양반에게 우호적인 태도를 보이는 군수
을 힘이 없는 것을 딱하게 여기고 차마 가두지 못하였지만』무슨 도리가 없었다.
관련 한자 성어-속수무책(束手無策)
양반 역시 밤낮 울기만 한 채 해결할 방법을 찾지 못하였다. 그 부인이 *역정
양반의 무능한 모습
을 냈다.

　　　　　　　　　　📖 교과서 날개 ①
"당신은 평생 글 읽기만 좋아하더니
양반인 남편의 무능함을 비판하는 아내
관곡을 갚는 데는 아무런 도움이 안 되
는군요. 쯧쯧. 양반, 양반이란 것이 한
푼어치도 안 되는 것이구려."
➡ 양반이 관곡을 타 먹고 갚지 못해 곤궁에 빠짐.

발단 양반은 관곡을 타 먹고 갚지 못해 옥에 갇힐 처지에 놓이고 아내는 양반의 무능함을 비판함.

전개 **2** 그 마을에 사는 한 부자가 가족들과 의논하기를,
📖 교과서 날개 ②　　　　조선 후기에 등장한 신흥 세력
"『양반은 아무리 가난해도 늘 귀하게 대접받고 나는 아무리 부자라도 항상 천
『 』: 부자가 양반 신분을 사게 된 동기가 드러남.
하지 않으냐. 말도 못 하고, 양반만 보면 굽신굽신 두려워해야 하고, 엉금엉금
기어가서 코를 땅에 대고 무릎으로 기는 등 우리는 늘 이런 수모를 받는단 말
이다.』이제 동네의 한 양반이 가난해서 타 먹은 관곡을 갚지 못하고 아주 난
처한 판이니 그 형편이 도저히 양반을 지키지 못할 것이다. 내가 장차 그의 양
양반 신분을 사고팔았던 당시의 시대상을 보여 줌.
반을 사서 가져 보겠다."

부자는 곧 양반을 찾아가 자기가 대신 관곡을 갚아 주겠다고 청하였다. 양반
은 크게 기뻐하며 승낙하였다. 그래서 부자는 즉시 곡식을 관가에 실어 가서 양
반의 *환자를 갚았다.　　　➡ 부자가 양반 대신 환자를 갚아 주고 양반 신분을 사기로 함.

| 작가 소개: 박지원(1737~1805)
조선 후기 실학자. 호는 연암. 양
반 계층의 공리공론을 비판하는
한편, 자유롭고 기발한 문체의 한
문 소설을 여럿 남겼다. 저서에
『열하일기』, 『연암집』 등이 있다.

🐰 **읽기 중 활동**

교과서 날개 ①
양반의 아내는 남편을 어떻게
평가하는지 말해 봅시다.
→ 비생산적인 글 읽기만 좋아
하고, 경제적으로는 무능력하
다고 비판하고 있다.

교과서 날개 ②
부자가 양반이 되려는 까닭은
무엇인가요?
→ 자신은 부자라도 항상 천시
를 당하고 수모를 받지만, 양반
은 아무리 가난해도 늘 귀하게
대접받기 때문이다.

어휘 풀이
· 석: 섬. 부피의 단위. 곡식, 가
루, 액체 따위를 잴 때 쓴다.
한 석은 한 말의 열 배로 약
180리터(ℓ)에 해당한다.
· 관곡(官穀): 국가나 관청에서
가지고 있는 곡식.
· 역정(逆情): 몹시 언짢거나
못마땅하여 내는 성.
· 환자(還子): 조선 시대에, 곡
식을 저장하였다가 백성들
에게 봄에 꾸어 주고 가을에
이자를 붙여 거두던 일. 또는
그 곡식.

찬찬샘 핵심 강의

• 등장인물의 말로 알 수 있는 양반의 모습

이 작품을 쓴 박지원은 중세적 봉건 사회가 흔들리고 새로운 사회의 움직임이 싹트기 시작한 조선 후기를 살아가면서 양반 계층이나 사회 제반 현상에 관해 비판적 태도를 드러낸 작가란다. 이러한 작가의 태도는 이 작품에서도 여실히 드러나는데, 먼저 ❶에서 환자(관아의 곡식)를 천 석이나 빌려다 먹고 갚지 않아 옥에 갇힐 위기에 처한 양반의 모습을 통해 당시 무능력한 양반 계층의 모습을 비판하고 있어.

◦핵심 포인트◦

강원도 감사	"어떤 놈의 양반이 이처럼 군량에 쓸 곡식을 축냈단 말이냐?"

↓

환자를 갚지 못하여 옥에 갇힐 상황에 놓인 양반의 무능한 모습을 드러냄.

양반의 아내	"당신은 평생 글 읽기만 좋아하더니 관곡을 갚는 데는 아무런 도움이 안 되는군요. 쯧쯧. 양반, 양반이란 것이 한 푼어치도 안 되는 것이구려."

↓

글 읽기만 좋아할 뿐, 경제적인 면에서는 무능력한 양반의 모습을 드러냄.

• 부자가 양반 신분을 사려는 이유

조선 후기에는 자본을 축적한 신흥 세력이 나타나기 시작했는데, ❷에 등장하는 부자가 그러한 새로운 세력의 전형적인 인물이야. 부자는 평소 천대받는 것을 서럽게 여기고 양반 신분을 동경하다가 마침내 양반 신분을 살 기회를 얻고 있단다.

◦핵심 포인트◦

자신은 부자라도 항상 천시를 당하고 수모를 받지만, 양반은 아무리 가난해도 늘 귀하게 대접받음.	→	양반의 환자를 갚아 주고 양반 신분을 사고자 함.

콕콕 확인 문제

1. 이 글에 대한 설명으로 적절하지 <u>않은</u> 것은?
① 조선 후기를 배경으로 하고 있다.
② 작가의 실학사상을 반영하고 있다.
③ 역사적으로 실존했던 인물을 다루고 있다.
④ 지배 계층과 부정적 현실을 풍자하고 있다.
⑤ 인물의 말을 통해 주제 의식을 드러내고 있다.

2. 이 글의 등장인물에 대한 이해로 적절하지 <u>않은</u> 것은?
① 양반의 아내는 남편의 경제적 무능을 비판하고 있다.
② 강원도 감사는 자신의 임무를 충실히 행하는 인물이다.
③ 양반은 어질고 글 읽기를 좋아하지만 가난한 인물이다.
④ 양반은 환자를 갚지 못해 감옥에 갈 위기에 처해 있다.
⑤ 군수는 양반의 처지를 딱하게 여기고 환자의 일부를 갚아 주려 한다.

3. 부자가 양반 신분을 사려는 이유로 가장 적절한 것은?
① 양반의 특권을 누리기 위해
② 자신의 경제력을 과시하기 위해
③ 가난한 양반의 처지가 안타까워서
④ 관리들의 부정부패에 맞서기 위해
⑤ 신분 제도의 불합리함을 비판하려고

4. ㉠의 상황을 나타낼 한자 성어로 가장 적절한 것은?
① 동병상련(同病相憐)　② 사생결단(死生決斷)
③ 기사회생(起死回生)　④ 속수무책(束手無策)
⑤ 내우외환(內憂外患)

|서술형|
5. 〈보기〉를 바탕으로 할 때 ❶에서 작가가 비판과 풍자의 대상으로 삼고 있는 것은 무엇인지 서술하시오.

이 글은 박지원의 풍자 소설이다. 풍자란 현실의 부정적인 대상이나 모순을 빗대어 넌지시 비판함으로써 웃음을 유발하는 표현 방식이다.

3 군수는 양반이 관곡을 모두 갚은 것을 놀랍게 생각하였다. <u>군수가 몸소 찾아</u>
<u>가서 양반을 위로하고, 또 관곡을 갚게 된 사정을 물어보려고 하였다.</u> 그런데 뜻
　　　　　　　군수는 같은 신분인 양반에게 동정적인 태도를 보임.
밖에 **❶**양반이 *벙거지를 쓰고 짧은 *잠방이를 입고 길에 엎드려 '소인'이라고 자
　　　　　　　　　　　　　신분이 낮은 사람이 자기보다 신분이 높은 사람을 상대하여 자기를 낮추어 이르던 일인칭 대명사
칭하며 감히 쳐다보지도 못하고 있지 않는가. 군수가 깜짝 놀라 내려가서 부축하
고 말하였다.

　"귀하는 어찌 이다지 스스로 낮추어 욕되게 하시는가요?"
　　양반을 가리킴.
하고 말하였다. 양반은 더욱 *황공해서 머리를 땅에 조아리고 엎드려 아뢰었다.

　"황송하오이다. 소인이 감히 욕됨을 자청하는 것이 아니오라, <u>이미 제 양반을</u>
　　　　　　　　　　　　　　　　　　　　　　　　　　양반이 자신을 소인이라 한 이유
<u>팔아서 관곡을 갚았지요.</u> 동네의 부자 사람이 양반이옵니다. 소인이 이제 다
시 어떻게 전의 양반을 사칭해서 양반 행세를 하겠습니까?"
　　이제 옛날 칭호로 불리거나 그 행세를 할 수 없다는 말　　➔ 양반이 부자에게 양반 신분을 팔고 평민으로 처신함.

4 군수는 감탄해서 말하였다.

　"군자로구나 부자여! 양반이로구나 부자여! **❷**『부자이면서도 재물에 인색함이
　　　　　　　　　　　　　　　　　　　　　　　　『 』: 군수가 부자를 칭찬하는 이유
없으니 의로운 일이요, 남의 어려움을 도와주니 어진 일이요, 비천한 것을 싫
어하고 귀한 것을 아끼니 지혜로운 일이다.』 이야말로 진짜 양반이로구나. 그
러나 ╱ 교과서 날개 사사로이 팔고 사더라도 증서를 해 두지 않으면 소송의 꼬투리가 될 수
있다. 내가 너와 약속을 해서 고을 사람들을 증인을 삼고 증서를 만들 것이니
마땅히 거기에 서명할 것이다."

　그리고 군수는 돌아가서 고을 안의 양반 및 <u>농사꾼, *공장, 장사치</u>까지 모두
　　　　　　　　　　　　　　　　　　　　　　당시 사회의 계급 구조-사농공상(士農工商)
불러 관아에 모았다. <u>부자는 오른편 높직한 자리에 서고, 양반은 *공형의 아래에</u>
<u>섰다.</u>
　신분 매매 이후 양반과 부자의 신분이 바뀌었기 때문임.

　그리고 증서를 만들었다.　　　　　　　　　➔ 군수가 양반 매매 증서를 작성하고자 함.

> **전개** 마을의 부자가 양반의 환자를 갚아 주고 양반 신분을 삼.

❝ 학습 포인트
· 글에 나타난 사회의 모습 파악하기
· 풍자적 표현 파악하기

읽기 중 활동

교과서 날개
군수가 증서를 만들려는 까닭은 무엇일까요?
→ · 양반과 부자의 신분 거래를 공증하기 위해서이다.
· 신분을 돈으로 사고파는 것을 막기 위한 숨은 의도도 있을 것이다.

어휘 풀이
· 벙거지: 주로 병졸이나 하인이 쓰던 모자.
· 잠방이: 가랑이가 무릎까지 내려오도록 짧게 만든 홑바지.
· 황공하다(惶恐--): 위엄이나 지위 따위에 눌리어 두렵다.
· 공장(工匠): 수공업에 종사하던 장인. 관공장과 사공장으로 나뉜다.
· 공형(公兄): 조선 시대의, 각 고을의 세 구실아치. 호장, 이방, 수형리를 이른다.

어구 풀이
❶ 양반이 평민의 차림새를 하고 군수에게 자신을 '소인'이라 칭하는 것은 부자에게 양반 신분을 팔았기 때문이다. 양반은 자신의 바뀐 신분에 맞게 평민이 벼슬아치를 대하듯 자신을 낮추어 말하고 있다.
❷ 군수가 부자를 칭찬하고 있는 부분이다. 그러나 작가는 이러한 군수의 말을 통해 부를 이용하여 양반 신분을 사려고 한 부자를 간접적으로 풍자하고 있다고 볼 수 있다.

• 이 글에 나타난 조선 후기 사회의 모습

　조선 후기에는 관곡을 빌리고 이를 갚지 못해 감옥에 갈 신세에 처한 이 글의 양반처럼 경제적으로 몰락한 양반 계층이 생겨났으며, 상공업의 발달과 농업 생산력의 발달 등으로 이 글의 부자처럼 평민 부자들이 나타나기 시작했단다. 게다가 두 번의 큰 전란 이후 국가에서는 부족한 재정을 메우려고 돈 많은 평민들에게 돈을 받고 양반으로 상승시켜 주기도 하였어. 이렇듯 양반의 사회적·경제적 지위가 흔들리면서 신분 질서가 동요하기 시작했단다. 양반의 아내가 양반을 꾸짖는 장면에서 봤듯이 양반의 위엄도 떨어져 가고 있었지.

▶핵심 포인트◀

평민 부자가 양반 신분을 삼.	→ 부유해진 평민층이 등장함.
양반이 신분을 팔아 환자를 갚음.	→ 경제적으로 몰락하는 양반이 생김.
군수가 양반 매매 증서를 만들어 주려 함.	→ 돈으로 신분을 사고파는 것이 가능하게 됨. → 신분제가 점차 붕괴되고 있음.

• ❸에 나타난 풍자적 표현

　❸에서 작가는 신분을 팔고 평민으로 전락한 양반의 겉모습과 행동을 통해 웃음을 유발하면서 양반을 풍자 대상으로 삼고 있단다. 즉 ❸에서 양반은 사회적 지위는 높으나 열등한 존재로 그려지고 있는데, 이렇듯 풍자를 활용하면 대상을 직설적으로 비판하기보다 우스꽝스럽게 만들어 간접적이고 우회적으로 조롱, 비판할 수 있단다.

▶핵심 포인트◀

외모	벙거지를 쓰고 짧은 잠방이를 입음.
행동	길에 엎드려 군수에게 자신을 '소인'이라 칭하며 고개를 들어 올려다보지 못함.

↓

양반의 모습을 우스꽝스럽게 그려
조롱하고 비판함.

6. 이 글에 반영된 당시 사회의 모습으로 적절하지 <u>않은</u> 것은?
　① 경제적으로 몰락한 양반들이 생겨났다.
　② 관아에서 곡식을 빌려주는 제도가 있었다.
　③ 사회·경제적으로 성장한 평민층이 나타났다.
　④ 양반은 존대받고 평민은 천대받는 신분 사회였다.
　⑤ 철저한 신분 사회로 신분 간의 이동이 금지되었다.

7. 이 글의 내용과 일치하지 <u>않는</u> 것은?
　① 군수는 양반의 환자를 갚아 준 부자를 칭찬하였다.
　② 군수는 양반이 관곡을 갚게 된 사정을 궁금해하였다.
　③ 양반은 평민의 차림새를 하고 평민으로서 처신하였다.
　④ 부자는 군수에게 양반 매매 증서를 작성해 달라고 요청하였다.
　⑤ 군수는 양반과 부자를 관아로 불러 부자를 양반보다 높은 자리에 세웠다.

8. 이 글에 나타난 군수에 대한 이해로 가장 적절한 것은?
　① 당시의 신분 제도를 개혁하고자 하는군.
　② 증서를 만들어 매매를 확실히 하려 하는군.
　③ 환자 때문에 양반 신분을 판 양반을 경멸하는군.
　④ 고을 백성의 어려움을 보살필 줄 아는 어진 사람이군.
　⑤ 고을 문제를 해결할 능력이 없는 무능한 양반을 상징하는군.

9. ❸에 나타난 작가의 의도를 바르게 이해한 것은?
　① 신분 질서의 엄격함을 강조하고 있다.
　② 양반의 신의 있는 행동을 보여 주고 있다.
　③ 부자의 어진 인덕을 돋보이도록 묘사하고 있다.
　④ 양반에게 동정적인 군수의 모습을 비판하고 있다.
　⑤ 몰락한 양반의 처지를 희화화하여 풍자하고 있다.

|서술형|
10. ❸에서 양반이 군수에게 자신을 '소인'이라고 지칭한 까닭을 서술하시오.

건륭 10년 9월 모일에 이 문서를 만드노라.
중국 청나라 고종 때의 연호(1736~1795)
위 증서는 양반을 팔아서 관곡을 갚은 것으로 그 값은 천 석이다.

오직 양반은 여러 가지로 일컬어지나니, ❶글을 읽으면 가리켜 선비라
'양반'의 다양한 칭호
하고, 정치에 나아가면 대부가 되고, 덕이 있으면 군자이다. 무관은 서쪽
에 늘어서고 문관은 동쪽에 늘어서는데, 이것이 양반이니 너 좋을 대로
'양반'이라는 말의 유래   돈을 주고 산 양반이므로 무엇이든 상관없다는 의미임.
따를 것이다.
교과서 날개
야비한 일을 끊고 옛일을 본받고 뜻을 고상하게 할 것이며, 늘 새벽 다
섯 시만 되면 일어나 촛불에 불을 댕겨 등잔을 켜고 눈은 가만히 코끝을
보고 발꿈치를 궁둥이에 모으고 앉아 『동래박의』를 ㉠❷얼음 위에 박 밀
듯 왼다. 배고픔을 참고 추위를 견뎌 살림의 구차한 형편을 남에게 말하
양반은 체면을 중시해야 함.
지 아니하되, 이를 마주치고 뒤통수를 두드리며 잔기침으로 입맛을 다진
다. 소맷자락으로 모자를 쓸어서 먼지를 털어 물결무늬가 생겨나게 하
고, 세수할 때 주먹을 비비지 말고, 양치질해서 입내를 내지 말고, 소리를
길게 뽑아서 종을 부르며, 걸음을 느릿느릿 옮겨 신발을 땅에 끈다. 그리
고 『고문진보』, 『당시품휘』를 깨알같이 베껴 쓰되 한 줄에 백 자를 쓰며,
㉡돈을 만지지 말고, 쌀값을 묻지 말고, 더워도 버선을 벗지 말고, 밥을
돈벌이와 관련된 일을 천시함.
먹을 때 맨상투로 밥상에 앉지 말고, 국을 먼저 훌쩍훌쩍 떠먹지 말고, 물
상투에 아무것도 두르거나 쓰지 아니한 채로
을 후루루 마시지 말고, 젓가락으로 방아를 찧지 말고, 생파를 먹지 말고,
막걸리를 들이켠 다음 수염을 쭈욱 빨지 말고, 담배를 피울 때 볼에 우물
이 파이게 하지 말고, 화난다고 아내를 두들기지 말고, 성내서 그릇을 내
던지지 말고, 아이들에게 주먹질을 하지 말고, 종놈을 야단쳐 죽이지 말
고, 소와 말을 꾸짖되 그 판 주인까지 욕하지 말고, 추워도 화로에 불을
쬐지 말고, 말할 때 이 사이로 침을 흘리지 말고, 소 잡는 일을 하지 말고,
돈을 가지고 놀음을 하지 말 것이다. ❸이와 같은 모든 품행이 양반에 어
긋남이 있으면, 이 증서를 가지고 관청에 나와 옳고 그름을 가릴 것이다.
매매 증서에 제시된 내용을 어길 경우 양반 신분을 뺏을 수 있다는 말임.
성주 정선 군수 °화압. 좌수 별감 증서.

➜ 양반이 지켜야 할 의무와 행동 지침을 담은 첫 번째 매매 증서를 작성함.

어휘 풀이
• 동래박의(東萊博議): 중국 남송의 여조겸이 『춘추좌씨전(春秋左氏傳)』 중의 중요한 기사 168항목을 뽑아 각각 제목을 달고 평론한 책. 문장 수련에 모범이 되어 왔다.
• 고문진보(古文眞寶): 중국 송나라 말기의 학자 황견이 주나라 때부터 송나라 때까지의 시문을 모아 엮은 책.
• 당시품휘(唐詩品彙): 중국 명나라의 고병이 당나라 시를 가려 뽑아 엮은 책.
• 화압(畫押): 자신의 성명이나 직함 아래에 도장 대신에 자필로 글자를 직접 씀.

어구 풀이
❶ 군수는 매매 증서에 양반의 다양한 칭호와 의미를 말한 뒤 부자에게 어떤 칭호를 따르든지 상관없다고 하고 있는데, 이로 볼 때 당시 사회에서 양반의 권위가 이미 상실되었음을 알 수 있다.
❷ 책을 거침없이 유창하게 줄줄 내리읽거나 내리외는 모습을 비유적으로 이르고 있다.
❸ 부자로 하여금 양반이 되기를 포기하게 하여 기존 신분 질서를 유지하려는 군수의 의도를 엿볼 수 있다.

• 첫 번째 매매 증서의 내용

5는 군수가 작성한 첫 번째 양반 매매 증서란다. 여기에는 양반이 지켜야 할 여러 가지 규범과 의무, 태도가 열거되어 있는데 대부분 예법이나 형식에 얽매여 꼼짝달싹도 못 하게 만드는 내용으로 채워져 있단다. 이러한 양반 매매 증서의 내용은 부자가 양반이 되려는 의도와는 다른 것이어서 결국 부자에게 실망을 주면서 두 번째 매매 증서를 작성하게 만드는 원인으로 작용하게 돼. 이처럼 첫 번째 매매 증서를 통해 작가는 허례허식에 빠져 있는 양반들의 생활 태도에 대한 비판 의식을 드러내고 있단다.

›핵심 포인트‹

첫 번째 매매 증서	양반으로서 지켜야 할 의무와 규범, 생활 태도

↓

비판하고자 하는 양반의 모습	• 현실적으로 무능하고 비생산적인 모습 • 공허한 관념, 체면과 형식을 중시하는 태도

• 군수의 숨은 의도

4의 내용을 다시 한번 환기해 보면 군수는 양반의 환자를 갚아 준 부자를 칭찬하지만, 신분 매매를 확실히 하자며 증인도 세우고 서명까지 하겠다면서 매매 증서를 만들기로 해. 하지만 이어지는 **5**의 매매 증서 내용은 주로 양반이 지켜야 할 의무와 규범으로, 부자에게 불리한 내용들 뿐이지 이로 볼 때 부자가 양반 신분을 사는 것을 방해하려는 군수의 숨은 의도가 있음을 추리해 볼 수 있단다.

›핵심 포인트‹

군수의 숨은 의도

↓

부자의 양반 신분 매매를 방해함.

11. **5**에 대한 설명으로 적절하지 <u>않은</u> 것은?
① 군수가 작성한 양반 매매 증서이다.
② 양반으로서 지켜야 할 의무와 규범을 나열하고 있다.
③ 양반의 무능함을 꼬집는 부자의 말을 인용하고 있다.
④ 작가가 부정적으로 생각하는 양반의 모습을 담고 있다.
⑤ 체면과 형식을 중시하는 양반의 생활 태도를 드러내고 있다.

12. **5**에서 언급한 양반으로서 지녀야 할 태도가 <u>아닌</u> 것은?
① 추워도 화로에 불을 쬐지 않는다.
② 날씨가 더워도 버선을 벗지 않는다.
③ 가난하다는 말을 남에게 하지 않는다.
④ 밥을 먹을 때 맨상투로 밥상에 앉아 먹는다.
⑤ 담배 피울 때 볼이 오목 파이도록 빨아들이지 않는다.

13. ㉠의 의미를 바르게 이해한 것은?
① 조급하고 괴팍한 성격을 비유적으로 나타낸다.
② 사람들과 격의 없이 토론하는 모습을 나타낸다.
③ 책이 빨리 읽히지 않아 쩔쩔매는 모양을 나타낸다.
④ 많은 양의 책을 줄줄 써 내려 가는 모습을 나타낸다.
⑤ 책을 거침없이 유창하게 줄줄 내리읽는 모습을 나타낸다.

14. ㉡에서 작가가 풍자하고 있는 양반의 모습은?
① 학구적 태도　　② 경제적 무능　　③ 교활한 인격
④ 백성에 대한 횡포　⑤ 청빈한 생활 태도

|서술형|
15. **5**에 나타난 양반의 모습과 관련된 속담을 사전에서 찾아서 하나만 서술하시오.

⑥ 이에 °통인이 도장을 찍으니 그 소리가 마치 °엄고 소리와 같고, 찍어 놓은 모
_{도장 찍는 소리를 크게 묘사하고 도장 찍은 모양을 별에 비유함으로써 매매 증서의 위압감을 암시함.}
양이 별들이 °벌여 있는 것 같았다.

부자는 <u>호장</u>이 증서를 읽는 것을 쭉 듣고 ㉠<u>한참 멍하니 있다가</u> 말하였다.
_{관아의 벼슬아치 밑에서 일을 보던 사람 중 우두머리 ┌ 교과서 날개}
"양반이라는 게 이것뿐입니까? ❶저는 양반이 신선 같다고 들었는데 정말 이렇
_{부자가 돈으로 양반 신분을 사려 했던 의도가 드러남.}
다면 너무 재미가 없는 걸요. 원하옵건대 제게 이익이 있도록 문서를 바꾸어

주옵소서."

그래서 문서를 다시 작성하였다. ➡ 부자가 매매 증서 내용에 실망하여 내용을 고쳐 달라고 청함.

<u>절정 1</u> 군수가 양반으로서 지켜야 할 일을 담은 첫 번째 매매 증서를 작성함.

<u>절정 2</u> ⑦

하늘이 백성을 낳을 때 백성을 넷으로 구분하였다. 네 가지 백성 가운
_{사농공상(士農工商)─선비, 농부, 공장, 상인}
데 가장 높은 것이 선비이니 이것이 곧 양반이다. 양반의 이익은 막대
_{양반의 특권}
하니 농사도 짓지 않고 장사도 하지 않고 글을 하면 크게는 문과 급제
요, 작게는 진사가 되는 것이다. ❷문과의 °홍패는 길이 두 자 남짓한 것
이지만 백 가지 물건이 구비되어 있어 그야말로 돈 자루이다. 『진사가 나
_{권력을 남용하여 재물을 긁어모으는 양반의 수탈을 풍자한 표현}
이 서른에 처음 관직에 나가더라도 오히려 이름 있는 °음관이 되고, 잘되
면 °남행으로 큰 고을을 맡게 되어, 귀밑이 양산 바람에 희어지고, 종들
이 '예' 하는 소리에 배가 커지며, 방에는 기생이 귀고리로 치장하고, 뜰
의 곡식에는 학이 깃든다.』『궁한 양반이 시골에 묻혀 있어도 강제로 이
_{『』: 양반들의 권력 세습, 무위도식하는 모습을 풍자함.}
웃의 소를 끌어다 먼저 자기 땅을 갈고 마을의 일꾼을 잡아다 자기 논의
김을 맨들 누가 감히 나를 괄시하랴. 너희들 코에 잿물을 들어붓고 머리
_{짚이나 나무를 태운 재를 우려낸 물. 예전에 주로 빨래할 때 씀.}
끄덩이를 회회 돌리고 수염을 낚아채더라도 누구 감히 원망하지 못할 것
이다.』 『』: 양반의 횡포를 비판하고 풍자함.

➡ 양반의 특권과 횡포를 담은 두 번째 매매 증서를 작성함.

<u>절정 2</u> 군수가 부자의 요구로 양반의 권리를 담은 두 번째 매매 증서를 작성함.

<u>결말</u> ⑧ 부자는 증서를 중지시키고 혀를 내두르며,

"그만두시오, 그만두오. 맹랑하구먼. 나를 장차 도둑놈으로 만들 작정인가."
_{생각하던 바와 달리 허망하구먼.}   _{양반을 도둑놈으로 표현하여 신랄하게 풍자함.}
하고 머리를 흔들고 가 버렸다.   ➡ 부자가 양반이 되기를 포기함.

<u>결말</u> 부자가 양반을 도둑놈이라고 하며 양반이 되기를 포기함.

❝ 학습 포인트
· 두 번째 매매 증서의 내용
  파악하기
· 풍자하는 내용 파악하기

읽기 중 활동

교과서 날개
부자가 증서의 내용에 불만을
가진 까닭은 무엇인가요?
→ 양반의 권리, 특권 등 부자
가 기대했던 내용은 없고 지켜
야 할 의무와 규범, 생활 태도
만 나열되어 있기 때문이다.

어휘 풀이
· 통인(通引): 관아의 심부름
  꾼.
· 엄고(嚴鼓): 임금이 정전(正
  殿)에 나올 때나 나들이할 때
  에, 벼슬아치와 호위 군사에
  게 준비를 서두르도록 큰북
  을 세 번 치던 일. 또는 그 북.
· 벌이다: 여러 가지 물건을 늘
  어놓다.
· 홍패(紅牌): 문과의 회시(會
  試)에 급제한 사람에게 주던
  증서. 붉은 종이에 성적, 등
  급, 성명을 먹으로 적었다.
· 음관(蔭官): 과거를 거치지
  아니하고 조상의 공덕에 의
  하여 맡은 벼슬. 또는 그런
  벼슬아치.
· 남행(南行): 음관과 같은 말.

어구 풀이
❶ 부자는 증서의 내용이 기대
한 바와는 달리 양반의 의무만
제시되어 있고 자신에게 실질
적인 이익이 많지 않자 불만을
토로하고 수정을 요구하는데,
이러한 부자의 모습 또한 비판
과 풍자의 대상이 되고 있다.
❷ 당시 벼슬아치들이 권력을
남용하여 재물을 모았기 때문
에 문과 합격만 하면 재산을
얼마든지 불릴 수 있다는 의미
에서 문과 합격증인 '홍패'를
'돈자루'라고 표현한 것이다.

• 두 번째 매매 증서의 내용

작가는 군수가 만든 매매 증서 내용을 통해 계속해서 비판 의식을 드러내고 있단다. 즉 양반의 부정적인 모습을 군수의 입을 통해 간접적으로 폭로하면서 풍자하고 있는 셈이지. 부자는 첫 번째 매매 증서 내용을 듣고 자신이 양반 신분을 통해 얻는 이익이 많지 않자 불만을 토로하며 수정을 요구한단다. 부자의 이런 요구로 군수는 두 번째 매매 증서를 작성해 주고 있어.

▶핵심 포인트◀

두 번째 매매 증서	양반으로서 누릴 수 있는 특권

↓

비판하고자 하는 양반의 모습	• 부당한 특권을 남용하는 위선적인 모습 • 양반의 권력 세습과 무위도식하는 모습 • 서민층을 수탈하는 양반의 부도덕하고 비인간적인 태도

• 「양반전」의 풍자 대상

작가는 양반이라는 신분과 지위를 이용해 이득을 취하는 양반의 부패한 모습을 부자의 말을 빌려 신랄하게 풍자하고 있는데, 바로 '도둑놈'이라는 표현이야. 부자는 두 번째 매매 증서를 중지시키며 양반의 특권으로 행하는 일들이 도둑놈이 하는 짓과 다를 바 없다는 생각에 양반이 되기를 포기한단다. 이처럼 이 소설에서 비판하고자 한 주된 대상은 양반이란다. 그리고 하나 더, 작가는 평민 부자에 대한 비판 의식도 드러내고 있단다. 돈이면 양반도 살 수 있다는 가치관을 보여 주면서 진정한 양반이 되려 하기보다는 특권 의식을 지향하는 부자의 부정적인 모습 역시 비판하고 있거든.

▶핵심 포인트◀

> "나를 장차 도둑놈으로 만들 작정인가."

부당한 특권을 남용해 백성을 수탈하고 이득을 취하는 양반층을 '도둑놈'이라는 표현으로 비판하고 풍자함.

16. **6**에서 부자가 증서 내용을 바꿔 달라고 한 이유로 가장 적절한 것은?
① 증서의 내용을 모두 지킬 자신이 없어서
② 증서의 내용이 양반의 도리에 맞지 않아서
③ 증서의 내용이 부자를 조롱하는 것 같아서
④ 증서의 내용이 양반에게만 유리한 내용들이어서
⑤ 증서의 내용이 자신에게 실질적인 이익이 없어서

17. 이 글에서 **7**의 양반 증서가 하는 역할로 볼 수 <u>없는</u> 것은?
① 이 글의 주된 풍자 대상이 양반임을 드러낸다.
② 당시 양반층의 백성에 대한 횡포를 보여 준다.
③ 부자의 신분 매매를 도우려는 군수의 의도를 드러낸다.
④ 부자가 양반 되기를 포기하게 만드는 요인으로 작용한다.
⑤ 양반의 부정적인 모습에 대한 작가의 비판 의식을 효과적으로 드러낸다.

18. **7**에 나타난 양반의 모습으로 적절하지 <u>않은</u> 것은?
① 여러 명의 부인을 두고 있음.
② 권력의 세습으로 무위도식함.
③ 홍패를 남용하여 재물을 축적함.
④ 농사도 짓지 않고 장사도 하지 않음.
⑤ 가난한 시골 양반도 신분을 이용해 평민을 괴롭힘.

19. ㉠의 행동에 담긴 부자의 심정으로 적절한 것은?
① 증서 내용에 실망하고 있다.
② 증서 내용을 의심하고 있다.
③ 증서 내용에 감동하고 있다.
④ 증서 내용에 만족해하고 있다.
⑤ 증서 내용을 당연하게 받아들이고 있다.

20. 〈보기〉의 설명에 해당하는 문장을 이 글에서 찾아 쓰시오.

> **보기**
> • 신분과 지위를 이용해 이득을 취하는 양반에 대한 부자의 생각이 직설적으로 표현된 말임.
> • 양반이 누리는 특권의 부당함을 풍자를 통해 드러냄으로써 양반층을 비판하고자 한 작가의 의도가 드러남.

학습활동

이해 활동

1. 이 소설 속 등장인물의 성격과 특징을 정리해 봅시다. 예시 답 |

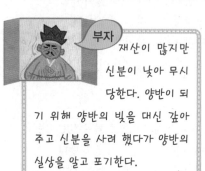

부자
재산이 많지만 신분이 낮아 무시당한다. 양반이 되기 위해 양반의 빚을 대신 갚아 주고 신분을 사려 했다가 양반의 실상을 알고 포기한다.

양반
학식과 인품을 지녔지만 현실 감각이 떨어지는 인물. 경제적 능력이 없어 가족을 부양하지 못하고, 결국 신분을 팔아 빚을 갚는 무능한 인물이다.

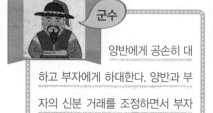

군수
양반에게 공손히 대하고 부자에게 하대한다. 양반과 부자의 신분 거래를 조정하면서 부자가 신분 사는 것을 포기하게 한다.

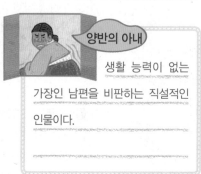

양반의 아내
생활 능력이 없는 가장인 남편을 비판하는 직설적인 인물이다.

2. 등장인물에게 묻고 싶은 내용을 정리하여, 다음과 같이 짝꿍과 함께 질문하고 답해 봅시다.

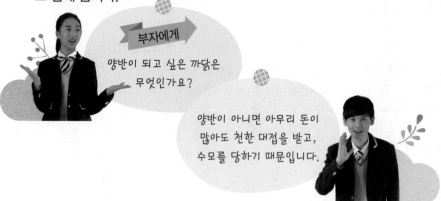

부자에게
양반이 되고 싶은 까닭은 무엇인가요?

양반이 아니면 아무리 돈이 많아도 천한 대접을 받고, 수모를 당하기 때문입니다.

예시 답 | • 질문: 양반에게 – 왜 제대로 갚지도 못하면서 계속 곡식을 꾸어다 먹었나요?
답변: 아무리 공부를 열심히 하고 글을 읽어도 돈은 벌 수 없어, 먹고살 길이 막막했기 때문입니다.
• 질문: 군수에게 – '양반'을 사고파는 것을 어떻게 생각합니까?
답변: 타고난 신분은 사고팔 수 있는 것이 아니라고 생각합니다.
• 질문: 양반의 아내에게 – 당신에게 '양반'이라는 신분은 무엇을 뜻하나요?
답변: 신분이 아무리 높아도 당장 먹을 양식이 없어 굶으면 아무 소용이 없습니다. 글 읽기만 한다고 쌀이 나오는 것이 아니니까요.

1. 등장인물 이해하기

★ 지학이가 도와줄게!
이 글의 중심 사건과 내용을 다시 한번 떠올려 보면서 사건 전개에 중요한 역할을 하는 인물들의 성격과 특징을 정리해 보렴.

시험엔 이렇게!!

1. 이 글의 등장인물에 대한 이해로 적절하지 <u>않은</u> 것은?
① 군수는 양반의 딱한 사정을 동정한다.
② 양반의 아내는 남편의 무능력을 비판한다.
③ 양반은 어질지도 경제적 능력도 없는 인물이다.
④ 부자는 양반으로서 대우받고자 신분을 사려고 한다.
⑤ 군수는 양반 매매 증서를 작성해 부자가 신분 사는 것을 막는 역할을 한다.

2. 등장인물을 비판적으로 이해하기

★ 지학이가 도와줄게!
이 활동은 짝을 이루어 하는 활동으로 구성되었지만, 질문을 하고 스스로 답해 보는 것도 의미 있단다. 작품을 깊이 있게 감상하는 매우 효과적인 방법이거든. 이 글에 등장하는 인물들의 특성에 어울리는 질문을 하여 적절한 답을 생각해 보도록 하렴.

시험엔 이렇게!! | 서술형

2. 이 글의 내용을 바탕으로 〈보기〉의 질문에 답해 보시오.

보기
• 질문: 부자에게 – 당신이 처음 작성한 양반 매매 증서에서 기대했던 내용은 무엇인가요?
• 답변: _____
_____

목표 활동

1. 이 소설에 나타나는 표현과 그 효과를 살펴봅시다.

1 군수가 만든 증서를 통해 간접적으로 비판하고 있는 양반의 모습을 말해 봅시다.

예시 답 |

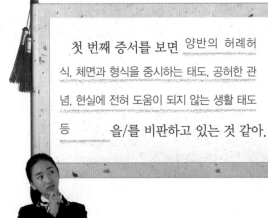

첫 번째 증서를 보면 <u>양반의 허례허식, 체면과 형식을 중시하는 태도, 공허한 관념, 현실에 전혀 도움이 되지 않는 생활 태도 등</u> 을/를 비판하고 있는 것 같아.

두 번째 증서를 보면 <u>양반의 부당한 특권, 서민층에 행하는 비도덕적인 수탈, 위선적 태도 등</u> 을/를 비판하고 있어.

➕ **보충 자료**

군수의 역할

이 글에서 군수는 신분 간 거래를 확실히 하기 위해 매매 증서를 작성해 주는 공정한 인물로 보이지만 결과적으로는 부자가 양반 신분을 얻는 것을 포기하게 만드는 이중적인 모습을 보인다. 또한, 매매 증서를 통해 양반의 허례허식과 횡포를 폭로하는 역할을 한다. 즉 작가는 양반의 부정적인 모습을 군수를 통해 간접적으로 폭로, 풍자하고 있다고 볼 수 있다.

1. 주요 표현 방법과 효과 파악하기

✎ 지학이가 도와줄게! - **1**

이 글에서 작가가 풍자하는 대상과 내용을 알아보는 활동이란다. 이 소설에서 풍자의 대상과 내용은 군수가 만든 두 증서의 내용에서 잘 드러나는데, 각각의 증서가 무엇에 중점을 두어 작성되었는지를 비교해 살펴보렴. 그리고 증서에 나타난 양반의 모습을 찾아 정리하면 작가가 어떤 내용을 비판하고 있는지 파악할 수 있을 거야.

✎ 시험엔 이렇게!!

| 서술형 |

3. 두 번째 매매 증서를 듣고 부자가 〈보기〉와 같이 말한 까닭을 서술하시오.

> **보기**
>
> "그만두시오, 그만두오. 맹랑하구먼. 나를 장차 도둑놈으로 만들 작정인가."

4. 매매 증서로 보았을 때, 이 글을 쓴 작가의 창작 의도로 적절한 것은?

① 평등 의식의 고취
② 사회적 질서의 안정
③ 신분 질서의 확립 추구
④ 사회 현실에 대한 평민의 각성 촉구
⑤ 양반의 경제적 무능과 특권 의식에 대한 비판

2 등장인물의 행동에서 긍정적인 면과 부정적인 면을 찾아보고, 친구들과 의견을 나누어 봅시다.

예시 답ㅣ

부자	**긍정적인 평가** 부자는 불합리한 차별을 받았기 때문에 자신의 노력으로 모은 돈으로 양반이 되려고 했으나, 양반의 실상을 알고는 양반이 되기를 포기한다. **부정적인 평가** 돈으로 신분을 사는 것으로 신분 제도의 부조리함을 모면하려 한다. 신분 차별이 불합리하다면 잘못된 사회를 바꾸기 위해 노력해야 할 것이다.
양반	**긍정적인 평가** 학식과 인품을 지녔으며, 양반 신분을 판 뒤에는 자신을 낮추는 태도를 보인다. **부정적인 평가** 현실 감각이 떨어지고 경제적으로 무능하여 가족들의 생계를 책임지지 못하고 나라에 큰 빚을 지게 된다.
군수	**긍정적인 평가** 학식이 높은 양반을 훌륭하다고 여기고 존경하는 태도를 보인다. **부정적인 평가** 겉으로는 양반의 빚을 갚고 신분을 산 부자를 칭찬하지만 양반 매매 증서를 통해 부자가 양반 신분을 사는 것을 포기하게 한다.

3 양반 계층을 직접 비판하는 것과 풍자를 통해 비판하는 것의 차이는 무엇일지 생각해 봅시다.

예시 답ㅣ 양반 계층을 직접 비판할 때에는 논리적으로 옳고 그름을 따져 공격할 수 있을 것이다. 반면 풍자를 통해 비판할 때에는 힘 있는 양반을 비판하고 희화화함으로써 부정적인 대상과 사회 현실을 은근하게 폭로하여 읽는 이에게 쾌감을 준다.

웃음을 통해 대상을 비판하는, 풍자

'풍자'는 현실의 부정적인 대상이나 모순을 빗대어 넌지시 비판함으로써 웃음을 유발하는 표현 방식입니다. 풍자는 대상을 직접 공격하는 것이 아니라 비웃음, 말장난, 시치미 떼기, 과장 등 간접적인 방법으로 돌려서 부당한 현실이나 힘 있는 대상을 우스꽝스럽게 그려 비판합니다.

지학이가 도와줄게! - **2, 3**

이해 활동을 통해 등장인물의 성격과 특성을 파악하였다면, 이번에는 자신의 관점에서 각 인물의 행동을 평가하고 비판해 보는 활동을 해 보자. 그리고 직접 대놓고 비판하는 것과 풍자의 표현을 비교한 후, 직접 양반을 성토하는 글을 쓰는 것에 비해 이렇게 작품을 통해 대상을 간접적으로 비판했을 때의 효과를 생각해 보렴.

➕ **보충 자료**
풍자와 해학의 비교

	풍자	해학
공통점	• 웃음을 유발함. • 현실을 우회적으로 표현함.	
차이점	• 사회의 결함, 악덕 등을 비꼬는 공격적인 어조를 띰. • 문제점을 개혁하고자 하는 의지를 담고 있음.	• 익살스러운 어조로 웃음을 유발하며 공격성을 띠지 않음. • 대상에 대해 호감과 연민을 느끼게 함.

시험엔 이렇게!!

5. 풍자에 대한 설명으로 적절하지 않은 것은?

① 대상을 우회적으로 비판하는 표현법이다.

② 과장, 비웃음, 말장난 등의 방법을 활용한다.

③ 연민과 동정을 불러일으키는 웃음을 유발한다.

④ 현실의 문제점을 개혁하고자 하는 의지를 담고 있다.

⑤ 표면적인 웃음 뒤에 감추어진 목소리를 읽을 줄 알아야 한다.

2. 이 소설과 같이 풍자의 표현이 나타난 사례를 우리 주변에서 찾아보고, 그 표현의 효과를 이해해 봅시다.

예시 답 ┃

사례	풍자 내용과 효과
 폴란드의 풍자 화가 파웰 쿠친스키의 「저녁 식사」	식탁 위에서 모든 가족이 스마트 기기를 앞에 두고 기도하는 모습을 그림으로써, 과도한 스마트 기기의 사용과 이에 따른 가족 간의 대화 부재를 풍자하고 있다.
 영화 「모던 타임즈」	공장의 부품과 같이 쉼 없이 일하고 통제당하는 주인공이 우여곡절 끝에 한 고아 소녀를 만나 희망을 찾는다는 내용을 통해 산업화 당시 미국의 사회 문제와 기계화된 인간의 현실을 풍자하고 있다.
 코미디	정치·사회 문제나 화제가 되는 일들을 과장을 통해 우스꽝스럽게 묘사하여 웃음을 주고 있다.

2. 생활 속 풍자의 사례 찾아보기

지학이가 도와줄게!

풍자의 표현 방법은 비단 문학 작품에만 국한되어 사용되는 것이 아니란다. 우리 일상생활에서도 널리 사용되고 있어. 그림, 영화, 만화, 코미디 프로그램 등 여러 장르에서 등장하고 있는 풍자의 표현을 찾아 살펴보면서 무엇을 전달하려 하는지 그 표현 효과는 어떠한지 생각해 보렴.

➕ **보충 자료**
매체에 따른 풍자의 방법

책, 신문	주로 문자, 그림, 사진 등을 활용함.
만화	이미지를 단순화하고 과장하여 시각적으로 전달함.
영화, 텔레비전	영상, 효과음, 배경 음악 등을 활용함.
인터넷	문자 언어, 음성 언어, 사진, 만화, 동영상, 효과음, 배경 음악 등 다양한 전달 수단을 활용함.

시험엔 이렇게!! │서술형│

6. 내가 만약 광고를 풍자의 방법을 활용하여 만든다면 어떤 내용으로 만들지 내용을 구성하여 서술하시오.

보기
• 동영상으로 촬영한다는 가정하에 구상할 것.
• 제목을 첨부할 것.

학습활동

창의 · 융합 활동

함께하기 ☺☺☺

1. 다음 시를 감상하고, 이 시에 나타난 풍자의 표현을 이해해 봅시다.

미니 시리즈

오은

느닷없이 접촉 사고
느닷없이 삼각관계
느닷없이 시기 질투
느닷없이 풍전등화
느닷없이 수호천사
느닷없이 재벌 2세
느닷없이 신데렐라
느닷없이 승승장구
느닷없이 이복형제
느닷없이 행방불명
느닷없이 폐암 진단
느닷없이 양심 고백
느닷없이 눈물바다
느닷없이 무사 귀환
느닷없이 갈등 해소
느닷없이 해피 엔딩

16부작이 끝났습니다
꿈 깰 시간입니다

1️⃣ 이 시에서 풍자하고 있는 것은 무엇인지 친구들과 이야기를 나누어 봅시다.

예시 답 | 일부 텔레비전 드라마에서 보통의 삶에서는 일어나기 힘든 자극적인 상황이나 일들이 개연성 없이 동시다발적으로 일어나는 것을 풍자하고 있다.

○ **활동 개관**
현대시에 나타난 풍자의 표현 방법을 살펴보고 이를 바탕으로 주변의 일을 풍자의 방법을 사용하여 표현하는 활동이다. 풍자 대상이 「양반전」과 같이 고전 작품에서만 있는 것이 아니라, 오늘날 우리 주변의 것들도 풍자의 대상이 될 수 있음을 알고 창의적인 활동을 해 볼 수 있을 것이다.

○ **활동 제재 개관**
갈래: 자유시, 서정시
성격: 현실 비판적, 풍자적
제재: 미니 시리즈의 작위적인 상황
주제: 드라마의 작위적인 상황 설정에 대한 비판
특징
① 어구, 문장 구조의 반복을 통해 시의 주제를 강조한다.
② 16부작 미니 시리즈의 내용을 16행으로 구성하고, 2연에서 여운을 남기며 끝맺고 있다.

★ 지학이가 도와줄게! - 1 1️⃣
이 시의 소재가 된 16부작 미니 시리즈가 어떻게 전개되는지를 살피면서, 어떤 점을 비꼬아서 비판하고 있는지를 파악해 보렴. 이 시는 일부 드라마에서 자극적인 사건이나 일들이 개연성 없이 연이어 발생하는 것을 풍자하고 있단다. 평소 즐겨 보는 드라마가 있다면 이와 연관해서 공통점이 있는지 떠올려 볼 수도 있을 거야.

2 이 시의 형식과 내용에 맞추어 내용을 추가해 봅시다.

예시 답 |

느닷없이 출생 비밀

느닷없이 사랑 고백

🪄 지학이가 도와줄게! – 1 **2**

풍자의 표현 방법을 활용하여 기존 작품의 내용을 확장하는 활동이란다. 이 시의 형식을 살펴보면 글자 수가 일정한 운율로 맞춰져 있고 '느닷없이'라는 표현이 반복되고 있다는 것을 알 수 있을 거야. 이러한 형식을 고려하고 풍자하는 대상에 맞게 내용을 추가해 보렴.

3 이 시와 같이 풍자의 방법을 활용하여 주변의 일들을 개성 있게 표현해 봅시다.

예시 답 |

> 동생 방
>
> 월요병 때문에 못 치워 월요일
> 학원 다녀오면 피곤해 화요일
> 드라마는 본방 사수 수요일
> 왠지 다 귀찮군 목요일
> 내일은 주말이잖아 금요일
> 친구들과 축구해야지 토요일
> 무조건 푹 쉴래 일요일
>
> 오늘도 더럽네, 내 동생 방

🪄 지학이가 도와줄게! – 1 **3**

주변의 일들을 풍자적으로 개성 있게 표현해 보는 활동이란다. 시를 통해 이러한 활동을 하려면, 먼저 비판할 만한 현상이나 사건을 찾아 내용을 구성하고, 이를 직접 공격하지 않고 넌지시 비판하는 풍자의 표현 방법을 활용하는 것이 중요하단다. 그리고 일정한 형식상의 규칙을 통해 운율을 만들어 쓰면 돼.

➕ 보충 자료
풍자화에 나타난 풍자 대상들

▲ 중세 시대의 신분 사회, 특히 국왕과 귀족의 횡포를 풍자함.

▲ 다윈을 원숭이로 표현하여 인류의 조상이 원숭이라는 다윈의 진화론을 풍자함.

➕ 부충 자료
풍자가 드러난 한시
참새야 어디서 오가며 나느냐,
일 년 농사는 아랑곳하지 않고,
늙은 홀아비 홀로 갈고 맸는데,
밭의 벼며 기장을 다 없애다니.
　　　　　– 이제현, 「사리화」
→ 힘들게 지은 농사를 쪼아 먹는 '참새'를 무참한 수탈을 일삼는 '권력자(탐관오리)'로, '늙은 홀아비'는 힘없고 순박한 '농민'으로 상징하여, 권력의 수탈과 이에 당하는 농민의 원망을 풍자적으로 표현하였다.

소단원 콕! 짚고 가기

소단원 제재

1. 제재 정리

작가	박지원(1737~1805)	갈래	①□□ 소설, 한문 소설, 풍자 소설
성격	풍자적, 고발적, 비판적	시점	전지적 작가 시점
배경	• 시간적 배경: 18세기 ②□□ • 공간적 배경: 강원도 정선		
제재	양반 신분의 ③□□		
주제	양반들의 공허한 관념과 비생산성, 특권 의식에 대한 비판과 풍자		
특징	• 조선 후기 사회상을 잘 반영함. • 몰락하는 양반들의 위선적인 생활 모습을 비판, 풍자함. • 평민 부자라는 새로운 인간형을 등장시킴. • 실사구시(實事求是)의 실학사상을 반영함.		

2. 글의 구성

발단	전개	절정 1	절정 2	결말
양반은 관곡을 타 먹고 갚지 못해 옥에 갇힐 처지에 놓이고 아내는 양반의 무능함을 비판함.	마을의 부자가 양반의 환자를 갚아 주고 양반 신분을 삼.	군수가 양반으로서 지켜야 할 일을 담은 첫 번째 매매 증서를 작성함.	군수가 부자의 요구로 양반의 권리를 담은 두 번째 매매 증서를 작성함.	부자가 양반을 도둑놈이라고 하며 양반이 되기를 포기함.

핵심 포인트

1. 이 글에 나타난 조선 후기 사회의 모습

평민 부자가 양반 신분을 삼.	상업과 농업 생산력의 발달 등으로 부유해진 ④□□□이 등장함.
양반이 신분을 팔아 환자를 갚음.	경제적으로 몰락하는 양반이 생김.
군수가 양반 매매 증서를 만듦.	돈으로 신분을 사고파는 것이 가능하게 됨. → ⑤□□□가 점차 붕괴되고 있음.

(→ 화살표)

2. 등장인물의 특징

양반	• 어질고 글 읽기를 좋아함. • 생활 능력이 없는 경제적으로 ⑥□□□한 인물임. • 양반 신분을 팔게 되는 경제적으로 몰락한 양반 계층을 대변함.
양반의 아내	• 생활 능력이 없는 남편을 비판함. • 현실적이고 직설적인 성격의 인물임.
부자	• 평소 천대받는 것을 서럽게 여기고 양반 신분을 동경함. • 경제력을 바탕으로 양반 신분을 사려 함. • 양반의 실상을 알고 양반이 '⑦□□□'과 같다고 생각하며 양반이 되기를 포기함. • 조선 후기 부를 축적한 신흥 부유층을 대변함.
⑧□□	• 양반에게 공손하고 평민 부자에게 하대하는 양반임. • 양반과 부자의 신분 거래를 조정하면서 부자가 신분 사는 것을 포기하게 함.

군수를 평가할 때 지략으로 부자의 속물주의를 차단한 긍정적 인물로도 평가할 수 있는데, 이처럼 문학 작품 속 인물은 보는 시각에 따라 다양하게 해석된단다.

3. 매매 증서의 내용과 작가의 비판 의식

	매매 증서 내용		비판하고자 하는 양반의 모습
첫 번째 매매 증서	양반으로서 지켜야 할 의무와 규범, 생활 태도	⇒	• 현실적으로 무능하고 비생산적인 모습 • 공허한 관념, 체면과 형식을 중시하는 태도
두 번째 매매 증서	양반으로서 누릴 수 있는 특권		• 부당한 특권을 남용하는 위선적인 모습 • 양반의 권력 세습과 무위도식하는 모습 • 서민층을 ⑨□□하는 양반의 부도덕하고 비인간적인 태도

4. 이 글의 주요 표현 방식

표현 방식	풍자	
주요 풍자 대상	⑩□□	⇒ 겉으로는 양반 신분을 사고파는 것에 관해 이야기하지만, 실제로는 양반의 문제점(허례허식, 경제적 무능력, 특권 의식 등)을 비판하고 풍자함.
풍자 대상에 대한 작가의 태도	비판적, 부정적	

정답: ① 고전 ② 조선 ③ 매매 ④ 평민층 ⑤ 신분제 ⑥ 무능력 ⑦ 도둑놈 ⑧ 군수 ⑨ 수탈 ⑩ 양반

[01~05] 다음 글을 읽고, 물음에 답하시오.

가 강원도 정선군에 한 양반이 살고 있었다. 이 양반은 어질고 글 읽기를 좋아하여 군수가 새로 부임하면 으레 몸소 그 집을 찾아와서 인사를 드렸다. 그런데 이 양반은 집이 가난하여 해마다 관아의 곡식을 타다 먹은 것이 쌓여서 천 석에 이르렀다. 강원도 감사가 그 고을을 순시하다가 정선에 들러 관곡 장부를 조사하고 크게 노하였다.

"어떤 놈의 양반이 이처럼 군량에 쓸 곡식을 축냈단 말이냐?"

하고, 곧 명해서 그 양반을 잡아 가두게 하였다.

나 그 마을에 사는 한 부자가 가족들과 의논하기를,

"양반은 아무리 가난해도 늘 귀하게 대접받고 나는 아무리 부자라도 항상 천하지 않으냐. 말도 못 하고, 양반만 보면 굽신굽신 두려워해야 하고, 엉금엉금 기어가서 코를 땅에 대고 무릎으로 기는 등 우리는 늘 이런 수모를 받는단 말이다. 이제 동네의 한 양반이 가난해서 타 먹은 관곡을 갚지 못하고 아주 난처한 판이니 그 형편이 도저히 양반을 지키지 못할 것이다. 내가 장차 그의 양반을 사서 가져 보겠다."

다 군수는 양반이 관곡을 모두 갚은 것을 놀랍게 생각하였다. 군수가 몸소 찾아가서 양반을 위로하고, 또 관곡을 갚게 된 사정을 물어보려고 하였다. 그런데 뜻밖에 ⊙양반이 벙거지를 쓰고 짧은 잠방이를 입고 길에 엎드려 '소인'이라고 자칭하며 감히 쳐다보지도 못하고 있지 않은가. 군수가 깜짝 놀라 내려가서 부축하고 말하였다.

"귀하는 어찌 이다지 스스로 낮추어 욕되게 하시는가요?"

하고 말하였다. 양반은 더욱 황공해서 머리를 땅에 조아리고 엎드려 아뢰었다.

"황송하오이다. 소인이 감히 욕됨을 자청하는 것이 아니오라, 이미 제 양반을 팔아서 관곡을 갚았지요. 동네의 부자 사람이 양반이옵니다. 소인이 이제 다시 어떻게 전의 양반을 사칭해서 양반 행세를 하겠습니까?"

라 군수는 감탄해서 말하였다.

"군자로구나 부자여! 양반이로구나 부자여! 부자이면서도 재물에 인색함이 없으니 의로운 일이요, 남의 어려움을 도와주니 어진 일이요, 비천한 것을 싫어하고 귀한 것을 아끼니 지혜로운 일이다. 이야말로 진짜 양반이로구나. 그러나 사사로이 팔고 사더라도 증서를 해 두지 않으면 소송의 꼬투리가 될 수 있다. 내가 너와 약속을 해서 고을 사람들을 증인을 삼고 증서를 만들 것이니 마땅히 거기에 서명할 것이다."

01. 이와 같은 글을 감상하는 방법으로 적절하지 <u>않은</u> 것은?

① 작품 속 사회의 모습을 추측하며 읽는다.
② 당시 사람들의 생각과 정서를 이해하며 읽는다.
③ 작품 속 삶의 모습을 오늘날과 비교하며 읽는다.
④ 현재 우리의 삶에 도움이 되지 않는 내용은 무시하며 읽는다.
⑤ 작품에 나타난 다양한 표현 방법과 그 효과를 이해하며 읽는다.

02. 이 글에서 알 수 있는 당시 사회의 모습으로 적절하지 <u>않은</u> 것은?

① 신분 질서가 매우 엄격하였다.
② 양반 신분을 사고팔 수 있었다.
③ 평민도 부를 축적할 수 있었다.
④ 양반의 권위가 무너지고 있었다.
⑤ 신분에 따라 사회적 대우가 달랐다.

활동 응용 문제

03. (다)와 (라)에서 전개된 내용으로 볼 때, (나)에서 부자가 한 말에 담긴 의미로 가장 적절한 것은?

① 신분 제도를 타파하려는 의지를 드러내고 있다.
② 양반에게 당한 수모의 서러움을 한탄하고 있다.
③ 양반이 경제적으로 무능한 존재임을 조롱하고 있다.
④ 양반으로의 신분 상승에 대한 욕망을 드러내고 있다.
⑤ 양반이 일반 백성을 대하는 태도의 부당함을 폭로하고 있다.

04. ⊙에 대한 이해로 가장 적절한 것은?

① 군수의 위엄성을 강조하고 있다.
② 양반의 양심 있는 행동을 보여 주고 있다.
③ 몰락한 양반의 처지를 희화화하여 풍자하고 있다.
④ 양반의 공손하고 예의 바른 자세를 드러내고 있다.
⑤ 군수의 인품을 시험하기 위한 양반의 의도가 반영되어 있다.

05. 이 글에서 양반의 몰락을 단적으로 드러내는 호칭을 찾아 쓰시오.

[06~09] 다음 글을 읽고, 물음에 답하시오.

㉮ 건륭 10년 9월 모일에 이 문서를 만드노라.

위 증서는 양반을 팔아서 관곡을 갚은 것으로 그 값은 천석이다.

오직 양반은 여러 가지로 일컬어지나니, 글을 읽으면 가리켜 선비라 하고, 정치에 나아가면 대부가 되고, 덕이 있으면 군자이다. 무관은 서쪽에 늘어서고 문관은 동쪽에 늘어서는데, ㉠이것이 양반이니 너 좋을 대로 따를 것이다.

야비한 일을 끊고 옛일을 본받고 뜻을 고상하게 할 것이며, ㉡늘 새벽 다섯 시만 되면 일어나 촛불에 불을 댕겨 등잔을 켜고 눈은 가만히 코끝을 보고 발꿈치를 궁둥이에 모으고 앉아 『동래박의』를 얼음 위에 박 밀듯 왼다. [중략] 그리고 『고문진보』, 『당시품휘』를 깨알같이 베껴 쓰되 한 줄에 백 자를 쓰며, 돈을 만지지 말고, 쌀값을 묻지 말고, 더워도 버선을 벗지 말고, 밥을 먹을 때 맨상투로 밥상에 앉지 말고, 국을 먼저 훌쩍훌쩍 떠먹지 말고, 물을 후루루 마시지 말고, 젓가락으로 방아를 찧지 말고, 생파를 먹지 말고, 막걸리를 들이켠 다음 수염을 쭈욱 빨지 말고, 담배를 피울 때 볼에 우물이 파이게 하지 말고, 화난다고 아내를 두들기지 말고, 성내서 그릇을 내던지지 말고, 아이들에게 주먹질을 하지 말고, 종놈을 야단쳐 죽이지 말고, 소와 말을 꾸짖되 그 판 주인까지 욕하지 말고, 추워도 화로에 불을 쬐지 말고, 말할 때 이 사이로 침을 흘리지 말고, 소 잡는 일을 하지 말고, 돈을 가지고 놀음을 하지 말 것이다. ㉢이와 같은 모든 품행이 양반에 어긋남이 있으면, 이 증서를 가지고 관청에 나와 옳고 그름을 가릴 것이다.

㉯ 부자는 호장이 증서를 읽는 것을 쭉 듣고 한참 멍하니 있다가 말하였다.

"양반이라는 게 이것뿐입니까? 저는 양반이 신선 같다고 들었는데 정말 이렇다면 너무 재미가 없는 걸요. 원하옵건대 제게 이익이 있도록 문서를 바꾸어 주옵소서."

㉰ 하늘이 백성을 낳을 때 백성을 넷으로 구분하였다. 네 가지 백성 가운데 가장 높은 것이 선비이니 이것이 곧 양반이다. 양반의 이익은 막대하니 농사도 짓지 않고 장사도 하지 않고 글을 하면 크게는 문과 급제요, 작게는 진사가 되는 것이다. ㉣문과의 홍패는 길이 두 자 남짓한 것이지만 백 가지 물건이 구비되어 있어 그야말로 돈 자루이다. 진사가 나이 서른에 처음 관직에 나가더라도 오히려 이름 있는 음관이 되고, 잘되면 남행으로 큰 고을을 맡게 되어, ㉤귀밑이 양산 바람에 희어지고, 종들이 '예' 하는 소리에 배가 커지며, 방에는 기생이 귀고리로 치장하고, 뜰의 곡식에는 학이 깃든다. 궁한 양반이 시골에 묻혀 있어도 강제로 이웃의 소를 끌어다 먼저 자기 땅을 갈고 마을의 일

꾼을 잡아다 자기 논의 김을 맨들 누가 감히 나를 괄시하랴. 너희들 코에 잿물을 들어붓고 머리끄덩이를 회회 돌리고 수염을 낚아채더라도 누구 감히 원망하지 못할 것이다.

㉱ 부자는 증서를 중지시키고 혀를 내두르며,

"그만두시오, 그만두오. 맹랑하구면. 나를 장차 도둑놈으로 만들 작정인가." / 하고 머리를 흔들고 가 버렸다.

06. 이 글에 대한 설명으로 적절하지 <u>않은</u> 것은?

① 개화기 이전에 지어진 소설이다.

② 양반의 신분 매매를 제재로 하고 있다.

③ 이야기 속 인물에 의해 사건이 서술되고 있다.

④ 작가의 실학사상을 작품 속에 반영하고 있다.

⑤ 부정적 현실을 웃음으로 폭로, 풍자하고 있다.

활동 응용 문제

07. 이 글의 내용으로 볼 때, (가)와 (다)의 역할로 볼 수 <u>없</u>는 것은?

① 당대 양반의 실상을 보여 준다.

② 양반 계층을 풍자하는 역할을 한다.

③ 부자가 양반 신분을 포기하게 되는 원인이 된다.

④ 대상에 대한 작가의 비판 의식을 직접적으로 드러내 주는 수단이다.

⑤ 부자의 양반 매매를 간접적으로 방해하는 군수의 모습을 엿볼 수 있게 한다.

08. ㉠~㉤을 이해한 내용으로 적절하지 <u>않은</u> 것은?

① ㉠: 부자에게 어떤 양반이 될지 선택하라는 것을 보니 양반의 권위가 상실되었음을 알 수 있군.

② ㉡: 매일같이 일찍 일어나 어려운 책을 유창하게 읽는 양반의 모습을 묘사하고 있군.

③ ㉢: 매매 증서에서 제시한 내용을 어기면 부자의 양반 신분을 뺏을 수 있다는 말이군.

④ ㉣: 문과에 합격만 하면 많은 재산을 모을 수 있다는 말이군.

⑤ ㉤: 체면을 생각하여 행동을 조신하게 구는 양반의 모습을 보여 주는군.

| 서술형 |

09. (나)에서 부자가 증서 내용을 바꾸어 달라고 한 까닭이 무엇인지 서술하시오.

단원+단원

통합과 적용

단원+단원, 이렇게 통합·적용했어요!

진달래꽃 / 열보다 큰 아홉
운율, 반어, 역설, 관용 표현 등을 활용하여 가치 있는 경험이나 생각을 효과적으로 표현하기

+

양반전
풍자의 원리와 효과를 이해하고 이를 활용하여 자기 생각을 효과적이고 개성 있게 표현하기

⇩

광고 속 다양한 표현 방법을 찾아보고, 다양한 표현 방법을 활용하여 광고 문구 만들기

---

1. 다음은 에너지 절약을 주제로 한 공익 광고입니다. 광고에 사용된 표현에 유의하며 이어지는 활동을 해 봅시다.

1 이 광고의 문구에 사용된 표현 방법을 말해 봅시다.

> 뽑는 것이
> 심는 것입니다.

예시 답ㅣ '뽑는 것이 심는 것입니다.'라는 문구에 역설이 사용되었다. 전기 플러그를 뽑아 전력을 절약하는 것이 나무를 심는 것, 즉 자연과 환경을 보호하는 것임을 표현했다.

2 다양한 표현 방법을 사용하여 같은 주제의 광고 문구를 다시 써 봅시다.

> **예시 답ㅣ**
> • 어둠이 새로운 빛을 만듭니다.
> • 우리가 어두워야 세상이 밝습니다.
> • 땅이 어두워야 하늘이 밝습니다.

2. 다음 텔레비전 공익 광고의 표현에 유의하며 이어지는 활동을 해 봅시다.

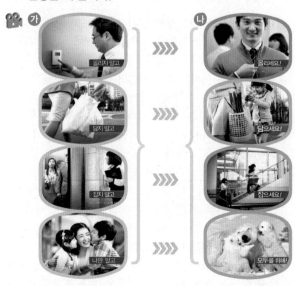

1 이 광고에 사용된 표현의 특징을 이해하고, **가**와 **나**에서 짝을 이루는 장면마다 각각 어떤 생각을 담고 있는지 이야기해 봅시다.

예시 답ㅣ '~ 말고, ~세요'로 된 구조의 문장이 반복되며 리듬감을 형성한다. '올리다', '담다', '잡다' 등의 말을 맥락에 따라(다의 관계) 서로 대비되는 의미로 사용하고 있다.

첫 번째 겨울에 난방 온도를 내리고 옷을 든든히 입는 장면, 두 번째 일회용 비닐봉지가 아닌 장바구니를 이용하는 장면, 세 번째 엘리베이터가 아닌 계단을 이용하는 장면에서 나 하나의 편리함을 양보하는 실천을 통해 인류나 자연의 미래를 위하자고 하는 네 번째 장면의 주제가 전달된다.

2 이 광고에 한 쌍의 장면을 추가한다고 할 때, 적절한 장면과 광고 문구를 만들어 봅시다.

예시 답ㅣ

차 시동을 켜는 장면	걷는 장면
걸지 말고	걸으세요

대단원을 닫으며

·학습 목표 점검하기·

❶ 진달래꽃

시에 나타난 운율과 반어의 표현 효과를 알고 이를 활용하여 표현하기

> • 운율 은/는 시를 읽을 때 느껴지는 리듬감을 말하는 것이다.
> • 「진달래꽃」은 임과 이별 하고 싶지 않은 말하는 이의 마음을 반대로 표현하는 반어의 방법으로 나타내었다.

➡ **잘 모른다면**
교과서 15~17쪽의 목표 활동을 살펴보면 운율과 반어의 효과를 알 수 있을 거야.

❷ 열보다 큰 아홉

글에서 역설과 관용 표현의 효과를 알고 이를 활용하여 생각이나 느낌, 경험을 표현하기

> • 관용 표현이란 많은 사람이 습관적으로 사용하여 굳어진 표현을 말한다.
> • '열보다 큰 아홉'이라는 제목은, 겉으로는 모순 되어 앞뒤가 맞지 않으나, 그 속에 글쓴이가 생각하는 진실이 담긴 역설의 표현을 사용하였다.

➡ **잘 모른다면**
교과서 26~31쪽의 목표 활동을 살펴보면 역설과 관용 표현의 효과를 알 수 있을 거야.

❸ 양반전

풍자의 표현과 효과를 알고 이를 활용하여 표현하기

> • 풍자 은/는 현실의 부정적인 대상이나 모순을 빗대어 넌지시 비판함으로써 웃음을 유발하는 표현 방식을 말한다.
> • 「양반전」에서 군수가 쓴 증서들은 당시의 양반 계층을 풍자하고 있다.

➡ **잘 모른다면**
교과서 43, 44쪽의 목표 활동을 살펴보면 풍자의 효과를 알 수 있을 거야.

·어휘력 점검하기·

다음 문장의 빈칸에 어울리는 말을 골라 바르게 연결해 보자.

(1) 연세 드신 분들은 젊은이들에게 [   ]고 한다.

• 앞길이 구만리 같다

(2) 어린아이가 서당에서 천자문을 [   ] 왼다.

• 맹랑하게

(3) 거창하게 떠들어 대던 중동 평화 회담이 [   ] 꺼져 버렸다.

• 얼음에 박 밀듯

> • **앞길이 구만리 같다**: 아직 나이가 젊어서 앞으로 어떤 큰일이라도 해낼 수 있는 세월이 충분히 있다.
> • **맹랑하게**: 생각하던 바와 달리 허망하게.
> • **얼음에 박 밀듯**: 말이나 글을 거침없이 줄줄 내리읽거나 내리외는 모양.

정답: (1) 앞길이 구만리 같다 (2) 얼음에 박 밀듯 (3) 맹랑하게

[01~05] 다음 시를 읽고, 물음에 답하시오.

나 보기가 역겨워
가실 때에는
말 없이 고이 보내 드리우리다

영변에 약산
진달래꽃
아름 따다 가실 길에 뿌리우리다

가시는 걸음걸음
놓인 그 꽃을
사뿐히 즈려밟고 가시옵소서

나 보기가 역겨워
가실 때에는
㉠죽어도 아니 눈물 흘리우리다

 01. 이 시에 대한 설명으로 적절하지 <u>않은</u> 것은?

① 말하는 이가 작품 표면에 드러나 있지 않다.
② 여성적 어조로 이별의 정한을 노래하고 있다.
③ 특정 어미를 같은 위치에 반복하여 운율을 형성하고 있다.
④ 수미상관의 구조를 활용하여 작품에 형태적 안정감을 주고 있다.
⑤ 이별의 슬픔을 인고의 의지로 극복해 내려는 태도를 드러내고 있다.

02. 이 시에서 다음과 같은 행위와 관련 있는 한자 성어로 적절한 것은?

> 진달래꽃 / 아름 따다 가실 길에 뿌리우리다

① 온고지신(溫故知新)　② 오매불망(寤寐不忘)
③ 산화공덕(散花功德)　④ 전전반측(輾轉反側)
⑤ 낙화유수(落花流水)

03. 이 시와 〈보기〉를 비교하여 감상한 내용으로 적절한 것은?

┤ 보기 ├

아리랑 아리랑 아라리요
아리랑 고개로 넘어간다.
나를 버리고 가시는 임은
십 리도 못 가서 발병 난다.

– 작자 미상, 「아리랑」

① 이 시는 〈보기〉와 달리 3음보의 율격을 지닌다.
② 둘 다 말하는 이의 자기희생적 태도가 드러난다.
③ 둘 다 임을 향한 말하는 이의 연모와 축복이 드러난다.
④ 둘 다 임과 이별하고 싶지 않은 소망을 직접 표현한다.
⑤ 〈보기〉의 말하는 이는 이 시와 달리 자신의 소망을 위협적으로 표현한다.

04. ㉠에 드러난 표현법이 나타나 있는 것은?

① 눈이 내린다 / 봄이라서 / 봄빛처럼 포근한 눈
– 오규원, 「포근한 봄」
② 모란이 피기까지는 / 나는 아직 기다리고 있을 테요, 찬란한 슬픔의 봄을
– 김영랑, 「모란이 피기까지는」
③ 이것은 소리 없는 아우성 / 저 푸른 해원을 향하여 흔드는 / 영원한 노스탤지어의 손수건
– 유치환, 「깃발」
④ 내 마음은 호수요 / 그대 노 저어 오오 / 나는 그대의 흰 그림자를 안고, 옥같이 / 그대의 뱃전에 부서지리다　– 김동명, 「내 마음은」
⑤ 먼 훗날 당신이 찾으시면 / 그때에 내 말이 "잊었노라." // 당신이 속으로 나무라면 / "무척 그리다가 잊었노라."　– 김소월, 「먼 후일」

05. 이 시에서 〈보기〉의 설명에 해당하는 행을 찾아 쓰시오.

┤ 보기 ├

자기희생을 통해 이별의 정한을 숭고한 사랑으로 승화하고자 하는 말하는 이의 태도가 드러난다.

[06~10] 다음 글을 읽고, 물음에 답하시오.

가 잘 아시다시피 열은 십·백·천·만·억 등의 십진급수에서 제일 먼저 꽉 찬 수입니다. [중략] 무엇을 하기에 그 이상 좋을 수가 없이 알맞은 경우에 '십상 좋다'고 말하는 십상도, 열 십(十) 자와 이룰 성(成) 자에서 나온 말입니다. 그만큼 열이란 수는 이미 이룰 것을 이룩한 완전한 수이며, 성공을 한 수인 것입니다. / 그러면 아홉이란 수는 어떤 수입니까? 두말할 필요도 없이 열보다 하나가 모자라는 수입니다. 다시 말하면, 완전에 거의 다다른 수, 거기에 하나만 보태면 완전에 이르게 되는 수, 그래서 매우 아쉬움을 느끼게 하는 수인 것입니다.

나 끝없이 높고 너른 하늘을 십만 리 장천이라고 하지 않고 구만리장천이라고 합니다. 젊은이더러 (㉠)이라고 하는 말과 같은 뜻이지요. / 굽이굽이 한없이 서린 마음을 구곡간장이라고 하고, [중략] 죽을 고비를 수도 없이 넘기고 살아난 것을 구사일생이라고 표현하고 있습니다.

다 다시 말하면, 이 세상에 완전한 것은 없다는 사실을, 우리의 선조들은 아주 오랜 옛날부터 익히 알고 있었다는 것입니다. / 우리가 흔히 듣는 말에 ㉡"모든 기록은 깨어지기 위해서 있다."라는 말이 있습니다. 이 말이 맞지 않는 말이라면, 여러분이 아시다시피 세계 제일의 기록만을 수록하는 『기네스북』도 해마다 다시 찍어 내야 할 까닭이 없겠지요.

라 열이란 수가 넘치지도 않고 모자라지도 않고, 또 조금도 여유가 없는 꽉 찬 수, 그래서 다음도 없고 다음다음도 없이 아주 끝나 버린 수라는 점에서, 아홉은 열보다 많고, 열보다 크고, 열보다 높고, 열보다 깊고, 열보다 넓고, 열보다 멀고, 열보다 긴 수였으며, 그리하여 다음, 또 그다음, 그도 아니면 그 다음다음을 바라볼 수 있는, 미래의 꿈과 그 가능성의 수였기에, 슬기롭고 끈기 있는 우리의 선조들에게 일찍부터 열보다 열 배도 넘는 사랑을 담뿍 받아 왔던 것입니다.

마 하물며 여러분은 지금 한창 자라고, 한창 배우고, 한창 놀아야 할 중학생입니다. 여러분은 지금 무엇 한 가지도 완벽할 수가 없으며, 항상 어딘가가 부족하고 어설픈 것이 오히려 정상적인 학생입니다. 행여 무엇이 남들보다 모자란 것이 아닌가 싶어서 스스로 괴로워하고 외로워하고 서글퍼해 온 학생이 있다면, 어떨까요, 이제부터라도 열이란 수보다 아홉이란 수를 더 사랑해 보는 것은.

06. '열'과 '아홉'의 특징으로 적절하지 않은 것은?

	열	아홉
①	십진급수에서 제일 먼저 꽉 찬 수	열보다 하나가 모자라는 수
②	완전에 거의 다다른 수	무엇을 하기에 그 이상 좋을 수가 없이 알맞은 수
③	성공을 한 수	아쉬움을 느끼게 하는 수
④	넘치지도 모자라지도 않고, 또 조금의 여유가 없는 꽉 찬 수	다음다음을 바라볼 수 있는 수
⑤	다음다음도 없이 아주 끝나 버린 수	미래의 꿈과 그 가능성의 수

07. 이 글의 읽기 과정에서 든 생각으로 적절하지 않은 것은?

① 이 글에 나타난 관용 표현들의 효과가 무엇인지 알아봐야겠어.
② 다양한 표현 방법을 활용하여 나도 내 생각을 표현해 봐야겠어.
③ 이 글을 어떤 사람에게 추천해 주면 좋을지 생각해 봐야겠어.
④ 이 글로 미루어 알 수 있는 글쓴이의 청소년 시절을 추리해 봐야겠어.
⑤ 열은 아홉보다 큰 수인데 왜 제목에서 아홉이 더 크다고 했는지 파악해 봐야겠어.

08. 「열보다 큰 아홉」이라는 이 글의 제목에 나타난 표현 방법이 쓰인 것은?

① 피는 물보다 진하다.
② 눈물이 비 오듯 한다.
③ 뒷문 밖에는 갈잎의 노래
④ 지는 것이 이기는 것이다.
⑤ 내 누님같이 생긴 꽃이여

09. 앞뒤 문맥으로 볼 때, ㉠에 들어가기에 알맞은 관용 표현이 무엇일지 쓰시오.

| 서술형 |
10. 이 글의 내용을 바탕으로 ㉡에 담긴 뜻을 서술하시오.

[11~15] 다음 글을 읽고, 물음에 답하시오.

가 "어떤 놈의 양반이 이처럼 군량에 쓸 곡식을 축냈단 말이냐?"

하고, 곧 명해서 그 양반을 잡아 가두게 하였다. [중략]
㉠양반 역시 밤낮 울기만 한 채 해결할 방법을 찾지 못하였다. 그 부인이 역정을 냈다.

"당신은 평생 글 읽기만 좋아하더니 관곡을 갚는 데는 아무런 도움이 안 되는군요. 쯧쯧. 양반, 양반이란 것이 한 푼어치도 안 되는 것이구려."

나 군수가 몸소 찾아가서 양반을 위로하고, 또 관곡을 갚게 된 사정을 물어보려고 하였다. 그런데 뜻밖에 양반이 벙거지를 쓰고 짧은 잠방이를 입고 ㉡길에 엎드려 '소인'이라고 자칭하며 감히 처다보지도 못하고 있지 않는가. 군수가 깜짝 놀라 내려가서 부축하고 말하였다.

"귀하는 어찌 이다지 스스로 낮추어 욕되게 하시는가요?"
하고 말하였다. 양반은 더욱 황공해서 머리를 땅에 조아리고 엎드려 아뢰었다.

"황송하오이다. 소인이 감히 욕됨을 자청하는 것이 아니오라, 이미 제 양반을 팔아서 관곡을 갚았지요. 동네의 부자 사람이 양반이옵니다. 소인이 이제 다시 어떻게 전의 양반을 사칭해서 양반 행세를 하겠습니까?"

다 군수는 감탄해서 말하였다.
"군자로구나 부자여! 양반이로구나 부자여! 부자이면서도 재물에 인색함이 없으니 의로운 일이요, 남의 어려움을 도와주니 어진 일이요, 비천한 것을 싫어하고 귀한 것을 아끼니 지혜로운 일이다. 이야말로 진짜 양반이로구나. 그러나 사사로이 팔고 사더라도 증서를 해 두지 않으면 소송의 꼬투리가 될 수 있다. 내가 너와 약속을 해서 고을 사람들을 증인을 삼고 증서를 만들 것이니 마땅히 거기에 서명할 것이다."

그리고 군수는 돌아가서 고을 안의 양반 및 농사꾼, 공장, 장사치까지 모두 불러 관아에 모았다. ㉢부자는 오른편 높직한 자리에 서고, 양반은 공형의 아래에 섰다.

그리고 증서를 만들었다.

라 『고문진보』, 『당시품휘』를 깨알같이 베껴 쓰되 한 줄에 백 자를 쓰며, ㉣돈을 만지지 말고, 쌀값을 묻지 말고, 더워도 버선을 벗지 말고, [중략] 돈을 가지고 놀음을 하지 말 것이다. 이와 같은 모든 품행이 양반에 어긋남이 있으면, 이 증서를 가지고 관청에 나와 옳고 그름을 가릴 것이다.

마 부자는 호장이 증서를 읽는 것을 쭉 듣고 한참 멍하니 있다가 말하였다.

"양반이라는 게 이것뿐입니까? 저는 양반이 신선 같다고 들었는데 정말 이렇다면 너무 재미가 없는 걸요. ㉤원하옵건대 제게 이익이 있도록 문서를 바꾸어 주옵소서."

바 진사가 나이 서른에 처음 관직에 나가더라도 오히려 이름 있는 음관이 되고, 잘되면 남행으로 큰 고을을 맡게 되어, 귀밑이 양산 바람에 희어지고, 종들이 '예' 하는 소리에 배가 커지며, 방에는 기생이 귀고리로 치장하고, 뜰의 곡식에는 학이 깃든다. 궁한 양반이 시골에 묻혀 있어도 강제로 이웃의 소를 끌어다 먼저 자기 땅을 갈고 마을의 일꾼을 잡아다 자기 논의 김을 맨들 누가 감히 나를 괄시하랴. 너희들 코에 잿물을 들어붓고 머리끄덩이를 회회 돌리고 수염을 낚아채더라도 누구 감히 원망하지 못할 것이다.

부자는 증서를 중지시키고 혀를 내두르며,
"그만두시오, 그만두오. 맹랑하구면. 나를 장차 도둑놈으로 만들 작정인가." / 하고 머리를 흔들고 가 버렸다.

| 고난도 |

11. 〈보기〉는 이 글의 서문이다. 〈보기〉를 참고하여 이 글을 이해한 내용으로 적절하지 않은 것은?

┤보기├

선비는 몸이 비록 높아지더라도 선비에서 떠나지 않아야 할 것이며, 몸이 비록 곤궁하더라도 선비의 본분을 잊어서는 아니 될 것이다. 지금 소위 선비들은 *명절을 닦기에는 힘쓰지 않고 부질없이 *문벌만을 이득의 기회로 여겨 그의 *세덕을 팔고 사게 되니, 이야말로 저 장사치에 비해서 무엇이 낫겠는가. 이에 나는 이 「양반전」을 써 보았노라.
• 명절(名節): 명분과 절의.
• 문벌(門閥): 대대로 내려오는 그 집안의 사회적 신분이나 지위.
• 세덕(世德): 대대로 쌓아 내려오는 미덕.

① 양반이 신분을 판 행동을 개탄하고 있다.
② 모든 사람은 평등하다는 의식을 고취하고 있다.
③ 양반의 특권 의식으로 인한 횡포를 비판하고 있다.
④ 신분 질서가 붕괴되어가는 사회상을 드러내고 있다.
⑤ 양반의 참모습을 찾고 싶은 작가의 심정을 반영하고 있다.

12. 이 글의 등장인물에 대한 평가로 적절한 것은?

① 아내는 남편의 딱한 처지를 동정하고 있군.

② 군수는 작가 대신 옳고 그름을 판단하고 있군.

③ 부자는 군수와 대립하면서 양반이 되기를 포기하는군.

④ 부자는 매매 증서를 계기로 양반에 대한 생각이 바뀐 셈이군.

⑤ 신분을 판 양반이 평민으로서 군수를 대하는 걸 보면 양반은 비판의 대상이 아니군.

13. 이 글의 작가에게 〈보기〉와 같은 질문을 한다고 할 때, 답변 내용으로 적절한 것은?

┤ 보기 ├

질문: 양반의 환자를 대신 갚고 양반 신분을 산 부자는 (바)에서 결국 양반 신분을 포기합니다. 작가님이 이를 통해 의도한 것은 무엇입니까?

① 신분 제도를 타파하기 위해서입니다.

② 물질주의에 빠진 양반을 비판하기 위해서입니다.

③ 양반의 부도덕한 횡포를 풍자하기 위해서입니다.

④ 돈이면 무엇이든 살 수 있다는 부자의 가치관을 비판하기 위해서입니다.

⑤ 양반의 편에 서서 부자의 신분 매매를 방해하는 군수의 비겁함을 보여 주기 위함입니다.

14. ㉠~㉤에 대한 이해로 적절하지 <u>않은</u> 것은?

① ㉠: 경제적으로 무능한 양반의 모습을 보여 준다.

② ㉡: 양반이 신분을 팔아 평민으로 처신한 것이다.

③ ㉢: 양반과 부자의 신분이 바뀌었음을 알 수 있다.

④ ㉣: 돈벌이와 관련된 일을 천시하는 양반 계층의 모습을 드러낸다.

⑤ ㉤: 문서 내용을 이해할 수 있도록 자세히 설명해 달라는 요청의 말이다.

| 서술형 |

15. 이 글의 군수를 〈조건〉에 따라 평가해 서술하시오.

┤ 조건 ├

• '병 주고 약 준다.'라는 관용 표현을 활용할 것.

• 부자에 대한 군수의 태도를 중심으로 구어체로 서술할 것.

[16~20] 다음 글을 읽고, 물음에 답하시오.

가 나 보기가 역겨워
　가실 때에는
　말 없이 고이 보내 드리우리다

　영변에 약산
　진달래꽃
　아름 따다 가실 길에 뿌리우리다

　가시는 걸음걸음
　놓인 그 꽃을
　사뿐히 즈려밟고 가시옵소서

　나 보기가 역겨워
　가실 때에는
　죽어도 아니 눈물 흘리우리다

나 그러면 아홉은 정녕 열보다 적거나 작은 수일까요? 그렇지 않습니다. 예를 들어 보겠습니다.

　끝없이 높고 너른 하늘을 십만 리 장천이라고 하지 않고 구만리장천이라고 합니다. 젊은이더러 앞길이 <u>구만리</u> 같은 사람이라고 하는 말과 같은 뜻이지요.

　굽이굽이 한없이 서린 마음을 <u>구곡간장</u>이라고 하고, 굽이굽이 에워 도는 산굽이가 얼마인지 모르는 길을 구절양장이라고 하고, 통과해야 할 문이 몇이나 되는지 모르는 왕실을 <u>구중궁궐</u>이라고 하고, 죽을 고비를 수도 없이 넘기고 살아난 것을 구사일생이라고 표현하고 있습니다.

　또 있습니다. 끝 간 데가 어디인지 모르는 땅속이나 저승을 <u>구천</u>이라고 하고 임금보다 한 계급 모자라는 대신인 삼공육경을 구경이라고 합니다.

다 하물며 여러분은 지금 힘껏 자고, 힘껏 배우고, 한창 놀아야 할 중학생입니다. 여러분은 지금 무엇 한 가지도 완벽할 수가 없으며, 항상 어딘가가 부족하고 어설픈 것이 오히려 정상적인 학생입니다. 행여 무엇이 남들보다 모자란 것이 아닌가 싶어서 스스로 괴로워하고 외로워하고 서글퍼해 온 학생이 있다면, 어떨까요, 이제부터라도 열이란 수보다 아홉이란 수를 더 사랑해 보는 것은.

라 "귀하는 어찌 이다지 스스로 낮추어 욕되게 하시는가요?"
하고 말하였다. 양반은 더욱 황공해서 머리를 땅에 조아리고 엎드려 아뢰었다.

"황송하오이다. 소인이 감히 욕됨을 자청하는 것이 아니오라, 이미 제 양반을 팔아서 관곡을 갚았지요. 동네의 부자 사람이 양반이옵니다. 소인이 이제 다시 어떻게 전의 양반을 사칭해서 양반 행세를 하겠습니까?"

(마) 진사가 나이 서른에 처음 관직에 나가더라도 오히려 이름 있는 음관이 되고, 잘되면 남행으로 큰 고을을 맡게 되어, 귀밑이 양산 바람에 희어지고, 종들이 '예' 하는 소리에 배가 커지며, 방에는 기생이 귀고리로 치장하고, 뜰의 곡식에는 학이 깃든다. 궁한 양반이 시골에 묻혀 있어도 강제로 이웃의 소를 끌어다 먼저 자기 땅을 갈고 마을의 일꾼을 잡아다 자기 논의 김을 맨들 누가 감히 나를 괄시하랴. 너희들 코에 잿물을 들어붓고 머리끄덩이를 회회 돌리고 수염을 낚아채더라도 누구 감히 원망하지 못할 것이다.

부자는 증서를 중지시키고 혀를 내두르며,

"그만두시오, 그만두오. 맹랑하구면. 나를 장차 도둑놈으로 만들 작정인가."

하고 머리를 흔들고 가 버렸다.

16. (가)에 대한 설명으로 적절하지 <u>않은</u> 것은?

① 3음보의 민요적 율격을 지니고 있다.
② 1연과 4연이 수미상관의 구조를 이루고 있다.
③ 반어를 통해 말하는 이의 소망을 강조하고 있다.
④ 어미 '-우리다'를 반복하여 운율을 형성하고 있다.
⑤ 대상을 실제보다 과장되게 묘사하여 의미를 강조하고 있다.

17. (나)의 밑줄 친 단어들을 활용하여 짧은 글을 지은 것 중 적절하지 <u>않은</u> 것은?

① 구만리: 친구의 놀자는 전화에 잠이 <u>구만리</u> 밖으로 달아났다.
② 구곡간장: 깊은 산속 계곡을 따라 난 그 길은 그야말로 <u>구곡간장</u>이었다.
③ 구중궁궐: 예전에는 많은 궁녀들이 <u>구중궁궐</u>에서 쓸쓸히 늙어 갔다.
④ 구사일생: 김 상사는 전쟁터에서 <u>구사일생</u>으로 목숨을 건져 돌아올 수 있었다.
⑤ 구천: 한을 품고 죽은 그의 영혼이 <u>구천</u>을 떠돌았다.

18. (다)로 볼 때, (나)와 (다)의 글을 추천하기에 적절한 대상은?

① 재능이 뛰어난 학생
② 완벽을 추구하는 학생
③ 자만심에 빠져 노력하지 않는 학생
④ 현실에 만족하며 즐겁게 생활하는 학생
⑤ 능력이 모자란 것 같다며 고민하는 학생

| 고난도 |

19. (라), (마)에서 양반을 비판하는 방법과 유사한 방법이 쓰인 것은?

① 거북아, 너는 참으로 어리석구나. 어찌 간이 없이 사는 놈이 있겠느냐?
② 개잘량이라는 '양' 자에 개다리소반이라는 '반' 자 쓰는 양반이 나오신단 말이오.
③ 물이 굽이져 올려 치니 밤에 물 치는 굽이는 옥 같이 희더니, 바로 지금 물굽이는 붉기가 홍옥 같아 하늘에 닿았으니 장관을 이룰 것이 없더라.
④ 이내 몸 곤궁한데 매품이나 팔아먹지 볼기 놀려 쓸 데 있나. 자네 내 말 들어 보소. 그 돈 삼십 냥 벌어다가 착한 사람 맡겨 두면 이리저리 늘려서 큰아들은 장가들이고 티끌 모아 태산으로 그렁저렁 살아 보세.
⑤ 소인이 평생 설워하는 바는, 소인이 대감 정기를 받아 당당한 남자로 태어났고, 또 낳아 길러 주신 부모님의 은혜를 입었음에도 불구하고, 아버지를 아버지라 못 하옵고 형을 형이라 못 하오니 어찌 사람이라 하겠습니까?

20. (가)~(마)에 나타난 다양한 표현 방법으로 볼 때, 문학 작품에서 작가가 이를 활용하여 얻을 수 있는 효과로 가장 적절한 것은?

① 작가의 안목을 넓혀 준다.
② 작품을 화려하게 보이게 한다.
③ 당시 사회상을 잘 드러내 준다.
④ 작가의 생각을 효과적으로 전달한다.
⑤ 작가 자신의 삶을 다양하게 보여 준다.

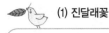
[01~04] 다음 시를 읽고, 물음에 답하시오.

나 보기가 역겨워
가실 때에는
말 없이 고이 보내 드리우리다

영변에 약산
㉠진달래꽃
아름 따다 가실 길에 뿌리우리다

가시는 걸음걸음
놓인 그 꽃을
사뿐히 즈려밟고 가시옵소서

나 보기가 역겨워
가실 때에는
㉡죽어도 아니 눈물 흘리우리다

01. 이 시의 말하는 이의 정서와 태도를 다음과 같이 정리할 때, ⓐ와 ⓑ에 들어갈 말을 차례대로 서술하시오.

1연	ⓐ
2연	떠나는 임의 앞길을 축복함.
3연	ⓑ
4연	이별의 슬픔을 참아 내고자 함.

• ⓐ: _____

• ⓑ: _____

02. 이 시에서 운율을 형성하는 요소를 찾아 서술하시오.

┤ 조건 ├
• 두 가지 이상 서술할 것.

03. 이 시의 ㉠과 〈보기〉의 밑줄 친 시어에 담긴 의미상의 공통점을 찾아 서술하시오.

┤ 보기 ├
묏버들 가려 꺾어 보내노라 임의 손에
자시는 창밖에 심어 두고 보소서
밤비에 새잎 나거든 나인가도 여기소서

– 홍랑

04. 이 시의 작가가 ㉡과 같이 표현한 의도가 무엇인지 〈조건〉을 고려하여 서술하시오.

┤ 조건 ├
• ㉡에 쓰인 표현 방식을 언급할 것.
• '~을/를 활용하여 ~을/를 드러내고 있다.' 형태로 서술할 것.

[01~03] 다음 글을 읽고, 물음에 답하시오.

가 동양에서는, 그중에서도 특히 우리나라에서는, 오랜 옛날부터 열보다 아홉을 더 사랑했습니다. 얼마나 사랑했으면 아홉 구 자가 두 번 든 음력 구월 구일을 중양절이니, 중굿날이니 하는 이름으로 부르면서, 천 년이 넘도록 큰 명절로 정하고 쇠어 왔겠습니까.

나 우리의 조상들이 열보다 아홉을 더 사랑한 것은 무슨 까닭이었을까요? 간단히 말해서 모든 일에 완벽함을 기대하지 않았다는 뜻이 아니었을까요? 다시 말하면, 이 세상에 완전한 것은 없다는 사실을, 우리의 선조들은 아주 오랜 옛날부터 익히 알고 있었다는 것입니다.

우리가 흔히 듣는 말에 "모든 기록은 깨어지기 위해서 있다."라는 말이 있습니다. 이 말이 맞지 않는 말이라면, 여러분이 아시다시피 세계 제일의 기록만을 수록하는 『기네스북』도 해마다 다시 찍어 내야 할 까닭이 없겠지요.

모든 기록이 반드시 깨어지기 마련인 것은, 그 기록을 이룩한 것이 인간이기 때문이라고 생각합니다. 인간은 저마다 무한한 가능성을 타고난 사실과 아울러서, 이 세상에 완전한 인간은 결코 어디에도 있을 수가 없다는 사실 또한 그 스스로가 증명해 주는 존재이기도 합니다.

다 열이란 수가 넘치지도 않고 모자라지도 않고, 또 조금도 여유가 없는 꽉 찬 수, 그래서 다음도 없고 다음다음도 없이 아주 끝나 버린 수라는 점에서, 아홉은 열보다 많고, 열보다 크고, 열보다 높고, 열보다 깊고, 열보다 넓고, 열보다 멀고, 열보다 긴 수였으며, 그리하여 다음, 또 그다음, 그도 아니면 그 다음다음을 바라볼 수 있는, 미래의 꿈과 그 가능성의 수였기에, 슬기롭고 끈기 있는 우리의 선조들에게 일찍부터 열보다 열 배도 넘는 사랑을 담뿍 받아 왔던 것입니다.

라 하물며 여러분은 지금 한창 자라고, 한창 배우고, 한창 놀아야 할 중학생입니다. 여러분은 지금 무엇 한 가지도 완벽할 수가 없으며, 항상 어딘가가 부족하고 어설픈 것이 오히려 정상적인 학생입니다. 행여 무엇이 남들보다 모자란 것이 아닌가 싶어서 스스로 괴로워하고 외로워하고 서글퍼해 온 학생이 있다면, 어떨까요, 이제부터라도 열이란 수보다 아홉이란 수를 더 사랑해 보는 것은.

01. 이 글의 내용을 바탕으로 글쓴이가 (라)에서 독자에게 '아홉'을 더 사랑하라고 한 까닭은 무엇인지 서술하시오.

02. 이 글의 제목은 '열보다 큰 아홉'이다. 이 제목과 〈보기〉의 밑줄 친 제목에 나타난 공통된 표현법을 찾아 그 원리와 함께 이와 같은 표현법을 통해 얻을 수 있는 효과를 서술하시오.

┤보기├

『오래된 미래』의 제목은 얼핏 이해하기 힘들다. '오래된'과 '미래'의 뜻이 서로 모순되기 때문이다. [중략] 인도 북동부의 '라다크' 지역은 자연과 조화를 이루며 아주 오랫동안 전통을 간직하고 자급자족의 삶을 지키는 곳이었다. 그러나 서구의 문물을 받아들이면서 라다크 사람들은 자신의 가난을 알게 되었고, 돈의 가치를 따지기 시작했으며, 무분별한 개발과 관광객들이 남긴 쓰레기로 자연환경 역시 심각하게 훼손되었다.

글쓴이는 이러한 라다크의 현실을 알리며 서구식 개발을 비판하고 있다. 그러나 무조건 기술 문명을 거부하고 전통 사회로 돌아가자고 하는 것은 아니다. 글쓴이가 우리에게 얘기하는 것은 [중략] 과거의 문화 속에서 우리가 나아가야 할 미래의 모습을 찾자는 것이다. 자연과의 공생, 자립, 검소함, 공동체, 그리고 내면적인 풍요로움 같은 것들, 라다크가 잃은 것들, 이미 지나간 '오래된' 것에 우리가 나아갈 '미래'가 있다.

• 공통된 표현법과 표현의 원리: _____

_____

• 표현의 효과: _____

_____

03. 〈보기〉를 참고하여 기존 속담에 자기 생각을 담아 속담을 새롭게 바꿔 봅시다.

┤보기├

일찍 일어나는 새가 벌레를 잡는다.
→ 일찍 일어나는 벌레가 일찍 잡아먹힌다.
→ 도서관에 일찍 가는 학생이 좋은 자리를 잡는다

기존 속담	새로운 속담
암탉이 울면 집안이 망한다.	

[01~03] 다음 글을 읽고, 물음에 답하시오.

가 강원도 정선군에 한 양반이 살고 있었다. 이 양반은 어질고 글 읽기를 좋아하여 군수가 새로 부임하면 으레 몸소 그 집을 찾아와서 인사를 드렸다. 그런데 이 양반은 집이 가난하여 해마다 관아의 곡식을 타다 먹은 것이 쌓여서 천 석에 이르렀다. 강원도 감사가 그 고을을 순시하다가 정선에 들러 관곡 장부를 조사하고 크게 노하였다.

"어떤 놈의 양반이 이처럼 군량에 쓸 곡식을 축냈단 말이냐?"

하고, 곧 명해서 그 양반을 잡아 가두게 하였다. 군수는 그 양반이 가난해서 갚을 힘이 없는 것을 딱하게 여기고 차마 가두지 못하였지만 무슨 도리가 없었다.

양반 역시 밤낮 울기만 한 채 해결할 방법을 찾지 못하였다. 그 부인이 역정을 냈다.

"당신은 평생 글 읽기만 좋아하더니 관곡을 갚는 데는 아무런 도움이 안 되는군요. 쯧쯧. 양반, 양반이란 것이 한 푼어치도 안 되는 것이구려."

나 건륭 10년 9월 모일에 이 문서를 만드노라.

위 증서는 양반을 팔아서 관곡을 갚은 것으로 그 값은 천 석이다.

[중략] 배고픔을 참고 추위를 견뎌 살림의 구차한 형편을 남에게 말하지 아니하되, 이를 마주치고 뒤통수를 두드리며 잔기침으로 입맛을 다진다. 소맷자락으로 모자를 쓸어서 먼지를 털어 물결무늬가 생겨나게 하고, 세수할 때 주먹을 비비지 말고, 양치질해서 입내를 내지 말고, 소리를 길게 뽑아서 종을 부르며, 걸음을 느릿느릿 옮겨 신발을 땅에 끈다. 그리고『고문진보』,『당시품휘』를 깨알같이 베껴 쓰되 한 줄에 백 자를 쓰며, 돈을 만지지 말고, 쌀값을 묻지 말고, 더워도 버선을 벗지 말고, 밥을 먹을 때 맨상투로 밥상에 앉지 말고, 국을 먼서 훌쩍훌쩍 떠먹지 말고, 물을 후루루 마시지 말고, 젓가락으로 방아를 찧지 말고, 생파를 먹지 말고, 막걸리를 들이켠 다음 수염을 쭈욱 빨지 말고, [중략] 추워도 화로에 불을 쬐지 말고, 말할 때 이 사이로 침을 흘리지 말고, 소 잡는 일을 하지 말고, 돈을 가지고 놀음을 하지 말 것이다.

다 진사가 나이 서른에 처음 관직에 나가더라도 오히려 이름 있는 음관이 되고, 잘되면 남행으로 큰 고을을 맡게 되어, 귀밑이 양산 바람에 희어지고, 종들이 '예' 하는 소리에 배가 커지며, 방에는 기생이 귀고리로 치장하고, 뜰의 곡식에는 학이 깃든다. 궁한 양반이 시골에 묻혀 있어도 강제로

이웃의 소를 끌어다 먼저 자기 땅을 갈고 마을의 일꾼을 잡아다 자기 논의 김을 맨들 누가 감히 나를 괄시하랴. 너희들 코에 잿물을 들이붓고 머리끄덩이를 회회 돌리고 수염을 낚아채더라도 누구 감히 원망하지 못할 것이다.

라 부자는 증서를 중지시키고 혀를 내두르며,
"그만두시오, 그만두오. 맹랑하구먼. 나를 장차 도둑놈으로 만들 작정인가."
하고 머리를 흔들고 가 버렸다.

---

01. 이 글에 등장하는 다음 인물들의 말이 풍자하고 있는 양반의 모습을 각각 서술하시오.

> • 강원도 감사: "어떤 놈의 양반이 이처럼 군량에 쓸 곡식을 축냈단 말이냐?"
> • 양반의 아내: "양반이란 것이 한 푼어치도 안 되는 것이구려."
> • 부자: "그만두시오, 그만두오. 맹랑하구먼. 나를 장차 도둑놈으로 만들 작정인가."

• 강원도 감사의 말을 통해 ＿＿＿＿＿＿＿＿＿＿

• 양반 아내의 말을 통해 ＿＿＿＿＿＿＿＿＿＿

• 부자의 말을 통해 ＿＿＿＿＿＿＿＿＿＿
＿＿＿＿＿＿＿＿＿＿＿＿＿＿＿＿＿＿＿

02. 01의 활동을 바탕으로 양반 계층을 직접 비판하는 것과 풍자를 활용하여 비판하는 것의 차이점을 비교하여 100자 내외로 서술하시오.

03. 이 글의 내용처럼 현재 우리가 사는 사회를 풍자하고자 할 때, 어떤 대상에 대해 풍자할 수 있을지 예를 들어 서술하시오.

김소월과 관련된 시 읽기

산유화(山有花) / 김소월

산에는 꽃 피네
꽃이 피네.
갈 봄 여름 없이
꽃이 피네.

산에
산에
피는 꽃은
저만치 혼자서 피어 있네.

산에서 우는 작은 새여,
꽃이 좋아
산에서
사노라네.

산에는 꽃 지네
꽃이 지네.
갈 봄 여름 없이
꽃이 지네.

김소월의 또 다른 대표 작품인 '산유화'는 존재(인간과 자연)의 근원적인 고독이 잘 드러나 있습니다. 말하는 이는 산에 있는 꽃이 피고 지는 모습을 바라보며 인간과 자연이 외로운 존재라는 것을 인식하고, 고독감을 느끼고 있습니다. 이 시의 1연은 존재의 생성, 2연은 고독한 존재, 3연은 존재의 고독에 대한 긍정, 4연은 존재의 소멸로 구성되어 있습니다. '꽃'과 '새'는 외로운 존재로, 특히 '새'는 말하는 이의 감정이 이입된 존재입니다. 산과 합일되어 있는 '꽃'과 '새' 앞에서 말하는 이는 고독을 느끼는 것으로 볼 수 있습니다.

접동새 / 김소월

접동 / 접동 / 아우래비 접동

진두강(津頭江) 가람 가에 살던 누나는
진두강 앞마을에 / 와서 웁니다.

옛날, 우리나라 / 먼 뒤쪽의
진두강 가람 가에 살던 누나는
의붓어미 시샘에 죽었습니다.

누나라고 불러 보랴 / 오오 불설워
시새움에 몸이 죽은 우리 누나는
죽어서 접동새가 되었습니다.

아홉이나 남아 되던 오랩동생을
죽어서도 못 잊어 차마 못 잊어
야삼경(夜三更) 남 다 자는 밤이 깊으면
이 산 저 산 옮아가며 슬피 웁니다.

김소월의 또 다른 대표 작품인 '접동새'는 죽어서도 잊지 못하는 혈육의 정한이 잘 드러나 있습니다. 말하는 이는 오랩동생 중의 하나로, 죽은 누나가 접동새로 환생되었다고 여기고 있으며 동생들 걱정에 떠돌아다니는 접동새의 모습에서 서러움을 느끼고 있습니다. 이 시의 1연은 접동새의 울음소리, 2연은 마을을 떠나지 못하는 죽은 누나의 울음소리, 3연은 의붓어미의 시샘으로 죽은 누나, 4연은 죽어서 접동새가 된 누나, 5연은 애절한 혈육의 정한으로 구성되어 있습니다. 누이의 죽음이라는 개인적 체험을 우리 민족의 전래 설화를 통해 보편화하여 개인의 정서를 민족 전체의 정서로 확장함으로써, 단순히 한 개인이 갖는 한이라기보다 보편적 한의 정서로 확장하는 효과를 주고 있습니다.

길 / 김소월

어제도 하룻밤 / 나그네 집에
까마귀 까악까악 울며 새었소.

오늘은 / 또 몇 십 리(十里)
어디로 갈까.

산(山)으로 올라갈까 / 들로 갈까
오라는 곳이 없어 나는 못 가오.

말 마소, 내 집도 / 정주(定州) 곽산(郭山)
차(車) 가고 배 가는 곳이라오.

여보소 공중에 / 저 기러기
공중엔 길 있어서 잘 가는가?

여보소 공중에 / 저 기러기
열 십자(十字) 복판에 내가 섰소.

갈래갈래 갈린 길 / 길이라도
내게 바이 갈 길은 하나 없소.

> 김소월의 또 다른 대표 작품인 '길'은 나그네(유랑인)의 비애와 정한이 잘 드러나 있습니다. 말하는 이는 집을 떠나 유랑하며 어디로 갈지 몰라 방황하면서 자신의 처지를 슬퍼하며 가야 할 길이 없음에 절망감을 느끼고 있습니다. 이 시의 1연은 불안한 유랑생활, 2, 3연은 갈 곳 없는 화자의 처지, 4연은 고향으로 돌아갈 수 없는 화자의 처지, 5연은 화자의 처지와 대조되는 기러기의 모습, 6, 7연은 갈 곳 없는 화자의 비극적 현실 상황으로 구성되어 있습니다. 이 시가 창작된 당시의 시대적 상황을 고려할 때, '길'은 유랑하는 나그네의 삶을 뜻하는 것으로 실향민의 비애를 표상하는 공간으로 볼 수 있습니다.

바라건대는 우리에게 우리의 보습 대일 땅이 있었더면 / 김소월

나는 꿈꾸었노라, 동무들과 내가 가지런히
벌 가의 하루 일을 다 마치고
석양에 마을로 돌아오는 꿈을,
즐거이, 꿈 가운데.

그러나 집 잃은 내 몸이여,
바라건대는 우리에게 우리의 보습 대일 땅이 있었더면!
이처럼 떠돌으랴, 아침에 저물손에
새라 새로운 탄식을 얻으면서.

동이랴, 남북이랴, 내 몸은 떠나가니, 볼지어다,
희망의 반짝임은, 별빛이 아득임은,
물결뿐 떠올라라, 가슴에 팔다리에.

그러나 어쩌면 황송한 이 심정을! 날로 나날이 내 앞에는
자칫 가느른 길이 이어 가라. 나는 나아가리라.
한 걸음, 또 한 걸음. 보이는 산비탈엔
온 새벽 동무들, 저 저 혼자…… 산경(山耕)을 김매이는.

> 김소월의 또 다른 대표 작품인 '바라건대는 우리에게 우리의 보습 대일 땅이 있었더면'은 땅을 잃은 농민의 슬픔과 땅을 되찾고자 하는 의지가 잘 드러나 있습니다. 말하는 이는 농사를 짓는 사람이지만 현재 집도 땅도 잃고 유랑하는 상황이라 탄식하고 있었으나 희망을 발견하고 현실을 극복하고자 하는 의지를 보이고 있습니다. 이 시의 1연은 '나'가 꿈꾸었던 행복한 삶의 모습, 2연은 집과 땅을 잃고 떠도는 현실, 3연은 희망이 없는 고통과 절망의 상황, 4연은 절망적 현실을 극복하려는 미래 저항적 의지로 구성되어 있습니다. 민족 공동체의 정서를 땅의 상실이라는 구체성에 바탕을 두어 표현한 것으로 볼 수 있습니다.

박지원과 관련된 고전 소설 읽기

허생전(許生傳) / 박지원

허생은 묵적골[墨積洞]에 살았다. 곧장 남산(南山) 밑에 닿으면, 우물 위에 오래된 은행나무가 서 있고, 은행나무를 향하여 사립문이 열렸는데, 두어 칸 초가는 비바람을 막지 못할 정도였다. 그러나 허생은 글 읽기만 좋아하고, 그의 처가 남의 바느질품을 팔아서 입에 풀칠을 했다.

하루는 그 처가 몹시 배가 고파서 울음 섞인 소리로 말했다.

"당신은 평생 과거(科擧)를 보지 않으니, 글을 읽어 무엇합니까?" / 허생은 웃으며 대답했다.

"나는 아직 독서를 익숙히 하지 못하였소."

"그럼 장인바치 일이라도 못 하시나요?"

"장인바치 일은 본래 배우지 않은 걸 어떻게 하겠소?"

"그럼 장사는 못 하시나요?"

"장사는 밑천이 없는 걸 어떻게 하겠소?"

처는 왈칵 성을 내며 소리쳤다.

"밤낮으로 글을 읽더니 기껏 '어떻게 하겠소?' 소리만 배웠단 말씀이오? 장인바치 일도 못 한다, 장사도 못 한다면, 도둑질이라도 못 하시나요?"

허생은 읽던 책을 덮어 놓고 일어나면서,

"아깝다. 내가 당초 글 읽기로 십 년을 기약했는데, 인제 칠 년인걸……."

하고 휙 문밖으로 나가 버렸다.

허생은 거리에 서로 알 만한 사람이 없었다. 바로 운종가로 나가서 시중의 사람을 붙들고 물었다.

"누가 서울 성중에서 제일 부자요?"

변 씨(卞氏)를 말해 주는 이가 있어서, 허생이 곧 변 씨의 집을 찾아갔다. 허생은 변 씨를 대하여 길게 읍하고 말했다.

"내가 집이 가난해서 무얼 좀 해 보려고 하니, 만 냥(兩)을 꾸어 주시기 바랍니다."

변 씨는 / "그러시오." / 하고 당장 만 냥을 내주었다. 허생은 감사하다는 인사도 없이 가 버렸다. 변 씨 집의 자제와 손들이 허생을 보니 거지였다. 실띠의 술이 빠져 너덜너덜하고, 갖신의 뒷굽이 자빠졌으며, 쭈그러진 갓에 허름한 도포를 걸치고, 코에서 맑은 콧물이 흘렀다. 허생이 나가자, 모두들 어리둥절해서 물었다.

"저이를 아시나요?" / "모르지."

"아니, 하루아침에, 평생 누군지도 알지 못하는 사람에게 만 냥을 그냥 내던져 버리고 성명도 묻지 않으시다니, 대체 무슨 영문인가요?"

변 씨가 말하는 것이었다.

"이건 너희들이 알 바 아니다. 대체로 남에게 무엇을 빌리러 오는 사람은 으레 자기 뜻을 대단히 선전하고, 신용을 자랑하면서도 비굴한 빛이 얼굴에 나타나고, 말을 중언부언하게 마련이다. 그런데 저 객은 형색은 허술하지만, 말이 간단하고, 눈을 오만하게 뜨며, 얼굴에 부끄러운 기색이 없는 것으로 보아, 재물이 없어도 스스로 만족할 수 있는 사람이다. 그 사람이 해 보겠다는 일이 작은 일이 아닐 것이매, 나 또한 그를 시험해 보려는 것이다. 안 주면 모르되, 이왕 만 냥을 주는 바에 성명은 물어 무엇을 하겠느냐?"

허생은 만 냥을 입수하자, 다시 자기 집에 들르지도 않고 바로 안성(安城)으로 내려갔다. 안성은 경기도, 충청도 사람들이 마주치는 곳이요, 삼남(三南)의 길목이기 때문이다. 거기서 대추, 밤, 감, 배며 석류, 귤, 유자 등속의 과일을 모조리 두 배의 값으로 사들였다. 허생이 과일을 몽땅 쓸었기 때문에 온 나라가 잔치나 제사를 못 지낼 형편에 이르렀다. 얼마 안 가서, 허생에게 두 배의 값으로 과일을 팔았던 상인들이 도리어 열 배의 값을 주고 사 가게 되었다. 허생은 길게 한숨을 내쉬었다.

"만 냥으로 온갖 과일의 값을 좌우했으니, 우리나라의 형편을 알 만하구나. [중략]

"어렵습니다. 제이(第二)의 계책을 듣고자 하옵니다." / 했다.

"나는 원래 '제이'라는 것은 모른다." / 하고 허생은 외면하다가, 이 대장의 간청에 못 이겨 말을 이었다.

"명(明)나라 장졸들이 조선은 옛 은혜가 있다고 하여, 그 자손들이 많이 우리나라로 망명해 와서 정처 없이 떠돌고 있으니, 너는 조정에 청하여 종실(宗室)의 딸들을 내어 모두 그들에게 시집보내고, 훈척(勳戚) 권귀(權貴)의 집을 빼앗아서 그들에게 나누어 주게 할 수 있겠느냐?"

이 대장은 또 머리를 숙이고 한참을 생각하더니,

"어렵습니다." / 했다.

"이것도 어렵다, 저것도 어렵다 하면 도대체 무슨 일을 하겠느냐? 가장 쉬운 일이 있는데, 네가 능히 할 수 있겠느냐?" / "말씀을 듣고자 하옵니다."

"무릇, 천하에 대의(大義)를 외치려면 먼저 천하의 호걸들과 접촉하여 결탁하지 않고는 안 되고, 남의 나라를 치려면 먼저 첩자를 보내지 않고는 성공할 수 없는 법이다. 지금 만주 정부가 갑자기 천하의 주인이 되어서 중국 민족과는 친근해지지 못하는 판에, 조선이 다른 나라보다 먼저 섬기게 되어 저들이 우리를 가장 믿는 터이다. 진실로 당(唐)나라, 원(元)나라 때처럼 우리 자제들이 유학 가서 벼슬까지 하도록 허용해 줄 것과 상인의 출입을 금하지 말도록 할 것을 간청하면, 저들도 반드시 자기네에게 친근해지려 함을 보고 기뻐 승낙할 것이다. 국중의 자제들을 가려 뽑아 머리를 깎고 되놈의 옷을 입혀서, 그 중 선비는 가서 빈공과(賓貢科)에 응시하고, 또 서민은 멀리 강남(江南)에 건너가서 장사를 하면서, 저 나라의 실정을 정탐하는 한편, 저 땅의 호걸들과 결탁한다면 한번 천하를 뒤집고 국치(國恥)를 씻을 수 있을 것이다. 그리고 만약 명나라 황족에서 구해도 사람을 얻지 못할 경우, 천하의 제후(諸侯)를 거느리고 적당한 사람을 하늘에 천거한다면, 잘되면 대국(大國)의 스승이 될 것이고, 못 되어도 백구지국(伯舅之國)의 지위를 잃지 않을 것이다."

이 대장은 힘없이 말했다.

"사대부들이 모두 조심스럽게 예법(禮法)을 지키는데, 누가 변발(辮髮)을 하고 호복(胡服)을 입으려 하겠습니까?"

허생은 크게 꾸짖어 말했다.

"소위 사대부란 것들이 무엇이란 말이냐? 오랑캐 땅에서 태어나 자칭 사대부라 뽐내다니 이런 어리석을 데가 있느냐? 의복은 흰 옷을 입으니 그것이야말로 상인(喪人)이나 입는 것이고, 머리털을 한데 묶어 송곳같이 만드는 것은 남쪽 오랑캐의 습속에 지나지 못한데, 대체 무엇을 가지고 예법이라 한단 말인가? 번오기(樊於期)는 원수를 갚기 위해서 자신의 머리를 아끼지 않았고, 무령왕(武靈王)은 나라를 강성하게 만들기 위해서 되놈의 옷을 부끄럽게 여기지 않았다. [후략]"

박지원의 또 다른 대표 작품인 '허생전'은 무능한 사대부층에 대한 비판과 현실에 대한 각성 촉구에 대한 내용이 잘 드러나 있습니다. 배경은 17세기 중반, 조선 시대로 서울을 중심으로 한 한반도 전역입니다. 이 작품의 내용 요소는 크게 세 가지로 볼 수 있습니다. 첫째는 허생이 매점매석의 방법으로 부를 축적한 이야기, 둘째는 군도(群盜)를 이끌고 새로운 사회를 건설하는 이야기, 셋째는 이완과의 대화 장면입니다. 이 작품은 『열하일기(熱河日記)』에 실린 한문 단편 소설로, '허생'이라는 인물을 내세워 당대의 무능한 사대부들을 비판하고, 선비 계층의 현실 인식과 그에 따른 과제를 제시하였습니다. 또한 이용후생(利用厚生)의 철학을 가진 박지원의 사상이 잘 드러난 작품입니다.

의사소통 역량

이 역량은 음성 언어, 문자 언어, 기호와 매체 등을 활용하여 생각과 느낌, 경험을 표현하거나 이해하면서 의미를 구성하고 자아와 타인, 세계의 관계를 점검하고 조정하는 능력을 말해. 이 단원에서는 정확한 발음과 표기를 학습함으로써 자신이 전달하고자 하는 의도를 정확하고 효과적으로 소통하는 능력을 길러 보자.

발음은 정확히, 글은 바르게

(1) 정확한 발음과 표기

(2) 쓴 글을 돌아보며

자료 · 정보 활용 역량

　이 역량은 필요한 자료나 정보를 수집, 분석, 평가하고 이를 효과적으로 활용하여 의사를 결정하거나 문제를 해결하는 능력을 말해. 이 단원에서는 각 수준에 적합한 방법으로 글을 고쳐 쓰는 활동을 통해 자료나 정보를 활용하는 능력을 키워 보자.

대단원을 펼치며

❖ 도입 만화를 살펴보면서 이 단원에서 배울 내용을 짐작해 보아요!

| 핵심 질문 | 자신의 뜻을 정확하게 전달하려면 언어를 어떻게 사용해야 할까? |

 이 질문은 이 대단원을 이끄는 핵심 질문이란다. 우리가 한 말이 잘못 전달되어 오해가 생겼던 일은 없었는지 떠올려 보고 그 이유는 무엇이었는지 생각해 보렴. 그리고 이 단원을 공부하면서 이 질문에 답해 보자.

| 보조 질문 | '갈께'의 바른 표기는 무엇이고 어떻게 발음해야 할까요? |

예시 답 | '갈게'로 쓰고 [갈께]로 읽어야 한다.

자신이 쓴 글이 어색하거나 만족스럽지 않을 때는 어떻게 해야 할까요?

예시 답 | 쓴 글을 돌아보고 만족스러울 때까지 고쳐 쓴다.

학습 목표

[문법] 단어를 정확하게 발음하고 표기할 수 있다.
[쓰기] 고쳐쓰기의 일반 원리를 활용하여 글을 고쳐 쓸 수 있다.

배울 내용

(1) 정확한 발음과 표기	(2) 쓴 글을 돌아보며	단원 + 단원
• 정확한 발음의 필요성을 알기 • 자음과 모음 정확하게 발음하기 • 받침 정확하게 발음하기 • 일상에서 정확하게 표기하기	• 고쳐쓰기의 일반 원리 이해하기 • 고쳐쓰기 연습하기 • 고쳐쓰기의 효과 알기	• 학생이 쓴 글을 보고 고쳐쓰기 원리를 적용하여 고치고, 이를 활용하여 발표 자료 만들어 보기

(1) 정확한 발음과 표기

 생각 열기

다음에 제시된 상황을 보고 단어의 발음과 표기에 관해 생각해 봅시다.

● **이렇게 열자** ●

발음과 표기를 정확하게 하는 것이 왜 중요한지를 알아보기 위한 활동이다. 만화에 나타난 대화를 통해 발음이나 표기가 잘못되었을 때 어떤 문제가 생기는지를 알아보고 질문에 자유롭게 이야기해 보도록 한다.

• 위의 상황에서 발음과 표기를 각각 어떻게 바로잡아야 할까요?

　　예시 답 | 발음은 [소트로]로, 표기는 '솥'으로 바로잡아야 한다.

• 발음이나 표기가 정확하지 않아 문제가 생겼던 경험이 있는지 이야기해 봅시다.

　　예시 답 | • 친구가 "선생님이 가리키시는 거 잘 알아야 해."라고 해서 선생님이 무엇을 가리키시는지 보려고 선생님 손가락을 집중해 보았다. 그런데 알고 보니 친구가 '가르치시는'을 '가리키시는'으로 잘못 말한 것이었다.
　　　　• 동생이 "비시 없어서 답답해."라고 말해 '빗'을 주었더니 이상한 눈으로 쳐다보았다. 알고 보니 '빛이[비치]'를 [비시]로 잘못 말한 것이었다.

이 단원의 학습 요소

학습 목표 | 단어를 정확하게 발음하고 표기할 수 있다.

정확하게 발음하고 표기하기 ▶	정확한 발음의 중요성을 이해하고, 자음과 모음 및 받침의 발음을 알고 바르게 표기할 수 있도록 탐구한다.
국어 생활에서 정확하게 발음하고 표기하는 태도 기르기 ▶	일상 언어생활 속에서 잘못 표기하고 발음하는 사례를 확인하고 이를 정확하게 발음하고 표기하는 태도를 기른다.

소단원 바탕 학습

핵심 개념 미리 보기

1. 정확한 발음의 필요성

지역적·사회적 요인에 의해 같은 말을 서로 다르게 발음하여 의사소통에 혼란이 일어나기도 하는데, 이런 문제를 해결하기 위해 정한 것이 표준 발음법임.

표준 발음법	우리말을 발음할 때의 표준을 정한 것
표준 발음법의 의의	• 정확한 국어 생활을 할 수 있음. • 의사소통을 원활히 할 수 있음.

2. 'ㅖ'와 'ㅢ'의 바른 발음

ㅖ	'예'와 '례'에서	예절	→	[ㅖ]
	'예'와 '례'를 제외한 나머지 경우	시계, 혜성	→	[ㅖ, ㅔ]
ㅢ	'의'로 쓰여 단어 첫 글자에 나오는 경우	의사	→	[ㅢ]
	'의'로 쓰였으나 단어 첫 글자로 나오지 않는 경우	토의	→	[ㅢ, ㅣ]
	자음을 첫소리로 가지는 'ㅢ'	무늬	→	[ㅣ]
	조사 '의'에 쓰인 경우	나의	→	[ㅢ, ㅔ]

3. 받침의 발음

(1) 일곱 개의 받침소리

국어의 자음 중에도 표기 그대로 발음되는 받침은 'ㄱ, ㄴ, ㄷ, ㄹ, ㅁ, ㅂ, ㅇ' 7개뿐이며, 이 외의 다른 받침들은 단어의 끝이나 자음 앞에서 [ㄱ, ㄷ, ㅂ] 중의 하나로 바꾸어 발음됨.

받침(표기)		발음	예
ㄱ, ㄲ, ㅋ	→	[ㄱ]	독[독], 낚시[낙씨], 부엌[부억]
ㄴ	→	[ㄴ]	안[안], 챈[챈]
ㄷ, ㅌ/ㅅ, ㅆ/ㅈ, ㅊ, ㅎ	→	[ㄷ]	낟[낟], 낱[낟]/ 낫[낟], 났(다)[낟(따)]/낮[낟], 낯[낟]/히읗[히읃]
ㄹ	→	[ㄹ]	달[달]
ㅁ	→	[ㅁ]	감[감]
ㅂ, ㅍ	→	[ㅂ]	밥[밥], 숲[숩]
ㅇ	→	[ㅇ]	강[강], 방[방]

(2) 겹받침의 발음

겹받침은 서로 다른 두 개의 자음으로 이루어진 받침으로, 받침 소리는 둘 중 하나로만 발음됨.

앞 자음이 소리 나는 겹받침	'ㄳ' → [ㄱ], 'ㄵ' → [ㄴ], ㄼ/ㄽ/ㄾ → [ㄹ], ㅄ → [ㅂ]	예 넋[넉], 앉다[안따], 여덟[여덜], 외곬[외골], 핥다[할따], 값[갑]
뒤 자음이 소리 나는 겹받침	'ㄺ' → [ㄱ], 'ㄻ' → [ㅁ], ㄿ → [ㅂ]	예 닭[닥], 늙다[늑따], 삶[삼ː], 읊다[읍따]

4. 일상생활에서 자주 틀리는 발음과 표기

• '-데': 본인이 경험한 지난 일을 돌이켜 말할 때 쓰는 말로, '더라'와 같음.
  '-대': 남에게 들은 일로, '다(고) 해'가 줄어든 말임.
• '왠': 하나의 단어가 아니라 그 자체로는 의미가 없고 '왜인지'가 줄어든 '왠지'에만 나타남.
  '웬': 하나의 단어로 '어찌 된, 어떠한'이라는 뜻의 관형사임.

눈으로 찍고 가기

1. 표준 발음법을 정한 이유는 (　　　　)을 원활히 하기 위함이다.

2. 다음 단어의 발음이 맞으면 ○, 틀리면 ×표를 하시오.
  (1) 시계[시게] (　　　) (2) 희망[희망] (　　　)
  (3) 나의[나에] (　　　) (4) 여덟[여덥] (　　　)

3. 다음 문장에 알맞은 단어에 ○표 하시오.
  (1) 경희가 어제 국어 지킴이로 선출되었(데, 대).
  (2) 이게 (왠, 웬) 떡이냐!

정답: 1. 의사소통 2. (1) ○ (2) × (3) ○ (4) × 3. (1) 대 (2) 웬

활동 1 정확한 발음의 필요성

1. 다음 상황을 보고 이어지는 활동을 해 봅시다.

1 민호가 영지의 말을 듣고 놀란 까닭을 이야기해 봅시다.

예시 답| 영지가 '댁으로[대그로]'의 발음을 정확하게 하지 않아서, [대구로]로 오해하여 들었기 때문이다.

2 다른 사람이 말할 때의 발음을 주의 깊게 들어 보고, 평소 자신의 발음과 차이가 있는지 생각해 봅시다.

예시 답| ・ 나는 '하거든'을 [하거등]이라고 발음하는데 친구는 [하그든]이라고 발음한다.
・ 나는 '다른 거'를 그대로 발음하는데 친구는 [따른 거]라고 발음한다.

찬찬샘 핵심 강의

・ 표준 발음법의 필요성

　같은 말이라도 사람마다 서로 다르게 발음하는 경우가 있어. 그 이유는 개인적 언어 습관에서도 찾을 수 있지만 지역이나 사회적 계층, 집단 등의 차이에 따라서 달라지는 경우도 흔하지. 이것이 심해지면 의사소통에 혼란이 올 수 있어. 그래서 이런 문제를 해결하기 위해 우리말을 발음할 때의 표준을 정해 놓았는데, 이것이 「표준 발음법」이야. 표준 발음법을 통해 정확한 국어 생활을 할 수 있으며, 다른 사람과의 의사소통을 원활하게 할 수 있단다.

・핵심 포인트・

표준 발음법	우리말을 발음할 때의 표준을 정한 것	⇒	의의	・정확한 국어 생활을 할 수 있음. ・의사소통을 원활히 할 수 있음.

◐ 활동 탐구

정확한 발음과 의사소통의 관계를 깨닫고, 평소 언어생활이나 발음 습관을 되돌아보도록 하는 활동이다.

지학이가 도와줄게! - 1 **1**

만화에 나오는 영지와 민호의 대화에서 오해가 일어난 까닭은 무엇일까? 발음을 정확하게 하지 않으면 의사소통에 어려움이 생긴다는 것을 알게 해 주는 만화야.

지학이가 도와줄게! - 1 **2**

같은 단어지만 사람마다 다르게 발음하는 경우가 있어. 친구들이나 주변 사람들의 발음을 주의 깊게 들어보렴. 특히 다른 지역 사람들의 발음을 들어보면 그 차이를 더 확실하게 느낄 수 있을 거야.

➕ 보충 자료
표준어와 표준 발음법의 정의

표준어	교양 있는 사람들이 두루 쓰는 현대 서울말
표준 발음법	표준어의 실제 발음을 따르되, 국어의 전통성과 합리성을 고려하여 정함.

콕콕 확인 문제 　정답과 해설 13쪽

1. 발음의 표준을 정해야 하는 이유로 적절한 것은? (정답 2개)

① 원활한 의사소통을 위해서
② 편리하게 발음하기 위해서
③ 같은 말도 사람마다 다르게 발음하기 때문에
④ 사람은 새로운 발음을 무한히 만들어 내기 때문에
⑤ 언어의 뜻과 말소리 사이에는 필연적인 관계가 없기 때문에

활동 2 자주 틀리는 자음과 모음의 발음

1. 다음 대화에 나온 단어들을 정확하게 발음해 봅시다.

[공짜] / [꽁짜]

[기억] / [기역]

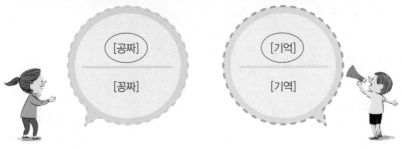

찬찬샘 핵심 강의

· 자음과 모음을 정확하게 발음하기

주의하여 들어보면 '공짜'를 [꽁짜]라고 발음하는 사람이 의외로 많아. '기억'도 [기역]이라고 발음하기도 하지. 이처럼 자음과 모음이 가진 소리대로 발음하지 않는 경우가 있는데, 비록 말 뜻은 알아들을 수 있더라도 정확하게 발음하도록 노력해야 해.

▶핵심 포인트◀

'기억'과 '공짜'의 발음	· 기억: [기억](○), [기역](×) · 공짜: [공짜](○), [꽁짜](×)

66 학습 포인트

· 자주 틀리는 자음과 모음의 발음 알아보기
· 'ㅖ'와 'ㅢ'의 바른 발음 알아보기

⊙ 활동 탐구

정확하게 발음하기 어려운 자음과 모음의 예를 살펴보고 그 정확한 발음이 무엇인지 알아보는 활동이다.

✲ 지학이가 도와줄게! - 1

만화의 대화에 나온 단어들을 읽어 보며 '기억'과 '공짜'를 어떻게 발음하고 있는지 유의해 보자. 그리고 그 단어의 정확한 발음은 무엇이라고 생각하는지 말해 보자.

콕콕 확인 문제

2. 〈보기〉의 ㉠~㉡ 중, 정확하게 발음한 것끼리 묶은 것은?

> **보기**
>
> 희준: 저 버스는 대공원 방향으로 가는 거야. 초등학교 때 동물원 가느라고 탔던 게 ㉠[기역]이 나.
> 은야: 그걸 아직도 ㉡[기역]하니? 기억력 엄청 좋다! 그럼 이 버스는 두서관 방향이 맞겠다.
> 희준: 참, 이 영화표 ㉢[꽁짜]로 얻었는데 같이 보러 갈래?
> 은야: ㉣[공짜]라고? 당연히 가야지. ㉤[심문] 기사에서 봤는데 평가가 아주 좋은 영화였어.
> 희준: 그래? 나도 그 ㉥[신문] 좀 보여 줘!

① ㉠, ㉡, ㉤   ② ㉠, ㉣, ㉤
③ ㉠, ㉣, ㉥   ④ ㉡, ㉢, ㉤
⑤ ㉡, ㉣, ㉥

2. 'ㅖ'와 'ㅢ'의 바른 발음을 알아봅시다.

1 'ㅖ'의 발음에 유의하여 다음 단어들을 발음해 봅시다.

시계[시계 / 시게]　　　혜성[혜ː성/혜ː성]　　　예절[　예절　]

2 'ㅢ'의 발음에 유의하여 다음 단어들을 발음해 봅시다.

의사[　의사　]　　　토의[토의/토이]　　　무늬[　무니　]

3 'ㅖ'와 'ㅢ'가 어떠한 소리로 발음되는지 정리해 봅시다.

ㅖ	'예'와 '례'에서	예절	→	[ㅖ]
	'예'와 '례'를 제외한 나머지 경우	시계, 혜성	→	[ㅖ, ㅔ]
ㅢ	'의'로 쓰여 단어 첫 글자에 나오는 경우	의사	→	[ㅢ]
	'의'로 쓰였으나 단어 첫 글자로 나오지 않는 경우	토의	→	[ㅢ, ㅣ]
	자음을 첫소리로 가지는 'ㅢ'	무늬	→	[ㅣ]
	조사 '의'에 쓰인 경우	나의	→	[ㅢ, ㅔ]

➕ 보충 자료
- **'ㅖ'의 발음**: 'ㅖ'는 본래 소리대로 [ㅖ]로 발음하여야 한다. 그러나 '예, 례' 이외의 경우에는 [ㅔ]로도 발음하기 때문에 이 실제의 발음까지 고려하여 [ㅔ]로 발음함도 허용한다.
  - 예) 통계[통ː계/통ː게] 은혜[은혜/은헤] 밀폐[밀폐/밀페]
- **조사 'ㅢ'의 발음**: 서울이나 중부 지방에서 조사 'ㅢ'가 [ㅔ]로 발음되는 일이 많아 이를 고려하여 '의'를 [ㅔ]로 발음함도 허용한 것이다. '의'로 표기하고 그 본음과는 큰 차이를 가지는 [ㅔ]로 발음하는 것은 특이한 경우이어서 많은 논란 끝에 허용 규정으로 덧붙게 되었다.

※ 지학이가 도와줄게! - 2 **1**

이중 모음 'ㅖ'는 앞에 어떤 자음이 오느냐에 따라 'ㅖ'로 발음되기도 하고 'ㅔ'로 발음되기도 해. 각 음절의 정확한 발음을 기억해서 발음해 보도록 하자.

※ 지학이가 도와줄게! - 2 **2**

이중 모음 'ㅢ'는 경우에 따라 [ㅢ, ㅣ, ㅔ] 등으로 발음할 수 있어. 각 단어를 주의 깊게 발음해 보고, 어떤 소리가 나는지 확인해 보자.

※ 지학이가 도와줄게! - 2 **3**

1, **2**의 활동을 통해 'ㅖ'와 'ㅢ'가 어떤 소리로 발음되는지 정리해 보자.

➕ 보충 자료
국어의 단모음과 이중 모음
- **단모음**: 소리를 내는 도중에 입술 모양이나 혀의 위치가 달라지지 않는 모음. 국어의 단모음은 'ㅏ', 'ㅐ', 'ㅓ', 'ㅔ', 'ㅗ', 'ㅚ', 'ㅜ', 'ㅟ', 'ㅡ', 'ㅣ'로 모두 10개이며, 'ㅚ, ㅟ'는 이중 모음으로 발음할 수도 있음.
- **이중 모음**: 소리를 내는 도중에 입술 모양이나 혀의 위치가 처음과 달라지는 모음. 'ㅑ', 'ㅕ', 'ㅛ', 'ㅠ', 'ㅒ', 'ㅖ', 'ㅘ', 'ㅙ', 'ㅝ', 'ㅞ', 'ㅢ'로 모두 11개임.

4 다음을 소리 내어 읽고, 'ㅖ'나 'ㅢ'가 포함된 각각의 글자가 어떻게 발음될 수 있는지 모두 써 봅시다.

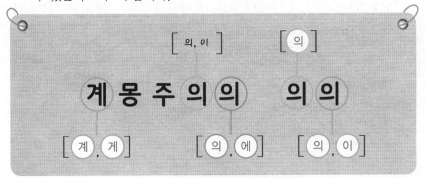

[의, 이]　　　　[의]

계 몽 주 의 의　　의 의

[계 , 게]　　　[의 , 에]　　[의 , 이]

지학이가 도와줄게! - 2 4

1~**3**의 활동을 하면서 'ㅖ'와 'ㅢ'의 표준 발음에는 하나만 존재하는 것이 아님을 알 수 있었을 거야. **3**에서 'ㅖ'와 'ㅢ'가 어떤 상황에서 어떻게 발음되는지 정리해 보았지? 이를 참고하여 동그라미 속의 각 글자가 어떻게 발음될 수 있는지 써 보자.

찬찬샘 핵심 강의

• **이중 모음 'ㅖ'와 'ㅢ'의 발음**

이 활동에서는 이중 모음인 'ㅖ'와 'ㅢ'의 발음 규정을 알아보고 있어. 한 가지로만 발음하면 편하겠지만, 이들은 두세 가지로 발음할 수 있기 때문에 정확하게 발음하려면 그 규정을 알아봐야 하지.

'ㅖ'는 모음 'ㅓ'와 'ㅣ'가 합쳐진 이중 모음으로 원래 [ㅖ]로 발음하는 것이 원칙이야. 하지만 '시계'가 [시계] 또는 [시게]로도 발음되는 것처럼 실제 발음을 존중해 [ㅔ]로 발음하는 것도 허용하고 있어. 즉 'ㅖ'는 '예, 례'로 사용될 때는 늘 [ㅖ]로만 발음하고, 그 외의 경우에는 [ㅖ/ㅔ] 두 가지 모두 발음할 수 있는 것이지.

'ㅢ'도 여러 소리로 발음되는 이중 모음이야. '늬, 띄, 희'처럼 자음을 첫소리로 가지고 있으면 'ㅢ'는 [ㅣ]로만 발음해야 해. 즉 [니], [띠], [히]로 발음하는 것이지.

그럼 '의리'의 '의'는? 첫소리에 나오는 'ㅇ'은 음가가 없으므로 '의'는 모음만으로 이루어진 말이야. 따라서 [ㅢ]로 발음해야 해. 하지만 '의'로 쓰였으나 단어 첫 글자로 나오지 않을 때는 [ㅢ]나 [ㅣ]로 다 발음할 수 있어. '토의'의 '의'는 단어의 첫 글자가 아니므로 [토의]나 [토이]로도 발음하는 것이지.

조사로 사용되는 '의'는 사람들이 자주 [에]로 발음하는 것을 고려하여 [의]로 발음하되 [에]로 발음하는 것도 허용되었어.

핵심 포인트

'ㅖ'의 발음	• 'ㅖ'는 원래 소리대로 [ㅖ]로 발음함. • '예, 례' 이외의 경우에는 [ㅔ]로 발음함도 허용함. 예 계산[계:산/게:산], 개폐[개폐/개페]

'ㅢ'의 발음	• 원칙적으로 'ㅢ'는 [ㅢ]로 발음함.
	• 자음을 첫소리로 가지고 있는 'ㅢ'는 [ㅣ]로 발음하고 [ㅢ]나 [ㅡ]로는 발음하지 않음.
	  예 하늬바람[하니바람], 희미하다[히미하다]
	• 단어의 첫 글자 이외의 '의'는 [ㅣ]로 발음함도 허용함.
	  예 주의[주의/주이]
	• 조사 '의'는 [ㅔ]로 발음함도 허용함.
	  예 나의[나의/나에] 꿈

콕콕 확인 문제

3. 다음 중, [ㅖ]로만 발음해야 하는 말은?

① 시계　　② 혜성
③ 지게　　④ 비계
⑤ 실례

4. 밑줄 친 단어에서 'ㅢ' 발음이 잘못된 것은?

① 의리[으리] 있는 친구
② 희미한[히미한] 그림자
③ 토의[토의] 안건을 올리자.
④ 하늬바람[하니바람]이 분다.
⑤ 우리의[우리에] 소원은 통일

5. 다음을 소리 내어 읽은 것 중 바르지 않은 것은?

　계몽주의의 의의

① [계몽주의에 의의]
② [계몽주이에 의이]
③ [계몽주이에 의의]
④ [계몽주이의 의이]
⑤ [계몽주의에 이이]

|서술형|
6. 〈보기〉의 밑줄 친 'ㅢ'를 [ㅣ]로 발음할 수 있는 조건은 무엇인지 서술하시오.

보기
　무늬[무니], 희망[히망]

3. 다음의 뉴스 대본을 소리 내어 읽어 보고, 이어지는 활동을 해 봅시다.

우리나라 육상 대표 팀이 오늘 육상 대회 남자 ⓐ계주 1,600미터(m) ㉠예선에서 한국 신기록을 세우며 결승선을 통과했습니다. 13년 ㉡만의 기록 경신이었습니다. 스무 살 ⓑ안팎의 어린 선수들이 구슬땀을 흘리며 얻은 결실입니다.

본선에 나갈 선수나 팀을 뽑음.
종전의 기록을 깨뜨림.

㉢오늘의 날씨입니다. 오늘은 비가 개고 화창한 날이 ⓓ예상됩니다. 오늘 아침 최저 기온은 예년보다 2 내지 5도 올라 무더운 여름날이 되겠습니다. 동해 먼바다에는 안개가 끼고 ⓔ센바람이 불겠습니다. 날씨였습니다.

1️⃣ 아나운서의 정확한 뉴스 낭독을 들으며 자신의 발음과 비교해 봅시다.
예시 답 | 생략

2️⃣ 자신이 정확하게 발음하지 못한 단어는 무엇이었는지 이야기해 봅시다.
예시 답 | '만의[마늬/마네]'를 [마느]로, '센바람[센:바람]'을 [쎈:바람]으로 발음하였다.

3️⃣ 다른 뉴스에서 아나운서와 자신이 다르게 발음하는 예를 더 찾아보고, 올바른 발음을 알아봅시다.
예시 답 | '오후[오후]'를 [오우]로, '잡곡[잡꼭]'을 [작꼭]으로, '산불[산뿔]'을 [삼뿔]로 발음하였다.

· 정확하게 발음하는 연습

잘못된 발음이 습관이 되면 고치기가 쉽지 않아. 아나운서처럼 정확하게 발음하는 사람의 말을 주의 깊게 듣고 평소의 내 발음과 비교해 보면 정확한 발음 습관을 기르는 데 도움이 될 거야. 어떻게 발음하는 것이 옳은지 잘 모를 경우에는 국어사전을 찾아보면 좋아. 국어사전에는 단어마다 표준 발음이 제시되어 있거든.

▸핵심 포인트◂

정확한 발음 습관	· 정확하게 발음하는 사람의 말을 주의 깊게 듣고 올바른 발음으로 말하려고 꾸준히 노력해야 함. · 발음 규정을 이해하고 규정대로 발음함.

지학이가 도와줄게! - 3

평소 자신의 발음 습관대로 뉴스 대본을 읽어 본 후, 정확한 발음을 사용하는 아나운서의 발음과 비교해 보자. 이때 앞에서 배운 자음과 모음의 발음에 유의해 읽어 보도록 하자.

➕ **보충 자료**

연음 규칙: 우리말은 앞 음절의 받침에 모음으로 시작되는 형식 형태소가 이어지면, 앞의 받침이 뒤 음절의 첫소리로 발음되는데, 이를 연음 규칙이라고 한다.
예 하늘이[하느리], 안팎의[안파끼/안파께]

콕콕 확인 문제

7. 다음 밑줄 친 'ㅖ'의 발음이 ㉠과 달리 두 가지로 발음되는 것은?

① 순례   ② 예의
③ 실례   ④ 은혜
⑤ 일기 예보

8. ㉡의 원칙적인 발음과 허용되는 발음을 모두 쓰시오.

9. ⓐ~ⓔ를 정확하게 발음하지 못한 것은?

① ⓐ: [계:주]
② ⓑ: [안파께]
③ ⓒ: [오느리]
④ ⓓ: [에:상됨니다]
⑤ ⓔ: [센:바라미]

활동 ③ 자주 틀리는 받침의 발음

> **일곱 개의 받침소리**

▌ 다음 장면을 보고 받침의 발음을 알아봅시다.

1. 이 장면을 참고하여 아래의 빈칸에 알맞은 발음을 써 봅시다.

받침 ㄷ, ㅌ, ㅅ,
ㅈ, ㅊ, ㅎ
↓
[ㄷ]

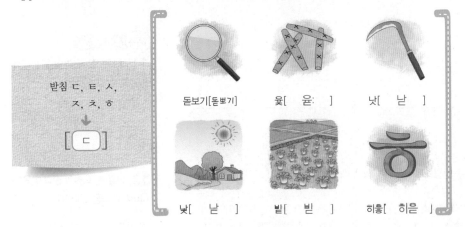

돋보기[돋뽀기]   윷[윧:]   낫[낟]

낮[낟]   밭[받]   히읗[히은]

➕ **보충 자료**

받침의 구분

받침의 종류	개념
홑받침	하나의 자음자로 이루어진 받침. 'ㄱ', 'ㄴ', 'ㄷ', 'ㄹ', 'ㅁ', 'ㅂ', 'ㅅ', 'ㅇ', 'ㅈ', 'ㅊ', 'ㅋ', 'ㅌ', 'ㅍ', 'ㅎ' 따위가 있음.
쌍받침	같은 자음자가 겹쳐서 된 받침. 'ㄲ', 'ㅆ' 따위가 있음.
겹받침	서로 다른 두 개의 자음으로 이루어진 받침. 'ㄳ', 'ㄵ', 'ㄶ', 'ㄺ', 'ㄻ', 'ㄼ', 'ㄽ', 'ㄾ', 'ㄿ', 'ㅀ', 'ㅄ' 따위가 있음.

❝ 학습 포인트
· 받침에 오는 7개의 발음 알아보기

◐ 활동 탐구

우리말 받침의 정확한 발음을 알아보는 활동이다. 이 활동에서는 받침의 유형을 알아보고, 받침의 정확한 발음을 위해 알아야 할 원리를 이해하는 데 중점을 두도록 한다.

★ 지학이가 도와줄게! – 1

각 단어들을 각각 발음해 보고, 실제 발음되는 대로 써 보는 활동이야. 발음을 다 써 본 후, 'ㄷ, ㅌ, ㅅ, ㅈ, ㅊ, ㅎ' 받침이 단어의 끝소리에서 무엇으로 발음되는지 써 보자. 이를 통해 우리말 받침이 표기대로 발음되지 않는 것도 있음을 확인할 수 있을 거야.

콕콕 확인 문제

10. 1번 활동을 통해 알 수 있는 사실이 <u>아닌</u> 것은?

① '빗/빚/빛'은 모두 [빋]으로 발음된다.
② '낫'과 '낮'의 받침은 발음과 뜻을 구별해 준다.
③ 받침에 오는 'ㄷ'은 표기된 자음 그대로 소리가 난다.
④ '히읗'과 '윷'의 받침은 '돋보기'의 받침과 소리가 같다.
⑤ 'ㅌ, ㅅ, ㅈ, ㅊ, ㅎ'은 받침에 올 때 소리가 바뀌어 발음된다.

2. 다음 만화에서 밑줄 친 단어의 알맞은 발음을 적어 봅시다.

- 엄마[엄마   ]
- 부엌[부억   ]
- 밥[밥   ]
- 먹고[먹꼬   ]

- 창밖[창박   ]
- 잎[입   ]
- 눈[눈ː   ]
- 날리고[날리고   ]

● 위의 단어 중, 받침이 표기 그대로 발음된 것과 그렇지 않은 것을 나누어 봅시다.

예시 답 | • 받침이 표기대로 발음된 것: '엄마'의 ㅁ 받침, '밥'의 ㅂ 받침, '먹고'의 ㄱ 받침, '창밖'의 ㅇ 받침, '눈'의 ㄴ 받침, '날리고'의 ㄹ 받침
• 받침이 표기대로 발음되지 않은 것: '부엌'의 ㅋ 받침(→ㄱ), '창밖'의 ㄲ 받침(→ㄱ), '잎'의 ㅍ 받침(→ㅂ)

찬찬샘 핵심 강의

• 받침의 대표음

국어의 자음은 'ㄱ, ㄲ, ㄴ, ㄷ, ㄸ, ㄹ, ㅁ, ㅂ, ㅃ, ㅅ, ㅆ, ㅇ, ㅈ, ㅉ, ㅊ, ㅋ, ㅌ, ㅍ, ㅎ'으로 총 19개이지만, 'ㄸ, ㅃ, ㅉ'은 받침으로 사용되지 않기 때문에 음절의 끝에 표기할 수 있는 자음은 모두 16개야.

그런데 이 중에도 표기 그대로 발음되는 받침은 'ㄱ, ㄴ, ㄷ, ㄹ, ㅁ, ㅂ, ㅇ' 7개뿐이야. 이 외의 다른 받침들, 즉 'ㄲ, ㅋ/ㅅ, ㅆ, ㅈ, ㅊ, ㅌ, ㅎ/ㅍ'은 단어의 끝이나 자음 앞에서 [ㄱ, ㄷ, ㅂ] 중의 하나로 발음돼. 이 [ㄱ, ㄷ, ㅂ]을 '대표음'이라고 한단다. 받침에서 일어나는 이러한 음운 현상을 음절의 끝소리 규칙이라고 하지.

▸핵심 포인트◂

표기 그대로 발음되는 받침	다른 자음의 소리로 나는 받침		대표음
ㄱ, ㄴ, ㄷ, ㄹ, ㅁ, ㅂ, ㅇ	ㄲ, ㅋ	→	[ㄱ]
	ㅅ, ㅆ, ㅈ, ㅊ, ㅌ, ㅎ	→	[ㄷ]
	ㅍ	→	[ㅂ]

✦ 지학이가 도와줄게! - 2

대화할 때 단어의 받침이 어떻게 발음되는지 관찰하여 이를 발음의 규칙으로 정리하는 활동이야. 단어의 발음 중 특히 음절 끝에서 나는 발음에 유의하며 빈칸에 적절한 발음을 적어 보자. 그리고 받침이 표기대로 발음되는 경우와 표기와 다르게 발음되는 경우를 정리해 보도록 하자.

➕ 보충 자료
음절의 끝소리 규칙
우리말에서 음절의 끝에 'ㄱ, ㄴ, ㄷ, ㄹ, ㅁ, ㅂ, ㅇ' 외의 자음이 올 때, 이 일곱 자음 중 하나로 발음되는 현상

콕콕 확인 문제

11. 다음 중, 국어의 받침에서 발음될 수 없는 것은?

① [ㄱ]　　　② [ㄷ]
③ [ㄹ]　　　④ [ㅂ]
⑤ [ㅅ]

12. 밑줄 친 음절의 받침 발음이 나머지와 다른 하나는?

① 창밖　　　② 숲속
③ 부엌　　　④ 앞뜰
⑤ 낚시

13. 다음 단어의 정확한 발음을 쓰시오.

(1) 벚꽃 [   ]
(2) 동녘 [   ]
(3) 피읖 [   ]
(4) 논밭 [   ]
(5) 갓끈 [   ]

겹받침

1. 다음 활동을 바탕으로 겹받침의 발음을 알아봅시다.

1 다음 단어를 발음해 보고, 소리 나는 대로 적어 봅시다.

예

| 몫 | → | [목] |

앉다	→	[안따]		끊다	→	[끈타]
읽다	→	[익따]		삶	→	[삼ː]
넓다	→	[널따]		외곬	→	[외골/웨골]
핥다	→	[할따]		읊다	→	[읍따]
닳다	→	[달타]		없다	→	[업따]

2 겹받침을 다음과 같이 분류해 봅시다.

앞 자음이 소리 나는 겹받침	뒤 자음이 소리 나는 겹받침
ㄳ, ㄵ, ㄶ, ㄼ, ㄽ, ㄾ, ㅀ, ㅄ	ㄺ, ㄻ, ㄿ

66 학습 포인트
· 겹받침의 발음 알아보기

○ 활동 탐구
단어의 표기만으로는 정확한 발음을 알기 어려운 국어의 겹받침 발음에 대해 알아보는 활동이다.

지학이가 도와줄게! – 1
단어를 실제로 발음해 보고, 겹받침의 올바른 발음에 유의하며 빈칸에 소리 나는 대로 적어 보자. 그리고 이를 앞 자음이 소리 나는 겹받침과 뒤 자음이 소리 나는 겹받침으로 나누어 보자. 올바른 발음인지 알기 어려울 때는 국어사전을 찾아보면 발음 정보를 얻을 수 있단다.

콕콕 확인 문제

14. 겹받침에 대한 다음 설명의 빈칸에 알맞은 말을 써 넣으시오.

> 겹받침은 서로 다른 (㉠)개의 (㉡)으로 이루어진 받침이다. 국어에는 모두 (㉢)개의 겹받침이 있다.

15. 단어를 발음할 때 겹받침 중 뒤 자음이 소리 나는 것은?

① 없다   ② 여덟
③ 끊다   ④ 외곬
⑤ 늙다

16. 다음 단어의 정확한 발음을 쓰시오.

(1) 핥다 [   ]
(2) 앉다 [   ]
(3) 굵다 [   ]

찬찬샘 핵심 강의

· 겹받침의 발음

  겹받침이란 서로 다른 두 개의 자음으로 이루어진 받침이야. 예를 들면 '닭'의 'ㄺ', '읊(다)'의 'ㄿ'이 바로 겹받침인 거지. 그런데 이 표기만으로 봐서는 정확한 발음을 알기 어려워. '닭'을 앞의 자음인 [닥]으로 발음할지, 아니면 뒤의 자음인 [달]로 발음할지 혼란스러울 때가 있거든. 표준 발음법에서 우리말의 겹받침 발음은 대부분 앞 자음이 소리 나고, 몇몇 경우에 뒤 자음이 소리 나고 있어. 'ㄺ'은 뒤 자음이 소리 나는 경우이므로 '닭'은 [닥]으로 발음해야 해. 겹받침의 발음 규칙은 아래와 같아.

▶핵심 포인트◀

| 앞 자음이 소리 나는 겹받침 | 'ㄳ' → [ㄱ], 'ㄵ' → [ㄴ], ㄼ/ㄽ/ㄾ → [ㄹ], ㅄ → [ㅂ] | 예 넋[넉], 앉다[안따], 여덟[여덜], 외곬[외골], 핥다[할따], 값[갑] |
| 뒤 자음이 소리 나는 겹받침 | 'ㄺ' → [ㄱ], 'ㄻ' → [ㅁ], ㄿ → [ㅂ] | 예 닭[닥], 늙다[늑따], 삶[삼ː], 읊다[읍따] |

2. 다음은 우리말 게시판의 질문과 답변 내용입니다. 빈칸에 알맞은 발음을 써 봅시다.

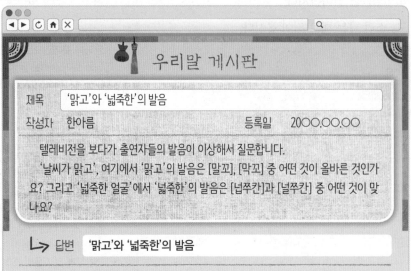

우리말 게시판

제목 '맑고'와 '넓죽한'의 발음
작성자 한아름 등록일 20○○.○○.○○

텔레비전을 보다가 출연자들의 발음이 이상해서 질문합니다.
'날씨가 맑고', 여기에서 '맑고'의 발음은 [말꼬], [막꼬] 중 어떤 것이 올바른 것인가요? 그리고 '넓죽한 얼굴'에서 '넓죽한'의 발음은 [넙쭈칸]과 [널쭈칸] 중 어떤 것이 맞나요?

↳ 답변 '맑고'와 '넓죽한'의 발음

안녕하십니까?
'맑고'는 표준 발음법에 따라 [ 말꼬]로 발음합니다.
본래 받침 'ㄺ'은 <u>단어의 끝이나 자음 앞에서</u> '닭'은 [닥], '맑다'가 [막따]인 것처럼 [ㄱ]으로 발음하는 것이지만, '맑다'와 같은 용언의 'ㄺ'은 활용을 할 때 'ㄱ'
└─[ㄱ]으로 발음되는 조건┘   여러 가지 어미가 붙을 때
앞에서 [ㄹ]로 발음합니다.
또한 '넓죽한 얼굴'에서 '넓죽한'은 [넙쭈칸]으로 발음합니다.
받침 'ㄼ'은 본래 [ㄹ]로 발음하는 것이지만 '밟다'의 '밟–' 뒤에 자음이 오는 경우와 '넓죽하다'와 '넓둥글다', '넓적하다'는 예외적으로 'ㄼ'을 [ㅂ]으로 발음하기 때문이랍니다.

찬찬샘 핵심 강의

· **겹받침 발음**
국어의 겹받침 발음이 어려운 것은 일반적인 규칙에서 벗어나는 예외가 있기 때문이야. 보통은 겹받침의 앞 자음이나 뒤 자음 중 하나의 소리로만 발음하는 것이 원칙이지만, 겹받침 'ㄺ'과 'ㄼ'은 경우에 따라 앞의 자음이 발음될 때도 있고 뒤의 자음이 발음될 때도 있어. 예외적으로 발음되는 경우를 잘 확인한 뒤 발음 습관이 들도록 여러 번 발음하여 익혀 두는 것이 좋아. 이런 예외 사항이 문법 시험에도 자주 출제된다는 사실을 잊지 말고 이번에 꼭 정리해 두자!

▶핵심 포인트◀

ㄺ	· 단어의 끝이나 자음 앞에서 [ㄱ]으로 소리 남. 예 밝다[박따] · 용언이 활용할 때는 'ㄱ' 앞에서 [ㄹ]로 발음됨. 예 밝게[발께], 밝고[발꼬]
ㄼ	· 대부분 [ㄹ]로 소리 나지만, 동사 '밟다'의 '밟–' 뒤에 자음이 오면 [ㅂ]으로 발음됨. 예 여덟[여덜], 짧다[짤따] / 밟다[밥ː따], 밟게[밥ː께] · '넓죽하다'와 '넓둥글다', '넓적하다'의 'ㄼ'은 [ㅂ]으로 발음됨. 예 넓죽하다[넙쭈카다], 넓둥글다[넙뚱글다], 넓적하다[넙쩌카다]

지학이가 도와줄게! – 2
게시판의 질문과 답변 내용을 통해 정확한 발음이 어려운 겹받침의 발음 방법을 정리해 보는 활동이야.
답변 내용을 잘 읽어 보면 '맑다'와 같은 용언의 'ㄺ'은 활용할 때 'ㄱ' 앞에서 [ㄹ]로 발음한다는 내용을 참고하면 빈칸에 들어갈 발음을 확인할 수 있을 거야.
'넓죽한'의 경우도 '넓죽하다'와 '넓둥글다', '넓적하다'만 예외적으로 'ㄼ'을 [ㅂ]으로 발음한다고 하였음을 참고하자.

콕콕 확인 문제

17. 밑줄 친 단어의 겹받침이 [ㄱ]으로 소리 나는 것은?

① 수정같이 <u>맑은</u> 눈이다.
② 공기가 <u>맑고</u> 상쾌하다.
③ 물이 <u>맑아</u> 자갈이 다 보인다.
④ 그 아이의 음성은 매우 <u>맑다</u>.
⑤ 비가 내린 뒤 하늘이 <u>맑게</u> 개어 있었다.

18. 〈보기〉를 통해 알 수 있는 겹받침 'ㄼ'의 발음 규정을 다음과 같이 정리할 때, 빈칸에 들어갈 알맞은 말을 쓰시오.

> **보기**
> ㉠ 여덟[여덜], 짧다[짤따], 넓다[널따]
> ㉡ 밟다[밥ː따], 밟게[밥ː께], 밟고[밥꼬]

겹받침 'ㄼ'은 대부분 [ⓐ☐]로 발음되지만, '밟다'의 '밟–' 뒤에 자음이 오면 [ⓑ☐]으로 발음된다.

19. 밑줄 친 겹받침 'ㄼ'의 발음이 나머지와 <u>다른</u> 하나는?

① <u>밟</u>다   ② <u>넓</u>다
③ <u>넓</u>죽하다   ④ <u>넓</u>둥글다
⑤ <u>넓</u>적하다

받침 뒤에 다른 말이 이어질 때

1. 다음 대화를 보며 받침이 다음 소리로 어떻게 이어지는지 생각해 봅시다.

숲에 와서 나무도 보고, 좋은 공기도 마시니 좋지?

숲 안에 있으니 기분이 좋아져요.

그런데 선생님, ㉠'숲에'는 [수페], ㉡'숲 안'은 [수반]이라고 발음되는데요?

둘 다 맞게 발음했어. 뒤에 오는 말에 따라 받침의 발음이 달라지는 거야.

그럼 '흙 위에 씨를 뿌리다.'에서 ㉢'흙 위'는 어떻게 발음하면 좋을까?

· · ·

● 이 대화의 마지막에 학생이 답변할 알맞은 발음을 써 봅시다.

[흐귀]로 발음해야 해요.

● 활동 탐구

음절과 음절이 이어지면 앞 음절 받침의 발음을 어떻게 해야 하는지에 관해 알아보는 활동이다.

지학이가 도와줄게! - 1

제시된 말의 문법적 구성을 따져 보고 받침의 발음을 판단할 수 있어야 해. 받침이 있는 말에 실질적 뜻을 지닌 형태소(체언, 용언의 어간 등)가 이어지는 경우와 문법적 의미를 지닌 형태소(조사, 어미 등)가 이어지는 경우로 나누어 발음의 원리를 정확히 알 수 있도록 해야 해.

콕콕 확인 문제

20. ㉠~㉢의 발음에 대한 설명으로 적절하지 <u>않은</u> 것은?

① ㉠과 ㉡에서 '숲'의 받침 발음은 뒤에 오는 말에 따라 달라진다.

② ㉠과 같이 발음한 것은 '숲' 뒤에 문법적 의미를 지닌 조사 '에'가 이어졌기 때문이다.

③ ㉡의 '숲' 뒤에 이어지는 말이 모음으로 시작하고 실질적 의미를 갖고 있기 때문에 대표음으로 바꾸어 발음한다.

④ ㉡의 '숲'은 받침이 대표음으로 바뀐 후 이어져 발음되는 과정을 거친다.

⑤ ㉢의 발음은 [흑위]이다.

✚ 보충 자료

관련 표준 발음법 규정(제15항)

받침 뒤에 모음 'ㅏ, ㅓ, ㅗ, ㅜ, ㅟ'들로 시작되는 실질 형태소가 연결되는 경우에는, 대표음으로 바꾸어서 뒤 음절 첫소리로 옮겨 발음한다.

㉄ 밭 아래[바다래], 젖어미[저더미], 맛없다[마덥따], 겉옷[거돋], 헛웃음[허두슴], 꽃 위[꼬뒤]

2. 다음 활동을 통해 받침 뒤에 다른 말이 이어질 때 받침이 어떻게 소리 나는지 알아봅시다.

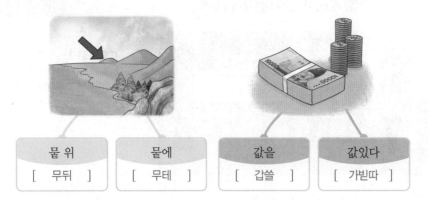

물 위	물에	값을	값있다
[무뒤]	[무테]	[갑쓸]	[가빋따]

3. 받침의 소리에 유의하여 다음 단어를 발음해 봅시다.

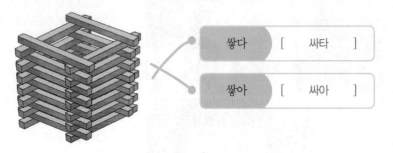

쌓다	[싸타]
쌓아	[싸아]

찬찬샘 핵심 강의

• 받침 뒤에 다른 말이 이어질 때의 발음

받침 뒤에 모음으로 시작하는 말이 이어질 때의 발음을 정확히 하려면 이어지는 말이 실질적 의미를 지니고 있는지를 확인해야 해. 실질적 의미를 지닌 말이라면 먼저 대표음으로 바뀌는 과정을 거친 뒤 이어지는 말의 첫소리가 돼. 즉 '물 위 → [묻위] → [무뒤]'의 과정을 거치는 것이지. 실질적 의미를 지니지 않는 말, 즉 조사나 어미 등이 이어질 경우에는 '물에 → [무테]'처럼 받침의 원래 소리가 뒷말로 이어진다는 것을 기억해 두자.

▶핵심 포인트◀

받침 뒤에 모음으로 시작하는 말이 이어질 때	뒤의 말이 실질적인 의미를 지닐 때	대표음으로 바뀐 뒤 이어지는 말의 첫소리가 됨. 예 늪 안[늡안 → 느밥], 닭 울음[닥울음 → 다구름]
	뒤의 말이 실질적인 의미를 지니지 않을 때	• 원래의 소리 그대로 이어지는 말의 첫소리가 됨. 예 늪을[느플] • 겹받침인 경우에는 앞말의 받침과 뒷말의 첫소리로 나뉨. 예 닭을[달글]
받침 뒤에 자음으로 시작하는 말이 이어질 때		이어지는 자음과 만나 소리가 다양하게 바뀜. 예 늪도[늡또], 닭만[당만]

지학이가 도와줄게! – 2

뒤에 이어지는 말에 따라 달라지는 받침의 발음을 알아보는 활동이야. '물'과 '값' 뒤에 오는 말이 실질적인 의미를 지닌 말인지, 문법적인 의미를 지닌 말인지 구분해 본 뒤 그 발음을 적어 보자.

➕ 보충 자료

'맛있다', '멋있다'의 발음

'맛있다'와 '멋있다'의 '맛-'과 '멋-'은 대표음으로 바뀌어 발음되는 것과 뒷말에 그대로 이어져 발음되는 것이 모두 허용된다. 따라서 [마딛따/마싣따], [머딛따/머싣따]와 같이 두 가지로 발음하는 것이 가능하다.

지학이가 도와줄게! – 3

'ㅎ' 받침은 단독으로 발음되지 않지만 주변의 자음과 결합하여 소리가 변해. 'ㅎ' 받침 뒤에 'ㄱ, ㄷ, ㅈ'이 이어지는 경우 두 음운이 합쳐져서 [ㅋ, ㅌ, ㅊ]으로 발음되지.
예 좋고[조코], 좋던[조턴], 좋지[조치]
그러나 뒤에 모음으로 시작되는 형식적인 뜻을 가진 말이 이어지면 'ㅎ' 받침은 발음되지 않아.
예 놓으니[노으니], 놓아[노아]

콕콕 확인 문제

21. 다음 단어의 발음이 옳지 않은 것은?

① 흙에[흘게]
② 물에[무테]
③ 꽃이[꼳이]
④ 흙 아래[흐가래]
⑤ 값있다[가빋따]

22. 〈보기〉에서 'ㅎ' 받침을 바르게 발음한 것끼리 묶은 것은?

보기
ㄱ. 낳다[나타] ㄴ. 쌓고[싸코]
ㄷ. 닳은[다흔] ㄹ. 놓아[노아]
ㅁ. 좋다[조따]

① ㄱ, ㄴ, ㄷ   ② ㄱ, ㄴ, ㄹ
③ ㄱ, ㄷ, ㄹ   ④ ㄴ, ㄹ, ㅁ
⑤ ㄷ, ㄹ, ㅁ

활동 4 생활 속의 정확한 표기

∥ 제시된 상황들을 보고, 일상생활에서 종종 틀리게 발음하거나 표기하는 말을 생각해 봅시다.

1. 다음 대화를 읽고 이어지는 활동을 해 봅시다.

> **혜민** 정현아 뭐 해?
> **정현** 응, 민호한테 메모를 남기려고 하는데 헷갈리는 것이 있어서. '안 되'와 '안 돼' 중 어떤 게 맞는 거지?
> **혜민** '안 돼'라고 쓰는 게 맞아.
> **정현** '되'와 '돼'의 표기는 왜 이렇게 헷갈릴까?
> **혜민** [돼]와 [되]의 발음이 구분하기 힘드니 그 말을 옮겨 적을 때도 틀리기 쉽지. '되-'가 문장을 끝맺는 역할을 할 때는 '되어'로 써야 하고, 그것의 줄임말이 '돼'야. 발음과 뜻에 유의하여 쓰면 덜 헷갈릴 거야.
> **정현** 아아, 그래서 '되어서'도 '돼서'로 쓰는구나!

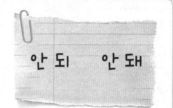

❶ 대화의 내용을 바탕으로 다음 단어를 정확하게 발음해 봅시다.

| 되고 | [되고/뒈고] | 되지 | [되지/뒈지] | 돼서 | [돼:서] |

❷ 다음 문장에서 잘못 쓰인 말을 찾고 혜민의 말을 참고하여 그 까닭을 말해 봅시다.

> 이번 일요일은 시간이 없으니 다음 일요일에 (뵈요.)

예시 답 | '뵈요'는 잘못된 표기로, '봬요'로 써야 한다. '봬요'는 '뵈어요'의 준말이다. '뵈어'와 '봬'의 표기가 틀리기 쉬운 것은 [뵈] 발음과 [봬] 발음의 구분이 어렵기 때문이다.

찬찬샘 핵심 강의

• **'돼'와 '되'의 구분**

'되다'는 동사이므로 활용할 때 '되+고, 되+니, 되+어…' 등으로 어미가 붙은 형태로 쓰여. '되-' 뒤에 어미 '-어'가 붙으면 '되어'가 되고, '되어'를 줄여 쓰면 '돼'가 되는 거야. 그러므로 '되'로 쓰면 단어를 쓰다 마는 격이 되겠지?

이런 경우에 해당하는 말로는 '뵈다', '쇠다', '쐬다' 등이 있어.

▸핵심 포인트◂

ㅚ + -ㅓ → ㅙ	되 + 어 → 돼 / 뵈 + 어 → 봬 / 쐬 + 어 → 쐐 / 괴 + 어 → 괘
ㅚ + -ㅆ → ㅙㅆ	되 + 었다 → 됐다 / 뵈었다 → 뵀다 / 쐬 + 었다 → 쐤다 / 괴 + 었다 → 괬다

2. 다음 식당의 차림표를 바탕으로 이어지는 활동을 해 봅시다.

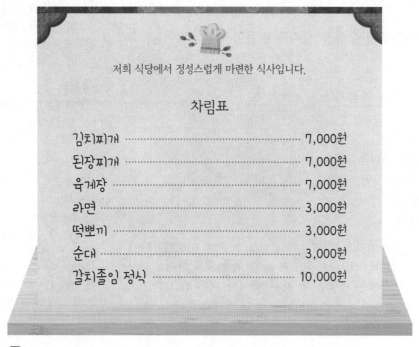

저희 식당에서 정성스럽게 마련한 식사입니다.

차림표

김치찌개	7,000원
된장찌개	7,000원
육게장	7,000원
라면	3,000원
떡뽀끼	3,000원
순대	3,000원
갈치졸임 정식	10,000원

1 잘못 표기된 단어를 찾아 바르게 고쳐 봅시다.

예시 답 | 육게장 → 육개장, 떡뽀끼 → 떡볶이, 갈치졸임 → 갈치조림

2 차림표의 표기가 잘못된 까닭이 무엇일지 생각해 봅시다.

예시 답 | • 육게장: 단어의 정확한 표기를 모르는 데다 'ㅔ'와 'ㅐ'의 발음이 유사해 표기를 혼동하였다.
• 떡뽀끼: 단어의 의미를 생각하지 않고 소리 나는 대로 표기를 했기 때문이다.
• 갈치졸임: '조림'과 '졸임'이 발음이 같아 표기를 혼동하였다.

3 다른 가게에서도 잘못 표기된 말을 조사해 봅시다.

예시 답 | • 옷 수선집: 기장 제단(→ 재단)해 드립니다. / 마춤옷 → 맞춤옷
• 생선 가게: 쭈꾸미 → 주꾸미/ 칼치 → 갈치
• 쌀 가게: 강남콩 → 강낭콩
• 그릇 가게: 남비 → 냄비

찬찬샘 **핵심** 강의

• **생활 속에서 발견하는 틀린 표기**

식당 차림표나 간판, 현수막 등을 보면 잘못 표기된 단어를 발견할 수 있어. 이는 발음이 유사하여 표기를 혼동하기 때문에 생기는 것이지. 생활 속에서도 정확히 발음하고 표기하는 습관을 들여야 국어의 의미를 바르고 빠르게 파악할 수 있단다.

›핵심 포인트‹

육게장(×) → 육개장(○)	마춤옷(×) → 맞춤옷(○)	칼치(×) → 갈치(○)
떡뽀끼(×) → 떡볶이(○)	강남콩(×) → 강낭콩(○)	남비(×) → 냄비(○)
갈치졸임(×) → 갈치조림(○)	쭈꾸미(×) → 주꾸미(○)	제단(×) → 재단(○)

지학이가 도와줄게! - 2

흔히 쓰이는 음식 명칭이 잘못 표기된 사례를 찾아봄으로써 일상 언어생활에서도 올바른 표기에 관심을 가지도록 하는 활동이야. 식당의 차림표에서 잘못된 표기가 무엇인지 찾아보고, 제시된 사례 이외에도 실제로 경험한 사례가 있으면 발표하고 친구들과 공유해 보자.

➕ 보충 자료
잘못 표기하기 쉬운 단어

눈꼽(×) → 눈곱(○)
생각할런지(×) → 생각할는지(○)
나루배(×) → 나룻배(○)
나무가지(×) → 나뭇가지(○)
회수(×) → 횟수(○)
갯수(×) → 개수(○)

콕콕 확인 문제

[24~25] 다음 차림표를 보고 물음에 답하시오.

차림표
ㄱ동태찌게 ……… 7,000원
ㄴ육계장 ……… 7,000원
ㄷ짜장면 ……… 4,500원
　　ㄹ곱배기 추가 … 1,000원
ⓐ쭈꾸미 볶음 … 10,000원
ⓑ고등어 졸임 …… 7,000원

• 김치, ⓒ깍두기는 셀프!
• 전 품목 ⓓ포장되요~

24. ㄱ~ⓓ 중, 표기가 바르게 된 단어는?

① ㄱ　　② ㄴ　　③ ㄷ
④ ㄹ　　⑤ ⓓ

|서술형|
25. ⓐ~ⓒ의 표기를 바르게 고쳐 쓰시오.

ⓐ: ＿＿＿＿＿＿＿
ⓑ: ＿＿＿＿＿＿＿
ⓒ: ＿＿＿＿＿＿＿

3. 다음 휴대 전화 문자 대화에서 표기가 틀린 단어를 찾아 고쳐 쓰고, 그렇게 고친 까닭을 말해 봅시다.

미선
오늘 지은이가 아파서 학교 못 왔어. 감기가 심하게 걸렸는데.

현지
어서 낳아야 할 텐데.

예시 답 | • 표기가 틀린 단어
걸렸는데 → 걸렸대, 낳아야 → 나아야
• 고친 까닭
– '–다고 해'가 줄어든 말은 '대'로 쓰고 [대]로 읽어야 한다.
– '낳다'는 '알을 낳다, 아기를 낳다'에서 쓰이는 말이다. '낳아야'는 문맥을 살펴볼 때 '낫다'의 활용형을 잘못 쓴 것이다. '낫다'는 '–아야'가 붙어 형태를 바꿀 때 'ㅅ'이 없어지고 '나아야'가 된다.

4. 다음 그림의 자막에서 잘못된 표기를 찾고, 표기가 틀린 까닭을 생각해 봅시다.

더 행복해지길 바래.
매일 같은 내 바램.

예시 답 | • 잘못된 표기: 바래 → 바라, 바램 → 바람
• 틀린 까닭: '바라다'와 '바래다'는 서로 다른 단어인데, '바라다'가 활용한 형태인 '바라, 바람'을 평소에 '바래, 바램'으로 잘못 쓰기 때문에 올바른 표기가 오히려 어색하게 느껴져서이다.

찬찬샘 **핵심** 강의

• **종결어미 '–대'와 '–데'의 차이**
'–데'는 본인이 경험한 지난 일을 돌이켜 말할 때 쓰는 말로 '더라'와 같고, '–대'는 남에게 들은 일로 '다(고) 해'와 같은 말이야. 지은이가 감기에 걸렸다는 말을 듣고 전하는 것이므로 '걸렸대'라고 표기해야 바른 것이지.

• **'낫다', '낳다'**
'낫다'와 '낳다'는 표기가 자주 헷갈리는 단어이지. '병이 완쾌되다'의 의미로 쓰이는 말은 '낫다'임을 꼭 기억해 두자.

• **'바라', '바래'**
'뭔가 이루어지길 원한다'의 의미로 사용되는 단어는 '바라다'야. 그러므로 '바라, 바라니, 바람' 등으로 표기해야 해. '바래다'는 색이 변했다는 뜻이야.

지학이가 도와줄게! – 3
생활 주변에서 정확한 표기가 이루어지지 않은 예를 찾아 바르게 고치는 활동이야. 이렇게 표기가 틀리는 이유는 발음이 비슷해서 헷갈리기 때문임을 깨달을 수 있을 거야. 어미 '–데, –대'의 차이점, '(병이) 낫다'와 '(아이를) 낳다'의 차이점에 유의하여 표기를 바르게 고쳐 보자.

지학이가 도와줄게! – 4
'바라다'와 '바래다'의 기본형을 혼동하여 잘못 사용한 사례야. 단어의 기본형과 활용형을 확인해 보면 틀린 이유를 찾기 쉬울 거야.
*표준어 규정 2장 2절 11항
'바라다/바래다'는 모음의 변화를 인정하지 않으므로, 원래의 형태인 '바라다'를 표준어로 삼는다.

콕콕 **확인 문제**
|서술형|
26. 다음 문장에서 틀린 표기를 찾아 고쳐 쓰고, 그렇게 고친 이유를 서술하시오.

지영이가 서점에서 사야 할 책이 있는데.

27. 잘못된 표기가 들어 있는 문장은?
① 사진이 바래서 희미해졌다.
② 평화 통일은 우리 민족의 바람이다.
③ 영철이 다리가 나으면 함께 축구하자.
④ 열심히 공부하여 국어를 잘하길 바래.
⑤ 고양이가 새끼를 낳아 야옹거리는 소리가 커졌다.

5. 다음 간판에서 표기가 틀린 부분을 고쳐 보고, 우리말의 정확한 발음과 표기를 생각해 봅시다.

1 간판에서 표기가 틀린 단어를 찾아 바르게 고쳐 봅시다.

예시 답 | 웬지 → 왠지

2 '왠'과 '웬'을 발음해 보고, 두 소리가 어떻게 다른지 이야기해 봅시다.

예시 답 | 'ㅙ'와 'ㅞ'는 이중 모음으로 'ㅙ'는 'ㅗ'로 시작해서 'ㅐ'로 끝나고, 'ㅞ'는 'ㅜ'로 시작하여 'ㅔ'로 끝난다.

3 '왠'과 '웬'에 각각 어떤 뜻이 있는지 찾아봅시다.

예시 답 | • '왠'은 하나의 단어가 아니라 그 자체로는 의미가 없고 '왜인지'가 줄어든 '왠지'에만 나타난다.
• '웬'은 하나의 단어로 '어찌 된, 어떠한'이라는 뜻의 관형사이다.

4 **3**의 활동을 바탕으로 '왠일인지'와 '웬일인지' 중 어떤 것이 맞을지 생각해 보고, 그 까닭을 말해 봅시다.

예시 답 | '왠일'을 분석한다면 '왜인일'과 같이 할 수 있으나 이는 의미상 성립하지 않는 말이므로 맞지 않는 표기이다. '웬'은 '어찌 된, 어떠한'의 뜻이므로 '웬일'은 '어찌 된 일'이라는 뜻을 갖는다. '웬일'은 의외임을 나타내는 하나의 단어이기도 하다. 따라서 '웬일인지'가 맞는 표기이다.

찬찬샘 핵심 강의

• '왠'과 '웬'의 차이

'웬'은 '어찌 된, 어떠한'의 뜻을 나타내는 관형사이므로 '웬 일인가?'와 같이 뒤에 꾸며 주는 말이 있어. '웬 떡이니? 웬 걱정이 그리 많아.' 등과 같이 쓰이지. 하지만 '왠'은 홀로 쓰이지 않고 '지'와 함께 '왠지'라는 부사로 쓰여. '왜 그런지 모르게, 뚜렷한 이유도 없이'의 뜻을 나타내는 말이야. '지'자가 붙어서 자연스러우면 '왠지'로 알면 되겠지?

›핵심 포인트‹

	품사	뜻	사용 예
웬	관형사	어찌 된, 어떠한	웬 영문인지 모른다. / 웬 날벼락이람. / 웬 눈이 이렇게 내리니?
왠지	부사	왜 그런지 모르게, 뚜렷한 이유도 없이	왠지 즐거운 기분이 든다. / 왠지 멋있어 보인다.

지학이가 도와줄게! – 5

간판에 쓰인 잘못된 표기를 보고, 이것과 관련된 말들의 뜻을 탐구해 봄으로써 바른 표기가 무엇인지 생각해 보는 활동이야. 간판을 보면 자주 사용하는 말이지만 이게 맞는 표기인지 헷갈리는 단어가 있지 않니? '왠'과 '웬'의 뜻을 찾아, 두 말 가운데 어떠한 표기가 적절한지 판단해 보도록 하자.

➕ 보충 자료

헷갈리기 쉬운 말

- 나가: 안에서 밖으로 옮겨
- 나아가: 앞을 향하여 가다.

- 늘이다: 본디보다 더 길게 하다.
- 늘리다: 늘게 하다.

- 담다: 그릇에 담다. / 말 따위를 입에 올리다.
- 담그다: 액체 속에 집어넣다.

- –던지: 막연한 의심, 추측, 가정의 뜻을 나타냄.
- –든지: 무엇이나 가리지 아니함을 나타냄.

- 이오: 종결형 서술격 조사
- 이요: 연결형 서술격 조사

콕콕 확인 문제

28. 다음 문장의 밑줄친 단어의 쓰임이 적절한 것은?

① 이게 왠 떡이냐?
② 왠지 우리 팀이 승리할 것 같아.
③ 웬지 모를 으스스한 느낌이 든다.
④ 왠일이야? 떡볶이를 다 쏘다니?
⑤ 웬 사람이 아까부터 너를 찾더라.

29. 다음 문장의 문맥에 알맞은 말에 ○표 하시오.

㉠ 오늘 [웬/왠]지 느낌이 좋다.
㉡ 방에 [웬/왠] 아기가 있다.

🐛 창의 · 융합 활동

우리말의 발음에 관한 내용의 다음 글을 읽고, 이어지는 활동을 해 봅시다.

우리말의 발음과 표기의 문제를 다양하고 창의적인 사고로 확장해 보기

오늘날 '꽃이/꽃으로'를 [꼬치]와 [꼬츠로]라고 말하는 사람은 의외로 많지 않은 듯합니다.
ㅊ 받침을 규정대로 발음하지 않음.
받침 'ㅊ'이나 'ㅈ'을 가진 말들이 대개 마찬가지인데 '빚을 졌다'의 '빚을'도 대개는 [비슬]이라
하지 [비즐]이라고 하는 사람은 드뭅니다. 여러분은 '한 송이 꽃을 피우기 위해'의 '꽃을'을 어
떻게 읽는지요?   ➜ '꽃이'를 [꼬치]로 발음하는 사람들이 적음.

시를 쓰는 내 친구 하나가 물었습니다. 아니 시비를 걸어왔습니다. "꽃아!"를 [꼬차]라고
하면 시 맛이 나냐. [꼬사]라고 해야 시의 분위기가 살고, 그게 애초 시인이 생각한 발음 아
니겠냐고.   ➜ 발음 규정이 시의 맛과 분위기를 살리지 않는다는 견해

참 오래전 얘기입니다만, 경상북도 안동에 학술 답사를 갔다가 그 지방에서 활동하는 시인
현장에 가서 직접 보고 조사함.
을 만난 적이 있는데 그분 주장은 시는 그 시인의 사투리로 읽어 주어야 한다는 것이었습니
다. 그 억양으로 읽어야 시인이 의도한 세계가 살 수 있다고 말합니다.
시를 통해 드러내고자 한 세상   ➜ 시인의 고향 사투리로 시를 읽어야 한다는 주장
미처 생각지 못한 얘기여서 신선하게는 들렸는데 어려운 주문이기도 하다는 생각이 들었
습니다. 김소월의 시는 평안도 억양을 모르고도 기분 좋게 읽히고, 서정주의 시 역시 전라도
사투리의 억양과 다르게 읽어도 감동을 일으키지 않습니까? 아니 서정주 시인이 자작시를 전
자기 스스로 지은 시
라도 사투리로, 가령 '나의'를 '나으'로 읽는 걸 들으면 저는 오히려 그 시의 맛이 줄기까지 합
어떤 면에서 그런대로 타당하다고 생각되는 이치   개별적이거나 특수한 것을 일반적인 것으로 만듦.
니다. 그 향토 시인의 주장은 일면 일리는 있는데 일반화하기는 어렵지 않을까 합니다.
                                ➜ 시를 시인의 사투리로 읽어야 한다는 주장을 일반화하기는 어려움.
"꽃아, 이슬 영롱한 꽃아!"라고 써 놓고 "[꼬사], 이슬 영롱한 [꼬사]!"라고 읽지 않았다고
광채가 찬란한
불평하는 말을 저는 받아들일 수 없습니다. 우리가 일상적으로 [꼬시], [꼬슬], [꼬세서], [꼬
스로]라고 말하고 있더라도 일단 "꽃아!"라고 표기하였으면 [꼬차]라고 읽는 것이 옳다는 것
이 제 생각입니다. 정녕 [꼬차]를 들어 줄 수 없다면, 맞춤법을 벗어나 "꽃아!"라고 쓰는 길을
택할 수밖에 없을 것입니다.   ➜ 규정에 맞게 발음해야 하는 이유 ①

그러고 보니 '꽃아'를 '꽅아'라고 써야 할 일도 있을 법합니다. 제 고향
에서는 "꽃에서/꽃으로"를 [꼬테서/꼬트로]라고 하니 그 맛을
살리려면 "꽅아, 이슬 영롱한 꽅아!"라고 써야 할 테니까
요. 그런데 이 경우 "꽃아!"라고 써 놓고 [꼬타]라고
읽어 주기를 기대할 수는 없을 것입니다. 마찬가
지로 "꽃아!"라고 써 놓고 [꼬사]라고 읽어 주지
않는다고 불평하는 것은 옳지 않을 것입니다.
      ➜ 규정에 맞게 발음해야 하는 이유 ②
      – 이익섭, 『우리말 산책』

○ 활동 제재 개관
갈래: 설명적 수필
성격: 사실적, 경험적
제재: 표기와 발음에 관련된 경험
주제: 표기에 맞게 발음해야 함.
특징
• 독자에게 말을 거는 듯한 의문형 표현을 사용하여 흥미를 유발함.
• '하십시오체'나 '해요체'의 경어체 표현을 사용함으로써 더욱 친근하고 공손한 태도로 표현함.
• 풍부한 예를 통해 딱딱하고 어려운 내용을 쉽게 제시함.

○ 표기와 발음에 관한 글쓴이의 견해

사람들이 각자 다른 발음 습관을 갖고 정서에 맞게 발음하기를 원함.

글의 표기를 보면 합리적으로 그 발음을 추측할 수 있어야 함.

발음법에서 정한 발음 그대로 발음해야 함.

○ 글쓴이 소개
이익섭(1938~) 국어학자. 서울대학교 국어국문학과 교수를 지냈고 국어학회 회장을 역임하기도 하였다. 『국어학개설』, 『국어문법론강의』 등 문법론과 관련된 다수의 저서 및 논문을 남겼으며 방언학에 관련된 업적을 남기기도 하였다.

1. 이 글에서 글쓴이와 글쓴이의 시인 친구가 단어의 발음을 어떻게 생각하고 있는지 정리해 보고, 자기 생각을 이야기해 봅시다.

글쓴이	발음법에서 정한 발음 그대로 발음해야 한다.
시를 쓰는 친구	발음법에서 정한 발음에서 벗어나더라도 시의 분위기와 시인의 의도를 살릴 수 있게 발음해야 한다.

● 내 생각: **예시 답 |** 사람마다 다르게 발음하면 혼란스러우므로 발음법대로 발음해야 한다.

☀ 지학이가 도와줄게! – 1

글쓴이와 시인인 친구가 발음에 관해 어떠한 관점을 지니고 있는 지 주로 표기와 관련하여 정리해 보면 돼.

2. 언어는 사용하는 사람들이 널리 쓰는 것으로 표준 발음과 표기가 바뀌기도 합니다. 다음 사례를 바탕으로 '꽃'의 표준어 표기가 바뀐다면 국어사전에 어떻게 실릴지 예측하여 모둠별로 이야기해 봅시다.

> **자장면 / 짜장면**
>
> '자장면'은 그동안 중국에서 온 외래어로 다루어져 현행 중국어 외래어를 표기하는 규칙에 따라 '자장면'으로 표기하고 [자장면]을 옳은 발음으로 정해 왔다. 그러나 '자장면'의 '자장'이 중국어에서 유래한 외래어라는 의식이 희박해졌고 대다수의 한국어 화자가 이를 '짜장'으로 소리 내는 언어 현실에 따라 2011년부터 '자장면'과 '짜장면'을 둘 다 표준어로 인정하게 되었다.

예시 답 | ・'꽃을', '꽃이'를 [꼬슬], [꼬시] 등으로 발음하는 사람이 많다면 대다수의 한국어 화자가 소리 내는 현실을 따라 '꼿[꼳]: (꼿이[꼬시], 꼿을[꼬슬])'로 실릴 것이다.
・'꽃을', '꽃이'를 [꼬들], [꼬디] 등으로 발음하는 사람이 많다면 대다수의 한국어 화자가 소리 내는 현실을 따라 '꼳[꼳]: (꼳이[꼬디], 꼳을[꼬들])'로 실릴 것이다.

☀ 지학이가 도와줄게! – 2

1학년에서 언어의 역사성을 배웠던 것 기억나니? 언어는 시간이 흐름에 따라 새로 생기기도 하고, 성장하다가 소멸하며 변화하는 특성이 있는데 이를 언어의 역사성이라고 하지. 따라서 현재 정해진 표준어와 표준 발음도 시간이 흐르면서 언어 사용자들에 의해 변화할 수 있어. 비표준 발음이 널리 퍼지면 국어사전의 내용이 어떻게 바뀔지 창의적으로 예상해 보자.

➕ **보충 자료**

표준어의 변화

・옛날에 사용되던 단어가 더 이상 쓰이지 않게 되면 새로운 단어를 표준어로 삼음.
　예 설거지(○) / 설겆이(×)
・고유어 계열의 단어와 한자어 계열의 단어 중 어느 것 하나가 더 널리 쓰이면 그것을 표준어로 삼음.
　예 가루약(○) / 말약(×), 총각무(○) / 알타리무(×)
・방언이던 단어가 널리 쓰이면 그것을 표준어로 삼음.
　예 멍게(○) /우렁쉥이(○): 방언과 표준어이던 단어 모두 표준어가 됨.
　　귀밑머리(○) / 귀밑머리(×): 방언이던 단어만 표준어가 됨.

소단원 콕! 짚고 가기

핵심 포인트

1. 'ㅖ'와 'ㅢ'의 발음

'ㅖ'의 발음	• 'ㅖ'는 원래 소리대로 [ㅖ]로 발음함. • '예, 례' 이외의 경우에는 [①□]로 발음함도 허용함. 예 계산[계:산/게:산]
'ㅢ'의 발음	• '의'로 쓰여 단어 첫 글자에 나오는 경우에는 [ㅢ]로 발음함. 예 의사[의사] • 자음을 첫소리로 가지고 있는 'ㅢ'는 [②□]로 발음함. 예 무늬[무니], 희망[히망] • 단어의 첫 글자 이외의 '의'는 [ㅣ]로 발음함도 허용함. 예 주의[주의/주이] • 조사 '의'는 [③□]로 발음함도 허용함. 예 나의[나의/나에] 꿈

2. 받침의 발음

(1) 일곱 개의 받침소리
• 국어의 받침에 올 수 있는 소리는 7개: ㄱ, ㄴ, ㄷ, ㄹ, ④□, ⑤□, ⑥□
• 그 외의 받침들은 [ㄱ, ㄷ, ㅂ] 중의 하나로 발음됨.

(2) 겹받침 발음

앞 자음이 소리 나는 겹받침	'ㄳ' → [ㄱ], 'ㄵ' → [ㄴ], ㄼ/ㄽ/ㄾ → [ㄹ], ㅄ → [ㅂ]	예 넋[넉], 앉다[안따], 여덟[⑦□□], 외곬[외골], 핥다[할따], 값[갑]
뒤 자음이 소리 나는 겹받침	'ㄺ' → [ㄱ], 'ㄻ' → [ㅁ], ㄿ → [⑧□]	예 닭[닥], 늙다[늑따], 삶[삼:], 읊다 [읍따]

(3) 겹받침 발음의 예외

ㄺ	• 용언의 'ㄺ'은 활용할 때 ⑨□ 앞에서 [ㄹ]로 발음됨. 예 밝게[발께], 맑고[말꼬]
ㄼ	• 동사 '밟다'의 '밟-' 뒤에 자음이 오면 [ㅂ]으로 발음됨. 예 밟다[밥:따] • '넓죽하다'와 '넓둥글다', '넓적하다'의 'ㄼ'은 [⑩□]으로 발음됨. 예 넓죽하다[넙쭈카다], 넓둥글다[넙뚱글다], 넓적하다[넙쩌카다]

3. 받침 뒤에 다른 말이 이어질 때의 발음

받침 뒤에 모음으로 시작하는 말이 이어질 때	뒤의 말이 실질적인 의미를 지닐 때	⑪□□□으로 바뀐 뒤 이어지는 말의 첫소리가 됨. 예 늪 안[늪안 → 느반], 닭 울음[닥울음 → 다구름]
	뒤의 말이 실질적인 의미를 지니지 않을 때	• 원래 소리 그대로 이어지는 말의 ⑫□□□가 돼. 예 늪 을[느플] • 겹받침인 경우에는 앞말의 받침과 뒷말의 첫소리로 나 뉨. 예 닭을[달글]
받침 뒤에 자음으로 시작하는 말이 이어질 때		이어지는 자음과 만나 소리가 다양하게 바뀜. 예 늪도[늡또], 닭만[당만]

4. 생활 속의 정확한 표기

• 모음을 줄여 쓸 때 'ㅚ' 뒤에 'ㅓ'가 오면 'ㅙ'로 적음. 예 되+어→돼 / 뵈+어→봬
• 육계장/육게장(×) → 육개장(○), 떡뽀끼(×) → 떡볶이(○), 갈치졸임(×) → 갈치조림(○)

| 서술형 |

01. 다음 대화를 읽고, 발음의 표준을 정해야 하는 이유가 무엇일지 서술하시오.

> 민호: 영지야, 선생님 어디 가셨어?
> 영지: 응, 민호야, 선생님 [대구로] 가셨어.
> 민호: 뭐? 대구엔 왜?
> 영지: [대그로] 가셨다고. 선생님 댁.
> 민호: 네가 아끼는 [대구로]라고 했잖아.

활동 응용 문제

02. 다음 문장에서 'ㅖ'의 발음이 정확하지 않은 것은?

① 매일 아침 시계[시게]를 보며 일어난다.
② 인사를 잘 하는 것은 예절[에절]의 기본이다.
③ 옛날에는 혜성[혜:성]을 불길한 징조로 보았다.
④ 노크도 하지 않고 방문을 여는 것은 실례[실례]야.
⑤ 어머니의 은혜[은혜]는 하늘보다도 넓고 바다보다도 깊다.

[03~04] 다음 뉴스 대본을 읽고, 물음에 답하시오.

가 우리나라 육상 대표 팀이 오늘 육상 대회 남자 ㉠계주 1,600미터(m) ㉡예선에서 한국 신기록을 세우며 결승선을 통과했습니다. 13년 ㉢만의 기록 경신이었습니다. 스무 살 ㉣안팎의 어린 선수들이 구슬땀을 흘리며 얻은 결실입니다.

나 ㉤오늘의 날씨입니다. 오늘은 비가 개고 화창한 날이 예상됩니다. 오늘 아침 최저 기온은 ㉥예년보다 2 내지 5도 올라 무더운 여름날이 되겠습니다. 동해 먼바다에는 안개가 끼고 ㉦센바람이 불겠습니다. 날씨였습니다.

03. ㉠~㉦의 발음에 대한 설명으로 옳지 않은 것은?

① ㉠은[계주] 또는 [게주]라고도 발음할 수 있어.
② ㉡과 ㉥의 '예'는 [예]로만 발음해야 해.
③ ㉢은 [만의]와 [만에]로 둘 다 발음할 수 있어.
④ ㉤은 [오느레]로 발음할 수 있어.
⑤ ㉦은 [쎈:바람]이 아닌 [센:바람]으로 발음해야 해.

04. 〈보기〉에서 ⓐ의 발음으로 허용되는 것끼리 골라 묶은 것은?

| 보기 |

ㄱ. [안파끼]   ㄴ. [안파긔]   ㄷ. [안파게]
ㄹ. [안팍에]   ㅁ. [안파께]

① ㄱ, ㄴ   ② ㄱ, ㄷ   ③ ㄱ, ㅁ
④ ㄴ, ㄷ   ⑤ ㄴ, ㄹ, ㅁ

활동 응용 문제 | 서술형 |

05. 〈보기〉의 예를 통해 알 수 있는 국어 받침의 발음 규칙에 대해 서술하시오.

| 보기 |

각[각], 창밖[창박], 부엌[부억] / 눈[눈:] / 낟[낟], 낮[낟], 낫[낟:], 났(다)[낟(따)], 낯[낟], 윷[윧:], 히읗[히읃] / 달[달] / 감[감] / 밥[밥], 숲[숩] / 강[강]

| 조건 |

1. '대표음'을 넣어 서술할 것.
2. 국어의 받침에서 소리 나는 자음을 모두 넣어 서술할 것.

06. 다음 중, 겹받침의 발음이 바르지 않은 것은?

① 닳다[달타]   ② 끊다[끈타]   ③ 읊다[을따]
④ 읽다[익따]   ⑤ 외곬[외골]

활동 응용 문제

07. 〈보기〉를 참고할 때, 밑줄 친 겹받침의 발음이 나머지와 다른 하나는?

| 보기 |

받침 'ㄺ'은 단어의 끝이나 자음 앞에서 [ㄱ]으로 발음하는 것이지만, 용언의 'ㄺ'은 활용을 할 때 'ㄱ' 앞에서 [ㄹ]로 발음한다.

① 물이 맑고 깨끗하다.
② 달이 참 밝기도 하다.
③ 죽을 좀 더 묽게 끓여라.
④ 붉지 않은 단풍이 드물다.
⑤ 형이 책을 읽게 조용히 하자.

08. 〈보기〉를 참고하여 겹받침을 발음했을 때 옳지 <u>않은</u> 것은?

┤ 보기 ├

　제 10항: 겹받침 'ㄳ', 'ㄵ', 'ㄼ, ㄽ, ㄾ', 'ㅄ'은 어말 또는 자음 앞에서 각각 [ㄱ, ㄴ, ㄹ, ㅂ]으로 발음한다.
　다만, '밟-'은 자음 앞에서 [밥]으로 발음하고, '넓-'은 '넓-죽하다, 넓-둥글다'의 경우에 [넙]으로 발음한다.

① 그 집은 아들만 여덟[여덜]이다.
② 호박이 매우 넓둥글다[넙뚱글다].
③ 옷이 너무 얇고[얄:꼬] 허술해 보인다.
④ 경찰이 거리를 대강 훑고[훌꼬] 지나간다.
⑤ 장난감을 밟지[밥:찌] 않도록 잘 정리해 두자.

<활동 응용 문제>

09. 〈보기〉를 참고하여 단어의 발음을 이해한 것으로 적절하지 <u>않은</u> 것은?

┤ 보기 ├

　받침 뒤에 모음으로 시작하는 말이 이어질 때, 뒤의 말이 실질적인 의미를 지닌 말이면 받침이 대표음으로 바뀐 뒤 이어지는 말의 첫소리가 된다. ◉ 늪 안[늪안 → 느반]
　이어지는 말이 모음으로 시작하더라도 실질적인 의미를 지니지 않을 때는 원래의 소리 그대로 이어지는 말의 첫소리가 되고, 겹받침인 경우에는 앞말의 받침과 뒷말의 첫소리로 나뉜다. ◉ 늪을[느플] / 닭을[달글]
　받침 뒤에 자음으로 시작하는 말이 이어질 때는 이어지는 자음과 만나 소리가 다양하게 바뀐다. ◉ 늪도[늡또], 닭만[당만]

① '숲 안'은 [수반]으로 발음해야 하겠군.
② '흙 위'는 겹받침이므로 [흘귀]로 발음해야 하겠군.
③ '숲에'는 원래의 소리 그대로 이어지도록 [수페]로 발음해야 하겠군.
④ '삶이'의 겹받침은 앞말의 받침과 뒷말의 첫소리로 나누어 [살미]로 발음해야 하겠군.
⑤ '닭 울음'의 겹받침은 대표음으로 바뀌는 과정을 거쳐 [다구름]으로 발음해야 하겠군.

10. 〈보기〉를 참고하여 다음 단어를 발음했을 때 옳지 <u>않은</u> 것은?

┤ 보기 ├

　받침 'ㅎ'은 단독으로 발음되지 않지만 주변의 음들과 결합하여 소리가 변한다. 'ㅎ' 뒤에 'ㄱ, ㄷ, ㅈ'이 결합되는 경우에는, 뒤 음절 첫소리와 합쳐서 [ㅋ, ㅌ, ㅊ]으로 발음한다. 'ㅎ' 뒤에 'ㅅ'이 결합되는 경우에는 'ㅅ'을 [ㅆ]으로 발음한다. 다만, 'ㅎ' 뒤에 모음으로 시작되는 형식적인 뜻을 가진 말이 이어지면 'ㅎ'을 발음하지 않는다.

① 쌓다[싸타]　　② 놓아[노아]
③ 좋소[조쏘]　　④ 좋지[조치]
⑤ 쌓지[싼치]

<활동 응용 문제>

11. 밑줄 친 단어의 표기가 바르지 <u>않은</u> 것은?

① 다음에 또 뵈어요.
② 내가 어떻게 하면 돼?
③ 속이 불편하여 바람을 쐈다.
④ 꾸준히 연습하다 보면 잘하게 돼.
⑤ 수업 시간에 휴대전화를 보면 안 되.

12. 잘못 표기된 단어를 바르게 고친 것은?

① 육게장(×) → 육계장(○)
② 맞춤옷(×) → 마춤옷(○)
③ 갈치조림(×) → 갈치졸임(○)
④ 김치찌게(×) → 김치찌개(○)
⑤ 주꾸미 볶음(×) → 쭈꾸미 볶음(○)

13. 다음 대화에서 표기가 틀린 단어가 있는 문장은?

영지: 오늘 지은이가 감기에 심하게 걸렸대. ‥①
은수: 어서 낳아야 할 텐데. ‥‥‥‥‥‥②
영지: 나도 으슬으슬한 게 왠지 감기에 걸린 것 같아. ‥‥‥‥‥‥‥③
은수: 다들 웬 일이야! ‥‥‥‥‥④
영지: 너라도 감기에 안 걸리기를 바라! ‥‥⑤

(2) 쓴 글을 돌아보며

생각 열기

다음 그림을 보면서 고쳐쓰기에 관해 생각해 봅시다.

이렇게 열자

소단원 학습에 들어가기 전에 고쳐쓰기의 개념을 자동차의 경우에 빗대어 이해시키기 위한 활동이다.

자동차는 설계대로 먼저 제품을 만든 뒤 차를 타는 사람 입장에서 고칠 부분은 없는지 점검하여 부족한 점을 보완하고 고친 뒤에 제품을 판매한다. 이런 과정이 글을 쓰는 일에서도 필요하지 않을지 생각해 보고 고쳐쓰기의 목적이 무엇일지 생각해 보도록 한다.

• 차를 고쳐서 완성하는 것과 글을 고쳐서 완성하는 것의 공통점은 무엇일까요?

예시 답ㅣ 차를 만들며 고칠 부분을 찾아 차를 타는 사람에게 안전하고 편리한 차를 완성하는 것처럼, 글도 고쳐쓰기를 통해 읽는 이가 오해 없이 이해하기 쉬운 글을 쓸 수 있다.

• 고쳐쓰기의 목적이 무엇일지 생각해 봅시다.

예시 답ㅣ 읽는 이가 이해하기 쉬운 글을 쓰기 위해서이다.

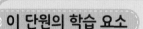

이 단원의 학습 요소

학습 목표ㅣ 고쳐쓰기의 일반 원리를 활용하여 글을 고쳐 쓸 수 있다.

고쳐쓰기의 다양한 방법 이해하기	'부가, 삭제, 재구성' 등과 같은 고쳐쓰기의 일반 원리와 다양한 전략을 알고, 고쳐 쓰는 방법을 익힌다.
한 편의 글을 고쳐 쓰는 능력 기르기	단어 수준, 문장 수준, 글 전체의 수준에서 글을 고치는 방법을 익혀 한 편의 글을 적절히 고쳐 쓰는 능력을 기른다.

소단원 바탕 학습

핵심 개념 미리 보기

1. 고쳐쓰기의 정의

'고쳐쓰기'란 글을 쓰면서 글을 검토하여 보고 자신의 의도가 효과적으로 드러나도록 잘못된 부분을 고쳐 나가는 과정이다.

2. 고쳐쓰기의 효과

- 글을 다시 읽고 주제를 잘 살려 쓸 수 있다.
- 읽는 사람을 생각하여 감동적인 글을 쓸 수 있다.
- 문단의 내용을 매끄럽게 점검하여 고칠 수 있다.
- 문장의 앞뒤가 부드럽게 잘 이어지게 고칠 수 있다.

3. 고쳐쓰기의 일반 원리

부가	내용 중 빠뜨린 부분이 있을 때 알맞은 내용을 새로 넣거나 보충하는 것을 말함.
삭제	글의 내용 중 불필요한 부분이 있는 경우 이 부분을 제거하는 것을 말함. 필요 없는 말이 반복된 경우, 너무 복잡하게 꾸며 주는 말을 쓴 경우, 내용이 글의 주제에서 벗어난 경우, 내용이 분명하지 않은 경우에는 그 부분을 빼야 내용을 분명하게 전달할 수 있음.
재구성	글의 논리적 전개에 따라 문단의 순서나 배열을 고치는 것을 말함. 글의 흐름이 어색한 경우, 문단의 순서가 잘못된 경우에는 각 문단의 순서를 재조정하여야 함.

4. 고쳐쓰기의 방법

(1) 글 전체 수준에서 고쳐 쓰기

① 제목이 글의 주제나 내용을 잘 드러내야 함.
② 주제가 일관성 있게 제시되어야 함.
- 주제가 분명하게 제시되었는가?
- 주제가 글쓴이의 본래 의도와 일치하는가?
- 주제에서 벗어난 불필요한 내용은 없는가?
- 주제를 뒷받침하기 위해 더 보충할 내용은 없는가?

③ 구성이 체계적이어야 함.
- 처음, 중간, 끝 부분이 제구실을 하는가?
- 처음, 중간, 끝 부분 간의 연결이 자연스러운가?

(2) 문단 수준에서 고쳐 쓰기

① 하나의 문단에 하나의 중심 생각이 있어야 함.
② 뒷받침 문장이 중심 문장과 직접적인 관련이 있어야 함.
③ 문장의 연결이 자연스러워야 함.
④ 문단의 길이가 적절해야 함.
⑤ 문단의 중심 생각이 주제문으로 잘 표현되어 있어야 함.

(3) 문장 수준에서 고쳐 쓰기

① 문장의 뜻이 분명해야 함.
② 문장의 길이가 적절해야 함.
③ 각 문장이 어법에 맞도록 정확하게 표현되어야 함.
④ 빠진 단어를 넣고 불필요한 단어를 빼며, 상황에 맞는 단어를 적절하게 사용해야 함.
⑤ 띄어쓰기나 맞춤법 등 표기법에 어긋난 단어를 바르게 고쳐야 함.

눈으로 찍고 가기

1. 다음 글의 내용이 옳으면 ○, 옳지 않으면 ×표를 하시오.
   (1) 글을 다 쓰고 난 후 자꾸 고치는 것은 글쓰기가 서투른 사람의 좋지 않은 습관이다. (　　)
   (2) 고쳐쓰기에서 내용을 새로 넣거나 보충하는 것을 부가의 원리라 한다. (　　)
   (3) 고쳐쓰기는 일반적으로 글 전체에서 부분의 순서로 한다. (　　)

2. 다음 중 글 전체 수준에서 고려해야 할 점은?
   ① 글의 구성 및 조직이 적절한가?
   ② 표기법에 맞지 않는 단어는 없는가?
   ③ 중심 문장과 거리가 먼 뒷받침 문장은 없는가?
   ④ 불필요한 단어나 중복되어 쓰인 단어는 없는가?
   ⑤ 문장 간의 연결이 자연스럽고 논리 전개에 맞는가?

3. 하나의 문단에 하나의 중심 생각이 들어 있는지 검토하는 것은 (　　) 수준의 고쳐 쓰기에 해당한다.

정답: 1. (1) × (2) ○ (3) ○　2. ①　3. 문단

활동 1 고쳐쓰기의 원리 익히기

∥ 다음 만화를 보고, 진희가 쓴 글을 고쳐 봅시다.

학습 포인트
· 고쳐쓰기의 원리 익히기
· 글 전체 수준에서 고쳐 쓰기
· 문단 수준에서 고쳐 쓰기
· 문장 수준에서 고쳐 쓰기

○ **활동 탐구**

한 편의 글을 완성하는 데는 고쳐쓰기가 필수적이며, 고쳐쓰기를 통해 글쓴이의 의도를 독자에게 더욱 분명히 드러낼 수 있다는 점을 알게 하는 활동이다. 제시된 만화에서 진희는 초고를 완성한 뒤에 고쳐쓰기를 시도하고 있지만, 반드시 글을 완성해야만 고쳐쓰기를 할 수 있는 것은 아니다. 글쓰기의 과정은 전 단계로 다시 돌아갈 수 있는 것이므로 글쓰기의 어느 단계에서든 고쳐쓰기가 가능하다.

➕ **보충 자료**
글쓰기의 과정

계획하기
글쓰기의 목적과 주제, 예상 독자를 고려하며 글 전체에 대한 계획을 세움.

내용 생성하기
글에 들어갈 내용을 준비함.

내용 조직하기
생성한 내용을 바탕으로 글의 개요를 작성함.

표현하기
앞에서 계획한 내용들을 글로 표현함.

고쳐쓰기
쓴 글을 읽어 보면서 계획대로 썼는지 점검하고 수정함.

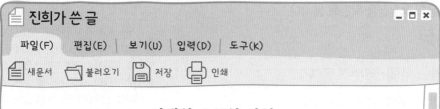

진희가 쓴 글

파일(F) | 편집(E) | 보기(U) | 입력(D) | 도구(K)

새문서 불러오기 저장 인쇄

인생의 소중한 가치

가   며칠 전에 교내 경시대회를 준비하던 나는 문득 '공부를 하는 까닭'을 깊이 생각해 보게 되었다. '공부는 왜 하는 것일까?' 공부는 학생의 의무이니 학생은 당연히 공부해야 한다는 말은 이 질문에 좋은 답이 될 수는 없을 것이다.
→ 공부하는 까닭을 생각하게 된 계기

나   많은 사람이 '좋은 고등학교에, 대학교에, 안정적인 직장에 가기 위해' 공부를 한다. 중국 고대의 철학가 또는 공자나 맹자처럼 자기 수양을 위해 공부를 하기도 한다. 공부해서 몸과 마음을 갈고 닦아 품성이나 지식 따위를 높은 경지로 끌어올림. 현실적인 이익을 얻기 위해서 공부를 하는 것이다. 내가 지난 기말고사에서 성적이 오르면 어머니께서 휴대 전화를 바꿔 주기로 하셨기 때문에 공부를 열심히 했던 것도 이와 틀리지 않다. → 사람들은 현실적인 이익을 위해 공부함.

다   이처럼 현실적인 이익을 위해서 공부를 하면, 공부에 따른 댓가를 얻을 수 댓가(×), 대가(○) 없게 되었을 때는 공부를 하기가 어려워진다. 나는 요사이 공부에 대한 의욕이 떨어진 까닭이 무엇인지 생각해 보았다. 그것은 지난번에 성적이 많이 오르고 뿌듯함을 느끼게 되었기 때문이었다.
→ 현실적 이익을 위해서만 공부하면 안 되는 까닭

라   지금 시점에서 내 삶의 방향을 스스로 모두 결정지을 수는 없다. 지금은 내가 장차 무엇이 될지, 무엇을 해야 할지 좀처럼 모른다. 이럴 때 공부를 해 놓는 것은 미래를 위한 가장 좋은 대비가 될 것이다.
→ 미래를 위한 가장 좋은 대비인 공부

글 전체 수준에서 고쳐 쓰기

1. 목적에 맞는 글을 썼는지 확인해 봅시다.

1 이 글의 주제와 글을 읽을 대상은 누구인지 정리해 봅시다.

주제	공부해야 하는 까닭
글을 읽을 대상	공부하는 까닭을 모르는 학생들(교내 신문을 읽는 사람들)

2 글의 목적 및 글을 읽을 대상을 고려하여 이 글의 제목을 바꾸어 봅시다.

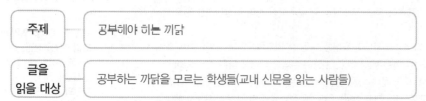

인생의 소중한 가치 → 공부해야 하는 까닭

○ **활동 탐구**

글 전체 수준에서 고쳐 쓰기를 할 때 무엇을 해야 하는지에 관하여 알아보는 활동이다. 글의 짜임(구성), 문단의 추가 등 글 전체 수준에서 일어나는 다양한 고쳐 쓰기의 활동을 이해하도록 한다.

지학이가 도와줄게! – 1 ①

제시된 진희의 글을 읽은 뒤 글 전체 수준에서 고쳐 쓰기를 해 보자. 글 전체 수준에서 일어나는 고쳐 쓰기는 글을 전체적으로 훑어 읽고, 글을 쓴 주제, 글을 읽는 대상 등과 같이 전체 글을 고려해야만 알 수 있는 측면을 따져 보는 활동이야.

지학이가 도와줄게! – 1 ②

독자들은 제목을 보고 글이 어떤 내용일지, 글쓴이가 어떤 생각으로 글을 썼을지 짐작한단다. 따라서 글의 제목은 주제를 잘 나타내고 친구들이 흥미를 느낄 수 있도록 정하는 것이 좋아.

콕콕 확인 문제   정답과 해설 16쪽

1. 진희가 쓴 글에 대한 이해로 적절하지 않은 것은?

① 글의 주제는 '공부하는 까닭'이나.

② 예상 독자는 교내 신문을 읽을 학생들이다.

③ 글의 흐름이 매끄럽지 않아 내용을 보충할 필요가 있다.

④ 이름 있는 사상가의 말을 인용하여 문단의 중심 내용을 뒷받침하고 있다.

⑤ 친구가 '인생에 관한 글'이라고 오해한 것은 제목이 글의 주제를 잘 나타내지 못하기 때문이다.

2. 이 글의 구성 단계에 따른 내용의 적절성을 확인해 봅시다.

1 이 글의 짜임을 살펴봅시다.

가	처음	공부하는 까닭을 생각하게 된 계기
나	중간	사람들이 공부하는 까닭
다		현실적 이익을 위해서만 공부하면 안 되는 까닭
라	끝	미래를 위한 가장 좋은 대비인 공부

2 글의 흐름을 고려할 때 다음 문단이 들어가기에 적절한 위치는 어디일지 생각해 봅시다.

> 그리스의 철학자 플라톤은 교육이 한 인간을 양성할 때의 방향이 훗날 그의 삶을 결정할 것이라고 하였다. 이처럼 공부는 내가 삶에서 중요하게 생각하는 것을 이룰 수 있도록 해 주는 데 그 가치가 있다. 또한, 내가 삶에서 무엇을 중요하게 여기는지를 깨닫게 해 주는 것 역시 공부이다. 이것이 공부해야 하는 진정한 까닭이다.
> 공부는 삶에서 중요하게 여기는 것을 알게 함. ➡ 공부해야 하는 진정한 까닭

예시 답 | (다)와 (라) 사이

 찬찬샘 **핵심** 강의

· 글 전체 수준에서 고쳐 쓰기

　고쳐쓰기란 자신이 쓴 글을 다시 읽고 내용이나 표현 등에서 어색한 부분을 찾아 고치는 일이야. 고쳐쓰기의 과정은 '글 전체 수준 → 문단 수준 → 문장 수준'으로 이루어지는데, 글 전체 수준에서는 글의 제목이 적절한지, 글의 주제나 구성 등이 적절한지를 검토하여 고쳐 쓰지.

　글의 제목은 주제를 잘 나타내고 독자들이 흥미를 느낄 수 있도록 정하는 것이 좋아. 또한 목적이나 주제에 맞지 않는 내용은 빼야 하고, 설명이 부족한 내용은 다른 것으로 바꾸거나 설명을 더 해 주어야 해. 또한 글의 처음, 중간, 끝 부분이 체계적이고 논리적으로 전개되고 있는지 점검하여 필요할 경우 재구성하는 것도 글 전체 수준의 고쳐 쓰기에서 해야 할 사항이야.

➹핵심 포인트➷

글 전체 수준에서 고쳐 쓰기	· 글을 전체적으로 훑어 읽고, 글을 쓴 목적을 확인하면서 고칠 내용을 생각함. · 글의 주제와 내용이 잘 드러나는 제목인지 검토함. · 글의 구성 단계에 맞는 내용이 적절히 들어가 있는지 살펴봄.

✦ 지학이가 도와줄게! – 2 **1**

문단별로 중심 문장이 무엇인지 찾아보자. 중심 내용은 주로 문단의 처음이나 끝에 드러나 있는 경우가 많아. 중심 문장을 찾은 뒤 이를 간단하게 정리하여 글의 짜임을 살펴보자.

✦ 지학이가 도와줄게! – 2 **2**

먼저 **2**에 제시된 문단의 내용이 무엇인지 살펴보자. 이 문단에서는 교육이 훗날 그의 삶을 결정할 것이라고 한 플라톤의 말을 인용하여 공부의 중요성을 말하고 있어. **1**에서 정리한 내용을 참고할 때, 이 문단은 '공부는 미래를 위한 가장 좋은 대비라'는 **라**의 내용과 연관됨을 확인할 수 있을 거야.

➕ 보충 자료
플라톤(B.C.428?~B.C.347?)
소크라테스의 제자로, 아카데미를 개설하여 생애를 교육에 바친 그리스의 철학자이다. 30여 편에 달하는 대화록을 남겼는데 그 안에 담긴 이데아론(형이상학), 국가론 등은 고대 서양 철학의 최고 수준으로 평가받는다.

콕콕 확인 문제

2. 〈보기〉에서 '글 전체 수준의 고쳐 쓰기'에서 점검할 내용을 모두 골라 그 기호를 쓰시오.

〈보기〉
ㄱ. 글을 쓴 목적을 확인하면서 고칠 내용을 점검한다.
ㄴ. 문장이 자연스럽게 연결되는지 점검한다.
ㄷ. 문단의 길이가 적절한지, 중심 문장이 들어 있는지 점검한다.
ㄹ. 글의 주제와 내용을 확인하고 제목이 이를 잘 드러내는지 점검한다.
ㅁ. 뜻하는 바가 분명하게 드러나지 않거나 문맥상 적절하지 않은 단어가 사용되었는지 점검한다.

1. 문단 수준에서 이 글의 고쳐야 할 점을 찾아봅시다.

1 **나**에서 문단의 중심 내용을 나타내는 데 적절하지 않아 삭제해야 할 문장을 찾아 그 까닭을 말해 봅시다.

삭제할 문장	또는 공자나 맹자처럼 자기 수양을 위해 공부를 하기도 한다.

까닭	사람들이 현실적인 이익을 얻기 위해 공부한다는 점을 지적하고 있는 문단이므로, '자기 수양' 즉 도덕적인 성장을 위해 공부를 한다는 내용은 어울리지 않는다.

2 **다**에서 문장과 문장이 자연스럽게 연결되는지 살펴보고 내용상 적절하지 않은 것을 찾아 고쳐 써 봅시다.

적절하지 않은 문장	그것은 지난번에 성적이 많이 오르고 뿌듯함을 느끼게 되었기 때문이었다.

→ **예시 답** l 그것은 지난번에 성적이 많이 올라 휴대 전화를 바꿀 수 있었고 더는 공부를 해야 할 필요성을 느끼지 않게 되었기 때문이었다.

찬찬샘 핵심 강의

· 문단 수준에서 고쳐 쓰기

문단은 여러 개의 문장이 모여서 하나의 통일된 생각을 나타내는 글의 단위야. 하나의 문단에는 하나의 중심 생각이 있어야 해. 문단 수준의 고쳐 쓰기에서는 문단의 내용이 하나의 주제에 집중되어 있는지, 문장들이 자연스럽게 이어지지 못한 부분이 없는지를 확인하고, 보충할 만한 다른 자료가 필요한지 살펴보아야 해.

▶핵심 포인트◀

문단 수준에서 고쳐 쓰기	· 한 문단에 적절한 하나의 중심 생각이 들어가 있는지 확인하여 불필요한 내용은 삭제하고, 부족한 내용을 보충함. · 근거를 보충할 만한 다른 자료가 필요하지 않은지 살피고 적절한 자료를 추가함. · 문장과 문장이 자연스럽게 연결되는지 살펴보고 내용상 적절하지 않은 것을 고침.

○ 활동 탐구

문단 수준에서 고쳐 써야 할 사항들을 이해하는 활동이다. 한 편의 글은 여러 개의 문단이 모여 이루어지고, 하나의 문단은 중심 문장과 이를 보조하는 뒷받침 문장으로 이루어짐을 알고 고쳐쓰기에서 유의할 사항을 확인하도록 한다.

✦ 지학이가 도와줄게! - 1 **1**

한 문단에는 대개 하나의 중심 생각이 있으며, 이에서 벗어나는 불필요한 내용은 삭제해야 글의 통일성을 유지할 수 있어. 1학년 때 통일성이란 '문장과 문장이 서로 긴밀하게 하나의 주제를 향해 연결되어 있는 성질'이라고 배웠던 것 기억나지?

✦ 지학이가 도와줄게! - 1 **2**

문단을 이루는 각각의 문장은 서로 자연스럽게 연결되어 있어야 해. 문단의 내용과 어울리지 않는 어색한 문장을 찾아 고쳐 보도록 하자.

(콕콕) 확인 문제

3. 문단 수준에서 고쳐 쓰기를 할 때 유의할 사항이 아닌 것은?

① 문단의 길이가 적절한가?
② 문장과 문장의 연결이 자연스러운가?
③ 문장의 호응 관계가 어법에 맞게 표현되었는가?
④ 하나의 문단에 하나의 중심 생각이 들어 있는가?
⑤ 뒷받침 문장은 중심 문장과 직접적인 관련이 있는가?

문장 수준에서 고쳐 쓰기

1. 이 글에서 잘못된 문장을 바르게 고쳐 보고, 그 까닭을 써 봅시다.

● 공부해서 현실적인 이익을 얻기 위해서 공부를 하는 것이다.

> 예 '공부해서'와 '공부를 하는'이 중복되므로 '공부를 해서 현실적인 이익을 얻으려고 하는 것이다.' 또는 '현실적인 이익을 얻기 위해서 공부를 하는 것이다.'로 고쳐 쓴다.

● 내가 지난 기말고사에서 성적이 오르면 어머니께서 휴대 전화를 바꿔 주기로 하셨기 때문에 공부를 열심히 했던 것도 이와 ㉠틀리지 않다.

> '틀리지'는 문맥상 부적절한 어휘이다. '다르지'로 고쳐 쓴다.
> ┌ 틀리다: 어긋나거나 맞지 않다. 예 답이 **틀렸다**./ 잠자기는 다 **틀렸다**.
> └ 다르다: 비교가 되는 두 대상이 서로 같지 아니하다. 예 너와 나는 **다르다**.

● 이처럼 현실적인 이익을 위해서 공부를 하면, 공부에 따른 댓가를 얻을 수 없을 때는 공부를 하기가 어려워진다.

> '댓가'는 잘못된 표기이다. '대가'로 고쳐 쓴다.
> • 대가: 노력이나 희생을 통하여 얻게 되는 결과

● ㉡지금은 내가 장차 무엇이 될지, 무엇을 해야 할지 좀처럼 모른다.

> '좀처럼'은 '여간해서는'의 뜻을 갖는 부사로 부정문 형태의 서술어와 호응한다. '모른다'를 '알지 못한다'로 바꾸어 쓰거나 '좀처럼'을 삭제한다.

찬찬샘 핵심 강의

· 문장 수준에서 고쳐 쓰기

　문장 수준에서 고쳐 쓸 때는 문장 하나하나를 살펴보며 문맥에 어울리지 않는 단어는 없는지, 주제를 전달하기에 적절한 표현을 사용하였는지 등을 점검해. 고쳐쓰기의 단계를 좀 더 세부적으로 나눌 경우에는 '단어 수준'을 따로 구분하여 띄어쓰기나 맞춤법, 단어의 의미 등을 검토하기도 하지만, 여기서는 단어도 문장 수준에 포함하여 설명하고 있어.

▶핵심 포인트◀

문장 수준에서 고쳐 쓰기	• 문장의 호응이 잘 이루어지도록 함. • 지나치게 생략된 문장 성분이나 필요 없이 사용된 단어가 없도록 함. • 뜻하는 바가 분명하지 않거나 문맥상 적절하지 않은 단어가 없도록 함. • 표기나 띄어쓰기가 잘못된 단어가 없도록 함.

○ 활동 탐구
문장 수준에서 고쳐 쓰기를 할 때 살펴야 할 다양한 사항들을 학습하기 위한 활동이다.

★지학이가 도와줄게! - 1
문장 수준에서 고쳐 쓸 때는 문장을 이루는 단어나 문장 성분, 문장에 쓰인 표현들을 검토해. 진희가 쓴 글의 문장에서 적절하지 않은 표현을 찾아보도록 하자.

(콕콕) **확인 문제**
4. 문장 수준의 고쳐 쓰기에서 점검할 사항이 **아닌** 것은?
① 문장의 성분
② 표기나 띄어쓰기
③ 문장의 호응 관계
④ 문맥에 적절한 단어
⑤ 문장 사이의 연결성

5. ㉠과 달리 문맥상 고쳐 쓰지 않아도 되는 것은?
① 어제와 틀린 옷을 입었구나.
② 모둠마다 실험 결과가 틀리게 나왔다.
③ 점원이 계산을 틀리게 해서 물건값을 덜 냈다.
④ 형제가 얼굴은 비슷하지만 성격은 너무 틀리다.
⑤ 친구들이 생각이 서로 틀려 모임 장소를 정하지 못했다.

6. ㉡과 같은 유형의 오류를 보이고 있는 문장은?
① 아마 날짜가 미뤄질 거야.
② 힘들어도 결코 포기하지 않겠다.
③ 이번 과제는 절대로 제출해야 한다.
④ 역시 오늘도 떡볶이를 얻어먹지 못했다.
⑤ 비가 많이 와서 마치 도로가 강이 된 것 같다.

2. 글을 수정하여 다시 써 봅시다.

공부해야 하는 까닭

며칠 전에 교내 경시대회를 준비하던 나는 문득 '공부를 하는 까닭'을 깊이 생각해 보게 되었다. '공부는 왜 하는 것일까?' 공부는 학생의 의무이니 학생은 당연히 공부해야 한다는 말은 이 질문에 좋은 답이 될 수는 없을 것이다.

많은 사람이 '좋은 고등학교에, 대학교에, 안정적인 직장에 가기 위해' 공부를 한다. 현실적인 이익을 얻기 위해서 공부를 하는 것이다. 내가 지난 기말고사에서 성적이 오르면 어머니께서 휴대 전화를 바꿔 주기로 하셨기 때문에 공부를 열심히 했던 것도 이와 다르지 않다.

이처럼 현실적인 이익을 위해서 공부를 하면, 공부에 따른 대가를 얻을 수 없게 되었을 때는 공부를 하기가 어려워진다. 나는 요사이 공부에 대한 의욕이 떨어진 까닭이 무엇인지 생각해 보았다. 그것은 지난번에 성적이 많이 올라 휴대 전화를 바꿀 수 있었고 더는 공부를 해야 할 필요성을 느끼지 않게 되었기 때문이었다.

그리스의 철학자 플라톤은 교육이 한 인간을 양성할 때의 방향이 훗날 그의 삶을 결정할 것이라고 하였다. 이처럼 공부는 내가 삶에서 중요하게 생각하는 것을 이룰 수 있도록 해 주는 데 그 가치가 있다. 또한, 내가 삶에서 무엇을 중요하게 여기는지를 깨닫게 해 주는 것 역시 공부이다. 이것이 공부해야 하는 진정한 까닭이다.

지금 시점에서 내 삶의 방향을 스스로 모두 결정지을 수는 없다. 지금은 내가 장차 무엇이 될지, 무엇을 해야 할지 모른다. 이럴 때 공부를 해 놓는 것은 미래를 위한 가장 좋은 대비가 될 것이다.

⭐ 지학이가 도와줄게! – 2

글 전체 수준, 문단 수준, 문장 수준에서 고쳐 쓴 사항을 종합하여 글에 반영해 보는 활동이야. 글을 수정하면서 앞의 활동을 통해 고쳐 쓴 것 외에 더 고치거나 개선할 수 있는 사항이 있다면 추가로 고쳐 쓸 수도 있어.
그리고 학교 신문에 실을 글이니까 공식적인 표현을 사용해야 하겠지? 또 친구들이 읽을 테니 어려운 표현은 쉽게 고쳐 쓰는 것이 좋겠어.

➕ **보충 자료**
문단을 구성하는 세 가지 원리
글의 문단은 주제와 관련하여 구체적인 내용을 담고 있어야 하며 통일성, 연결성, 강조성을 고려해야 한다.
먼저 통일성은 문단의 중심 문장과 뒷받침 문장 사이에 같은 관점이나 내용을 다루어야 한다는 것이다.
둘째, 연결성은 중심 문장과 이를 뒷받침하는 문장들이 적절한 순서에 따라 자연스럽고 논리적으로 이어져야 한다는 것이다.
셋째, 강조성은 문단에서 중심 문장이 그 가치에 맞게 강조되어야 한다는 것이다. 글의 독자가 해당 문단을 읽고 내용을 충분히 인식하고 기억할 수 있도록 중심 문장이 충분히 강조되어야 한다.

➕ **보충 자료**
문맥과 문장의 조절
문장은 두 가지 조건을 갖추어야 한다. 첫째는 한 문장이 그 자체로서 독립적으로 갖추어야 할 조건이고, 둘째는 다른 문장과의 관계에 따라 갖추어야 할 조건이다. 우선 첫째 조건 – 한 문장이 그 자체로서 갖추어야 할 조건은 다음과 같다.
첫째, 문법에 맞아야 한다.

둘째, 뜻이 분명해야 한다.
셋째, 길이나 짜임이 맞아야 한다. 길이가 알맞아야 한다는 것은, 길이가 너무 짧지 않고, 너무 길지 않아야 한다는 것을 뜻한다. 짜임이 알맞아야 한다는 것은, 짜임이 너무 단순하지 않고, 너무 복잡하지 않아야 한다는 것을 뜻한다.
– 이대규, 『수사학, 독서와 작문의 이론』

1 고쳐 쓴 글을 다시 읽어 보고, 더 고칠 부분이 없는지 점검해 봅시다.

예시 답 |

글 수준에서
- 글의 주제가 분명히 드러났는가? 세부 내용이 부족하지는 않을까?
- 플라톤의 말은 이 글을 드러내는 데 적절한가? 더 좋은 예는 없을까?
- 두 번째와 세 번째 문단은 내용이 서로 중복되지 않을까?

문단 수준에서
- 세 번째 문단으로 인해 통일성이 부족해지지 않았나?
- 세 번째 문단의 내용은 휴대 전화를 바꿨던 내용을 먼저 제시하는 것이 낫지 않을까?
- 마지막 문단의 첫 문장은 마지막 문장을 변형해서 만드는 것이 더 분명하지 않을까?

문장 수준에서
- '공부는 학생의 의무이니 … 없을 것이다.'에서 이 문장은 너무 상투적인 문장이 아닐까?
- '이처럼 공부는 … 그 가치가 있다.'에서 이 문장은 너무 섣부른 결론이 아닐까?
- '이것이 공부해야 하는 진정한 까닭이다.'에서 이 문장은 지시어로 인해 뜻이 불분명하지 않을까?

2 짝꿍이 고쳐 쓴 글과 바꾸어 보고 자신이 고친 것과 비교해 봅시다.

예시 답 | 생략

찬찬샘 핵심 강의

• 고쳐쓰기의 목적과 방법

  고쳐쓰기의 목적은 글에서 잘못된 것을 찾아 비판하려는 것이 아니라 독자가 이해하기 쉽도록 글을 개선하기 위함이야. 좋은 글이 될 때까지 계속해서 고치는 과정을 거치면, 글의 완성도를 높일 수 있어. 그리고 자신이 쓴 글을 친구들과 바꿔 읽으며 의견을 주고받거나 선생님께 여쭈어 보면 고쳐쓰기를 더 잘할 수 있단다.

▸핵심 포인트◂

고쳐쓰기의 목적	고쳐쓰기는 읽는 이가 이해하기 쉽게 글을 개선하기 위한 과정임.
고쳐쓰기의 방법	• 글의 내용이나 표현에서 빼거나 바꿀 부분을 찾아 그 대신에 쓸 알맞은 내용이나 표현을 생각해 봐야 함. • 글의 전체적인 흐름, 문단의 내용, 잘못된 문장이나 잘못 쓴 낱말을 고려하여 고쳐야 함.

※ 지학이가 도와줄게! - 2 **1**

각 수준에서 일어나는 고쳐쓰기의 세부 활동을 다시 생각해 보고, 고쳐 쓴 글에 어떤 미비점이 있는지 점검해 보자.

※ 지학이가 도와줄게! - 2 **2**

친구가 고친 부분과 내가 고친 부분을 비교해 보고, 서로 의견이 다른 부분은 토의해 보자. 토의할 때는 자신이 부족했던 점이 있으면 이를 수용하는 태도를 가지는 것이 중요해.

콕콕 확인 문제

7. 고쳐쓰기의 방법으로 적절하지 <u>않은</u> 것은?

① 보충, 삭제하기
② 주제 다시 바꾸기
③ 맞춤법과 띄어쓰기
④ 표현을 적절히 고치기
⑤ 어색한 단어 바로 잡기

8. 다른 사람의 평가를 통한 고쳐쓰기를 할 때의 좋은 점으로 적절하지 <u>않은</u> 것은?

① 혼자서는 생각하지 못했던 점을 알 수 있다.
② 평가하는 사람의 입장을 이해하는 데 도움이 된다.
③ 글을 수정하기 위해 힘을 모을 수 있어 글을 효율적으로 고쳐 쓸 수 있다.
④ 평가를 하는 사람은 글을 보는 안목과 글을 잘 쓰는 능력을 기를 수 있다.
⑤ 평가를 듣는 사람은 자신의 글을 객관적인 입장에서 반성적으로 볼 수 있고 글을 고쳐 쓰는 능력도 기를 수 있다.

1. 다음은 청소년 운동 공간 확보의 필요성을 주장하는 글의 일부입니다. 이를 바탕으로 고쳐쓰기 활동을 해 봅시다.

> ㉠현대인의 생활 습관이 바뀌면서 비만이 급격히 늘고 있다. 비만은 당뇨병, 고지혈증, 관절염 등의 발생률을 높이고, 과도한 비만은 그 자체를
> _{혈액 내에 지방 성분이 정상보다 많은 상태}
> 하나의 질병으로 보아야 한다는 사람도 있을 정도다. 그중에도 청소년 비만이 특히 심각한 문제다. ㉡그 밖에도 청소년들은 척추옆굽음증이나 각종 전염병에도 취약한 상태이다. → 청소년 비만의 심각성
>
> ㉢대한비만학회와 국민건강보험공단의 2015년 조사에 따르면 한국의 소아·청소년 6명 중 1명은 과체중 혹은 비만이라고 한다. ㉣청소년 비만은 상당수가 성인 비만으로 이어지고, 10대 때부터 성인병을 얻을 수도 있다. ㉤이러한 청소년 비만이 왜 생기는 것일까? 나는 청소년들의 운동 부족이 가장 큰 원인이라고 생각한다. 그러나 그 밑바탕에는 운동 공간 부족의 문제가 있다. → 청소년 비만 원인인 운동 공간 부족 문제

❶ 이 글의 주제를 정리해 봅시다.

글의 주제

청소년들의 비만 예방을 위하여 운동 공간을 충분히 확보해야 한다.

➕ 보충 자료
설득하는 글의 고쳐쓰기 전략
- **어휘나 문장의 점검**: 글을 쓰고 난 뒤에는 표현이 올바르게 되었는지, 어문 규범에 어긋난 곳은 없는지 확인하여 잘못된 부분은 바로잡아야 한다.
- **표현의 논리성과 명확성 점검**: 설득하는 글에 비논리적이거나 불명확한 표현이 있으면 설득력이 떨어지게 되므로 표현의 논리성과 명확성을 꼼꼼
하게 점검한다.
- **전체 글 조직의 효과성 점검**: 설득하는 글에서는 주장이 명확하게 드러나 있는지, 주장을 뒷받침하는 문장과 문단이 적절하게 배치되었는지를 중점적으로 살펴봐야 한다. 그리고 글이 통일성과 일관성을 갖추고 있는지도 점검해야 한다

❝ 학습 포인트
· 고쳐쓰기의 연습

◯ 활동 탐구
한 편의 글을 바탕으로 앞서 학습한 고쳐쓰기의 다양한 원리나 방법을 적용해 보는 활동이다. 학습한 순서대로 고쳐쓰기의 방법을 적용해 보자.

지학이가 도와줄게! - 1 ❶
글 전체 수준에서 일어나는 고쳐쓰기 활동이야. 전체 글을 읽고 글의 중심 내용을 찾아 정리해 보도록 하자.

콕콕 확인 문제

9. 이와 같은 글의 목적을 쓰시오.

10. 이 글을 읽고 문단 수준에서 고쳐 쓰기를 계획한 사람은?

① 주제와 어울리는 제목인지 살펴보아야 하겠어.
② 문장 간의 연결이 자연스러운지 살펴보고 적절하지 않은 내용은 고쳐야 하겠어.
③ 서론 부분에서 청소년 비만의 심각성을 좀 더 부각해야 하겠어.
④ 문장의 호응 관계를 살펴 의미가 잘 전달되도록 수정해야 하겠어.
⑤ '과도한', '취약한', '상당수' 등의 한자어는 글을 읽을 친구들에게 어려울 수 있으므로 풀어서 써야 하겠어.

11. ㉠~㉤ 중, 〈보기〉의 점검 후 삭제할 문장으로 적절한 것은?

> 보기
> 글의 주제와 목적에 맞는 내용인가?

① ㉠ ② ㉡ ③ ㉢
④ ㉣ ⑤ ㉤

2 글을 읽고 고쳐 써야 할 부분을 찾아 고쳐 봅시다.

친구들이 이해하기 어렵지는 않을까?

문단과 문단, 문장과 문장 사이의 연결이 자연스럽나?

글의 주제와 목적에 맞는 내용이 들어가 있나?

이 글에 추가하면 좋을 내용으로 무엇이 있을까?

🖋 지학이가 도와줄게! - 1 **2**

앞에서 학습한 글의 전체적인 짜임, 문장과 문장의 흐름, 어휘 사용과 표현의 적절성 등을 고려하여, 고쳐 써야 할 부분을 찾아보자.

🖋 지학이가 도와줄게! - 2

한 편의 글의 완성도를 높이기 위해서는 다양한 매체나 자료를 통해 글의 내용을 보완해야 하는 경우가 있어. 글에서 보충해야 하는 내용과, 그 내용을 보충하기 위해 필요한 자료를 얻을 수 있는 방법에 대해 생각해 보도록 하자.

예시 답ㅣ •1문단 첫째 줄: '비만이' → '비만 인구가'
•1문단 마지막 문장('그 밖에도~상태이다.') 삭제: 주제와 상관없는 문장임.
•청소년 운동 공간 부족과 관련된 내용을 추가함.
•2문단 마지막 줄: 접속사 '그러나' → '그리고'

2. 내용을 추가하여 이 글을 완성하고자 할 때 필요한 자료를 더 찾아봅시다.

필요한 내용	찾은 자료
예 운동장 없는 학교가 늘어났다는 내용의 기사	「청소년 체력은 떨어지는데…… 운동장 없는 학교 점점 늘어」 – 『○○일보』, 20○○. ○. ○.
예시 답ㅣ 학생들이 운동 공간이 부족하다고 불편함을 호소하는 사실	학생들이 학교 누리집 게시판에 쓴 글
운동과 청소년 건강과의 관련	운동이 청소년의 육체적·정신적 건강 유지에 도움이 된다는 실험 자료
청소년이 운동장에서 할 수 있는 운동의 예	학생들의 인터뷰

콕콕 **확인 문제**

12. 내용을 추가하여 이 글을 완성하고자 할 때 필요한 자료로 적절하지 <u>않은</u> 것은?

① 운동 공간이 부족하여 불편을 겪는 학생들의 인터뷰
② 운동장 없는 학교가 늘어나는 실태를 보여 주는 기사
③ 청소년이 운동장에서 할 수 있는 운동의 예를 조사한 자료
④ 청소년의 육체적·정신적 건강과 운동의 관계를 조사한 자료
⑤ 청소년 비만 문제를 해소할 수 있는 식생활 자료를 제시한 잡지

찬찬샘 **핵심** 강의

　이 활동에서는 완성되지 않은 한 편의 글을 제시하여 완성을 위해 어떤 내용이 들어가야 할지, 어떤 부분을 고쳐 써야 할지를 탐구함으로써 고쳐쓰기를 연습할 수 있어. 고쳐쓰기를 할 때는 먼저 글의 주제와 목적을 확인해야 해. 이 글은 청소년 비만의 원인을 운동 시설 부족에서 찾고 청소년 운동 공간 확보의 필요성을 주장하는 글이야. 그동안 배운 고쳐쓰기의 과정, '글 전체→문단→문장' 수준에 따른 점검 사항들을 확인하여 주제가 잘 드러나는 글로 고쳐 보자.

3. 수집한 자료를 바탕으로 이 글의 내용을 완성해 봅시다.

예시 답 | 현대인의 생활 습관이 바뀌면서 비만 인구가 급격히 늘고 있다. 비만은 당뇨병, 고지혈증, 관절염 등의 발생률을 높이고, 과도한 비만은 그 자체를 하나의 질병으로 보아야 한다는 사람도 있을 정도다. 그중에서도 청소년 비만이 특히 심각한 문제다.

　대한비만학회와 국민건강보험공단의 2015년 조사에 따르면 한국의 소아·청소년 6명 중 1명은 과체중 혹은 비만이라고 한다. 청소년 비만은 상당수가 성인 비만으로 이어지고, 10대 때부터 성인병을 얻을 수도 있다. 이러한 청소년 비만이 왜 생기는 것일까? 나는 청소년들의 운동 부족이 가장 큰 원인이라고 생각한다. 그리고 그 밑바탕에는 운동 공간 부족의 문제가 있다.

　우리 청소년들에게는 운동할 공간이 절대적으로 부족하다. 학교 체육 시간에 하는 몇 시간의 운동이 일주일에 하는 운동 전부인 경우가 많은데, 학교 운동장은 점점 좁아지고 있다. 심지어 운동장이 없는 학교도 있다. 그런 학교에서 할 수 있는 운동은 몇 가지 되지 않는다. 학생들은 고작해야 체육관을 나누거나 건물 사이의 공간을 활용해 배드민턴, 줄넘기, 하프코트 농구 등의 운동을 할 수 있을 뿐이다. '운동장에서 축구공 한번 뻥 차 보는 게 소원'이라는 학생도 있다.

　2012년 교육과학기술부의 자료에 따르면 청소년 1명당 운동장 면적은 2007년부터 꾸준히 줄어들고 있다. 전체 학생 수가 줄어드는데도 1인당 운동장 면적이 줄어든다는 것은, 그만큼 운동장이 작아지거나 없어지고 있다는 증거다. 그렇다고 해서 학교 운동장 말고 운동할 수 있는 마땅한 공터나 녹지가 따로 있는 것도 아니다.

　흔히 청소년은 나라의 미래라고 한다. 그런데 우리는 정작 청소년들의 성장에 필요한 시설조차 제대로 갖추어 주지 못하고 있다. 청소년 비만은 무절제한 식습관이나 게으름 등 생활 관리를 잘못한 개인의 책임으로 돌릴 일이 아니다. 청소년에 대한 사회적인 돌봄이 부족해서 생기는 국가적 문제이다. 청소년들이 마음껏 운동할 수 있도록 충분한 공간을 제공해야 청소년 비만 문제를 해결할 수 있다. 그러한 노력은 단순한 비만 문제의 해결을 넘어, 우리 청소년들이 지금보다 더 밝고 건강하게 자라는 데에도 도움이 될 것이다.

4. 다음 〈점검 사항〉을 바탕으로 완성된 글을 되돌아보고, 추가로 고칠 내용이 있으면 고쳐 써 봅시다.

점검 수준	점검 사항	점검 결과
글 전체	글의 주제가 분명히 드러나는가? 글의 목적에 맞지 않는 내용은 없는가? 글의 내용에 어울리는 제목을 붙였는가? 적절한 구성으로 글을 썼는가?	
문단	불필요한 문장은 없는가? 중심 생각이 드러나도록 썼는가? 문장과 문장의 연결이 자연스러운가?	
문장	문장의 호응이 잘 이루어졌는가? 뜻하는 바가 분명하지 않은 단어는 없는가? 맥락을 고려할 때 적절한 단어를 사용하였는가? 표기가 잘못된 단어는 없는가?	

★지학이가 도와줄게! - 3
앞의 활동들을 바탕으로 비교적 긴 글을 완성해 보는 활동이야. 한 편의 글을 스스로 완성해 보는 경험은 글을 쓸 때 자신감을 심어 주는 힘이 될 수 있어. 사전 준비 없이 바로 글을 써 내려가기보다는 문단별로 들어갈 내용을 대략적으로 생각해 본 뒤 구체적인 내용을 써 보자.

➕ 보충 자료
글쓰기의 자료 수집과 매체

인쇄 매체	책, 논문, 지도 등 종이로 인쇄되어 존재하는 매체. 주로 객관적이거나 전문적인 정보, 널리 알려진 사실을 알아보고자 할 때 유용함.
인터넷 매체	웹사이트나 누리집 등 사이버 공간에 존재하는 매체. 검색을 통해 쉽고 빠르게 정보를 얻을 수 있음. 다만 확인되지 않은 정보도 많으므로 자료의 신뢰성에 유의할 필요가 있음.
신문·방송 매체	방송 뉴스나 신문 등 언론을 중심으로 존재하는 매체. 주로 시사적이거나 시의적인 정보를 얻고자 할 때 도움이 됨.

콕콕 확인 문제
13. 다음 문장에서 고쳐 써야 할 부분을 찾아 고쳐 쓰시오.

(1) 비만은 낭뇨병, 고시혈증, 관절염 등의 발생율을 높이고, 과도한 비만은 그 자체를 하나의 질병으로 보아야 한다는 사람도 있을 정도다.

_____

(2) 청소년 1명당 운동장 면적은 2007년부터 꾸준이 줄어들고 있다.

_____

_____

▌ 다음 글을 읽고, 이어지는 활동을 통해 고쳐쓰기의 효과를 생각해 봅시다.

등장인물이 2,400여 명에 이르는 『인간희극』 시리즈의 프랑스 작가 오노레 드 발자크(1799~1850). 그는 수없이 원고를 고치고 다듬은 '고쳐쓰기의 달인'이었다. 한 쪽을
_{학문이나 기예에 통달하여 남달리 뛰어난 역량을 가진 사람}
쓰기 위해 60장 이상을 새로 쓰고 또 고쳤다.   ➜ 수없이 원고를 고치고 다듬은 발자크

이미 끝낸 소설을 열여섯 번까지 수정하기도 했다. 단조로운 묘사는 풍부하게, 늘어지는 이야기는 속도감 있게, 대화체는 더 생생하게 손질했다. 그 덕분에 그의 소설은 어느 작품보다 사실적이고 재미있으며 생동감이 넘쳤다.
                        ➜ 수없이 수정한 덕에 재미있는 작품으로 완성된 그의 소설
원고를 인쇄소에서 조판한 뒤에도 그는 끊임없이 고쳤다. 출판사들은 그를 위해 특
_{원고에 따라서 골라 뽑은 활자를 원고의 지시대로 순서, 행수, 자간, 행간, 위치 따위를 맞추어 짬.}
별 교정지를 준비해야 했다. 한가운데에 활자를 찍고 위아래와 양옆에 넓은 여백을 마
                                    _{빈 자리}
련해 고쳐 쓸 수 있도록 했다. 그는 여기에 고칠 문구와 더할 문장들을 빽빽하게 써넣었다. 여백이 모자라면 뒷면에 이어 쓰고, 그것도 부족하면 다른 종이에 따로 써서 풀로 붙였다.   ➜ 출판사에서 특별한 교정지를 준비해 줄 정도로 끊임없이 원고를 수정한 발자크

인쇄소 직원들은 비명을 질렀다. 특별히 훈련받은 식자공마저 손을 내저었다. 우여
                  _{활자를 원고대로 조판하는 사람}   _{뒤얽혀 복잡하여진 사정}
곡절 끝에 나온 새 교정쇄를 받고도 그는 고쳐쓰기를 멈추지 않았다.
        _{인쇄물의 교정을 보기 위하여 임시로 조판된 내용을 찍는 인쇄. 또는 그렇게 찍어 낸 인쇄물}
"안 되겠어. 어제 쓴 것, 그제 쓴 것, 모두 마음에 들지 않아. 뜻은 뚜렷하지 않고 문장은 혼란스럽고 문체는 잘못됐고 배치도 너무 어려워! 모든 걸 바꿔야 해. 더 뚜렷하게, 더 분명하게!"   ➜ 인쇄소 직원들이 힘겨워 할 정도로 고쳐쓰기를 멈추지 않은 발자크

▲ 발자크가 고쳐 쓴 원고

교정지만 일곱 번 고친 일도 있었다. 추가 비용이 너무 많이 들어 출판사가 어려워하면 자기 호주
_{인쇄 비용을 자신이 냄.}
머니를 털었다. 이런 식으로 원고료의 절반 이상, 전부까지 다 날린 게 10여 차례나 된다. 한번은 어떤 신문사가 끝없이 계속되는 그의 교정에 지쳐 마지막 수정본을 기다리지 않고 신문에 싣자 발자크는 그 신문사와 '영원한 절교'를 선언하기도 했다. 인쇄기가 돌아가는 중에도 그의 문장 다듬기는 계속됐다. 이 때문에 출판사들은 초판본을 낸 지 얼마 지나지 않아 수정본을 잇달아 내야 했다.
➜ 인쇄기가 돌아가는 중에도 계속 문장을 다듬은 발자크
– 「인쇄 중에도 문장 고쳐 쓴 발자크」(『한국경제』, 2017. 09. 01.)

❖ 활동 탐구
글의 고쳐쓰기를 통해 얻을 수 있는 효과가 무엇인지 구체적으로 알아보는 활동이다. 글의 고쳐쓰기에 몰두한 작가와 관련된 글을 읽고, 자신의 글쓰기 습관과 비교해 본다.

✚ 보충 자료
『인간희극』 (1842)
약 90편으로 구성된 발자크의 소설 총서. 오늘날 대하(大河)소설이라 불릴 만한 것으로, 강렬한 개성을 지닌 작중 인물들은 시간적 · 공간적으로 서로 관련되어 나타난다. 전체는 풍속 연구, 철학적 연구, 분석적 연구의 세 부문으로 되어 있다.

오노레 드 발자크(1799~1850)
19세기 전반 프랑스의 사실주의 경향 소설가. 대표작은 「외제니 그랑데」, 「절대의 탐구」, 「고리오 영감」, 「골짜기의 백합」, 「농민」 등이 있다. 자신의 소설 전체를 하나의 세계로 묶어 『인간희극』이라 이름 붙였다. 사실주의 문학의 선구자로 그의 소설은 당대 사회의 사회상과 산업 발달, 과학의 진보를 사실적으로 묘사하여 19세기 사회에 대한 풍부하고 상세한 지식을 제공해 준다.

1. 이 글을 읽은 후 평소 자신의 글쓰기 태도를 생각해 봅시다.

> 유명한 작가도 자신의 작품을 몇 번이고 고쳐 쓰는데, 나는 평소에 짧은 글은 물론, 긴 글을 쓸 때도 한번 쓴 것은 다시 읽으면서 고치지 않았어.

예시 답ㅣ 글을 다 쓴 후 단계별로 수정하기보다는 쓰는 중간 중간 계속 앞의 내용을 고치며 썼는데, 그러다 보니 글을 쓰는 시간도 길어지고, 글의 구조가 엉성한 경우가 많았다.

2. 다음 고쳐쓰기 전 원고와 고쳐쓰기를 거쳐 출판된 글을 비교해 보고, 고쳐쓰기의 효과를 친구들과 이야기해 봅시다.

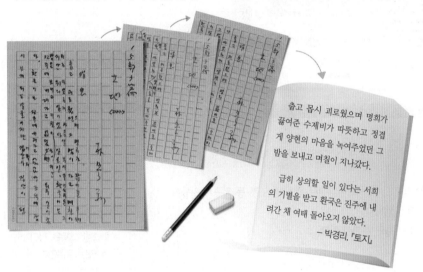

> 춥고 몹시 괴로웠으며 명희가 끓여준 수제비가 따뜻하고 정겹게 양현의 마음을 녹여주었던 그 밤을 보내고 며칠이 지나갔다.
>
> 급히 상의할 일이 있다는 서희의 기별을 받고 환국은 진주에 내려간 채 여태 돌아오지 않았다.
> — 박경리, 『토지』

예시 답ㅣ 고쳐쓰기를 계속함으로써 맞춤법, 띄어쓰기, 비문 등 틀린 것을 바르게 고칠 수 있고, 글의 내용이 더욱 정확하면서도 표현이 풍부해진다.

찬찬샘 핵심 강의

· 고쳐쓰기의 효과

이 활동에서는 프랑스의 소설가 발자크의 실화를 통해 고쳐쓰기의 효과를 알리고 있어. 더 나은 글을 위해 끊임없이 수정한 덕에 발자크는 사실적이고 재미있고 생동감이 넘치는 작품을 남겼다고 해. 이처럼 고쳐쓰기는 좋은 글을 쓰기 위한 필수 과정이므로 글을 쓴 뒤에는 꼭 고쳐 쓰는 습관을 들이도록 하자.

▶핵심 포인트◀

고쳐 쓰기의 효과	• 글을 처음 쓸 때는 생각하지 못한 내용이 떠오르기도 함. • 글을 짜임새 있게 정돈하고 문단을 통일성 있게 구성할 수 있음. • 문법적으로 완전한 문장을 쓸 수 있고, 적절한 표현으로 교체할 수 있음.

★ 지학이가 도와줄게! – 1

고쳐쓰기와 관련하여 나의 평소 글쓰기 습관이나 태도를 반성해 보는 활동이야. 나의 글쓰기 습관은 어떠한지 되돌아보고 친구들과도 이야기해 보자.

★ 지학이가 도와줄게! – 2

실제 소설을 통해 고쳐쓰기의 효과를 구체적으로 알아보는 활동이야. 글의 내용이 바뀌기 전과 바뀐 후에 어떠한 차이가 있는지 구체적으로 메모한 뒤, 각 문장의 의미와 인물을 그려내는 점에서 어떤 효과를 거두고 있는지 비교해 보자.

콕콕 확인 문제

14. 이 글의 내용을 고려할 때, 발자크가 글을 고치는 목적으로 적절하지 <u>않은</u> 것은?

① 생동감 있게 쓰기 위해
② 뜻을 분명하게 드러내기 위해
③ 풍부한 묘사로 사실적인 작품을 쓰기 위해
④ 내용을 추가하여 작품 길이를 더 늘리기 위해
⑤ 속도감 있는 전개로 이야기를 재미있게 만들기 위해

15. 고쳐쓰기의 효과로 보기 어려운 것은?

① 전문적인 지식을 얻을 수 있다.
② 문법에 맞는 문장을 쓸 수 있다.
③ 글을 짜임새 있게 정돈할 수 있다.
④ 문장을 통일성 있게 구성할 수 있다.
⑤ 상황에 적절한 표현으로 고쳐쓸 수 있다.

✪ 창의 · 융합 활동

▌ 고쳐쓰기는 우리 일상의 곳곳에서 이루어질 수 있는 활동입니다. 다음 활동을
바탕으로 우리 학교 누리집을 개편해 봅시다.

**학교 누리집에서 고쳐야
할 부분 찾아 개편해 보기**

[혼자 하기]

1. 우리 학교 누리집을 방문해 보고, 고쳐야 할 점은 없는지 찾아 정리해 봅시다.

◦ 활동 탐구

학교의 누리집을 새로운 시선에서 살펴보고 그 개선점을 찾아 건의문 쓰기로 연계하는 활동이다. 친숙한 인터넷 매체와 고쳐쓰기의 학습 내용을 연계하여 이해할 수 있다.

고쳐야 할 부분	고칠 내용
예 학교 소개 글	• 우리 학교 ○○부가 대회에서 상을 받은 것 등 최근의 일들이 추가되지 않았다. • 맞춤법이 틀린 부분이 있다.
예시 답ㅣ메뉴의 종류	• 몇몇 메뉴는 사용되지 않아 불필요해 보인다. • 메뉴의 구성이 한눈에 알아보기 어렵게 되어 있다.
예시 답ㅣ학교 사진	• 특별한 행사 때 늘 비슷한 구성으로 올리는 사진은 별 흥미가 없다. '오늘의 한 컷' 등의 코너를 마련하여 학생이나 선생님이 자유롭게 학교 생활의 한 순간을 포착하여 자유롭게 올리면 흥미로울 것 같다.

※ 지학이가 도와줄게! - 1

학습한 내용을 직접 확인, 적용할 수 있는 글뿐만이 아니라, 이용자들이 편리하게 사용할 수 있게 하는 게시판 구성이나 주요 내용 배치, 적절한 사진이나 삽화, 추가되었으면 하는 기능 등 다양한 측면에서 개선 방안을 생각해 보도록 하렴.

2. 모둠별로 의견을 모아 누리집에서 고쳐야 할 것을 정해 봅시다.

1 우리 모둠에서 모은 개편 요청 사항을 정리해 봅시다.

개편 요청 사항	까닭
메뉴의 종류 단순화	어떤 메뉴는 하위 메뉴가 거의 없는데 만들어져 있고, 어떤 메뉴는 거의 사용되지 않고 있기 때문에

2 **1**에서 정리한 사항을 한 편의 건의하는 글로 쓴 후, 내용을 점검하고 고쳐 써 봅시다.

- 건의문을 받는 사람을 고려하여 썼는지 확인합니다.
- 건의 내용과 그 까닭이 분명하게 드러났는지 확인합니다.
- 언어 예절을 지키고 맞춤법에 맞게 썼는지 확인합니다.

예시 답 | 학교 누리집의 메뉴 종류를 단순하게 만들 필요가 있어 건의합니다. 누리집에는 여러 가지 메뉴가 많은데, 일부 메뉴는 하위 메뉴가 없는데 만들어져 있고, 어떤 메뉴는 거의 사용되지 않아 자리만 차지하고 있다는 생각입니다. 이용도가 적은 메뉴는 과감히 삭제하거나 다른 메뉴에 통합한다면 누리집의 화면도 깨끗해지고, 필요한 메뉴가 한눈에 들어와 이용하기에도 편리할 것이라고 생각합니다. 또한 활용도가 적은 메뉴를 삭제하는 대신 활용도가 큰 메뉴는 누리집에서 바로 클릭해서 들어갈 수 있도록 구성한다면 많은 학생들이 더욱 편리하게 이용하게 되리라고 믿습니다.

활동 더 해 보기 — 고쳐쓰기를 통한 어휘력 확장

- 모둠을 만들어 모둠별로 친구들과 함께 고쳐쓰기 활동을 해 보기

한 편의 완성된 글 준비하기(학생 글)	→	제시된 글을 몇 개의 부분으로 나누어 모둠별로 배분하기	→	모둠별로 각 문장에서 적절하지 못하다고 생각한 단어나 표현을 찾아 표시하기
모둠별로 고친 부분들을 모아 한 편의 글을 재구성하기	←	문맥을 고려하여 제시된 말들에 관한 적절성 따져 보기	←	표시한 단어나 표현에 관하여 대체할 수 있는 다른 단어나 표현 제시하기

누리집에서 개선되었으면 하는 점을 중심으로 요청 사항을 정리해 보자. 이때 근거를 들며 내용을 구성하는 것이 중요해. 그리고 건의하는 글을 쓸 때는 **2**에 제시된 점검 사항들에 유의하여 쓰면 도움이 될 거야.

➕ **보충 자료**
건의문을 쓸 때 유의할 점
건의문은 개선이 요청되는 어떤 문제에 대한 의견과 해결 방안을 제시하고 이것이 받아들여지도록 촉구하는 글이다.
건의문은 예상 독자가 명확한 편이므로 예상 독자를 면밀하게 분석하여 내용을 구성하되, 상대방을 존중하는 태도로 글을 쓴다.
건의문은 논리적이고 짜임새가 있어야 하며, 이를 위해 '서론 − 본론 − 결론'과 같은 안정된 구성을 취하는 것이 좋다.

• **건의문의 구성**

서론	건의하는 사람, 건의문의 목적 등을 밝힌다.
본론	건의하고자 하는 대상이나 문제 상황을 밝히고 이에 대한 해결 방안을 논리적으로 제시한다.
결론	건의한 내용을 요약하거나 앞에서 제안한 해결 방안의 실현 필요성을 강조한다.

소단원 콕! 짚고 가기

1. 고쳐쓰기의 개념

쓴 글을 읽어보면서 ① □□하여 보고 자신의 의도가 효과적으로 드러나도록 잘못된 부분을 고쳐 나가는 과정을 고쳐쓰기라 한다.

● 글 쓰기의 과정

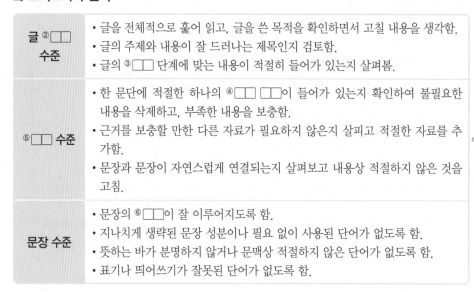

계획하기	내용 생성하기	내용 조직하기	표현하기	고쳐 쓰기
글쓰기의 목적과 주제, 예상 독자를 고려하며 글 전체에 대한 계획을 세움.	글에 들어갈 내용을 준비함.	생성한 내용을 바탕으로 글의 개요를 작성함.	앞에서 계획한 내용들을 글로 표현함.	쓴 글을 읽어보면서 계획대로 썼는지 점검하고 수정함.

2. 고쳐쓰기의 원리

글 ② □□ 수준	• 글을 전체적으로 훑어 읽고, 글을 쓴 목적을 확인하면서 고칠 내용을 생각함. • 글의 주제와 내용이 잘 드러나는 제목인지 검토함. • 글의 ③ □□ 단계에 맞는 내용이 적절히 들어가 있는지 살펴봄.
⑤ □□ 수준	• 한 문단에 적절한 하나의 ④ □□ □□이 들어가 있는지 확인하여 불필요한 내용을 삭제하고, 부족한 내용을 보충함. • 근거를 보충할 만한 다른 자료가 필요하지 않은지 살피고 적절한 자료를 추가함. • 문장과 문장이 자연스럽게 연결되는지 살펴보고 내용상 적절하지 않은 것을 고침.
문장 수준	• 문장의 ⑥ □□이 잘 이루어지도록 함. • 지나치게 생략된 문장 성분이나 필요 없이 사용된 단어가 없도록 함. • 뜻하는 바가 분명하지 않거나 문맥상 적절하지 않은 단어가 없도록 함. • 표기나 띄어쓰기가 잘못된 단어가 없도록 함.

3. 고쳐쓰기의 목적과 방법

목적	읽는 이가 이해하기 쉽게 글을 ⑦ □□하기 위함.
방법	• 글의 내용이나 표현에서 빼거나 바꿀 부분을 찾아 그 대신에 쓸 알맞은 내용이나 표현을 생각해 봄. • 글의 전체적인 흐름, 문단의 내용, 잘못된 문장이나 잘못 쓴 낱말을 고려하여 고쳐야 함.

4. 고쳐쓰기의 효과

● 글을 처음 쓸 때는 생각하지 못한 내용이 떠오르기도 한다.
● 글을 짜임새 있게 정돈하고 문단을 통일성 있게 구성할 수 있다.
● 문법적으로 완전한 문장을 쓸 수 있고, 적절한 표현으로 교체할 수 있다.

정답: ① 검토 ② 전체 ③ 구성
④ 중심 생각 ⑤ 문단 ⑥ 호응
⑦ 개선

[01~05] 다음 글을 읽고, 물음에 답하시오.

가 영수: 진희야, 뭐 하고 있니?

진희: 교내 신문에 실을 글을 쓰고 있어.

영수: 인생에 관한 글이구나.

진희: 아니. 공부에 관한 글인데……

영수: 공부를 주제로 무슨 글을 쓰게?

진희: 공부를 왜 하는지 모르겠다는 친구들이 많잖아.

영수: 다 쓴 거야?

진희: 응. 이제 ㉠고쳐쓰기를 하려고.

나

진희가 쓴 글

파일(F) 편집(E) 보기(U) 입력(D) 도구(K)

새문서   불러오기   저장   인쇄

ⓐ인생의 소중한 가치

가 며칠 전에 교내 경시대회를 준비하던 나는 문득 '공부를 하는 까닭'을 깊이 생각해 보게 되었다. '공부는 왜 하는 것일까?' 공부는 학생의 의무이니 학생은 당연히 공부해야 한다는 말은 이 질문에 좋은 답이 될 수는 없을 것이다.

나 많은 사람이 '좋은 고등학교에, 대학교에, 안정적인 직장에 가기 위해' 공부를 한다. ⓑ또는 공자나 맹자처럼 자기 수양을 위해 공부를 하기도 한다. 공부해서 현실적인 이익을 얻기 위해서 공부를 하는 것이다. 내가 지난 기말고사에서 성적이 오르면 어머니께서 휴대 전화를 바꿔 주기로 하셨기 때문에 공부를 열심히 했던 것도 이와 ⓒ틀리지 않다.

다 이처럼 현실적인 이익을 위해서 공부를 하면, 공부에 따른 ⓓ댓가를 얻을 수 없게 되었을 때는 공부를 하기가 어려워진다. 나는 요사이 공부에 대한 의욕이 떨어진 까닭이 무엇인지 생각해 보았다. ⓔ그것은 지난번에 성적이 많이 오르고 뿌듯함을 느끼게 되었기 때문이었다.

라 지금 시점에서 내 삶의 방향을 스스로 모두 결정지을 수는 없다. ㉡지금은 내가 장차 무엇이 될지, 무엇을 해야 할지 좀처럼 모른다. 이럴 때 공부를 해 놓는 것은 미래를 위한 가장 좋은 대비가 될 것이다.

01. (가)~(나)의 내용을 참고하여, (나)의 '주제'와 '글을 읽을 대상'을 정리하여 쓰시오.

활동 응용 문제

02. 글의 내용을 보충하고자 할 때, 문맥상 〈보기〉의 글이 들어갈 위치로 적절한 곳은?

┤ 보기 ├

그리스의 철학자 플라톤은 교육이 한 인간을 양성할 때의 방향이 훗날 그의 삶을 결정할 것이라고 하였다. 이처럼 공부는 내가 삶에서 중요하게 생각하는 것을 이룰 수 있도록 해 주는 데 그 가치가 있다. 또한, 내가 삶에서 무엇을 중요하게 여기는지를 깨닫게 해 주는 것 역시 공부이다. 이것이 공부해야 하는 진정한 까닭이다.

① ㉮의 앞   ② ㉮와 ㉯ 사이

③ ㉯와 ㉰ 사이   ④ ㉰와 ㉱ 사이

⑤ ㉱의 뒤

03. ㉠에 대한 설명으로 적절하지 <u>않은</u> 것은?

① 글의 완성에 필수적인 과정이다.

② '부가', '삭제', '재구성'의 원리가 적용된다.

③ 글쓰기의 마지막 단계에만 일어나는 활동이다.

④ 글쓴이의 의도를 분명하게 드러내기 위한 활동이다.

⑤ '글 전체 → 문단 → 문장' 수준에서 순차적으로 이루어진다.

활동 응용 문제

04. ⓐ~ⓔ 중, '글 전체 수준'에서 고쳐 쓰기를 계획한 것은?

① ⓐ는 글의 주제와 어울리지 않아. 주제와 내용에 어울리는 제목으로 고쳐야 하겠어.

② ⓑ는 중심 내용을 나타내는 데 적절하지 않아 삭제하는 것이 좋겠군.

③ ⓒ는 문맥상 적절하지 않은 단어야. '다르지'로 고쳐 써야 하겠네.

④ ⓓ는 표기가 잘못되었어. '대가'로 써야 올바른 표기야.

⑤ ⓔ는 앞 문장과의 연결이 자연스럽지 않아. 문맥이 자연스럽게 고쳐야 하겠어.

|서술형|

05. ⓛ을 고쳐 써야 하는 이유를 서술하고, 바르게 고치시오.

- 고쳐 써야 하는 이유
- 바르게 고친 문장

[06~10] 청소년 운동 공간 확보의 필요성을 주장하는 글의 일부를 읽고, 물음에 답하시오.

가 현대인의 생활 습관이 바뀌면서 ⓐ비만이 ⓑ급격이 늘고 있다. 비만은 당뇨병, 고지혈증, 관절염 등의 ⓒ발생율을 높이고, 과도한 비만은 그 자체를 하나의 질병으로 보아야 한다는 사람도 있을 정도다. 그중에도 청소년 비만이 특히 심각한 문제다. ㉠그 밖에도 청소년들은 척추옆굽음증이나 각종 전염병에도 취약한 상태이다.

나 대한비만학회와 국민건강보험공단의 2015년 조사에 따르면 한국의 소아·청소년 6명 중 1명은 ⓓ과체중 혹은 비만이라고 한다. 청소년 비만은 상당수가 성인 비만으로 이어지고, 10대 때부터 성인병을 ⓔ얻을수도있다. 이러한 청소년 비만이 왜 생기는 것일까? 나는 청소년들의 운동 부족이 가장 큰 원인이라고 생각한다. ㉡그러므로 그 밑바탕에는 운동 공간 부족의 문제가 있다.

06. 〈보기〉에서 이 글을 쓰는 과정에서 활용한 글쓰기 전략을 모두 고른 것은?

| 보기 |

ㄱ. 질문을 함으로써 독자의 주의를 환기한다.
ㄴ. 비슷한 상황에 빗대어 비만의 위험성을 강조한다.
ㄷ. 독자에게 인상 깊게 전달할 수 있도록 명언을 활용한다.
ㄹ. 구체적 수치가 나타난 조사 결과를 들어 사태의 심각성을 드러낸다.
ㅁ. 현대인의 생활 습관을 구체적으로 나열하여 비만과의 관련성을 드러낸다.

① ㄱ, ㄴ　　　　② ㄱ, ㄹ
③ ㄷ, ㅁ　　　　④ ㄴ, ㄷ, ㄹ
⑤ ㄱ, ㄹ, ㅁ

활동 응용 문제

07. (가)를 검토한 후 ㉠을 삭제하기로 했다면 그 이유로 적절한 것은?

① 내용이 중복되어서
② 문장 간의 연결이 자연스럽지 않아서
③ 맞춤법에 맞지 않는 단어를 사용해서
④ 문장의 호응이 잘 이루어지지 않아서
⑤ 주제와 목적에 맞지 않는 내용이 들어 있어서

08. 문맥이 자연스럽게 ㉡을 고치려고 할 때 가장 적절한 것은?

① 역시　　　② 그래서　　　③ 그리고
④ 따라서　　⑤ 그렇듯

활동 응용 문제

09. ⓐ~ⓔ를 고쳐 쓴 것으로 적절하지 않은 것은?

① ⓐ: '비만이'는 문맥상 정확하지 않은 표현이므로 '비만 인구가'로 고친다.
② ⓑ: '급격이'는 표기가 잘못되었으므로 '급격히'로 고친다.
③ ⓒ: '발생율'을 맞춤법에 어긋나므로 '발생률'로 고친다.
④ ⓓ: '과체중 혹은 비만'은 같은 의미를 반복한 것이므로 '비만'으로 고친다.
⑤ ⓔ: '얻을수도있다'는 띄어쓰기가 안 되어 있으므로 '얻을 수도 있다'로 고친다.

10. 〈보기〉는 내용을 추가하여 (가)~(나)를 완성하기 위해 찾은 자료이다. 글의 주제를 고려할 때 추가할 내용으로 적절하지 않은 것은?

| 보기 |

ㄱ. 운동장 없는 학교가 늘어났다는 신문 기사
ㄴ. 시설 부족으로 운동을 못하는 학생들의 호소
ㄷ. 운동과 청소년 건강과의 관련성을 보여 주는 실험 자료
ㄹ. 운동을 할 시간적 여유가 없는 학생들의 상황을 조사한 자료
ㅁ. 청소년 비만 원인이 개인의 무절제한 식습관이나 게으름임을 알려 주는 자료

① ㄱ, ㄷ　　　② ㄱ, ㅁ　　　③ ㄴ, ㄹ
④ ㄷ, ㄹ　　　⑤ ㄹ, ㅁ

[11~12] 다음 글을 읽고, 물음에 답하시오.

등장인물이 2,400여 명에 이르는 『인간희극』 시리즈의 프랑스 작가 오노레 드 발자크(1799~1850). 그는 수없이 원고를 고치고 다듬은 '고쳐쓰기의 달인'이었다. 한 쪽을 쓰기 위해 60장 이상을 새로 쓰고 또 고쳤다.

이미 끝낸 소설을 열여섯 번까지 수정하기도 했다. 단조로운 묘사는 풍부하게, ㉠늘려지는 이야기는 속도감 있게, 대화체는 더 생생하게 손질했다. ㉡그렇지만 그의 소설은 어느 작품보다 사실적이고 재미있으며 생동감이 넘쳤다.

원고를 인쇄소에서 조판한 뒤에도 그는 끊임없이 고쳤다. 출판사들은 그를 위해 특별 교정지를 준비해야 했다. 한가운데에 활자를 찍고 위아래와 양옆에 ㉢넓은 여백을 마련해 고쳐 쓸 수 있도록 했다. 그는 여기에 고칠 문구와 더할 문장들을 빽빽하게 써넣었다. 여백이 모자라면 뒷면에 이어 쓰고, 그것도 부족하면 다른 종이에 따로 써서 풀로 붙였다.

인쇄소 직원들은 비명을 질렀다. 특별히 훈련받은 식자공마저 손을 내저었다. 우여곡절 끝에 나온 새 교정쇄를 받고도 그는 고쳐쓰기를 멈추지 않았다.

"안 ㉣돼겠어. 어제 쓴 것, 그제 쓴 것, 모두 마음에 들지 않아. 뜻은 뚜렷하지 않고 문장은 혼란스럽고 문체는 잘못됐고 배치도 너무 어려워! 모든 걸 바꿔야 해. 더 뚜렷하게, 더 분명하게!"

교정지만 일곱 번 고친 일도 있었다. 추가 비용이 너무 많이 들어 출판사가 어려워하면 자기 호주머니를 털었다. 이런 식으로 원고료의 절반 이상, 전부까지 다 날린 게 10여 차례나 된다. ㉤한 번은 어떤 신문사가 끝없이 계속되는 그의 교정에 지쳐 마지막 수정본을 기다리지 않고 신문에 신자 발자크는 그 신문사와 '영원한 절교'를 선언하기도 했다.

11. 이 글을 통해 알 수 있는 사실이 <u>아닌</u> 것은?

① 발자크는 뜻이 명확하지 않을 때 고쳐 쓰기를 했다.

② 발자크의 지나친 원고 수정 때문에 인쇄공들의 불만이 컸다.

③ 발자크는 다른 사람이 자신의 작품을 수정하는 것을 극도로 꺼렸다.

④ 끊임없이 글을 손질한 덕에 발자크의 소설 작품은 사실적이고 생동감이 넘쳤다.

⑤ 발자크가 고쳐쓰기에 집착한 이유는 최선을 다해 완벽한 글을 쓰기 위해서이다.

활동 응용 문제
12. ㉠~㉤을 고친 것으로 알맞지 <u>않은</u> 것은?

① ㉠: 문맥상 '늘어지는'으로 고쳐야 한다.

② ㉡: 앞뒤 문장이 원인과 결과의 관계이므로 '그래서'로 고치는 것이 적절하다.

③ ㉢: '여백'에 '넓다'의 의미가 담겨 있어 의미가 중복되므로 '넓은'을 삭제한다.

④ ㉣: '돼겠어'는 표기 오류이므로 '되겠어'로 고쳐야 한다.

⑤ ㉤ '한 번은'은 '지난 어느 때'의 뜻이므로 '한번은'과 같이 붙여 써야 한다.

활동 응용 문제
13. 고쳐쓰기의 효과로 적절하지 <u>않은</u> 것은?

① 글을 짜임새 있게 정리할 수 있다.

② 예상 독자 분석을 더 잘할 수 있다.

③ 문단을 통일성 있게 구성할 수 있다.

④ 문법적으로 바른 문장을 쓸 수 있다.

⑤ 글을 처음 쓸 때는 생각하지 못한 내용이 떠오르기도 한다.

14. 고쳐쓰기에 대한 생각이 바른 사람은?

① 지영: 어려운 한자어나 외래어를 많이 사용하여 고치는 것이 좋아.

② 도진: 글의 재미를 위해서라면 주제에 벗어난 내용이라도 덧붙여야지.

③ 은영: 한 문단 안에 여러 개의 중심 생각이 들어 있으면 내용이 더 풍부해질 거야.

④ 미숙: 제목은 글의 중심 내용이 아니더라도 독자의 관심을 끌 수 있는 것으로 선택해야지.

⑤ 경철: 글의 각 단계가 제 구실을 하는지, 단계 간의 연결이 자연스러운지 살펴봐야겠어.

15. 다음 문장에서 <u>잘못</u> 표기된 말을 찾아 바르게 고쳐 쓰시오.

(1) 여름엔 햇빛이 따가워 모자를 써야 한다.

(2) 한국인으로써 이 문장은 틀리지 않을 것이다.

(3) 어머니는 언제나 항상 노래를 흥얼거리신다.

단원+단원 통합과 적용

단원+단원, 이렇게 통합·적용했어요!

정확한 발음과 표기
자음과 모음, 받침
정확하게 발음하기

+

쓴 글을 돌아보며
고쳐쓰기의 원리
이해하고 효과 깨닫기

↓

체육 시간에 '야구'를 주제로
발표하기에 적용하기

▌체육 시간에 '야구'를 주제로 발표하기 위해 준비한 다음 글을 보고 이어지는 활동을 해 봅시다.

야구의 영어 명칭인 '베이스볼(baseball)'은 다이아몬드 모양으로 된 내야에 네 귀퉁이에 각각 1루, 2루, 3루, 홈이라 불리는 방석 모양의 베이스(누)를 사용한다고 해서 붙여진 이름이다. 한자로는 '들 야(野)' 자에 '공 구(球)' 자를 쓰므로, 야구라는 말에는 넓은 들판에서 공을 가지고 하는 게임이라는 뜻도 담겨 있다. 야구는 우리나라에서 가장 인기가 좋은 운동 경기 중 하나이다. 작년에도 700만 명이 넘는 관중이 야구장을 찾았다. 야구의 선수 구성과 경기 규칙은 다음과 같다.

야구는 2개 팀이 교대로 공격과 수비를 하면서 경기를 진행한다. 공격 팀이 상대 투수가 던지는 공을 쳐서 안타를 만들고 1, 2, 3루를 차례로 거쳐 홈을 밟으면 1점을 얻는다. 타자가 누 위로 올라갈 방법은 안타뿐만 아니라 투수가 스트라이크를 세 개 던지기 전 볼을 네 개 던지거나, 타자가 다른 곳에 맏지 않은 공에 몸을 먼져 맞았을 때 등 여러 가지가 있다. 또 홈런을 치면 타자와 함께 베이스에 나가 있는 모든 주자가 한꺼번에 홈을 밟아 득점하게 된다.

1. 이 글을 바탕으로 발표한다고 할 때, 어떤 부분을 고쳐야 할지 생각해 봅시다.

글 수준 예시 답 l 야구의 선수 구성과 경기 규칙을 설명한다고 했으므로 1문단과 2문단 사이에 야구의 선수 구성을 설명해야 문단이 매끄럽게 연결된다.

문단 수준 예시 답 l 글의 전체적인 주제와 상관없는 내용이 포함되어 있으므로 뺀다.(야구는 우리나라에서 ~ 700만 명이 넘는 관중이 야구장을 찾았다.)

문장 수준 예시 답 l • 적절하지 못한 조사를 사용함.(내야에 → 내야의)
• 단어의 표기가 잘못됨.(맏지 → 맞지, 먼져 → 먼저)
• 순화된 형태로 통일하여 단어를 사용함.(베이스 → 누)

2. 컴퓨터 등을 활용하여, 고친 글로 발표 자료를 만들어 봅시다.

• 발표 자료는 글의 내용을 압축하고 명료하게 내용이 나타나도록 고쳐야 해요.
• 글의 주제, 문단의 내용에 맞는 사진, 도표 등의 자료를 적극적으로 활용하면 좋아요. 사용한 자료가 적절한지 판단하고 한눈에 들어오도록 배치해야 해요.
• 자료의 모양을 시각적으로 통일성 있게 만들면 좋아요.

예시 답 l 제목

야구의 이름과 규칙

2학년 1반 김은지

이름의 유래

• 영어 – 베이스볼
1루, 2루, 3루, 홈으로 된 4개의 베이스를 사용한다고 해서 붙여진 이름
• 우리말 – 야구(野球)
넓은 들판에서 공을 가지고 하는 게임이라는 뜻

선수 구성

야구는 수비 때는 1명의 투수와, 8명의 야수가 수비한다. 공격 때에는 이 9명이 차례를 정해 타자로 나서거나 투수를 대신해 수비하지 않는 지명 타자가 타순에 포함되기도 한다.
• 내야수: 1루수, 2루수, 3루수, 유격수
• 외야수: 좌익수, 우익수, 중견수
• 포수: 홈 뒤에서 투수의 공을 받는다.
• 투수: 처음에 나오는 투수를 선발 투수라고 하며, 보통 5회 이상 던진다.

경기 규칙

• 9명씩 구성된 2개 팀이 9회 동안 교대로 공격과 수비를 한다.
• 득점 방법
 – 1, 2, 3루를 차례로 거쳐 홈을 밟으면 1점을 얻는다.
 – 타자가 누 위에 올라갈 방법은 안타 외에도 볼넷, 몸에 맞는 공 등 여러 가지가 있다.
 – 홈런을 치면 타자와 함께 누에 나가 있는 모든 주자가 홈을 밟아 득점이 된다.

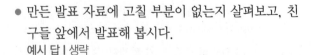

● 만든 발표 자료에 고칠 부분이 없는지 살펴보고, 친구들 앞에서 발표해 봅시다.
예시 답 l 생략

대단원을 닫으며

·학습 목표 점검하기·

❶ 정확한 발음과 표기

단어를 정확하게 발음하고 표기하기

> • 단어의 올바른 발음과 표기는 『표준어 규정』 중 표준 발음법 에 제시된 원리에 맞게 정확히 해야 한다.
> • 정확하지 않은 발음과 표기는 의사소통 에 혼란을 줄 수 있다.
> • 올바른 발음과 표기는 생활 속에서부터 이루어져야 한다.

➡

> 잘 모른다면
> 교과서 57~71쪽의 활동 1~활동 4의 내용을 살펴보면 올바른 발음은 물론 표기의 원리도 이해할 수 있을 거야.

❷ 쓴 글을 돌아보며

고쳐쓰기의 일반 원리를 고려하여 글을 고쳐 쓰기

> • 고쳐쓰기는 읽는 이 가 이해하기 쉽게 글을 개선하는 과정이다.
> • 고쳐쓰기를 할 때는 글 수준, 문단 수준, 문장 수준 등에서 다양한 측면을 살펴 고쳐야 한다.
> • 고쳐쓰기를 하면서 빠진 내용을 보충할 수도 있고, 문단을 통일성 있게 구성할 수도 있고, 문법에 맞지 않거나 적절하지 못한 표현을 교체할 수도 있다.

➡

> 잘 모른다면
> 교과서 85쪽의 점검 사항을 참고하면 고쳐쓰기를 좀 더 체계적으로 할 수 있을 거야.

·어휘력 점검하기·

다음 문장의 빈칸에 어울리는 말을 바르게 연결해 보자.

(1) 그들이 결혼하기까지에는 많은 ☐☐☐ ☐이 있었다. •

(2) ☐☐☐☐ 시대는 인간의 이성을 강조하며 자연을 인간의 의지대로 조정할 수 있다고 주장했다. •

(3) 우리 회사는 안정적이지만 신기술 분야에 ☐☐☐☐. •

(4) 매일 반복되는 일상으로 심심하고 ☐☐☐ ☐. •

• 계몽주의

• 우여곡절

• 취약하다

• 단조롭다

> • 계몽주의: 16~18세기에 유럽 전역에 일어난 혁신적 사상. 이성의 힘과 인류의 무한한 진보를 믿으며 구습을 타파하고 사회를 개혁하려는 데 목적을 두었던 시대적인 사조.
> • 우여곡절: 뒤얽혀 복잡하여진 사정.
> • 취약하다: 무르고 약하다.
> • 단조롭다: 단순하고 변화가 없어 새로운 느낌이 없다.

정답: (1) 우여곡절 (2) 계몽주의 (3) 취약하다 (4) 단조롭다

01. 〈보기〉에서 밑줄 친 모음이 늘 'ㅖ'로만 발음되는 단어끼리 묶은 것은?

┤ 보기 ├
ㄱ. 실<u>례</u>   ㄴ. <u>혜</u>성   ㄷ. 세<u>계</u>
ㄹ. <u>예</u>절   ㅁ. 종<u>례</u>   ㅂ. <u>계</u>몽

① ㄱ, ㄴ, ㄹ   ② ㄱ, ㄷ, ㅁ
③ ㄱ, ㄹ, ㅁ   ④ ㄴ, ㄹ, ㅂ
⑤ ㄷ, ㅁ, ㅂ

02. 다음 문장에서 밑줄 친 'ㅢ'의 발음이 옳지 <u>않은</u> 것은?

① 안중근 <u>의사[으사]</u> 기념관에 갔다.
② 벽지의 <u>무늬[무니]</u>가 너무 화려하다.
③ <u>나의[나에]</u> 꿈이 무엇인지 찾고 있다.
④ 안개가 내려와 달빛이 <u>희미하다[히미하다]</u>.
⑤ 학급 <u>회의[회이]</u>가 오래 걸려 귀가가 늦었다.

03. 밑줄 친 음절의 받침 발음이 나머지와 <u>다른</u> 하나는?

① 별<u>빛</u>   ② <u>덮</u>개   ③ <u>낮</u>잠
④ 히<u>읗</u>   ⑤ <u>햇</u>과일

04. 다음 단어의 겹받침 중 뒤 자음이 소리 나는 것은?

① <u>앉</u>(다)   ② <u>끊</u>(다)   ③ <u>핥</u>(다)
④ <u>없</u>(다)   ⑤ <u>읊</u>(다)

| 고난도 |
05. 밑줄 친 단어의 겹받침이 [ㅂ]으로 소리 나는 것은?

① 땅을 <u>밟고</u> 살아야 건강하다.
② 하늘은 <u>넓고</u> 바다는 푸르다.
③ 길이를 보니 이쪽 줄이 <u>짧다</u>.
④ 순이네는 병아리 여<u>덟</u> 마리가 있다.
⑤ 바람이 차가운데 옷이 너무 <u>얇지</u> 않니?

| 고난도 |
06. 〈보기〉의 ㉠~㉤을 발음할 때 일어나는 현상을 바르게 이해하지 <u>못한</u> 사람은?

┤ 보기 ├
초복날 아침 외할아버지께서 키운 ㉠<u>닭을</u> 잡기로 했다. 외삼촌은 ㉡<u>닭장</u>에 있던 큰 ㉢<u>닭만</u> 골라서 ㉣<u>삶아</u> 이웃에게 골고루 나누어 주시고, 통통한 닭 다리를 내 ㉤<u>몫까지</u> 챙겨 주셨다.

① ㉠의 겹받침 'ㄺ'의 [ㄱ]은 뒤에 이어지는 말의 첫소리로 발음되는군.
② ㉡의 겹받침 'ㄺ'은 앞의 자음인 [ㄹ]이 소리 나는군.
③ ㉢은 겹받침이 대표음인 [ㄱ]이 된 뒤, 뒤의 오는 첫소리의 영향을 받아 [ㅇ]으로 변해 발음되는군.
④ ㉣의 겹받침 'ㄻ'은 앞 자음은 받침으로, 뒤 자음은 뒷말의 첫소리로 발음되는군.
⑤ ㉤의 겹받침 'ㄳ'은 앞 자음 소리만 발음되는군.

07. 다음 문장에서 밑줄 친 단어의 발음이 옳지 <u>않은</u> 것끼리 묶은 것은?

┤ 보기 ├
ㄱ. 벽돌을 <u>쌓아[싸아]</u> 집을 짓는다.
ㄴ. 병이 일른 <u>낳아야[낫아야]</u> 할 텐데.
ㄷ. 짐을 여기에 <u>놓고[논코]</u> 다녀오자.
ㄹ. 눈이 <u>하얗지[하야치]</u> 않은 게 이상하다.
ㅁ. 팔을 뻗으니 간신히 나뭇가지에 손이 <u>닿았다[닫아따]</u>.

① ㄱ, ㄷ   ② ㄱ, ㄷ, ㅁ
③ ㄱ, ㄹ, ㅁ   ④ ㄴ, ㄷ, ㅁ
⑤ ㄷ, ㄹ, ㅂ

08. 다음 문장에서 밑줄 친 말의 발음이 옳지 <u>않은</u> 것은?

① 배를 타고 <u>뭍에[무테]</u> 닿았다.
② <u>뭍 위[무뒤]</u>에는 새가 날고 있다.
③ 이 도자기는 상당히 <u>값있다[가빋따]</u>.
④ 인생의 <u>값을[가블]</u> 누가 매길 수 있느냐.
⑤ <u>숲 안[수반]</u>에는 온갖 과일이 열린 나무들이 있다.

[09~10] 다음 대화를 읽고, 물음에 답하시오.

정현　'되'와 '돼'의 표기는 왜 이렇게 헷갈릴까?

혜민　[돼]와 [되]의 발음이 구분하기 힘드니 그 말을 옮겨 적을 때도 틀리기 쉽지. '되-'가 문장을 끝맺는 역할을 할 때는 '되어'로 써야 하고, 그것의 줄임말이 '돼'야. 발음과 뜻에 유의하여 쓰면 덜 헷갈릴 거야.

정현　아아, 그래서 '되어서'도 '돼서'로 쓰는구나!

09. 이 대화 내용을 참고할 때, 밑줄 친 단어의 표기가 옳지 <u>않은</u> 것은?

① 나도 배우가 <u>되면</u> 어떻겠니?

② 도서관에 가려면 이 버스를 타면 <u>돼</u>.

③ 배가 아프니 내일까지는 밥을 먹으면 안 <u>돼</u>.

④ 오늘은 시간이 안 <u>되어</u> 야구 경기 못 보겠어.

⑤ 이러다간 내 꿈이 물거품으로 <u>되</u> 버릴지도 몰라.

| 서술형 |

10. 다음 문장에서 잘못 쓰인 말을 찾고, 혜민이의 말을 참고하여 그 까닭을 서술하시오.

> 날씨가 선선하니 공원에서 함께 바람을 쐬요.

11. 다음은 간판의 표기를 보고 나눈 대화이다. 대화 내용이 적절하지 <u>않은</u> 것은?

> 오늘은 웬지 도넛이 먹고 싶구나

> 진희: '웬지'는 표기가 틀렸네. '웬'을 '왠'으로 고쳐 써야 해. ···················· ①
> 영수: '왠'과 '웬'은 발음이 비슷하지만, '내'는 'ㅗ'로 시작해서 'ㅐ'로 끝나고, '네'는 'ㅜ'로 시작하여 'ㅔ'로 끝나니 구분해서 발음하는 것이 좋아. ···················· ②
> 혜영: 왠'은 '왜인지'가 줄어든 '왠지'라는 부사로 쓰여. ···················· ③
> 진희: '웬'은 하나의 단어이고, '어찌 된, 어떠한'이라는 뜻의 관형사야. ···················· ④
> 영수: 그럼 '네가 왠 일이야?' 와 같이 쓰는게 맞겠군. ···················· ⑤

[12~14] 다음 대화를 읽고, 물음에 답하시오.

누나　좋은 소식이야! 엄마께서 드디어 강아지를 키우기로 ⓐ결정하셨데.

동생　정말? 어떤 종이 좋지? 진돗개가 ㉠낳을까? 아님 푸들이 낳을까?

누나　내 친구가 그러는데 푸들이 정말 ⓑ영리하데.

동생　나는 귀여운 강아지가 오길 ㉡바래.

누나　㉢의외인데? 난 네가 불독처럼 개성 있는 강아지를 좋아하는 줄 ⓓ알았는데.

동생　빨리 강아지가 집에 오면 ⓔ좋겠는대⋯⋯. 이름은 꼭 내가 지을 거다!

12. ⓐ~ⓔ 중, 표기가 바른 것은?

① ⓐ　　② ⓑ　　③ ⓒ
④ ⓓ　　⑤ ⓔ

| 고난도 |

13. ㉠에 대해 탐구한 내용으로 적절하지 <u>않은</u> 것은?

> 미정: '낫'과 '낳'의 받침 발음이 유사하여 잘못 표기한 사례이다. ···················· ①
> 은수: 문맥상 '~보다 좋거나 앞서 있다'의 의미이므로 '낫다'를 써야 한다. ···················· ②
> 경욱: '낫+을까'로 표기하고 [나을까]로 발음해야 맞다. ···················· ③
> 경아: '낳다'는 '강아지가 새끼를 낳다'와 같은 경우에 쓰는 말이다. ···················· ④
> 현민: '낫-'과 '낳-'은 뒤에 모음인 어미가 이어지면 발음할 때 받침이 생략되므로 더 혼동될 수 있다. ···················· ⑤

14. 다음 문장의 밑줄 친 단어 중, ㉡과 같은 표기 오류를 보이는 예가 <u>아닌</u> 것은?

① 부모는 자식이 행복하기를 <u>바래</u>.

② 그의 <u>바램</u>은 오직 민족의 화합이었다.

③ 이런 일을 한 것은 도움을 <u>바래서</u>가 아니다.

④ 딸이 여럿인데도 또 딸을 <u>바랜다니</u> 의외이다.

⑤ 이름이 적힌 문패는 비바람에 색이 <u>바래</u> 있었다.

15. 다음 차림표에서 표기가 <u>잘못된</u> 것을 골라 바르게 고쳐 쓴 것은?

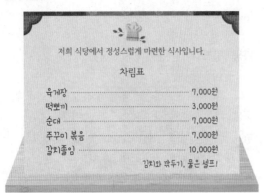

저희 식당에서 정성스럽게 마련한 식사입니다.

차림표

육게장 ·············· 7,000원
떡뽀끼 ·············· 3,000원
순대 ·············· 7,000원
주꾸미 볶음 ·············· 7,000원
갈치졸임 ·············· 10,000원

김치와 깍두기, 물은 셀프!

① 육게장 → 육계장
② 떡뽀끼 → 떡볶기
③ 갈치졸임 → 칼치 조림
④ 주꾸미 볶음 → 쭈꾸미 볶음
⑤ 깍두기 → 깍두기

16. 고쳐쓰기에 대한 설명으로 적절하지 <u>않은</u> 것은?

① 글을 완성한 후에만 고쳐쓰기를 할 수 있다.
② 고쳐쓰기를 통해 글쓴이의 의도를 더욱 잘 드러낼 수 있다.
③ '글 전체 → 문단 → 문장' 수준 등에서 다양한 측면을 살펴 고쳐야 한다.
④ 고쳐쓰기를 하면 글의 내용을 점검하여 매끄럽게 고칠 수 있다.
⑤ 고쳐쓰기를 하며 처음 쓸 때는 생각하지 못한 내용이 떠오르기도 한다.

17. 글 전체 수준에서 고쳐 쓰기를 할 때 점검할 사항이 <u>아닌</u> 것은?

① 글의 구성은 체계적인가?
② 주제가 분명하게 제시되었는가?
③ 주제에서 벗어난 불필요한 내용은 없는가?
④ 제목은 글의 주제나 내용을 잘 드러내고 있는가?
⑤ 뒷받침 문장은 중심 문장과 직접적인 관련이 있는가?

[18~22] 다음 글을 읽고, 물음에 답하시오.

가

진희가 쓴 글

파일(F) | 편집(E) | 보기(U) | 입력(D) | 도구(K)
새운서 | 불러오기 | 저장 | 인쇄

인생의 소중한 가치

며칠 전에 교내 경시대회를 준비하던 나는 문득 '공부를 하는 까닭'을 깊이 생각해 보게 되었다. ㉠'공부는 왜 하는 것일까?' 공부는 학생의 의무이니 학생은 당연히 공부해야 한다는 말은 이 질문에 좋은 답이 될 수는 없을 것이다.

많은 사람이 '좋은 고등학교에, 대학교에, 안정적인 직장에 가기 위해' 공부를 한다. ㉡또는 공자나 맹자처럼 자기 수양을 위해 공부를 하기도 한다. ⓐ공부해서 현실적인 이익을 얻기 위해서 공부를 하는 것이다. 내가 지난 기말고사에서 성적이 오르면 어머니께서 휴대 전화를 바꿔 주기로 하셨기 때문에 공부를 열심히 했던 것도 이와 ⓑ틀리지 않다.

이처럼 현실적인 이익을 위해서 공부를 하면, 공부에 따른 ⓒ대가를 얻을 수 없게 되었을 때는 공부를 하기가 어려워진다. 나는 요사이 공부에 대한 의욕이 떨어진 까닭이 무엇인지 생각해 보았다. 그것은 지난번에 성적이 많이 오르고 뿌듯함을 느끼게 되었기 때문이었다.

지금 시점에서 내 삶의 방향을 스스로 모두 결정지을 수는 없다. ㉢지금은 내가 장차 무엇이 될지, 무엇을 해야 할지 좀처럼 모른다. 이럴 때 공부를 해 놓는 것은 미래를 위한 가장 좋은 대비가 될 것이다.

나 현대인의 생활 습관이 바뀌면서 ⓓ비만이 급격히 늘고 있다. 비만은 당뇨병, 고지혈증, 관절염 등의 ⓔ발생율을 높이고, 과도한 비만은 그 자체를 하나의 질병으로 보아야 한다는 사람도 있을 정도다. ㉣그중에도 청소년 비만이 특히 심각한 문제다. ㉤그 밖에도 청소년들은 척추옆굽음증이나 각종 전염병에도 취약한 상태이다.

대한비만학회와 국민건강보험공단의 2015년 조사에 따르면 한국의 소아·청소년 6명 중 1명은 과체중 혹은 비만이라고 한다. ㉥청소년 비만은 상당수가 성인 비만으로 이어지고, 10대 때부터 성인병을 얻을 수도 있다. 이러한 청소년 비만이 왜 생기는 것일까? 나는 청소년들의 운동 부족이 가장 큰 원인이라고 생각한다. 그러나 그 밑바탕에는 운동 공간 부족의 문제가 있다.

|고난도|

18. (가)를 읽고 문단 수준에서 고쳐 쓰기를 점검하고 있는 사람은?

① 민정: 제목이 글의 주제를 잘 드러내고 있지 못해. 다른 제목을 생각해 봐야지.

② 동욱: 문장과 문장이 자연스럽게 연결되지 않는 부분이 있어. 접속어를 바꿔 연결을 매끄럽게 해야겠어.

③ 창석: 문맥상 적절하지 않은 단어가 사용되었네? 의미가 정확한 단어로 수정해야지.

④ 신혜: 글의 짜임이 어색해. 흐름을 고려하여 재배치해야 하겠어.

⑤ 태희: 잘못 표기된 단어가 있군. 맞춤법에 맞게 고쳐 써야지.

19. (나)의 주제를 정리한 것으로 가장 적절한 것은?

① 청소년 비만은 하나의 질병이다.

② 청소년은 다양한 질병에 취약하다.

③ 청소년 비만은 성인병의 원인이 된다.

④ 청소년 비만이 심각한 사회 문제가 되고 있다.

⑤ 청소년의 비만 예방을 위해 운동 공간을 충분히 확보해야 한다.

|고난도|

20. ㉠~㉤ 중, 〈보기〉의 문장과 같은 오류를 보여 고쳐 써야 하는 곳은?

┤ 보기 ├

비록 우리가 노력한다면, 그 일을 해낼 수 있을 것이다.

① ㉠ ② ㉡ ③ ㉢

④ ㉣ ⑤ ㉤

21. ⓐ~ⓔ에 대한 설명으로 적절하지 <u>않은</u> 것은?

① ⓐ: '공부해서'와 '공부를 하니'가 중복되므로 둘 중 하나를 삭제한다.

② ⓑ: 문맥상 '다르지'를 써야 뜻이 분명하다.

③ ⓒ: '댓가'로 고쳐 써야 올바른 표기이다.

④ ⓓ: '비만 인구가'로 고쳐 써야 올바른 표현이 된다.

⑤ ⓔ: '발생률'로 고쳐 써야 올바른 표기이다.

22. ㉮를 고쳐 써야 하는 이유로 적절한 것은?

① 문장의 호응 관계가 바르지 않기 때문에

② 맞춤법에 맞지 않는 표기가 있기 때문에

③ 문장 간의 연결이 자연스럽지 않기 때문에

④ 친구들이 이해하기 어려운 내용이기 때문에

⑤ 글의 주제와 목적에 맞지 않는 내용이기 때문에

[23~24] 다음 글을 읽고, 물음에 답하시오.

⑦ 그는 수없이 원고를 고치고 다듬은 '고쳐쓰기의 달인'이었다. 한 쪽을 쓰기 위해 60장 이상을 새로 쓰고 또 고쳤다.

ⓝ 이미 끝낸 소설을 열여섯 번까지 수정하기도 했다. 단조로운 묘사는 풍부하게, 늘어지는 이야기는 속도감 있게, 대화체는 더 생생하게 손질했다. <u>그리고 그의 소설은 어느 작품보다 사실적이고 재미있으며 생동감이 넘쳤다.</u>

ⓓ 원고를 인쇄소에서 조판한 뒤에도 그는 끊임없이 고쳤다. 출판사들은 그를 위해 특별 교정지를 준비해야 했다. 한가운데에 활자를 찍고 위아래와 양옆에 넓은 여백을 마련해 고쳐 쓸 수 있도록 했다. 그는 여기에 고칠 문구와 더할 문장들을 빽빽하게 써넣었다. 여백이 모자라면 뒷면에 이어 쓰고, 그것도 부족하면 다른 종이에 따로 써서 풀로 붙였다.

ⓡ 인쇄소 직원들은 비명을 질렀다. 특별히 훈련받은 식자공마저 손을 내저었다. 우여곡절 끝에 나온 새 교정쇄를 받고도 그는 고쳐쓰기를 멈추지 않았다.

ⓜ "안 되겠어. 어제 쓴 것, 그제 쓴 것, 모두 마음에 들지 않아. 뜻은 뚜렷하지 않고 문장은 혼란스럽고 문제는 잘못됐고 배치도 너무 어려워! 모든 걸 바꿔야 해. 더 뚜렷하게, 더 분명하게!"

23. 이 글에서 발자크가 고쳐쓰기에 힘을 기울인 이유로 보기 <u>어려운</u> 것은?

① 생동감을 주는 문체로 쓰기 위해서

② 글을 짜임새 있게 정돈하기 위해서

③ 속도감 있게 이야기를 전개하기 위해서

④ 다양한 주제를 담아 충실하게 쓰기 위해서

⑤ 자신의 뜻하는 바를 분명하게 드러내기 위해서

|서술형|

24. (나)에서 고쳐 써야 할 부분을 찾아 바르게 고치고, 그렇게 고친 까닭을 서술하시오.

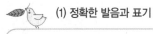
01. 다음 문장에서 밑줄 친 단어의 발음을 쓰고, 이와 관련된 'ㅢ'의 발음 규정은 무엇인지 서술하시오.

┤ 보기 ├
• 서쪽에서 부는 바람을 '하늬바람'이라고 한다.
• 너무 오래 전의 일이라 기억이 '희미하다'.

(1) 단어의 발음:
(2) 'ㅢ'의 발음 규정:

02. 다음 만화를 보고, '숲에[수페]'와 '숲 안[수반]'과 같이 발음하는 규정은 무엇인지 서술하시오.

┤ 조건 ├
• '받침 뒤에 모음으로 시작되는 말이 이어질 때'로 시작할 것.

03. 다음 질문에 대한 답을 서술하시오.

제목	'맑고'와 '넓죽한'의 발음	
작성자	한아름	등록일 20○○.○○.○○

텔레비전을 보다가 출연자들의 발음이 이상해서 질문합니다. '날씨가 맑고', 여기에서 '맑고'의 발음은 [말꼬], [막꼬] 중 어떤 것이 올바른 것인가요? 그리고 '넓죽한 얼굴'에서 '넓죽한'의 발음은 [넙쭈칸]과 [널쭈칸] 중 어떤 것이 맞나요?

┤ 조건 ├
• '맑고'의 발음은 겹받침 'ㄺ'의 본래 발음 방법과 비교하여 서술할 것.
• '넓죽한'의 발음은 겹받침 'ㄼ'의 본래 발음 방법과 비교하여 서술할 것.

04. 다음 그림의 자막에서 잘못된 표기를 찾고, 그 이유를 서술하시오.

[01~02] 다음 글을 읽고, 물음에 답하시오.

⑦ 며칠 전에 교내 경시대회를 준비하던 나는 문득 '공부를 하는 까닭'을 깊이 생각해 보게 되었다. '공부는 왜 하는 것일까?' 공부는 학생의 의무이니 학생은 당연히 공부해야 한다는 말은 이 질문에 좋은 답이 될 수는 없을 것이다.

⑭ 많은 사람이 '좋은 고등학교에, 대학교에, 안정적인 직장에 가기 위해' 공부를 한다. 또는 공자나 맹자처럼 자기 수양을 위해 공부를 하기도 한다. 공부해서 현실적인 이익을 얻기 위해서 공부를 하는 것이다. 내가 지난 기말고사에서 성적이 오르면 어머니께서 휴대 전화를 바꿔 주기로 하셨기 때문에 공부를 열심히 했던 것도 이와 틀리지 않다.

⑮ 이처럼 현실적인 이익을 위해서 공부를 하면, 공부에 따른 댓가를 얻을 수 없게 되었을 때는 공부를 하기가 어려워진다. 나는 요사이 공부에 대한 의욕이 떨어진 까닭이 무엇인지 생각해 보았다. 그것은 지난번에 성적이 많이 오르고 뿌듯함을 느끼게 되었기 때문이었다.

⑯ 지금 시점에서 내 삶의 방향을 스스로 모두 결정지을 수는 없다. 지금은 내가 장차 무엇이 될지, 무엇을 해야 할지 좀처럼 모른다. 이럴 때 공부를 해 놓는 것은 미래를 위한 가장 좋은 대비가 될 것이다.

01. 이 글의 내용을 보충하고자 할 때, 문맥상 〈보기〉의 글이 들어갈 위치로 적절한 곳을 지적하고, 그렇게 생각한 이유를 서술하시오.

│ 보기 │
그리스의 철학자 플라톤은 교육이 한 인간을 양성할 때의 방향이 훗날 그의 삶을 결정할 것이라고 하였다. 이처럼 공부는 내가 삶에서 중요하게 생각하는 것을 이룰 수 있도록 해 주는 데 그 가치가 있다. 또한, 내가 삶에서 무엇을 중요하게 여기는지를 깨닫게 해 주는 것 역시 공부이다. 이것이 공부해야 하는 진정한 까닭이다.

02. ⑭를 고쳐 쓸 때 삭제해야 할 문장을 찾고, 그 까닭을 서술하시오.

[03~04] 다음 글을 읽고, 물음에 답하시오.

현대인의 생활 습관이 바뀌면서 비만이 급격히 늘고 있다. 비만은 당뇨병, 고지혈증, 관절염 등의 발생률을 높이고, 과도한 비만은 그 자체를 하나의 질병으로 보아야 한다는 사람도 있을 정도다. 그중에도 청소년 비만이 특히 심각한 문제다. 그 밖에도 청소년들은 척추옆굽음증이나 각종 전염병에도 취약한 상태이다.

대한비만학회와 국민건강보험공단의 2015년 조사에 따르면 한국의 소아 · 청소년 6명 중 1명은 과체중 혹은 비만이라고 한다. 청소년 비만은 상당수가 성인 비만으로 이어지고, 10대 때부터 성인병을 얻을 수도 있다. 이러한 청소년 비만이 왜 생기는 것일까? 나는 청소년들의 운동 부족이 가장 큰 원인이라고 생각한다. 그러나 그 밑바탕에는 운동 공간 부족의 문제가 있다.

03. 이 글을 '글 전체 수준'에서 점검할 때 고쳐 써야 할 부분을 찾고, 그 이유를 서술하시오.

04. 이 글을 '문장 수준'에서 점검할 때 고쳐 써야 할 부분을 찾고, 그 이유를 서술하시오.

│ 조건 │
• 고쳐 써야 할 부분으로 2곳을 찾을 것.

더 정확한 의사 전달을 위한 수단, 표준 발음법

더 정확한 의사 전달을 위한 수단, 표준 발음법 / 최혜원

표준 발음법의 역할

표준어가 '교양 있는 사람들이 두루 쓰는 현대 서울말'로 정해져 있으나 서울 사람 모두 같은 발음으로 표준어를 말하는 것은 아니다. [중략] 우리말을 정확하고도 분명하게 발음하기 위해서는 소리의 기준으로 삼을 만한 것이 필요하기도 하다. 그런 면에서 「표준 발음법」은 소리와 표기가 차이를 보이는 경우 표기를 보고 발음을 짐작할 수 있는 어느 정도의 규칙성을 제시해 준다.

표준 발음법의 내용

「표준 발음법」은 크게 자음과 모음, 소리의 길이, 받침의 발음, 소리의 변화, 소리의 동화, 된소리되기, 소리의 첨가로 구성되어 있다.

받침의 발음

'꽃이'[꼬치], '낮이'[나지]처럼 모음 조사가 뒤에 올 때는 앞에 오는 받침을 이어 발음해야 한다. 'ㅈ, ㅊ, ㅌ' 받침인 단어를 'ㅅ' 받침으로 바꾸어 발음하는 경우가 많은데 표준 발음법에서는 글자로 쓰인 대로 이어 발음하도록 하고 있다.

빛이[비지 ○]/[비시 ×], 꽃을[꼬츨 ○]/[꼬슬 ×]

겹받침은 모음이 이어질 때 하나는 받침으로 하나는 그다음 음절의 첫소리로 발음하게 된다. 예를 들면 '닭을'은 [달글]로, '값이'는 [갑씨]로, '여덟에'는 [여덜베]로 발음하도록 표준 발음법은 규정하고 있다. 하지만 현실 언어에서는 [다기], [가비], [여더레]와 같이 받침 하나만을 이어 발음하는 경우가 많다. 겹받침이 자음과 이어질 때는 두 개의 자음 중 하나만이 소리 나는데 지역마다 소리 나는 양상이 사뭇 다르다. '밟다'의 '밟'은 흔히 '넓다'[널따], '짧다'[짤따]와 같이 [발]로 발음하는 경우를 많이 듣게 되는데, 표준어권의 발음은 [밥]으로 규정되어 있다.

소리의 변화

소리와 소리가 만나 이어질 때는 그 소리가 하나하나 온전히 이어져 날 수도 있지만 다른 소리의 영향으로 바뀌는 경우가 있다. 우리말에서 'ㄹ' 소리는 다른 소리와 결합할 경우 다른 소리로 바뀌거나 이어지는 소리를 변화시킨다. 'ㄹ'이 'ㄴ'의 앞이나 뒤에 올 때(신라[실라], 칼날[칼랄])에는 다른 소리를 변화시키지만, '상견례'[상견녜], '횡단로'[횡단노] 등과 같은 예에서나 'ㄴ'과 'ㄹ' 이외의 자음 뒤에 올 때(음료[음:뇨], 담력[담:녁])에는 'ㄹ' 소리가 'ㄴ' 소리로 바뀌기도 한다. 그러나 이러한 발음 경향도 세월에 따라 조금 변화했는데 영어의 영향 탓인지 젊은 층에서 비음 다음의 'ㄹ'을 'ㄴ'으로 바꾸지 않고 'ㄹ' 그대로 소리 내는 때도 있다. '솜이 불'[솜:니불], '색연필'[생년필], '꽃잎'[꼰닙]처럼 일부 합성어나 파생어에서는 글자에는 나타나지 않는 'ㄴ' 소리가 덧나기도 한다. 이런 단어 중에 일부는 종종 'ㄴ' 소리를 첨가하지 않고 '색연필'을 [새견필]이라고 하거나, '솜이불'을 [소미불]이라고 발음하는데 표준어권의 전통적인 발음법은 아니다.

지구상에서 표준 발음법을 규정하고 있는 나라는 우리나라뿐이라고 한다. 이는 표기와 발음이 크게 차이가 나지 않기 때문에 가능한 일이라고 할 수 있겠다. 영어처럼 하나의 모음이 여러 가지로 소리 나고 그 환경도 예측할 수 없는 언어에서는 있기 힘든 일이다. 언어를, 더구나 발음에서 하나 또는 둘의 표준형만을 규정하는 것이 과연 옳으냐 하는 의혹을 받기도 한다. 사람들의 여러 가지 발음은 그대로 받아들여지고 기술되어야 한다는 주장도 있다. 한 치도 틀림없이 표준어를 구사하는 것은 당연히 불가능한 일이다. 그러나 더 정확한 의사 전달을 위해 기준이 되는 표준 발음법은 의사소통의 효율적인 도구로 사용될 수도 있다.

표준 발음법

제2장 자음과 모음

제2항 표준어의 자음은 다음 19개로 한다.

> ㄱ ㄲ ㄴ ㄷ ㄸ ㄹ ㅁ ㅂ ㅃ
> ㅅ ㅆ ㅇ ㅈ ㅉ ㅊ ㅋ ㅌ ㅍ ㅎ

제3항 표준어의 모음은 다음 21개로 한다.

> ㅏ ㅐ ㅑ ㅒ ㅓ ㅔ ㅕ ㅖ ㅗ ㅘ
> ㅙ ㅚ ㅛ ㅜ ㅝ ㅞ ㅟ ㅠ ㅡ ㅢ ㅣ

제4항 'ㅏ ㅐ ㅓ ㅔ ㅗ ㅚ ㅜ ㅟ ㅡ ㅣ'는 단모음(單母音)으로 발음한다.

[붙임] 'ㅚ, ㅟ'는 이중 모음으로 발음할 수 있다.

제5항 'ㅑ ㅒ ㅕ ㅖ ㅘ ㅙ ㅛ ㅝ ㅞ ㅠ ㅢ'는 이중 모음으로 발음한다.

다만 1. 용언의 활용형에 나타나는 '져, 쪄, 쳐'는 [저, 쩌, 처]로 발음한다.

> 가지어 → 가져[가저]   찌어 → 쪄[쩌]
> 다치어 → 다쳐[다처]

다만 2. '예, 례' 이외의 'ㅖ'는 [ㅔ]로도 발음한다.

> 계집[계:집/게:집]   계시다[계:시다/게:시다]
> 시계[시계/시게](時計)   연계[연계/연게](連繫)
> 메별[메별/메별](袂別)   개폐[개폐/개페](開閉)
> 혜택[혜:택/혜:택](惠澤)   지혜[지혜/지혜](智慧)

다만 3. 자음을 첫소리로 가지고 있는 음절의 'ㅢ'는 [ㅣ]로 발음한다.

> 늴리리   닁큼   무늬   띄어쓰기   씌어
> 틔어   희어   희떱다   희망   유희

다만 4. 단어의 첫음절 이외의 '의'는 [ㅣ]로, 조사 '의'는 [ㅔ]로 발음함도 허용한다.

> 주의[주의/주이]   협의[혀븨/혀비]
> 우리의[우리의/우리에]   강의의[강:의의/강:이에]

제3장 음의 길이

제6항 모음의 장단을 구별하여 발음하되, 단어의 첫음절에서만 긴소리가 나타나는 것을 원칙으로 한다.

> (1) 눈보라[눈:보라]   말씨[말:씨]   밤나무[밤:나무]
>   많다[만:타]   멀리[멀:리]   벌리다[벌:리다]
> (2) 첫눈[천눈]   참말[참말]   쌍동밤[쌍동밤]
>   수많이[수:마니]   눈멀다[눈멀다]
>   떠벌리다[떠벌리다]

다만, 합성어의 경우에는 둘째 음절 이하에서도 분명한 긴소리를 인정한다.

> 반신반의[반:신 바:늬/반:신 바:니]
> 재삼재사[재:삼 재:사]

[붙임] 용언의 단음절 어간에 어미 '-아/-어'가 결합되어 한 음절로 축약되는 경우에도 긴소리로 발음한다.

> 보아 → 봐[봐:]   기어 → 겨[겨:]   되어 → 돼[돼:]
> 두어 → 둬[둬:]   하여 → 해[해:]

다만, '오아 → 와, 지어 → 져, 찌어 → 쪄, 치어 → 쳐' 등은 긴소리로 발음하지 않는다.

제7항 긴소리를 가진 음절이라도, 다음과 같은 경우에는 짧게 발음한다.

1. 단음절인 용언 어간에 모음으로 시작된 어미가 결합되는 경우

감다[감:따] – 감으니[가므니]
밟다[밥:따] – 밟으면[발브면]
신다[신:따] – 신어[시너]   알다[알:다] – 알아[아라]

다만, 다음과 같은 경우에는 예외적이다.

끌다[끌:다] – 끌어[끄:러] 떫다[떨:따] – 떫은[떨:븐]
벌다[벌:다] – 벌어[버:러] 썰다[썰:다] – 썰어[써:러]
없다[업:따] – 없으니[업:쓰니]

2. 용언 어간에 피동, 사동의 접미사가 결합되는 경우

감다[감:따] – 감기다[감기다]
꼬다[꼬:다] – 꼬이다[꼬이다]
밟다[밥:따] – 밟히다[발피다]

다만, 다음과 같은 경우에는 예외적이다.

끌리다[끌:리다]   벌리다[벌:리다]   없애다[업:쌔다]

[붙임] 다음과 같은 복합어에서는 본디의 길이에 관
계없이 짧게 발음한다.

밀–물   썰–물
쏜–살–같이   작은–아버지

제4장   받침의 발음

제8항   받침소리로는 'ㄱ, ㄴ, ㄷ, ㄹ, ㅁ, ㅂ, ㅇ'의
7개 자음만 발음한다.

제9항   받침 'ㄲ, ㅋ', 'ㅅ, ㅆ, ㅈ, ㅊ, ㅌ', 'ㅍ'은 어
말 또는 자음 앞에서 각각 대표음 [ㄱ, ㄷ, ㅂ]으
로 발음한다.

닦다[닥따]   키읔[키윽]   키읔과[키윽꽈]
옷[옫]   웃다[욷:따]   있다[읻따]
젖[젇]   빚다[빋따]   꽃[꼳]
쫓다[쫃따]   솥[솓]   뱉다[밷:따]
앞[압]   덮다[덥따]

제10항   겹받침 'ㄳ', 'ㄵ', 'ㄼ, ㄽ, ㄾ', 'ㅄ'은 어말
또는 자음 앞에서 각각 [ㄱ, ㄴ, ㄹ, ㅂ]으로 발음
한다.

넋[넉]   넋과[넉꽈]   앉다[안따]
여덟[여덜]   넓다[널따]   외곬[외골]
핥다[할따]   값[갑]   없다[업:따]

다만, '밟–'은 자음 앞에서 [밥]으로 발음하고,
'넓–'은 다음과 같은 경우에 [넙]으로 발음한다.

(1) 밟다[밥:따]   밟소[밥:쏘]   밟지[밥:찌]
    밟는[밥:는 → 밤:는]   밟게[밥:께]
    밟고[밥:꼬]
(2) 넓–죽하다[넙쭈카다]   넓–둥글다[넙뚱글다]

제11항   겹받침 'ㄺ, ㄻ, ㄿ'은 어말 또는 자음 앞에
서 각각 [ㄱ, ㅁ, ㅂ]으로 발음한다.

닭[닥]   흙과[흑꽈]   맑다[막따]
늙지[늑찌]   삶[삼:]   젊다[점:따]
읊고[읍꼬]   읊다[읍따]

다만, 용언의 어간 말음 'ㄺ'은 'ㄱ' 앞에서 [ㄹ]로
발음한다.

맑게[말께]   묽고[물꼬]   얽거나[얼꺼나]

제12항   받침 'ㅎ'의 발음은 다음과 같다.
  1. 'ㅎ(ㄶ, ㅀ)' 뒤에 'ㄱ, ㄷ, ㅈ'이 결합되는 경우
에는, 뒤 음절 첫소리와 합쳐서 [ㅋ, ㅌ, ㅊ]으로 발
음한다.

놓고[노코]   좋던[조:턴]   쌓지[싸치]
많고[만:코]   않던[안턴]   닳지[달치]

[붙임 1] 받침 'ㄱ(ㄺ), ㄷ, ㅂ(ㄼ), ㅈ(ㄵ)'이 뒤 음절
첫소리 'ㅎ'과 결합되는 경우에도, 역시 두 음을
합쳐서 [ㅋ, ㅌ, ㅍ, ㅊ]으로 발음한다.

각하[가카]　　　먹히다[머키다]　　　밝히다[발키다]
맏형[마텽]　　　좁히다[조피다]　　　넓히다[널피다]
꽂히다[꼬치다]　　　앉히다[안치다]

[붙임 2] 규정에 따라 'ㄷ'으로 발음되는 'ㅅ, ㅈ, ㅊ, ㅌ'의 경우에도 이에 준한다.

옷 한 벌[오탄벌]　　　　　낮 한때[나탄때]
꽃 한 송이[꼬탄송이]　　　숱하다[수타다]

2. 'ㅎ(ㄶ, ㅀ)' 뒤에 'ㅅ'이 결합되는 경우에는, 'ㅅ'을 [ㅆ]으로 발음한다.

닿소[다쏘]　　　많소[만:쏘]　　　싫소[실쏘]

3. 'ㅎ' 뒤에 'ㄴ'이 결합되는 경우에는, [ㄴ]으로 발음한다.

놓는[논는]　　　　　　쌓네[싼네]

[붙임] 'ㄶ, ㅀ' 뒤에 'ㄴ'이 결합되는 경우에는, 'ㅎ'을 발음하지 않는다.

않네[안네]　　　　　　않는[안는]
뚫네[뚤네 → 뚤레]　　　뚫는[뚤는 → 뚤른]

* '뚫네[뚤네 → 뚤레], 뚫는[뚤는 → 뚤른]'에 대해서는 제20항 참조.

4. 'ㅎ(ㄶ, ㅀ)' 뒤에 모음으로 시작된 어미나 접미사가 결합되는 경우에는, 'ㅎ'을 발음하지 않는다.

낳은[나은]　　　놓아[노아]　　　쌓이다[싸이다]
많아[마:나]　　　않은[아는]　　　닳아[다라]
싫어도[시러도]

제13항 홑받침이나 쌍받침이 모음으로 시작된 조사나 어미, 접미사와 결합되는 경우에는, 제 음가대로 뒤 음절 첫소리로 옮겨 발음한다.

깎아[까까]　　　옷이[오시]　　　있어[이써]
낮이[나지]　　　꽂아[꼬자]　　　꽃을[꼬츨]
쫓아[쪼차]　　　밭에[바테]　　　앞으로[아프로]
덮이다[더피다]

제14항 겹받침이 모음으로 시작된 조사나 어미, 접미사와 결합되는 경우에는, 뒤엣것만을 뒤 음절 첫소리로 옮겨 발음한다.(이 경우, 'ㅅ'은 된소리로 발음함.)

넋이[넉씨]　　　앉아[안자]　　　닭을[달글]
젊어[절머]　　　곬이[골씨]　　　핥아[할타]
읊어[을퍼]　　　값을[갑쓸]　　　없어[업:써]

제15항 받침 뒤에 모음 'ㅏ, ㅓ, ㅗ, ㅜ, ㅟ'들로 시작되는 실질 형태소가 연결되는 경우에는, 대표음으로 바꾸어서 뒤 음절 첫소리로 옮겨 발음한다.

밭 아래[바다래]　　　늪 앞[느밥]　　　젖어미[저더미]
맛없다[마덥따]　　　겉옷[거돋]　　　헛웃음[허두슴]
꽃 위[꼬뒤]

다만, '맛있다, 멋있다'는 [마싣따], [머싣따]로도 발음할 수 있다.

[붙임] 겹받침의 경우에는, 그중 하나만을 옮겨 발음한다.

넋 없다[너겁따]　　　닭 앞에[다가페]
값어치[가버치]　　　값있는[가빈는]

제16항 한글 자모의 이름은 그 받침소리를 연음하되, 'ㄷ, ㅈ, ㅊ, ㅋ, ㅌ, ㅍ, ㅎ'의 경우에는 특별히 다음과 같이 발음한다.

디귿이[디그시]　　　디귿을[디그슬]　　　디귿에[디그세]
지읒이[지으시]　　　지읒을[지으슬]　　　지읒에[지으세]
치읓이[치으시]　　　치읓을[치으슬]　　　치읓에[치으세]
키읔이[키으기]　　　키읔을[키으글]　　　키읔에[키으게]
티읕이[티으시]　　　티읕을[티으슬]　　　티읕에[티으세]
피읖이[피으비]　　　피읖을[피으블]　　　피읖에[피으베]
히읗이[히으시]　　　히읗을[히으슬]　　　히읗에[히으세]

– 국립국어원, 『표준어 규정』(문체부 고시 제2017-13호)

읽기

3

한 학기 한 권 읽기

생활 속의
책 읽기

공동체 · 대인 관계 역량

이 역량은 공동체의 가치와 공동체 구성원의 다양성을 존중하고 상호 협력하며 관계를 맺고 갈등을 조정할 수 있는 능력을 말해. 이 단원에서는 책을 읽고 모둠끼리 주제를 뽑아 독서 토의를 하고 이를 바탕으로 독서 신문을 만들면서 이 역량을 키워보도록 하자.

비판적 · 창의적 사고 역량

　이 역량은 다양한 상황이나 자료, 담화, 글을 주체적인 관점에서 해석하고 평가하여 새롭고 독창적인 의미를 부여하거나 만드는 능력을 말해. 이 단원에서는 사회적 쟁점을 다룬 책을 읽고 토의함으로써 우리 사회의 여러 문제에 대해 다양한 입장을 가질 수 있다는 사실을 인지함으로써 이 능력을 길러 보도록 하자.

대단원을 펼치며

○ 도입 만화를 살펴보면서 이 단원에서 배울 내용을 짐작해 보아요!

핵심 질문 우리 사회에 대해 자세히 알려면 어떤 책을 어떻게 읽어야 할까?

 이 질문은 이 대단원을 이끄는 핵심 질문이란다. 그동안 읽었던 책 중에서 우리 사회의 모습을 담고 있었던 책이 무엇이었는지 떠올려 보렴. 그리고 이 단원을 공부하면서 이 질문에 답해 보자.

보조 질문 우리 사회를 이해하는 일이 왜 중요할까요?

예시 답 | 개개인의 삶과 밀접한 관련을 맺고 있기 때문에

우리 사회의 문제를 다룬 책을 읽은 경험이 있으면 말해 봅시다.

예시 답 | 소수자 인권에 관해 다루고 있는 책을 읽은 적이 있다. 이를 통해 인권의 가치에 대해 다시 한번 생각해 볼 수 있었다.

학습 목표

한 권의 책을 읽고 읽기가 삶 속에서 지니는 가치에 대해 생각해 본다.

[읽기] 읽기의 가치와 중요성을 깨닫고 읽기를 생활화하는 태도를 지닌다.

배울 내용

책 앞에서	책 두드리기	책 누리기	책 나누기
•우리 사회의 모습 살펴보기 •이번 학기 독서 활동 알아보기	•관심 분야가 같은 친구끼리 모둠 구성하기 •우리 사회의 모습이 담긴 책 고르기	•핵심 내용 정리하며 책 읽기 •독서 일지 작성하기	•책 내용에 관해 서로 이야기 나누고 독서 신문 만들기 •다른 모둠의 독서 신문을 읽고 함께 의견 나누기

1 책 앞에서

1. 글 읽기가 우리에게 어떤 도움을 주고 있는지 짝꿍과 이야기해 봅시다.

예시 답 |

○ 활동 탐구

이번 학기 독서 활동을 본격적으로 시작하기에 앞서 수행하는 활동으로, 글 읽기가 우리 삶에 주는 도움을 깨닫게 하고 만화를 통해 이 단원에서 수행할 독서 활동을 알아보는 활동이다. 학습 목표가 한 권의 책을 읽고 읽기가 삶 속에서 지니는 가치를 생각해 보자는 것이므로 글 읽기의 효용과 중요성을 알아가는 활동을 수행하면서 독서의 가치를 생각해 볼 수 있도록 한다.

★ 지학이가 도와줄게! – 1, 2

읽기가 우리 삶에 필요한 이유를 친구와 자유롭게 이야기해 보렴. 그리고 최근의 독서 경험을 적어 보고, 그 경험을 통해 깨달은 읽기의 가치를 다시 한번 떠올려 보도록 하자.

2. 최근 읽었던 글 중 인상 깊었던 것을 적어 봅시다.

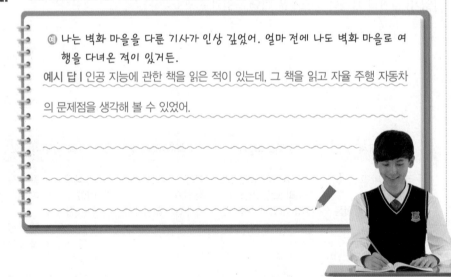

> 예 나는 벽화 마을을 다룬 기사가 인상 깊었어. 얼마 전에 나도 벽화 마을로 여행을 다녀온 적이 있거든.
>
> 예시 답 | 인공 지능에 관한 책을 읽은 적이 있는데, 그 책을 읽고 자율 주행 자동차의 문제점을 생각해 볼 수 있었어.

○ 독서의 효용과 가치
- 다양한 지식과 정보 획득의 기본 수단이 된다.
- 바람직한 가치관과 인격을 함양하는 데 도움이 된다.
- 인간과 사회, 문화에 대한 이해를 신장하는 데 도움이 된다.
- 정서적, 지적으로 풍요로운 사람으로 성장하는 데 도움이 된다.
- 독서를 통해 다양한 삶을 간접적으로 경험할 수 있게 된다.
- 독서를 통한 개별 독자들의 성장은 사회 전체의 성장을 가져오게 된다.

3. 다음 신문 기사에 담겨 있는 사회 문제에 대해 생각해 봅시다.

국민일보　　　　　　　　　　　　　2016년 5월 4일

　　유명한 벽화 마을 한 곳에서 최근 잇따라 벽화가 사라지는 사건이 발생했다. '잉어 계단'의 물고기 그림은 흰 페인트로 싹 지워졌고, 꽃 계단의 그림들 역시 훼손됐다. 주민 중 한 사람이 마을에 관광객이 몰려드는 데에 불만을 품고 몰래 지운 것이었다고 한다. 이 일로 마을에서는 갈등이 불거졌다. 벽화를 지운 주민을 상대로 마을의 다른 주민들과 해당 자치구, 벽화 작가가 고소장을 제출했기 때문이다.

　　2006년부터 진행된 공공 미술 프로젝트에 의해 이 마을에는 벽화가 그려졌다. 좁은 골목과 계단에 그려진 예쁜 그림들로 이 마을은 국내 관광객뿐 아니라 외국인 관광객까지 많이 찾는 명소가 되었다. 그런데 그로 인해 주민들은 불편에 시달려야 했다. 소음이나 쓰레기는 문제도 아닐 정도였다. 관광객이 불쑥 대문을 열고 들여다봐 놀라는 일까지 자주 생겨났다.

　　벽화 마을은 마치 유행처럼 전국에 퍼져 있다. 지방 자치 단체는 물론 기업체와 문화 예술 단체, 봉사 단체 등이 경쟁이라도 하듯 마을을 형형색색으로 물들인 결과이다. 삭막하던 골목이 화사해지고, 크고 작은 범죄가 사라지는 순기능도 물론 있었다. 그러나 <u>견디기 힘든 소음이나 쓰레기 무단 투기, 주민 사생활 침해 등 모든 벽화 마을마다 문제가 발생했</u>
벽화 마을을 둘러싼 여러 문제점이 발생함.
<u>다</u>. 관리 부족으로 인해 그림이 지워지거나 색이 바래고 벽면 자체가 손상된 경우도 있다. 일부 조형물은 '흉물'로 변해 버리기도 한다. 그런가 하면 벽화 마을이 만들어지면서 경제적 이득을 많이 본 주민과 그렇지 않은 주민 간 갈등의 골이 깊어지는 경우도 많다.

　　벽화 마을, 어디서부터 잘못된 걸까. 주민들의 목소리를 충분히 듣지 않고, 마을 고유의 내력이나 사연을 무시한 채 그저 눈요깃거리에만 치중하여 마을을 조성한 데에 그 원인이 있다. '일단 조성하고 보자'는 식의 근시안적 발상으로 조성된 벽화마을이 심각한 문제가 되는 경우도 적지 않다.

　　벽화는 도시를 화려하게 보이도록 하는 '화장'일 수 있다. 또한 보기 좋지 않은 것을 잠깐 가리기 위한 '위장'일 수도 있다. 화장도 지나치면 아니함만 못하고, 위장이라면 사회악이나 다름없다. <u>마을의 특성과 동떨어진, 겉만 번지르르한 벽화 마을 조성은 그만두는 게 낫다.</u>
기사문의 주장

ⓘ 지학이가 도와줄게! - 3
제시문은 신문 기사란다. 해당 기사에서 다루고 있는 사회적 쟁점이 무엇인지 확인하고, 글 속에 드러난 서로 다른 주장들을 파악해 보렴. 서로 다른 사람들이 어떤 관점에서 어떤 주장을 하고 있는지 파악하는 과정은 사회적 쟁점 자체를 이해하는 데 도움을 주거든. 그러면서 이 기사를 쓴 글쓴이가 주장하는 바와 활용된 근거들을 살펴보자.

⊙ 활동 제재 개관
갈래: 신문 기사
성격: 비판적
기사에서 다룬 쟁점
• 벽화 마을을 둘러싸고 여러 문제점이 계속 발생하는 것
• 겉으로 보기에만 좋아 보이는 벽화 마을을 조성하는 것은 문제라는 것

1 이 기사에서 다루고 있는 문제 상황이 무엇인지 적어 봅시다.

예시 답 | • 무분별한 벽화 마을 조성으로 인해 발생한 문제들에 관해 이야기하고 있다.
• 벽화 마을 주민들과 벽화 마을 관광객들 사이의 마찰, 벽화 마을 주민 간의 마찰, 마을의 특성을 고려하지 않고 조성된 벽화 마을의 문제점 등을 보여 주고 있다.

☀️ 지학이가 도와줄게! – 3 **1**

이 신문 기사에서 다룬 사회적 쟁점이 벽화 마을 조성에 관한 것이란 건 이미 파악했을 거야. 이러한 핵심 쟁점을 파악하였다면 그와 관련하여 사람들 간의 서로 다른 어떤 입장이 있는지에 관해서도 생각해 보자.

2 이 기사에서 주장하는 '겉만 번지르르한 벽화 마을 조성은 그만두는 게 낫다'는 의견에 대한 자신의 생각을 말해 봅시다.

☀️ 지학이가 도와줄게! – 3 **2**

제시된 기사 내용에 대한 자기 생각을 짧게라도 표현해 보렴. 기사문의 주장과 관점을 달리 할 수도 있는 것이니 자기 생각에 대한 소신을 가지고 표현해 보자.

나는 이 기사에서 주장하는 의견에 동의해. 주민들이 불편을 겪는 벽화 마을 조성은 좋지 않다고 생각하거든.

예시 답 | 겉만 번지르르한 벽화 마을 조성은 당연히 문제가 있겠지. 그러나 벽화 마을 자체가 잘못된 건 아니라고 생각해. 관광 산업을 발달하게 해서 주민들이 얻게 되는 이익이 분명 있을 거야. 주민들이 주체적으로 참여하는 벽화 마을 조성이 필요하다고 봐.

3 이 기사에서 다루고 있는 문제를 해결하기 위해 어디서 자료를 찾아보면 좋을지 짝꿍과 이야기해 봅시다.

예시 답 | 최근 사회적 쟁점이 되고 있는 문제이니 신문 기사를 먼저 찾아보는 것이 좋을 것 같아. 어렵긴 하겠지만 관련된 법을 설명한 자료도 읽어 볼까 해.

☀️ 지학이가 도와줄게! – 3 **3**

좀 더 적극적인 읽기 활동을 위한 자료 수집 활동이란다. 이러한 활동을 통해 책을 통해 궁금한 내용을 해소하고 문제를 해결할 수 있다는 것을 알 수 있을 거야.

4. 선생님과 학생들의 대화를 살펴보고, 이번 학기 독서 활동을 알아봅시다.

만화 속 선생님과 학생들의 대화를 살펴보면 이 단원에서 독서 활동이 어떻게 이루어질 것인지 알 수 있어. 이번 단원에서는 사회적 쟁점과 관련한 책을 선정해 모둠별로 읽고, 그에 대한 독서 신문을 만들어 볼 거란다. 이전 활동들을 통해 우리 주변에서 일어나는 사회 문제들에 대해 생각해 보는 기회를 가졌다면 이 만화를 통해 그러한 문제들이 우리의 삶과 직접적으로 관련을 맺고 있으며, 문제를 이해하는 데 읽기가 필수적이라는 것을 깨달을 수 있을 거야.

○ **독서 활동의 흐름 분석**

책 선정 기준 제시	[학생] "선생님, 이번 독서 시간에는 사회적 쟁점을 다룬 책을 읽었으면 좋겠어요." [선생님] "그럼, 평소 관심 있는 사회 문제에 관한 책을 읽어 볼까?"
독서 활동 소개	[선생님] "그럼, 모둠별로 책을 선정해 읽고 독서 신문을 만들어 볼까?" "독서 신문을 다 만들면 교실 뒤 게시판에 전시해 보자."

➕ **참고 자료**

사회 · 문화 중심 이론에서의 독서

「단심가」가 독자에게 가슴 찡한 울림을 준다면 그것은 어떻게 가능한 것일까? 사회 · 문화 중심 이론에서는 독자를 둘러싸고 있는 담화 공동체가 그것을 가능하게 하는 것으로 본다. [중략]

사회 · 문화 중심 이론에서는 담화 공동체의 대화와 협의를 강조한다. 이를 통해 글의 의미가 확정되거나 풍부해지고, 지식 또한 이렇게 규정되는 것으로 보았기 때문이다.

학습자들도 지적으로 자기보다 성숙한 구성원들과의 대화를 통해 실제 발달 지점에서 잠재적인 발달 가능 지점으로 옮겨 갈 수 있으며, 교사는 학생에게 도움 발판(비계, scaffolding)을 제공해 줄 수 있다.

– 이삼형 외, 『국어 교육학과 사고』(역락, 2007, 197쪽)

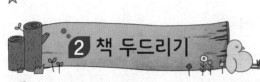

2 책 두드리기

📖 친구들과 모둠을 지어 이번 학기에 읽을 책을 골라 보는 활동을 해 봅시다.

1. 다음 활동을 통해 관심 분야가 같은 친구들끼리 모둠을 구성해 봅시다.

❶ 최근 뉴스에 자주 등장하는 주제나 사건에 무엇이 있는지 찾아보고, 관심 있는 기사를 골라 봅시다.

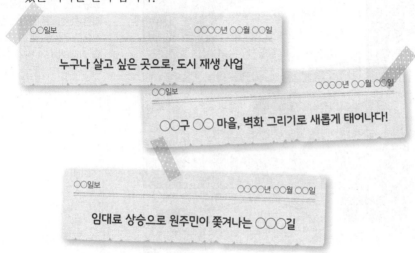

○○일보   ○○○○년 ○○월 ○○일

누구나 살고 싶은 곳으로, 도시 재생 사업

○○일보   ○○○○년 ○○월 ○○일

○○구 ○○ 마을, 벽화 그리기로 새롭게 태어나다!

○○일보   ○○○○년 ○○월 ○○일

임대료 상승으로 원주민이 쫓겨나는 ○○○길

예시 답 | 악성 댓글, 폭력의 또 다른 모습

o 활동 탐구
관심 분야가 같은 친구들끼리 모둠을 구성한 후 모둠의 관심과 흥미를 고려하여 함께 읽고 싶은 책을 선정하는 활동이다. 이번 학기 한 권 읽기 활동을 성공적으로 수행하기 위해서는 무엇보다도 자신의 흥미와 관심을 바탕으로 책을 선정하는 것이 중요하므로, 신문이나 텔레비전 뉴스, 인터넷과 같은 매체를 활용하여 관심 분야를 찾고, 관련 정보가 담긴 책을 선정하도록 한다.

✦ 지학이가 도와줄게! – 1 ❶
뉴스로 기사화되지 않았더라도 일상적으로 부딪히게 되는 문제들에 관해서도 생각해 볼 수 있단다.

❷ 자기가 고른 기사가 다음 중 어떤 분야에 속하는지 생각해 봅시다.

기술	정치	통일	경제
교육	인권	과학	청소년
복지	환경	그 외	

예시 답 | 그 외: 언어

3 관심 분야가 같은 친구들끼리 모여 모둠의 주제를 정해 봅시다.

예시 답 | 악성 댓글로 인한 사회적 문제점

지학이가 도와줄게! – 1 **3**

같은 주제를 선택한 친구들끼리
도 세부적 관심사는 다를 수 있을
거야. 그럴 땐 다른 사람의 생각과
입장도 배려하며 정해야 한다는
것, 다들 알고 있지?

2. 모둠 친구들과 함께 책 읽기 활동을 계획해 봅시다.

1 1에서 정한 주제와 관련하여 읽고 싶은 책을 찾아본 후, 도서 목록을 작성해 봅시다.

예시 답 |

지학이가 도와줄게! – 2

모둠 주제와 관련하여 개인별로
읽고 싶은 책의 목록을 선정하는
단계란다. 가능하면 도서관을 찾
아가거나 인터넷 서점, 도서관 누
리집에 접속하여 다양한 도서를
접해 도서 목록을 작성한 뒤 모둠
에서 함께 읽을 책을 선정해 보도
록 하자.

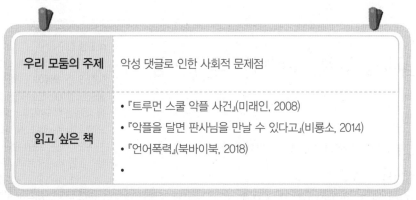

우리 모둠의 주제	악성 댓글로 인한 사회적 문제점
읽고 싶은 책	• 『트루먼 스쿨 악플 사건』(미래인, 2008) • 『악플을 달면 판사님을 만날 수 있다고』(비룡소, 2014) • 『언어폭력』(북바이북, 2018) •

2 모둠 친구들과 의논하여 이번 학기에 모둠에서 읽을 책을 선정해 봅시다.

예시 답 |

모둠에서 함께 읽을 책	『트루먼 스쿨 악플 사건』(미래인, 2008)
이 책을 고른 까닭	주제가 우리 모둠에서 정한 주제와 관련이 있고, 그러한 내용을 소설로 풀어내어 누구나 공감하면서 읽을 수 있을 것이라고 보았기 때문이다.

🔔 **참고 자료 |**

북 매치(BOOKMATCH)의 책 선정 요소와 선정 기준

① 책의 길이: 예 • 읽을 만한 수준의 책 길이인가?   • 분량이 적절한가?

② 언어의 친숙성: 예 • 아무 쪽이나 펴서 크게 읽어 보아라.   • 자연스럽게 읽을 수 있는가?

③ 글의 구조: 예 챕터(chapter)의 길이가 긴가 혹은 짧은가?

④ 책에 대한 선행 지식: 예 • 제목을 읽고, 겉표지를 보거나 책 뒤의 요약문을 읽어라.
　　　　　　　　　　　　• 책의 주제, 필자, 삽화에 대해 내가 이미 알고 있는가?

⑤ 다룰 만한 텍스트: 예 읽고 있는 부분을 이해할 수 있는가?

⑥ 장르에 대한 관심: 예 좋아할 만한 책의 장르나 글의 유형인가?

⑦ 주제 적합성: 예 이 책의 주제가 편안한가?

⑧ 연관: 예 나와 이 책의 내용을 연관 지을 수 있는가?

⑨ 높은 흥미: 예 • 이 책의 주제에 관하여 흥미가 있는가?   • 이 책을 다른 사람이 추천하였는가?

　　　　　　　　　　　　　– 이순영 외, 『독서 교육론』(사회평론아카데미, 2015, 353쪽)

3 책 누리기

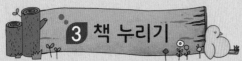

 책을 읽고 매시간 독서 일지를 작성해 봅시다.

1. 책에서 말하고자 하는 사회 문제가 무엇인지 핵심 내용을 간추리며 책을 읽어 봅시다.

지리 선생님과 함께하는 우리나라 도시 여행

이 책에는 스물네 곳의 도시를 여행한 이야기가 나오겠구나.

여행과 관광이 다르다니, 어떤 차이가 있는 걸까?

안녕하세요? 여러분과 함께 여행을 떠날 지리 선생님입니다.

이제부터 우리나라의 도시 스물네 곳을 둘러보려고 해요. 높은 빌딩이 많은 대도시에도 가고, 자연에 둘러싸인 작은 도시도 여행할 겁니다. 그런데 잠깐, 출발하기 전에 알아 둘 것들이 있습니다. 바로 두 가지, '여행'과 '도시'에 대해서예요. 우리가 '도시 여행'을 하려고 하기 때문이지요.

우선 '여행'에 대해 이야기해 볼게요. 우리가 하려는 건 관광이 아니라 여행입니다. 관광이나 여행이나 그게 그거 아니냐고요? 여행사를 통해서 단체 관광을 가니까 말이죠. 그런데 배낭 '여행'이라고는 말해도 배낭 '관광'이라는 말은 안 쓰지요? 여행과 관광은 서로 좀 다릅니다.

관광은 '보고 즐긴다'라는 의미가 강해요. 다른 지역에 가서 경치나 풍속 등을 구경하고 즐기는 거죠. 관광은 산업화에 따라 생겨났다고 합니다. 19세기에 산업화가 진전되면서 그전에 비해 일하는 시간과 여가 시간이 뚜렷이 구분되었지요. 힘들게 일하고 난 뒤에는 뭔가 즐길 것이 필요했는데, 그중에 여행이 꽤 인기 있었대요. 이런 점에 착안해 그즈음 토머스 쿡이라는 영국인이 여행사를 만들고 값싼 표로 단체 관광을 조직했습니다. 그 결과 크게 성공했고요.

● 활동 탐구
'책 누리기'는 자신이 고른 책을 직접 읽는 활동이다. 책을 읽으며 궁금한 점이나 인상적인 구절, 중심 내용을 메모하거나 밑줄을 그으며 읽을 수 있다. 책 읽기를 마친 뒤엔 책을 읽는 동안 떠올린 생각들을 바탕으로 독서 일지를 작성한다. 이와 같은 활동을 통해 단순히 내용을 파악하며 읽는 것에서 멈추지 않고 더욱 능동적인 책 읽기를 할 수 있다.

● 활동 제재 개관
이 글은 우리나라 대표 도시 24곳의 지리와 역사, 문화를 친절하고 재미있게 소개해 주는 책의 머리글이다. 책의 머리글에는 저자의 의도와 관점, 생각이 집약적으로 담겨 있다. 사회적 쟁점에 관한 읽기 활동에서 중요한 것은 관점의 파악인데 제시문과 같은 머리글 읽기 활동을 통해 이를 좀더 쉽게 파악할 수 있다.

관광은 이때부터 대중 사업으로 발전합니다. 관광객들은 여행사에서 정한 일정에 맞춰 수동적으로 참여하고 관광지에서 돈을 쓰게끔 되었지요. 그렇게 관광지는 관광객들이 소비하는 대상이 되었고, 그곳에 사는 사람들은 고유문화를 침해받거나 환경이 파괴되는 등 해를 입기 일쑤였습니다. 이런 현상은 지금도 마찬가지여서, 뉴스에 종종 '단체 관광객들로 몸살을 앓는' 지역이 나오지요.

그렇다면 여행은 어떨까요? 여행을 뜻하는 영어 단어인 '트래블(travel)'의 어원에는 '고통, 고난'이라는 뜻이 있다고 해요. 옛날에는 다른 곳으로 옮겨 가는 것이 퍽 힘든 일이었어요. 살기 위해, 종교 순례를 위해, 또는 자연과 자신의 한계에 맞서기 위해 이동했으니까요. 그래서 여행에는 생존, 자기 성찰, 순례, 도전 등의 가치가 들어 있습니다. 관광객과 달리 여행자는 자기 의지에 따라 능동적으로 움직이겠지요? 또 여행하면서 관계를 만들고, 다른 사회와 문화를 존중하고 배워 나갑니다.

글쓴이는 다른 지역을 여행할 때, 공정 여행을 해야 한다는 생각을 지니고 있구나.

이 책에서 우리는 바로 이런 여행을 하려 합니다. 더 구체적으로 말하자면 '공정 여행'이에요. 공정 여행은 앞서 말한 관광 산업을 비판하면서 시작되었어요. 내가 행복한 결과로 다른 사람들이, 혹은 지구가 불행해지는 건 옳지 않다는 것이죠. 우리가 어떤 지역을 찾아가 즐거움을 누렸다면, 그곳에 사는 사람들도 행복해지는 게 바람직하지 않을까요? 적어도 해를 입지는 말아야겠죠. 관광업자와 거대 기업들은 돈을 버는데 현지인들은 살기 힘들다면, 올바른 일이 아닐 거예요.

⭐ 지학이가 도와줄게! – 1

이 책에서는 서울, 인천, 강화, 파주, 남양주, 춘천, 태백, 정선, 강릉, 세종, 논산, 보령, 제천, 군산, 김제, 진도, 순천, 구례, 문경, 밀양, 포항, 부산, 제주시, 서귀포시 총 24개 도시를 현역 지리 교사들이 직접 답사하며 해당 도시의 공간적 속성과 역사적 변천사, 그리고 그 과정에서 형성된 지역 특유의 문화까지 상세하게 설명하고 있단다. 따라서 이 책 전체를 읽을 때는 하루에 어느 정도 분량의 책을 읽을 것인지 계획을 세우고 읽는 게 좋단다.

이번 학기 독서의 목적은 사회적 쟁점과 관련된 책을 읽고 친구들과 의견을 교환하여 문제 해결력을 키우는 데 있어. 이를 위해서는 책에서 말하는 핵심 정보와 저자의 의도를 파악하는 것이 매우 중요하단다. 따라서 책을 읽으면서 핵심 정보나 저자의 의도가 드러난 부분에 밑줄을 긋고 자기 생각을 메모하면서 읽도록 하렴.

몇 년 전부터 '벽화 마을'이 인기를 끌고 있습니다. 그런데 정작 벽화 마을 주민들은 괴로운 경우가 많다고 해요. 시도 때도 없이 관광객이 몰려와 소란을 피우거나 불쑥 대문을 열고 들여다보곤 해서 스트레스를 받는 거예요. 어떤 관광객들은 주민들의 생활 환경을 무시하기도 하고 쓰레기를 마구 버리기도 하지요. 또 장사가 잘되다 보니 상가 건물 주인들이 임대료를 지나치게 올려서, 오랫동안 터를 잡고 장사하던 사람들이 동네를 떠나야 하는 경우도 많고요.

> 공정 여행은 다른 사회와 문화를 존중하는 여행을 말하는 거야.

공정 여행은 이런 일에 반대합니다. 현지 사람들과 그곳을 방문한 사람들이 함께 행복한 여행을 추구하지요. 앞서 살펴본 여행의 본래 의미, 그러니까 관계를 맺고 다른 사회와 문화를 존중한다는 뜻을 제대로 살린 여행이 곧 공정 여행인 셈입니다. [중략]

다음으로 '도시'에 대해 알아볼까요? 도시는 우선 인구 밀도가 높은 곳이에요. 그리고 1차 산업(농업, 임업, 수산업) 비율이 낮고 2차, 3차 산업(제조업, 건설업, 상업 등) 비율이 높지요. 도시는 주변 지역에 재화와 용역을 제공하는 중심지 역할을 해요. 도시라고 할 때 가장 중요한 건 인구이므로, 아주 간단히 말해서 도시는 사람이 많이 모여 사는 곳이라고 할 수 있습니다.

> 도시를 면과 점으로 본다는 것이 무슨 의미일까?

여행이 무엇인지, 도시가 어떤 곳인지 감이 좀 잡혔나요? 그럼 도시 여행은 어떻게 하는 게 좋을까요? 일단 도시를 면으로 볼 것인가, 점으로 볼 것인가, 하는 문제가 있어요. 면으로 본다는 것은 도시 내부가 어떻게 나뉘고 어떤 기능을 하며 그 속에서 사람들은 어떻게 살아가는지 살피는 것입니다. 점으로 본다는 것은 다른 도시와 맺는 관계를 중시해서 보는 것이고요. 이 책에서는 도시 스물네 곳을 점과 면의 시점에서 고르게 들여다볼까 합니다.

도시는 마치 생물 같아서 태어나고 자라고 쇠퇴하다 죽기도 해요. 그렇게 변하다 보면 그 안에서 살아가는 사람들에게도 깊은 영향을 미칩니다. 우리는 이번 여행 내내 '도시 재생'이라는 주제를 갖고 갈 거예요. 도시 재생이란 도시를 되살린다는 뜻입니다. 쇠퇴한 지역의 환경과 경제, 사회, 문화를 좋게 만들어 가는 거죠. 그래서 도시와 시민의 삶까지 나아지도록 만들지요. 이 과정을 도시 재생이라고 합니다. 반면에 흔히 말하는 '재개발'은 지역 주민이 소외되거나 심지어 쫓겨나기까지 하는 경우가 있어서, 도시 재생과는 달라요.

머리글을 통해 이 책의 내용을 추측해 볼 수 있겠어. 이 책은 '도시 재생'을 주된 내용으로 하고 있구나.

실제로 이 책에 나오는 많은 도시에서 도시 재생이 이루어지고 있어요. 재생에 성공한 곳도 있고 아직 목표에 이르지 못한 곳도 있지만, 그 중심에는 '사람'이 있고 '행복한 삶'을 향한 의지가 있답니다. 공동체와 지역 주민이 중심이 되는 도시 재생, 그 현장을 목격하는 것 역시 이 책의 중요한 목표입니다.

이 책에 제시된 도시를 책으로 여행하면서 도시 재생의 의미를 되새겨 봐야겠어.

자, 이제 여행을 떠날 준비는 끝났습니다. 모두에게 즐겁고 의미 있는 여행이 되기를 바라면서, 출발해 볼까요?

— 전국지리교사모임, 『지리 선생님과 함께하는 우리나라 도시 여행』

➕ 보충 자료
젠트리피케이션의 의미
중산층 이상의 계층이 비교적 빈곤 계층이 많이 사는 정체 지역에 진입해 낙후된 구도심 지역에 활기를 불어넣으면서 기존의 저소득층 주민을 몰아내는 현상을 이르는 말이다. 1964년 영국 사회학자 루스 글래스가 런던 도심의 황폐한 노동자들의 거주지에 중산층이 이주를 해오면서 지역 전체의 구성과 성격이 변하자 이를 설명하면서 처음 사용한 말이다. '신사 계급, 상류 사회, 신사 사회의 사람들'을 뜻하는 gentry와 화(化)를 의미하는 fication의 합성어다. 일반적으로 젠트리피케이션은 "값싼 작업공간을 찾아 예술가들이 어떤 장소에 정착하고 그들의 활동을 통해 지역의 문화 가치가 상승하면, 개발자들이 들어와 이윤을 획득하는 방식"으로 이루어진다.

2. 책을 읽으면서 정리한 내용을 토대로 매시간 독서 일지를 작성해 봅시다.

지학이가 도와줄게! - 2

예시

독서 일지

읽은 날짜	책 제목	작가	읽은 쪽수
20○○. ○. ○	지리 선생님과 함께하는 우리나라 도시 여행		4~8쪽

책을 읽으며 메모한 내용

중요한 내용	• 머리글 → 이 책의 집필 방향을 알려 줌! • 공정 여행: 현지 사람들과 관광객이 모두 즐거운 여행 • 도시 재생: 공동체와 지역 주민이 중심이 되어야 함. → 이 책의 목표는 도시를 여행하며 공동체와 지역 주민이 중심이 되는 도시 재생을 목격하게 하는 것임.
기억에 남는 부분	• 도시는 유기체와 같음. 태어나 자라고 쇠퇴하다 죽기도 함. • 도시의 변화가 곧 사람들에게 큰 영향을 미침. → 내가 사는 도시의 변화가 나에게도 영향을 미치겠군!
읽으면서 떠오른 질문	• 공정 관광은 없나? • '관광'과 '여행'의 사전적 뜻이 다를까? • 관광객이 많아야 그 도시가 살아날 수 있는 거 아닐까?
핵심 단어나 구절	• 관광 대 여행 • 도시 • 도시 재생 • 스물네 곳의 도시 이야기

선생님의 의견

머리글을 통해 이 책에서 말하고자 하는 핵심 내용을 잘 파악하였구나. 흥미를 가지고 계속 읽어 보렴.

매시간 독서를 하고 나면 독서 일지를 쓸 거야. 독서 일지는 책을 읽으면서 파악한 핵심 내용을 정리하기 위한 것이고, 또한 다양한 의견을 나누기 위해 자기 생각을 적는 장치이기도 하므로 책을 좀 더 꼼꼼히 읽어 내고 사고의 작은 부분도 놓치지 않게 해 준단다. 책을 읽으면서 남긴 메모들을 바탕으로 작성하면 더욱 풍부한 생각을 담을 수 있을 거야. 그리고 독서 일지를 쓸 때 기억에 남는 부분이나 핵심 단어, 구절 등을 적어 놓으면 자신에게 필요한 정보가 무엇이었는지 나중에 파악하는 데 도움이 될 거야.

제시된 독서 일지는 하나의 예시일 뿐이므로 자유롭게 변형해도 좋단다. 일회적으로가 아니라 독서 기간에 꾸준히 독서 일지를 작성하도록 하렴.

예시 답 |

독서 일지

읽은 날짜	책 제목	작가	읽은 쪽수
20○○. ○. ○	트루먼 스쿨 악플 사건	도리 힐레스타 드 버틀러	133~195

책을 읽으며 메모한 내용

중요한 내용	• 릴리의 가출: '트루먼의 진실'에 계속해서 자신을 비방하는 익명의 글이 올라오고 '안티 릴리 카페'까지 개설되어 사실이 아닌 내용까지 친구들이 믿으며 자신을 멀리하자 릴리는 꾀병을 부리며 학교에 결석을 하지만, 이를 엄마에게 들켜 학교를 갈 수밖에 없게 되자 결국 가출까지 하게 됨. • 제이비와 엄마의 갈등: 학생들의 표현의 자유를 막을 수는 없다는 제이비의 입장과 운영자로서 책임감을 지니지 않는다면 사이트 운영 자격이 없다는 엄마의 갈등 • 종교 때문에 왕따를 당해 왔던 아무르의 생각: 많은 어른들이 컴퓨터 때문에 발생하는 모든 일을 비난하고 있지만, 학생들은 컴퓨터가 발명되기 훨씬 오래전부터 서로에게 괴롭힘을 당해 왔다. 그러니까 컴퓨터만 탓해서는 안 된다. 학생들을 탓해야지.
기억에 남는 부분	• 중학교 생활에 대해 뭔가 의미 있고 활기찬 기사를 자유롭게 싣고 싶어 사이트를 만들었던 제이비가 악플 사건 이후 '사람들은 누구나 비열해질 수 있습니다.'라는 글을 마지막으로 올리며 사이트를 폐쇄하는 장면 • 악플 사건 이후 사이트 운영자로서 책임감을 깨달은 제이비가 나쁜 글이나 허위 사실의 글은 삭제하기로 하고 다시 사이트를 개설하는 장면
읽으면서 떠오른 질문	• 악성 댓글과 관련된 법에는 어떤 것들이 있을까? • 은행 통장 실명제처럼 인터넷도 실명제를 하는 건 어떨까? • 악성 댓글을 막는 방법에는 무엇이 있을까?
핵심 단어나 구절	• 인신공격, 악성 댓글, 언어폭력 • 사이버 폭력은 왜 나쁜가? • 기술의 발달은 사람들이 새로운 방식으로 서로를 공격하게 만들고 있다.

선생님의 의견

생략

지학이가 도와줄게! - 2

이번 독서 시간에는 사회 문제와 관련된 책을 읽고, 그 내용을 정리하는 것이 목적이므로 책에 담긴 중요 내용을 독서 일지에 정리하면서 이에 대한 자기 생각도 함께 기록하여 문제 해결력을 키울 수 있도록 노력해 보자.

○ 「트루먼 스쿨 악플 사건」

트루먼 중학교 교내 신문부 부장을 맡고 있던 제이비는 획일적인 학교 교육 과정과 선생님들에 불만을 품고, 친구인 아무르와 함께 '트루먼의 진실'이란 웹사이트를 만들어 운영한다. 그러던 어느 날, 이 웹사이트에 익명으로 누군가가 교내 인기 여학생인 릴리를 비방하는 사진과 글을 올린다. 이후 정체 모를 악플의 영향은 일파만파 번져 릴리는 점점 친구들한테 왕따를 당하고 결국 그 충격을 견디지 못해 가출을 하면서 학교가 발칵 뒤집힌다. 처음에 악플을 단 진짜 범인이 누구인지를 추적하는 과정으로 이루어진 이 소설은 일상생활에서 실제 말로써 행하는 언어폭력뿐만 아니라 인터넷상에서 일어나는 언어폭력도 인간에게 큰 상처를 준다는 사실을 깨달아 가는 아이들의 모습을 보여 준다.

독서 일지는 선생님과 의논하여 다양한 형태로 쓸 수 있어요.
나만의 독서 공책을 마련해서 수업 시간 동안 책을 읽고 매시간 독서 일지를 써 보아요.

4 책 나누기

 책을 읽고 난 후 독서 신문을 만드는 활동을 해 봅시다.

학습 포인트
· 독서 일지를 바탕으로 의견 나누기
· 독서 신문을 만들고 다른 모둠과 의견 나누기

1. 모둠에서 읽은 책에 대해 자유롭게 의견을 나누고 이를 모둠 토의록에 정리해 봅시다.

○ 활동 탐구
'책 나누기'는 책을 읽고 난 후 이어지는 독후 활동이다. 이번 학기 주된 독후 활동은 독서 신문 만들기이다. 독서 일지를 활용하여 정리한 내용을 바탕으로 책의 내용과 관련하여 토의한 후 모둠 토의 결과를 반영하여 독서 신문을 만들어 보고 다른 모둠의 의견을 들어 보도록 한다.

우리 모둠에서 읽은 책은 도시 여행 이야기지.

공정 여행을 말하면서 도시 재생 이야기를 꺼내고 있어.

우리 모둠이 이번에 함께 읽은 책에 대해 이야기를 나누어 보자.

진정한 의미의 도시 재생이 이루어진 곳은 어느 도시인 것 같아?

예시	모둠 토의록	
일시	20○○. ○○. ○○	
모둠원	미정, 연정, 태욱, 희중	
읽은 책의 분야	환경 – 도시 재생	
독서 주제	진정한 의미의 도시 재생이란?	
책의 내용에 대한 우리들의 생각	미정: '공정 여행'의 실천이 중요. 관광객 때문에 오히려 죽어가는 도시가 너무 많아졌음. 연정: 관광객보다 주민의 삶이 더 중요. 주민이 없으면 그 도시는 결국 살아남지 못함. 태욱: 관광 산업은 굴뚝 없는 공장이라 생각. 굉장히 중요한 경제 자원임. 도시의 주민만 생각해서는 그 도시가 살아남을 수 없음. 도시의 몰락은 결국 주민의 몰락으로 이어짐. 왜 도시 재생을 시작하게 되었는지 고민해야 함. 희중: 스물네 곳의 도시를 여행하면서 공동체와 지역 주민이 중심이 되는 도시 재생이 무엇인지 알게 하는 것이 이 책을 쓴 의도임. 이 책의 내용을 바탕으로 할 때 몇 가지 해결책을 생각해 볼 수 있음. 각각의 도시가 가진 특징을 최대한 활용하는 것, 주민들이 주인공이 되는 도시 재생이 이루어져야 하고 자연을 훼손하지 말아야 한다는 것 등임.	

➕ 보충 자료
독서 토의의 진행 과정

도입	· 사회자의 진행 · 책의 주요 내용이나 글쓴이, 글이 실린 매체 등 기본 정보를 공유함.
전개	· 각자 준비한 발제 발표 · 사회자의 발제 정리 · 의견 교환 및 토의록 정리
정리	· 사회자가 발제 의견들을 정리하여 발표하고 더 이상 의견이 없는지 확인함. · 독서 토의에 대한 자기 평가 및 상호 평가

예시 답 |

모둠 토의록

일시	20○○. ○. ○
모둠원	민주, 재영, 명희, 선아
읽은 책의 분야	소설
독서 주제	악성 댓글이 우리에게 미치는 영향
책의 내용에 대한 우리들의 생각	민주: 인터넷 사용이 보편화되면서 사이버 공간에서 일어나는 폭력, 특히 언어폭력과 관련한 문제가 많이 발생하는 것 같음. 악성 댓글은 그중 가장 대표적인 예라고 할 수 있음. 재영: 사실이 무엇이고 진실이 무엇인지 상관없고, 그저 다른 사람이 당황하는 모습을 보며 즐거움을 느끼는 몇몇 사람들이 문제라고 생각함. 물론 이러한 사람들의 행동을 그저 방관하는 대다수의 다른 사람들도 문제임. 명희: 악성 댓글의 문제는 그냥 인터넷 공간에서 바른 말을 쓰자는 홍보 활동을 벌인다고 해서 해결되지 않는다고 생각함. 다른 사람의 마음을 헤아리고, 다른 사람의 입장에서 생각하려는 마음가짐이 기본이 되어야 함. 선아: 악성 댓글을 쓰지 말자고 하는 것보다 좋은 댓글을 달자고 하는 것이 더 효과적일 수 있다고 생각함. 악성 댓글을 다는 대신 뭐라고 말해야 하는지 모르는 학생들에게 어떻게 말해야 하는지 알려 줄 수 있기 때문임.

2. **1에서 나눈 의견을 토대로 독서 신문을 만들어 봅시다.**

1 모둠별로 독서 신문에 넣을 내용을 골라 보고, 역할을 분담하여 독서 신문에 들어갈 각 부분을 완성해 봅시다.

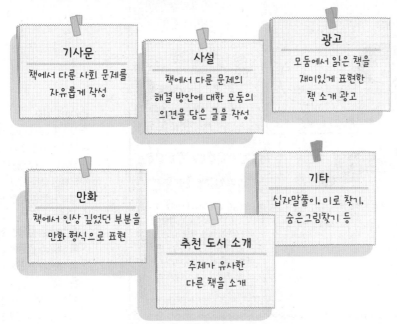

기사문
책에서 다룬 사회 문제를 자유롭게 작성

사설
책에서 다룬 문제의 해결 방안에 대한 모둠의 의견을 담은 글을 작성

광고
모둠에서 읽은 책을 재미있게 표현한 책 소개 광고

만화
책에서 인상 깊었던 부분을 만화 형식으로 표현

추천 도서 소개
주제가 유사한 다른 책을 소개

기타
십자말풀이, 미로 찾기, 숨은그림찾기 등

☀ 지학이가 도와줄게! - 1

책을 읽고 난 후 자유롭게 토의해 보는 활동을 통해 책의 내용을 얼마나 제대로 이해했는지를 확인해 보도록 하자. 이와 같은 적극적인 토의 활동을 통해 책 내용을 더욱 폭넓게 이해할 수 있을 거야. 그리고 책 내용과 관련된 주제를 가지고 모둠원들끼리 다양한 의견을 나누었다면 이를 실제 토의록에 기록해 두렴. 모둠 토의록은 모둠 독서 신문을 만드는 기초 자료로 활용될 수 있단다.

☀ 지학이가 도와줄게! - 2

1의 활동을 바탕으로 독서 신문에 들어갈 내용을 마련하는 단계란다. 신문에 들어갈 수 있는 글의 형식은 교과서에 제시된 것 외에도 가능하니까 의견을 가장 적절히 표현할 수 있는 형식을 선택해 보도록 하렴. 또한, 독서 신문을 만들 때 인쇄 매체 형식인 독서 신문뿐만 아니라 컴퓨터를 활용해 동영상이나 다양한 이미지를 넣은 독서 신문도 가능하다는 것을 참고하렴.

2 각자 만들어 온 내용을 신문에 어떻게 배치할지 판면을 구성해 봅시다.

기사문	만화
	사설
	추천 도서 소개
광고	기타

예시 답 |

사설	
만화	책 광고
인상 깊은 구절	추천 도서

3. **2**에 따라 독서 신문을 완성해 봅시다.

아름다운 세상을 ☆꿈꾸는 별빛 모둠

독서 신문

인생 사진용 벽화 마을? 사람 냄새 나는 우리 동네!

테마 마을이나 거리가 많이 생겼다. 꼭 한번 찾아가서 인생 사진 남기고 싶은 예쁜 벽화 마을도 많다. 그런데 그 마을에 사는 사람들은 행복할까? 사람들이 수시로 찾아와 너무 시끄럽고, 거리는 자꾸 더러워지는데 그런 곳에서 계속 살고 싶을까? 『지리 선생님과 함께하는 우리나라 도시 여행』에서는 도시를 살리는 방법에 대해 이야기한다. 도시가 지닌 진짜 아름다움을 살리는 재생, 관광객과 주민이 함께 만들어 가는 도시 재생의 중요성을 보여 준다.

> 나만 즐기는 관광 말고!
>
> 함께 즐거운 공정 여행!

"아름다운 우리 도시, 모두가 행복한 도시 재생"

책 광고

주민들과 함께!
자연과 함께!

지리 선생님과 떠나는
아름다운
우리 도시 이야기

기억에 남은 책 속 한 구절

• 여행은 생존, 자기 성찰, 순례, 도전이라는 가치를 내포
• 나의 행복이 누군가에게 혹은 우리가 살고 있는 지구에게 불행이 되지 않기를 바라는 사람들의 시각
• 공동체와 지역 주민이 중심이 되는 도시 재생

함께 읽으면 좋은 책

• 『아름다운 우리나라 이야기』/ ○○○ 지음 / ○○○출판사
• 『구석구석 마을 탐방기』/ ○○ 지음 / ○○○출판사
• 『뜨는 동네, 지는 동네』/ ○○ 지음 / ○○○출판사

➕ 보충 자료

판면(版面)

인쇄판의 글씨나 그림이 드러난 면. 조판에 의하여 형성되는 글자 면을 말한다. 활자 조판을 할 때 인쇄물의 판형에서 주위의 여백을 뺀 본문이나 제목의 활자 등이 인쇄되는 부분이다.

✸ 지학이가 도와줄게! - 3

지금까지 활동한 내용을 바탕으로 독서 신문을 완성하는 단계란다. **2**에서 논의한 판면 구성에 따라 신문 편집 형식에 맞춰 기사를 직접 배치하여 신문을 완성하면 되겠지? 판면 배치를 논의할 때 전체적인 기사 내용의 조율 및 편집 역할이 필요할 수 있으니 미리 역할을 분담해서 하면 좀 더 효율적으로 할 수 있을 거야.

➕ 보충 자료

독서 신문에 들어갈 수 있는 내용

• 작가나 인물 소개
• 작가나 등장인물, 독자 등을 인터뷰한 내용
• 책과 관련한 추천 도서 소개 및 서평
• 책 내용을 활용한 퀴즈나 만화
• 책 내용과 관련한 공익 광고
• 책 내용과 관련하여 더 알고 싶은 내용
• 책 속의 사건이나 사회 현상 등에 대한 의견이나 칼럼 등

4. 모둠별로 만든 독서 신문을 교실 뒤편에 전시해 봅시다.

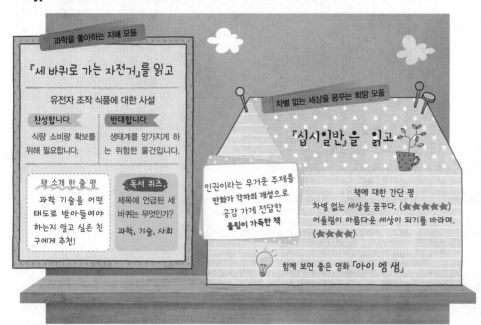

과학을 좋아하는 지혜 모둠

『세 바퀴로 가는 자전거』를 읽고

유전자 조작 식품에 대한 사설

찬성합니다.
식량 소비량 확보를
위해 필요합니다.

반대합니다.
생태계를 망가지게 하
는 위험한 물건입니다.

책 소개 한 줄 평
과학 기술을 어떤
태도로 받아들여야
하는지 알고 싶은 친
구에게 추천!

독서 퀴즈
제목에 언급된 세
바퀴는 무엇인가?
과학, 기술, 사회

차별 없는 세상을 꿈꾸는 희망 모둠

『십시일반』을 읽고

인권이라는 무거운 주제를
만화가 각자의 개성으로
공감 가게 전달한
울림이 가득한 책

책에 대한 간단 평
차별 없는 세상을 꿈꾸다. (★★★★★)
어울림이 아름다운 세상이 되기를 바라며.
(★★★★)

💡 함께 보면 좋은 영화 「아이 엠 샘」

✳ 지학이가 도와줄게! - 4

독서 신문을 완성했다면 교실 게
시판이나 벽면을 활용해 전시하
도록 해 보자. 컴퓨터를 활용해
독서 신문을 완성한 경우에는 인
터넷 주소를 친구들과 공유하도
록 하렴.

5. 다른 모둠의 독서 신문 중 하나를 골라 독자 의견을 보내 봅시다.

예시 답 l

안녕하세요. ○○ 독서 신문 중   악성 댓글에 관한 기사   을/를

읽고 의견 보냅니다.

　저도 악성 댓글과 관련한 사회적 문제가 아주 심각하다고 생각합니다. 장난처럼 던

진 돌 하나에 피해를 입은 사례가 실제로 있으니까 말입니다. 그런데 전 악성 댓글 문

제를 해결하기 위해 제일 중요한 것은 인터넷 공간이 지닌 근본적인 문제를 해결하는

것이라고 봅니다. 많은 사람이 인터넷 공간에서 함부로 말을 하는 까닭이 자기가 누구

인지 드러나지 않기 때문이라고 생각합니다. 인터넷 실명제를 전면적으로 실시한다면

악성 댓글로 인한 문제도 해결될 것입니다. 자기 이름을 걸고 함부로 장난질 사람은 없

을 테니까 말입니다.

✳ 지학이가 도와줄게! - 5

읽기에서 쓰기로, 다시 읽기와 쓰
기로 한 권 읽기 활동이 순환적이
며 연쇄적 특성을 지닐 수 있도록
하려고 구성된 활동이란다. 단순
히 독서 신문을 만드는 데에 그치
지 않고, 그 신문을 공유하고 새
로운 의견을 덧붙이는 과정에서
책에 대한 더욱 깊이 있는 이해가
이루어질 수 있을 거야.

➕ **참고 자료**

세 바퀴로 가는 과학자전거

현대과학기술의 실마리와 실천을 담은 『세 바퀴로 가는 과학자전거』. 이 책은 과학 전문 기자인 저자가 2004
년부터 2005년까지 한국과학문화재단에서 내는 인터넷 매체 「사이언스타임스」에 연재했던 내용들을 다듬어
엮은 것이다.

『세 바퀴로 가는 과학자전거』는 일상생활에서 친숙하게 사용하는 제품들을 통해 과학 기술이 어떤 과정을 통
해 오늘과 같은 모습을 띠게 됐는지 설명하고 오늘날 과학기술이 해결해야 할 문제들을 소개한다. 또한 수많
은 과학기술문제를 해결하기 위한 방안도 제시한다.

6. 아래 기준에 따라 독서 신문 만들기 활동을 평가해 봅시다.

평가 기준	평가
❶ 독서 신문을 만들기 전에 책의 내용에 대해 충분히 의견을 나누었나요?	☆☆☆☆☆
❷ 각자의 역할에 따라 독서 신문에 담길 내용을 열심히 작성하였나요?	☆☆☆☆☆
❸ 모둠원끼리 의논하여 구성한 판면에 맞춰 그 내용을 바르게 배치하여 독서 신문을 완성하였나요?	☆☆☆☆☆
❹ 다른 모둠의 독서 신문도 꼼꼼히 살펴보고 독자 의견을 보냈나요?	☆☆☆☆☆

지학이가 도와줄게! - 6

독서 신문 만들기 및 감상하기의 전 과정을 돌아보며 스스로 자신의 활동을 평가해 보자. 이때 교과서에 제시된 평가 기준 외에 모둠별로 평가 기준을 변형해 평가해 보는 것도 좋은 평가 활동이 될 수 있단다.

7. 이번 학기 독서 활동을 통해 새롭게 깨닫게 된 것이 있다면 무엇인지 친구들과 서로 이야기를 나누어 봅시다.

예시 답 | 생략

지학이가 도와줄게! - 7

이번 학기 독서 활동을 되돌아보며 서로 이야기 나눠 보는 활동이란다. 이러한 활동을 수행하면서 읽기의 가치와 중요성을 이해하고 읽기를 생활화하고 있다면 이 단원의 목표를 달성한 것이란다.

책에 우리 사회의 모습이 담겨 있다는 것을 알게 되었어.

관심 있는 책을 함께 읽고 의견을 나누다 보니 생각이 확장되었지.

책을 읽고 친구들과 의견을 나누니 생각이 깊어졌어.

글 읽기가 우리 삶에 얼마나 중요한지 새삼 느끼게 되었어.

활동 더 해 보기 가족 독서 신문 만들기

① 제목 정하기: 가족의 특성을 잘 나타내면서 가족 구성원이 마음에 들어 하는 제목 정하기
② 주제 정하여 읽기: 신문의 주제를 정하고 이에 적합한 책을 선정하여 읽기
③ 기사 작성하기: 읽은 책의 내용을 바탕으로 독서 신문에 들어갈 내용을 작성하고 사진을 선정하기
④ 기사 순서 정하기: 편집 회의를 통해, 작성한 기사를 어떻게 배치할지 논의하기
⑤ 신문 제작 및 발행하기: 선정한 사진과 논의하여 정한 판면에 따라 기사로 신문을 제작한 후 다양한 방법으로 배포하기

대단원을 닫으며

·학습 목표 점검하기·

❶ 책 앞에서

- 읽기 경험을 바탕으로 글 읽기가 주는 도움에 대해 친구들과 이야기를 나누었나요? (◎, ✕)
- 이번 학기 독서 활동에 관심을 가졌나요? (◎, ✕)

❷ 책 두드리기

- 평소 관심 있던 분야의 신문 기사를 골랐나요? (◎, ✕)
- 관심 분야가 같은 친구들과 모둠을 이루어 함께 읽을 책을 적절하게 선정하였나요? (◎, ✕)

❸ 책 누리기

- 정해진 시간 동안 우리 사회의 모습을 담고 있는 책을 핵심 내용을 정리하며 읽었나요? (◎, ✕)
- 책을 읽고 매시간 독서 일지를 작성하였나요? (◎, ✕)

❹ 책 나누기

- 자신이 맡은 역할에 따라 독서 신문에 들어갈 내용을 정성껏 작성하였나요? (◎, ✕)
- 다른 모둠의 독서 신문을 꼼꼼하게 살펴보고 독자 의견을 보냈나요? (◎, ✕)

더 하고 싶은 독서 후 활동

- 독서 퀴즈 활동: 책에 나온 낱말이나 구절을 활용한 문제, 소재나 주제와 관련한 문제 등 다양한 문제를 만들어 푸는 활동을 하고 싶다.
- 책 광고 제작 활동: 책을 읽고 다양한 형태의 광고를 만들어 친구들에게 소개하고 싶다.
-
-
-

비판적 · 창의적 사고 역량

이 역량은 다양한 상황이나 자료, 담화, 글을 주체적인 관점에서 해석하고 평가하여 새롭고 독창적인 의미를 부여하거나 만드는 능력을 말해. 작품에 독창적인 의미를 부여하고 능동적으로 작품을 재구성하는 활동을 통해 다양한 작품을 주체적인 관점에서 비판하고 해석하는 능력을 길러 보도록 하자.

공동체 · 대인 관계 역량

이 역량은 공동체의 가치와 공동체 구성원의 다양성을 존중하고 상호 협력하며 관계를 맺고 갈등을 조정할 수 있는 능력을 말해. 이 단원에서는 다양한 듣기 말하기 활동을 통해 자신의 의사를 전달하여 상대와의 관계를 향상시키고 공동체 간 의견을 모으는 능력을 기를 수 있도록 해 보자.

듣기 · 말하기

문학

4

함께 만드는 의미

(1) 듣고 말하며 나누기

(2) 흑설 공주 _ 이경혜

대단원을 펼치며

◆ 도입 만화를 살펴보면서 이 단원에서 배울 내용을 짐작해 보아요!

핵심 질문

말과 글을 통해 타인과 생각을 나누는 일은 어떤 가치를 지닐까?

> 이 질문은 이 대단원을 이끄는 핵심 질문이란다. 이 질문을 왜 하였는지 이 단원을 공부하면서 찾아낼 수 있도록 하는 것이 중요해. 생각을 나누는 일이 이 핵심 질문의 답을 풀 수 있는 열쇠말이라는 것을 기억하자.

보조 질문

인간의 말을 외계인이 이해했다는 것을 어떻게 알 수 있을까요?

예시 답ㅣ 자기 종족의 언어인 검은 연기로 자기를 소개했기 때문이다.

영화를 소설로 바꾼다면 무엇이 달라질까요?

예시 답ㅣ 영화에서 시각적으로 바로 보여 줄 수 있었던 배경이나, 인물의 행동, 외계인의 언어 등을 소설은 문자 언어로 묘사해야 하며, 이밖에 청각적인 요소나 시점 등도 문자 언어로 묘사해야 한다.

학습 목표

[듣기 · 말하기] 듣기와 말하기는 의미 공유의 과정임을 이해하고, 듣고 말할 수 있다.
[문학] 재구성된 작품을 원작과 비교하고, 변화 양상을 파악하며 감상할 수 있다.

배울 내용

(1) 듣고 말하며 나누기	(2) 흑설 공주	단원 + 단원
• 의미 공유의 과정 이해하기 • 의미를 공유하는 다양한 듣기 · 말하기 방식 이해하기	• 재구성된 작품과 원작 비교하기 • 작품을 비판적 · 창조적으로 재구성하기	• 서로의 의견을 공유하여 작품 선정하기 • 선정한 작품을 만화로 재구성하기

(1) 듣고 말하며 나누기

 생각 열기

다음 두 사람의 대화를 보고 이어지는 질문에 답해 봅시다.

● 이렇게 열자 ●

이 단원을 학습하기 전에 의미 공유를 위한 대화의 조정 과정을 살펴보는 활동이다. 먼저, 제시된 대화에서 경훈과 인주가 각각 어떤 생각을 가지고 있었고, 대화 이후에 두 사람의 생각이 각각 어떻게 변화했는지를 파악해 본다. 이어서 이와 유사한 자신의 경험을 떠올려 보면서, 자기 생각을 표현하고 상대방과 자기 생각이 다름을 확인한 후 서로 의견을 조율했던 경험에 대해 이야기해 본다.

• 대화를 나누기 전 경훈과 인주는 각각 어떤 생각을 가지고 있었을지 말해 봅시다.

예시 답 | 좋은 판단을 하기 위해서 경훈은 평소 생각을 많이 해야 한다고 생각했고, 인주는 책을 많이 읽어야 한다고 생각했다.

• 이와 같이 대화를 해 나가면서 자신의 말과 생각을 조정했던 경험을 말해 봅시다.

예시 답 | • 나는 체력만 좋으면 운동을 잘할 수 있다고 생각했는데 친구와 함께 야구의 규칙에 관한 얘기를 나누면서 운동을 잘하려면 사고력이나 판단력도 좋아야 한다는 것을 알게 되었다.
• 나는 같은 반 친구인 민희에 대해 평소 부정적인 생각을 가지고 있었는데 친한 친구 승하와 민희에 관한 얘기를 나누면서 민희에 대한 나의 생각을 돌아보고 민희가 장점도 많은 아이임을 알게 되었다.

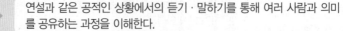

이 단원의 학습 요소

학습 목표 | 듣기와 말하기는 의미 공유의 과정임을 이해하고, 듣고 말할 수 있다.

대화를 통해 듣기·말하기의 의미 공유 과정 이해하기 ▶	대화를 통해 듣기·말하기가 듣는 이와 말하는 이가 함께 의미를 구성해 가는 과정임을 이해한다.
공적인 상황에서의 듣기·말하기를 통해 의견 공유하기 ▶	연설과 같은 공적인 상황에서의 듣기·말하기를 통해 여러 사람과 의미를 공유하는 과정을 이해한다.

소단원 바탕 학습

핵심 개념 미리 보기

1. 듣기·말하기의 의미 공유 과정

(1) 듣기·말하기는 말하는 이와 듣는 이가 각각 의미를 전달만하는 것이 아니라, 어떤 주제를 중심으로 서로 의미를 주고받으면서 의미를 새로이 구성해 가는 과정이다.

(2) 듣기·말하기는 말하는 이가 듣는 이에게 일방적으로 의사를 전달하는 것이 아니라 말하는 이와 듣는 이가 상호 작용을 함으로써 의미를 창조해 가는 협력의 과정이다.

2. 대화를 통한 의미 공유 과정

(1) 대화의 뜻: 말하는 이와 듣는 이가 평등한 관계로 만나서 말을 나누는 담화 유형을 말한다.

(2) 대화의 요소

```
            대화 상황

말하는 이              듣는 이
(듣는 이)  ← 대화 주제 → (말하는 이)
```

(3) 대화의 의미 공유 과정

- 대화 참여자들이 협력하여 함께 의미를 만들어 가는 과정
- 대화의 과정에서 의미를 이해하고 공유함으로써 서로 영향을 주고받는 과정

(4) 의미 공유를 위한 대화 태도

- 상대방을 존중하고 배려하는 마음을 지닌다.
- 상대방이 하는 말에 맞추어 적절하게 반응한다.
- 대화를 할 때 상대방의 말을 적극적으로 듣는다.
- 자기 생각만 옳다는 태도를 버리고 열린 마음으로 대화에 임한다.

(5) 의미 공유 과정으로서 대화의 가치

- 세대 간 소통이 가능해진다.
- 바람직한 인간관계를 형성할 수 있다.

3. 연설을 통한 의미 공유 과정

(1) 연설의 뜻: 공적인 상황에서 다수의 청중을 대상으로 정보를 전달하거나 설득하는 것을 목적으로 하는 공식적 말하기의 유형이다.

(2) 연설의 의미 공유 과정

- 특정 주제에 대한 내용을 청중에게 전달함으로써 생각과 정보를 공유하는 과정
- 문제에 대한 해결 방안을 말하는 사람과 청중이 함께 고민하는 공적 대화의 과정

(3) 연설할 때 의미 공유를 위해 필요한 태도

말하는 이	• 듣는 이의 지식과 수준, 감정과 태도 등을 충분히 고려함. • 소통하는 과정에서 듣는 이의 반응을 살펴 가며 말하기 방식이나 태도를 조정함.
듣는 이	• 말하는 이의 의도, 전달하고자 하는 핵심 내용 등을 파악함. • 자신의 경험과 배경지식 등을 충분히 활용하여 적극적으로 들음.

눈으로 찍고 가기

1. 다음 빈칸에 공통으로 들어갈 단어를 쓰시오.

> 듣기·말하기는 말하는 이와 듣는 이가 어떤 주제를 중심으로 서로 ☐☐을/를 주고받으면서 ☐☐을/를 새로이 구성해 가는 ☐☐ 공유 과정이다.

2. 대화의 요소로 적절하지 **않은** 것은?
① 듣는 이   ② 말하는 이
③ 대화의 내용   ④ 대화의 표현 기법
⑤ 대화가 이루어지는 상황

3. 다음 설명 중 옳으면 ○표, 옳지 않으면 ×표 하시오.
(1) 대화의 목적은 상대방을 설득하는 데 있으므로 자기 생각이 옳음을 논리적으로 입증할 수 있어야 한다.   ( )
(2) 연설은 공적인 상황에서 여러 사람에게 자신의 의사를 전달하거나 청중을 설득하는 것을 목적으로 하는 공식적인 말하기이다.   ( )
(3) 연설을 통해 말하는 이와 듣는 이는 특정 주제에 대해 생각과 정보를 공유하고 문제 해결 방안을 함께 고민할 수 있다.   ( )

정답: 1. 의미 2. ④ 3. (1) × (2) ○ (3) ○

의미를 공유하는 듣기와 말하기

▌ 아버지와 아들의 대화가 담긴 다음 글을 읽고, 이어지는 활동을 해 봅시다.

"상우야, 이제 많이 어두워졌지?"

"예, 별도 하나둘 보이고요." 대화가 이루어지는 상황(시간): 밤

"이제 몇 굽이만 더 내려가면 우리가 내려가야 할 대관령은 다 내려가는 거야. 거
대화가 이루어지는 상황(공간): 대관령 길
기서부턴 다시 작은 산길로 가면 되고."

"아빠, 아빠는 윤태 아저씨 말고도 친구가 많죠?"
상우(아들)가 화제를 제시함. → 대화의 주제: 우정(아버지의 친구)
"그럼, 많지."

"그런데 누구하고 제일 친하세요?"

"그건 잘 모르겠다. 어느 친구하고도 다 친하니까. 전에 할아버지 댁 앞에서 본 친

구하고도 친하고, 또 학교 다닐 때의 친구, 나중에 글을 쓰면서 알게 된 친구, 서

울에 와서 살면서 알게 된 친구, 그런 친구들이 모두 아빠의 친구니까."
➜ 아들(상우)과 아버지가 대관령 밤길을 걸으며 아버지의 친구를 화제로 대화를 나누기 시작함.
"그중에서 아빠하고 제일 오래 사귄 친구는 누구세요? 전에 할아버지 댁 앞에서
상우가 질문을 통해 화제를 구체적으로 제시하면서 아버지와의 대화를 이어 감.
본 그 아저씬가요?"

"그래. 그 아저씨하고도 아주 오래된 친구지. 한마을에서 태어나 지금까지 친구로
상우의 질문에 성실하게 대답하면서 적극적으로 대화에 참여함.
지내고 있으니까. 그렇지만 아빠한텐 그 친구보다 더 오래된 친구도 있어."
상우가 모르는 친구에 관한 이야기를 꺼내 상우의 관심을 끎.
"어떤 친군데요?"

"사귄 지가 아마 백 년도 더 되는 아주 오랜 친구."
논리적으로는 말이 되지 않는 진술로 상우의 의구심을 불러일으킴.
"어떻게 그럴 수가 있어요? 아빠가 그렇게 살지도 않았는데."
아버지의 말에 적절한 반응을 보이며 대화에 적극적으로 참여함.
"그렇지만 친구는 그럴 수 있거든."

"어떻게요?"

"너 익현이 아저씨 알지?"
└ 첫 번째 일화의 주인공으로, 아버지가 제일 오래 사귄 친구임.
"예, 서점에 있는 아저씨요."

○ 활동 탐구
아버지와 아들이 나누는 대화를 통해 듣기·말하기가 말하는 이와 듣는 이가 함께 의미를 구성해 가는 과정임을 이해하기 위한 활동이다. 소설을 감상하면서 대화를 통해 의미를 공유하기 위해 필요한 자세를 알아본다.

▌작가 소개: 이순원 (1958~)
소설가. 강릉 출신으로 「첫사랑」, 「은비령」 등의 작품이 있다.

○ 활동 제재 개관
갈래: 소설
성격: 교훈적, 감동적
주제: 우정의 참뜻과 친구를 사귀는 기준
특징
· 작가의 자전적 경험을 바탕에 둔 소설 「아들과 함께 걷는 길」의 일부이다.
· 아버지가 아들과 밤길을 걸으며 이야기를 주고받는 형식이다.
· 아버지를 이해하는 아들과 아들에게 지혜를 전하는 아버지의 모습을 따뜻하게 그려 내 여운을 준다.

○ 이 글에 나타난 대화의 요소

· 듣는 이와 말하는 이: 아버지와 아들(상우)
· 주제: 우정(아버지의 친구)
· 상황: 대관령의 밤길

↓

아버지와 아들(상우)이 대관령의 밤길을 함께 걸으면서 아버지와 친구들의 일화를 바탕으로 우정이 어떤 것인지에 대해 대화를 나누고 있음.

"그 아저씨하고 아빠가 <u>그런 친구</u>야."
<small>사귄지 백 년 넘는 친구</small>
"그렇지만 아빠 나이하고 그 아저씨 나이를 합쳐도 백 년이 안 되는데요?"

"<u>아빠하고 그 아저씨는 4대에 걸친 친구</u>거든. 아빠의 <u>증조할아버지</u>와 그 아저씨
<small>'사귄 지가 아마 백 년도 더 되는 아주 오랜 친구'라는 말의 의미를 알려 줌.</small>　　　<small>'아버지의 할아버지'를 뜻함.</small>
의 증조할아버지가 친구였고, 아빠 할아버지와 그 아저씨의 할아버지가 친구였
고, 네 할아버지와 그 친구의 아버지가 친구였었고, 또 아빠와 그 아저씨가 친구
니까."

"<u>우와.</u>"
<small>적절한 감탄사를 활용하여 대화 내용에 대한 적극적인 관심을 표현함.</small>
"그런 사이를 어른들은 집안 간에 오랜 <u>세교</u>가 있었다고 말한단다. 오랜 세월을
<small>대대로 맺어 온 친분</small>
두고 우정을 쌓고 왕래한 집안이라는 뜻으로."

"그럼 백 년도 더 넘겠어요."

"아마 그럴 거야."

"그 아저씨 아들하고 저하고 친구 하면 5대에 걸친 친구가 되는 거네요."

"이제 <u>아빠도 고향을 떠나 있고, 그 아저씨도 고향을 떠나 있어 그러기가 쉽지는</u>
<small>멀리 떨어져 있어 자식 세대까지 서로 왕래하고 교류하기는 어려움.</small>
<u>않지만,</u> 이다음 너희가 또 왕래하고 친구를 하면 그렇게 되는 거지. 『어릴 때 그
아저씨 집에 아빠도 할아버지를 모시고 자주 놀러 갔고, 그 아저씨도 할아버지를
모시고 우리 집에 자주 오곤 했지. 할아버지들이 장기를 두다가 그다음엔 우리가
장기를 두고 할아버지들은 손자들 훈수를 하고. 자라서 <u>그 아저씨가 먼저 군대에</u>
<u>갔는데 그땐 아빠가 그 집에 자주 찾아가서 뵙고, 또 아빠가 군대에 가 있을 땐 아</u>
<small>서로 상대방 집안에서 친구의 빈자리를 채워 줌.</small>
<u>저씨가 우리 집에 자주 찾아오고 그랬단다.</u>』지금도 아빠가 책을 낼 때마다 그 아
<small>『 』: 아버지와 익현 아저씨가 집안끼리 교류를 하며 우정을 쌓아 온 과정을 구체적으로 설명함.</small>
저씨가 꼭 전화를 하지?"

"예."

"그렇게 <u>오랜 친구는 꼭 가까이 있지 않고 또 자주 보지 않아도 서로 마음속에 있</u>
<small>익현 아저씨와의 우정에 담긴 의미 → 상우가 아버지와의 대화를 통해 공유하게 된 생각</small>
<u>고 세월 속에 있는 거란다.</u>"
→ 일화 ①: 익현 아저씨와의 우정

"<u>아빠, 친구는 꼭 서로 나이나 수준이 맞아야 되는 건 아니죠?</u>"
<small>상우가 질문을 통해 또 다른 화제를 제시하면서 아버지와의 대화를 이어 감.</small>
"<u>어떤 수준 말이냐?</u>"
<small>아들의 말의 구체적인 의미를 확인함. → 성실한 대화 태도</small>
"공부도 그렇고, 생각하는 것도 그렇고요."

"옛말에 보면 <u>친구는 위로 보고 사귀라</u>고 했는데, <u>아빠는 그 말이 잘못되었다고</u>
<small>자신보다 나은 친구를 사귀라는 뜻</small>
<u>생각한다. 그 말은 이왕 친구를 사귈 거면 좋은 친구를 사귀라고 한 말이지 꼭 그</u>
<small>친구는 위로 보고 사귀라는 옛말</small>　　　　<small>아버지는 자신보다 나은 친구만 사귀어야 한다고 생각하지 않음.</small>
<u>래야 한다는 건 아닐 거야.</u> 친구를 사귈 때 다 위로 보고 사귀면, 아래에 있는 친
구는 자기보다 나은 친구를 사귀고 싶어도 평생 그런 친구를 사귈 수 없는 거지.
자기가 사귀고 싶어 하는 그 친구가 자기보다 못한 사람과 친구를 하지 않으려 하
면 말이지."

○ **아버지와 친구의 일화 ① – 익현 아저씨와의 우정**

익현 아저씨와의 일화
• 증조할아버지, 할아버지, 아버지, 본인까지 4대에 걸쳐 친구로 지냄.   • 어릴 때 할아버지를 모시고 익현 아저씨 집에 놀러 가 장기를 둠.   • 익현 아저씨가 군대에 갔을 때 아버지가 그 집에 자주 찾아가고, 아버지가 군대에 갔을 때 익현 아저씨가 아버지 집에 자주 찾아옴.

익현 아저씨와의 우정
집안 간의 여러 세대에 걸쳐 서로의 사정을 헤아리며 끊임없이 교류함.

○ **의미 공유를 위한 아버지와 상우의 대화 태도**

아버지	상우
• 아들이 이해하기 쉽도록 익현 아저씨와의 우정을 구체적으로 설명함. • 질문을 통해 아들의 말의 구체적 의미를 확인함.	• 아버지의 말에 적절한 반응을 보임. • 아버지의 질문에 성실히 대답함.

바람직한 대화 태도
의미 공유를 위해 상대방을 배려하며 성실하고 적극적인 태도로 대화에 임함.

➕ **보충 자료**
「아들과 함께 걷는 길」
소설가 이순원이 실제 경험을 바탕으로 쓴 글로, 글쓴이가 아들과 나눈 서른일곱 가지 주제의 대화를 담고 있다. 교과서에 수록된 부분은 그중에서 친구에 관한 대화를 나눈 부분이다.

"그럼 어떻게 해요?"

<small>상대방의 말에 맞추어 적절한 질문을 하며 적극적으로 대화에 참여함.</small>

"자기보다 나은 친구, 못한 친구 얘기를 하는 건 친구에게 배울 점을 찾으라는 이

<small>'친구는 위로 보고 사귀라'는 말에 담긴 의미</small>

야기인 거야. 또 나쁜 친구를 사귀게 되면 함께 나쁜 생각과 나쁜 행동을 하게 되

는 것도 사실이고. 더구나 너희처럼 자라날 때는 말이지. 그렇지만 어른이 되면

친구란 내가 외롭거나 어려울 때 서로 믿고 도울 수 있고, 또 당장 어렵거나 외롭

<small>아버지가 생각하는 좋은 친구 ①</small>

지 않더라도 그런 친구 곁에 있는 것만으로도 위로가 되고 큰 힘이 될 수 있는 친

<small>아버지가 생각하는 좋은 친구 ②</small>

구가 가장 좋은 친구란다. 서로 붙어 다니며 놀기만 좋아하는 친구보다는 이다음

<small>당장의 즐거움만을 추구하는 친구</small>

서로 믿고, 서로 돕고, 서로 위로하고, 서로 힘이 될 수 있는 그런 친구를 사귀라

<small>서로에게 힘이 되는 친구를 사귀라는 뜻</small>

는 뜻이야. 너 친구에 관한 옛날이야기 알지? 아버지의 친구와 아들의 친구 이야

<small>설화 「진정한 친구」를 말함.</small>

기 말이다."

"알아요. 돼지를 잡아 놓고 사람을 실수로 죽였다고 하고 찾아가니까 아들 친구는

<small>설화 「진정한 친구」의 줄거리 → 상우는 배경지식을 활용하여 적극적으로 대화에 참여함.</small>

자기가 잘못될까 봐 도로 내쫓는데 아버지 친구는 다른 사람이 볼까 봐 얼른 집

안에 숨겨 주고요."

"바로 그런 친구를 사귀라는 거야."

<small>어렵고 힘들 때 믿고 힘이 될 수 있는 친구</small>

"아빠는 그런 친구가 있어요?"

"그런 건 자신 있게 말하는 게 아니야."

"왜요?"

"그건 그 말을 들은 친구를 부담스럽게 할 수도 있는 일이니까. 대신 아빠가 자신

<small>아버지의 성격: 사려 깊고 남을 배려하는 마음이 있음.</small>

있게 그렇게 해 줄 친구는 있단다."

<small>친구가 어려움에 처했을 때 아버지가 도와줄 수 있는 친구</small>

"그럼 그 친구도 아빠에게 그렇게 해 줄 거예요."

<small>아버지의 마음을 헤아리며 적절하게 반응함.</small>

"전에 성률이 아빠가 눈길에 이 길로 우리를 할아버지 댁에 데려다 주었던 거 생

<small>└ 두 번째 일화의 주인공으로, 아버지가 서로 믿고 의지할 수 있는 친구   성률이 아버지와의 일화</small>

각나니?"

"네, 설날 눈이 많이 올 때요."

<small>아버지가 말한 일과 관련한 자신의 기억을 떠올리며 적절히 반응함.</small>

"비행기도 안 뜨고, 아빠도 운전에 자신이 없어 할아버지 댁에도 못 가고 서울에

눌러앉았을 때, 성률이 아빠가 대목 날인데도 온종일 자기 택시 영업을 하지 않고

<small>친구가 어려움에 처하자, 성률 아버지는 자신의 곤란이나 이익을 생각하지 않고 도와줌.</small>

우리를 데려다 주러 왔던 거야. 그리고 서울에서 열네 시간 동안 이 길을 넘어왔

다가 다시 쉬지도 않고 열 시간 동안 이 길을 넘어가고. 그때에도 아빠가 영업하

는 차가 그냥 허탕 치면 어떻게 하느냐고 택시 요금을 주려고 하니까 성률이 아빠

가 뭐랬는 줄 아니?"

○ 아버지와 친구의 일화 ② – 성
  률 아버지와의 우정

성률 아버지와의 일화
• 설날 눈이 많이 올 때 택시 운전사인 성률 아버지가 자기 택시 영업을 하지 않고 상우와 아버지를 대관령 길을 넘어 할아버지 댁에 데려다 줌. • 택시 요금을 주려는 아버지에게 우정은 돈으로 계산할 수 있는 게 아니라며 요금을 받지 않음.

↓

성률 아버지와의 우정
친구에게 어려운 일이 닥치면 자신의 곤란이나 이익을 생각하지 않고 도와줌.

○ 상우와 아버지의 대화에 나타난 의미 공유 과정

대화 내용
'친구에 관한 옛날이야기'와 '성률 아버지와의 일화'를 통해 우정의 참뜻에 대해 대화를 나눔.

↓

상우와 아버지가 공유하게 된 생각
진정한 우정이란 친구가 어렵고 힘든 상황에 처했을 때 자신의 곤란이나 이익을 생각하지 않고 도와주는 것임.

➕ 보충 자료

설화 「진정한 친구」의 줄거리

어떤 아버지가, 돈으로 친구를 사귀는 아들에게 진정한 친구가 있는지 시험하고자 했다. 아버지는 아들에게 죽은 돼지를 사 자루에 넣은 다음, 친구들을 찾아다니며 도움을 구하라고 했다. 아들이 친구들의 집으로 찾아가 자신이 사람을 죽였는데 시체를 묻을 수 있도록 도와 달라고 하자 아무도 도와주지 않았다. 반면, 아버지가 자신의 친구를 찾아가 도움을 구하니, 그 친구는 바로 집으로 들어오게 한 후, 자기 집 뒷마당을 파 시체를 묻고는 친구에게 안심하고 자라고 했다. 이에 아버지는 아들에게 어떤 친구가 좋은 친구인지를 가르칠 수 있었다.

"안 받겠다고요."

"그냥 안 받은 게 아니란다. 『나는 네가 친구니까 죽음을 무릅쓰고 눈길을 넘어온

건데 너는 왜 그걸 꼭 돈으로만 계산하려고 하느냐고 그랬단다.』 그래도 직업이고

『 』: 성률 아버지와의 우정에 담긴 의미 → 우정은 돈으로 계산할 수 없을 만큼 소중하며, 어려울 때 도와주는 것이 진짜 친구임.

영업하는 차가 아니냐니까, 너는 글을 쓸 때마다 영업을 생각하며 글을 쓰냐며 오

히려 아빠를 부끄럽게 했단다."

"성률이 아빠도 아빠한텐 참 좋은 친구예요. 그렇죠?"

상우가 아버지와의 대화를 통해 공유하게 된 생각으로, 우정의 참뜻에 대해 깨닫게 됨.

"아빠는 어디 가서 친구 이야기를 하면 꼭 익현이 아저씨와 성률이 아빠 이야기를

한단다. 아빠가 성률이 아빠에게 해 주는 건 아무것도 없는데 성률이 아빠는 아빠

우정은 친구를 자랑스럽게 여기는 것이라는 생각이 드러남.

가 자기 친구라는 것만으로도 자랑스러워 영업하는 자동차까지 세워 두고 달려오

지 않니. 아빠가 성률이 아빠에게 해 주는 건 아빠 책이 나올 때마다 그것을 한 권

씩 주는 것 말고는 아무것도 없는데, 그러면 성률이 아빠는 그 책을 택시 안에 넣

어 두고 다니고."

→ 일화 ②: 성률 아버지와의 우정

"아빠한텐 기한이 아저씨도 그렇잖아요. 우리가 이사를 하면 나중에 와서 손을 다

└→ 세 번째 일화의 주인공으로, 신체적 수고를 아끼지 않고 도와주는 친구

봐 주고요. 전기선도 달아 주고 제 책상도 다시 손봐 주고. 그러면서도 전에 아빠

상우는 성률 아버지처럼 아버지를 위해 기꺼이 도움을 주는 기한이 아저씨를 떠올림. → 적극적인 대화 태도

가 밤중에 기한이 아저씨한테 가 준 걸 늘 고마워하고요."

"그때 기한이 아저씨가 함께 집 짓는 일을 하러 다니는 사람들과 이상한 내기를

했거든. 기한이 아저씨가 내 친구 중에 소설가가 있다고 자랑을 한 거야. 그러니

소설가인 상우의 아버지를 말함.

다른 아저씨들이 우리가 막일을 하러 다니는 사람인데 어떻게 그런 친구가 있을

이것저것 가리지 아니하고 닥치는 대로 하는 노동

수 있느냐고 믿지 않고. 그 사람이 정말 친구면 불러내 보라고 한 거지. 그러자 기

한이 아저씨는 늦은 밤까지 글 쓰는 친구를 어떻게 아무 일도 없이 불러내느냐고

상우의 아버지

그러고, 그러니까 저쪽 친구는 거짓말이니까 못 불러낸다고 그러고. 그러다 누군

가 기한이 아저씨한테 친구라면 불러낼 수도 있는 것 아니냐고, 그걸로 내기를 하

자고 그러고."

"그래서 기한이 아저씨가 전화를 한 거예요?"

"그런 말도 하지 않고 그냥 지금 어느 식당에 있는데 나올 수 있겠느냐고 물었단

다. 무슨 일이냐니까 별일은 아닌데 그냥 나왔으면 좋겠다고. 그러면서 지금 뭘

하다가 전화를 받았느냐고 물어서 내일 넘길 바쁜 원고를 쓰고 있다니까 그럼 나

기한 아저씨의 성격: 속이 깊고 친구를 배려하는 마음이 남다름.

오지 말라고 그러고. 그냥 친구들과 장난으로 전화를 건 거라면서."

○ 아버지와 친구의 일화 ③ - 기한 아저씨와의 우정

기한 아저씨와의 일화
• 상우네가 이사를 하면 나중에 와서 전기선도 달아 주고 상우 책상도 손봐 줌.   • 기한 아저씨가 자신의 친구 중에 소설가가 있다고 자랑을 하고 그 친구를 불러내는 것으로 내기를 걸었을 때, 아버지가 택시를 타고 기한 아저씨에게 감.

기한 아저씨와의 우정
자신이 잘 할 수 있는 일로 신체적 수고를 아끼지 않고 친구를 도움.

○ 상우가 아버지와 대화를 나누면서 공유하게 된 의미

상우의 말
• "성률이 아빠도 아빠한텐 참 좋은 친구예요."   • "아빠한텐 기한이 아저씨도 그렇잖아요."

상우가 아버지와 공유하게 된 생각
상우는 아버지의 친구들에 대해 아버지와 대화를 나누는 과정에서, 성률이 아빠와 기한이 아저씨처럼 친구가 어렵고 힘든 상황에 처했을 때 찾아와 친구의 일을 자신의 일처럼 도와주는 친구가 신정한 친구임을 깨달음.   → '우정'과 '진정한 친구'의 의미를 공유하게 됨.

"그래서요?"
질문을 통해 대화 내용에 관심을 표현하며 대화에 적극적으로 참여함.
"기한이 아저씨가 그냥 장난으로 전화를 걸 사람이 아니니까 거기 어디냐고 물어서 얼른 택시를 타고 나갔던 거지. 가니깐 그런 내기를 한 거야. 거기 있는 친구들과."

"그래서 기한이 아저씨가 이긴 거예요?"

"아니, 아빠가 이긴 거지. 그때까지 아빠는 아직 한 번도 기한이 아저씨를 위해 몸
아버지가 평소에 기한 아저씨에게 도움을 받기만 하다가 처음으로 기한 아저씨를 도왔기 때문에
으로 무얼 해 본 적이 없었거든. 그런데도 기한이 아저씨는 아빠한테 자기는 늘
상우의 아버지가 기한 아저씨와의 일화로 깨달은 생각
몸으로만 때우는 친구라 미안하다고 했는데, 그날 아빠가 기한이 아저씨를 위해
몸으로 때워 보니 정말 몸으로 때워 주는 것만큼 힘든 일도 없고, 또 좋은 친구도
없는 거야."

"저는 어른들도 그런 장난을 하는 게 신기해요." ➡️ 일화 ③: 기한 아저씨와의 우정

"장난이긴 하지만 친구란 그런 거야. 무얼 꼭 크게 도와주고 힘든 일을 해 주어야
만 좋은 친구인 것이 아니라 어떤 일로든 그 사람이 정말 내 친구구나 하는 걸 확
상우가 아버지와의 대화를 통해 공유하게 된 생각 ①
인하게 될 때 마음속에 다시 커다란 우정이 쌓이는 거란다. 그리고 그런 우정이
쌓일 때 옛날이야기 속의 아버지 친구 같은 이야기도 나오는 거고."
설화 「진정한 친구」에서 어려움에 처한 아버지를 도와준 친구
"알아요, 아빠. 그리고 따뜻하고요."

"친구를 가려 사귀기는 하되 절대 차별해서 사귀면 안 되는 거야. 알았지?"
상우가 아버지와의 대화를 통해 공유하게 된 생각 ②
"저도 이다음에 아빠 같은 친구를 많이 사귈 거예요. 제가 그 사람의 친구인 걸 자
랑스럽게 여기는 친구들을요."
상우가 아버지와의 대화를 통해 공유하게 된 생각 ③
"그리고 그런 친구들을 상우 네가 자랑할 수 있어야 하고."
➡️ 상우가 아버지와의 대화를 통해 우정에 관해 공유하게 된 생각
– 이순원, 「아들과 함께 걷는 길」

○ 대화를 통해 상우가 우정에 관해 아버지와 공유하게 된 생각

대화	생각
"어떤 일로든 그 사람이 ~ 우정이 쌓이는 거란다."	우정은 친구임을 확인할 수 있는 계기를 통해 다시 커다랗게 쌓이는 것임.
"절대 차별해서 사귀면 안 되는 거야."	차별하지 않고 친구를 사귀어야 함.
"제가 그 사람의 친구인 걸 자랑스럽게 여기는 친구들을요.", "그리고 그런 친구들을 상우 네가 자랑할 수 있어야 하고."	우정은 친구를 자랑스럽게 여기는 것임.

○ 의미 공유를 위한 상우와 아버지의 대화 태도

- 상대방의 말을 적극적으로 듣고 있음.
- 상대방을 존중하고 배려하는 태도로 말함.
- 상대방이 하는 말에 맞추어 적절하게 반응함.

1. 이 글에 나타난 대화를 다음 표에 정리해 봅시다.

대화 상황
대관령의 밤길

말하는 이 (듣는 이)
아버지

우정
대화 주제

듣는 이 (말하는 이)
아들(상우)

✷ 지학이가 도와줄게! – 1

소설 속 대화를 요소별로 정리해 보는 활동이야. 누가 언제 어디에서 무엇을 가지고 대화를 나누고 있는지를 정리하면, 대화를 구성하고 있는 여러 요소들을 파악할 수 있을 거야. '누가'는 '듣는 이와 말하는 이'에 해당하고, '언제, 어디에서'는 '대화가 이루어지는 상황'을 말하며, '무엇을'은 대화의 내용인 '대화 주제'를 말한단다.

2. 아버지와 상우의 대화 내용과 듣기 · 말하기 태도를 파악해 봅시다.

1 아버지와 친구들의 일화 속에서의 우정은 어떤 것인지 써 봅시다.

익현 아저씨와의 우정	집안 간의 여러 세대에 걸쳐, 서로의 사정을 헤아리며 끊임없이 교류함.
성률 아버지와의 우정	친구에게 어려운 일이 닥치면 자신의 곤란이나 이익을 생각하지 않고 도와줌.
기한 아저씨와의 우정	자신이 잘할 수 있는 일로, 신체적 수고를 아끼지 않고 친구를 도움.

2 다음 대화에 나타난 아버지와 상우의 듣기 · 말하기 태도를 말해 봅시다.

> "아빠, 친구는 꼭 서로 나이나 수준이 맞아야 되는 건 아니죠?"
> "어떤 수준 말이냐?" / "공부도 그렇고, 생각하는 것도 그렇고요."
> "옛말에 보면 친구는 위로 보고 사귀라고 했는데, 아빠는 그 말이 잘못되었다고 생각한다. [중략] 아래에 있는 친구는 자기보다 나은 친구를 사귀고 싶어도 평생 그런 친구를 사귈 수 없는 거지. 자기가 사귀고 싶어 하는 그 친구가 자기보다 못한 사람과 친구를 하지 않으려 하면 말이지."
> "그럼 어떻게 해요?"

| 아버지 의 듣기 · 말하기 태도 | 상우 의 듣기 · 말하기 태도 |
| → 질문을 통해 아들의 말에 담긴 구체적인 의미를 확인함으로써 성실한 듣기 · 말하기 태도를 보이고 있다. | → 아버지의 말에 적절한 반응을 보이며 성실한 듣기 · 말하기 태도를 보이고 있다. |

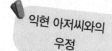
찬찬샘 **핵심** 강의

• **의미 공유를 위한 바람직한 대화 태도**

아버지와 상우는 우정에 관한 대화를 통해 서로의 생각을 나누고 우정의 참뜻에 관한 의미를 구성해 가고 있어. 그것이 가능한 요인 중 하나는 대화 태도와 관련이 있단다. 서로를 존중하고 배려하는 태도로 상대방의 말을 적극적으로 듣고 상대방의 말에 적절히 반응하며 우정에 관한 의미를 함께 만들어 가고자 노력하는 자세! 우리도 배워야겠지?

▸**핵심 포인트**◂

| 아버지와 상우의 대화 태도 |
| • 아버지: 아들의 눈높이에 맞추어 '우정'의 의미를 설명하고, 질문을 통해 아들의 말의 구체적 의미를 확인함. |
| • 상우: 아버지의 말에 적절하게 반응하며, 아버지의 질문에 성실하게 답변함. |

★ 지학이가 도와줄게! – 2 **1**

아버지와 상우가 나눈 대화의 내용을 제대로 이해했는지 확인하는 활동이야. 이 대화의 주제가 우정이라는 건 알지? 아버지가 상우에게 우정의 참뜻에 대해 이야기하기 위해 어떤 일화들을 들려주었는지 떠올려 보고, 그 일화들에서 알 수 있는 진정한 친구의 모습 혹은 우정의 의미에 대해 정리해 보렴.

★ 지학이가 도와줄게! – 2 **2**

아버지와 상우의 대화 태도를 평가해 보기 위한 활동이야. 아버지와 상우가 주고받는 말을 살펴보면서 의미 공유가 잘 이루어지고 있는지 판단해 보렴. 특히 상우와 아버지가 서로에게 하는 질문의 의도가 무엇일지 생각해 보면서 둘 사이에 의미 공유가 잘 이루어지고 있다면 어떤 태도로 대화에 임했기 때문인지 생각해 보자.

콕콕 확인 문제   정답과 해설 22쪽

1. 아버지와 상우의 대화에 대한 분석으로 적절하지 <u>않은</u> 것은?

① 대화 시간: 밤
② 대화 주제: 우정
③ 대화 목적: 설득
④ 대화 장소: 대관령 길
⑤ 대화 참여자: 아버지와 아들

|서술형|
2. 아버지가 ㉠과 같이 질문한 까닭을 아버지의 듣기 · 말하기 태도가 드러나게 서술하시오.

> "아빠, 친구는 꼭 서로 나이나 수준이 맞아야 되는 건 아니죠?"
> ㉠"어떤 수준 말이냐?"
> "공부도 그렇고, 생각하는 것도 그렇고요."

3. 아버지와 상우가 나눈 대화의 가치를 생각해 봅시다.

1 다음 대화를 바탕으로 상우가 우정에 관해 아버지와 공유하게 된 생각을 정리해 봅시다.

> "장난이긴 하지만 친구란 그런 거야. 무얼 꼭 크게 도와주고 힘든 일을 해 주어야만 좋은 친구인 것이 아니라 어떤 일로든 그 사람이 정말 내 친구구나 하는 걸 확인하게 될 때 마음속에 다시 커다란 우정이 쌓이는 거란다. 그리고 그런 우정이 쌓일 때 옛날이야기 속의 아버지 친구 같은 이야기도 나오는 거고." / "알아요, 아빠. 그리고 따뜻하고요."
> "친구를 가려 사귀기는 하되 절대 차별해서 사귀면 안 되는 거야. 알았지?" / "저도 이다음에 아빠 같은 친구를 많이 사귈 거예요. 제가 그 사람의 친구인 걸 자랑스럽게 여기는 친구들을요."

● 우정은 친구임을 확인할 수 있는 계기를 통해 다시 커다랗게 쌓이는 것이다.

● 차별하지 않고 친구를 사귀어야 한다.

● 우정은 친구를 자랑스럽게 여기는 것이다.

2 이 글에서 생략된 다음 글을 읽고 아버지와 상우의 관계에 이 글의 대화가 어떤 영향을 미쳤을지 이야기해 봅시다.

> "아빠, 저는 오늘 이 길이 참 좋았어요. 저 꼭대기에서부터 제가 아빠하고 걸어왔다는 게……."
> "아빠도 그렇단다. 네가 아빠하고 함께 걸을 수 있을 만큼 큰 것도 대견하고."
> "이제 제가 힘들 때 이 길을 생각할 거예요. 사랑해요. 아빠."
> "그래. 아빠도 널 사랑한단다."

예시 답 | 대화를 통해 의미를 공유함으로써 아버지와 상우의 관계가 더욱 깊어졌다.

· 의미 공유 과정으로서 대화의 가치

　대화를 비롯한 듣기 · 말하기는 단순히 말을 주고받는 것이 아니라, 의미를 공유하는 과정이란다. 상우와 아버지도 우정에 관해 대화를 나누는 과정에서 서로 영향을 주고받으며 우정의 의미를 공유하고 있단다. 이러한 과정 속에서 두 사람의 관계는 더욱 친밀해졌겠지?

핵심 포인트

대화를 통해 상우가 우정에 관해 아버지와 공유하게 된 생각		대화의 가치
· 우정은 친구임을 확인할 수 있는 계기를 통해 다시 커다랗게 쌓이는 것임. · 친구를 사귈 때 차별해서 사귀면 안 됨. · 우정은 친구를 자랑스럽게 여기는 것임.	→	· 세대 간 소통이 가능해짐. · 바람직한 인간관계를 형성할 수 있음.

지학이가 도와줄게! – 3 ❶

대화가 의미 공유의 과정임을 확인하기 위한 활동이야. 활동 본문 마지막 부분의 대화에는 상우가 우정에 관해 아버지와 공유하게 된 생각들이 정리되어 있지. 이 대화에서 우정이란 무엇이고, 친구를 사귀는 기준은 어때야 하는지에 대한 내용을 찾아서 정리해 보렴. 그 과정에서 대화가 의미 공유의 과정임을 자연스럽게 알 수 있을 거야.

지학이가 도와줄게! – 3 ❷

의미 공유 과정으로서 대화가 지니는 가치에 대해 생각해 보는 활동이야. 소설의 뒷이야기에 나오는 부분을 읽어 보면서 상우가 아버지와 대화를 나누고 나서 아버지에 대해 어떤 생각을 하게 되었는지, 상우와 아버지의 관계는 어떻게 변화했는지를 생각해 보렴.

콕콕 확인 문제

3. 이 글의 대화를 통해 상우가 우정에 관해 아버지와 공유하게 된 생각으로 적절한 것은?

① 우정은 친구가 잘못된 길을 갈 때 외면하지 않는 것이다.

② 진정한 친구란 자신의 부끄러운 점을 이야기할 수 있는 친구이다.

③ 우정은 자신보다 우위에 있는 친구를 사귈 때 더 빛이 나는 것이다.

④ 우정은 친구를 위해 큰 도움을 주거나 힘든 일을 해 줄 때 비로소 생겨난다.

⑤ 우정은 친구임을 확인할 수 있는 계기를 통해 다시 커다랗게 쌓이는 것이다.

| 서술형 |

4. 의미 공유 과정으로서 대화가 지니는 가치를 한 문장으로 서술하시오.

활동 2 여러 사람과 의미를 나누기

❚❚ 다음 연설을 듣고 이어지는 활동을 해 봅시다.

세상의 모든 어버이께
연설 대상: 세상의 모든 어른

세번 스즈키

안녕하세요. 저는 세번 스즈키입니다. 저는 에코(ECHO-환경을 지키는 어린이
말하는 이: 연설 당시인 1992년에 12세 소녀였음.
조직)의 대표로 여기에 왔습니다. →자기소개
브라질 리우에서 열린 유엔 환경 개발 회의
저희들은 열두 살에서 열세 살 사이의 캐나다 아이들로서 무언가 변화에 기여하
려는 모임을 만들었는데, 바네사 수티, 모건 가이슬러, 미셸 퀴그, 그리고 제가 회원
이에요. 어른들께 살아가는 방식을 바꾸지 않으면 안 될 거라는 말씀을 드리기 위해
연설의 목적: 어른들의 태도 변화를 촉구함. → 설득적 말하기
오천 마일(mil)을 여행하는 데 필요한 경비를 저희 스스로 모금했답니다.
→연설을 하게 된 과정
저는 미래의 모든 세대를 위해 여기에 섰습니다. 저는 세계 전역의 굶주리는 아이
들을 대신하여 여기에 섰습니다. 저는 이 행성 위에서 죽어 가고 있는 수많은 동물들
을 위해 여기에 섰습니다. 우리는 이제 말하지 않고는 그냥 있을 수 없게 되었거든요.
연설에서 다루는 문제가 매우 심각한 것임을 경고함. →연설을 하는 까닭(목적)
저는 오존층의 구멍 때문에 햇빛 속으로 나가기가 두렵습니다. 공기 속에 무슨 화
환경 문제의 실례 ①
학 물질이 들어 있을지 모르기 때문에 숨 쉬기가 두렵습니다. 저는 아빠와 함께 밴쿠
버에서 낚시를 즐겼습니다. 그런데 바로 몇 해 전에 암에 걸린 물고기들을 발견했습
환경 문제의 실례 ②
니다. 그리고 지금 우리는 날마다 동식물이 사라지고 있다는, 그들이 영원히 소멸되
환경 문제의 실례 ③
고 있다는 소식을 듣고 있습니다.

저는 언제나 야생 동물들의 무리를 보고 싶었고, 새들과 나비들로 가득 찬 정글과
열대 숲을 보기를 꿈꿨습니다. 그렇지만 제가 엄마가 되었을 때 우리 아이들이 볼 수
불확실한 미래 → 환경 문제의 심각성을 일깨움.
있도록, 그런 것들이 세상에 과연 존재하고 있기나 할지 모르겠습니다. 여러분은 이
런 소소한 것에 대해서 제 나이 때 걱정해 보셨습니까? 이 모든 것이 실제로 우리 눈
앞에서 일어나고 있는데도, 우리는
마치 충분한 시간과 해결책을 가지고
어른들의 무책임한 행동에 대한 비판
있는 것처럼 행동하고 있습니다.

◐ 활동 탐구
연설을 바탕으로 여러 사람 앞에서 말하기를 할 때 제대로 의미를 형성하기 위해 어떤 듣기·말하기 태도를 취해야 하는지 파악하기 위한 활동이다. 연설을 하는 공적인 상황에서 연설자가 여러 사람에게 자신의 의사를 전달하는 방법과 연설을 들을 때 필요한 청중의 태도를 생각해 본다.

❙작가 소개: 세번 스즈키
캐나다 밴쿠버 출신의 환경 운동가. 1992년 12살의 나이에 브라질 리우데자네이루에서 열린 유엔 환경 개발 회의에서 연설을 하여 깊은 인상을 남겼다.

◐ 활동 제재 개관
갈래: 연설문
성격: 논리적, 설득적
제재: 환경 문제, 빈곤 문제
주제: 지구의 환경을 지키고 전쟁과 빈곤이 없는 세상을 만들기를 바람.
특징
· 격식을 갖춘 정중한 말투를 사용한다.
· 연설의 대상을 '세상의 모든 어버이'로 설정하고 있다.
· 말하고자 하는 내용을 구체적 사례를 들어 호소력 있게 제시하고 있다.
· 환경 문제, 빈곤 문제를 나열식으로 제시하고 있다.

◐ 이 연설에 제시된 환경 문제 ①
· 오존층의 구멍
· 암에 걸린 물고기
· 멸종되는 동식물

저는 어린아이일 뿐이고, 따라서 해결책을 가지고 있지 않습니다. 저는 여러분께 과연 해결책을 가지고 있으신지 묻고 싶습니다. 여러분은 오존층에 난 구멍을 수리하는 방법, 죽은 강으로 연어를 다시 돌아오게 할 방법, 사라져 버린 동물을 되살려 놓는 방법을 알지 못합니다. 그리고 여러분은 이미 사막이 된 곳을 푸른 숲

환경 문제의 실례 ④: 숲이 사막으로 변하고 있음.

으로 되살려 놓을 능력도 없습니다.

→ 환경 문제의 심각성

여러분이 고칠 방법을 모른다면, 제발

어른들의 대책 없는 행동에 대한 비판

그만 망가뜨리시기 바랍니다! 여러분은

정부의 대표로, 기업가로, 기자나 정치가

직접적인 연설 대상(듣는 이): 유엔 환경 개발 회의 참석자

로 여기에 와 계실 겁니다. 그렇지만 여러분은 그 이전에 누군가의 어머니와 아버지, 형제와 자매, 아주머니와 아저씨 들이며, 그리고 여러분 모두 누군가의 자녀입니다.

저는 어린아이일 뿐입니다. 그렇지만 저는 우리가 모두 삼십오억 명으로 된 가족,

인간을 비롯한 지구의 모든 생물이 한 가족임.

아니 삼천만 종으로 된 한 가족의 일부라는 사실을 알고 있습니다. 우리는 모두 공기, 물, 흙을 나누어 가지고 있으며, 정부와 국경이 감히 그것을 변경하지는 못할 겁니다.

환경 문제는 국가를 초월하여 인류 모두가 함께 해결해야 할 문제임.

저는 어린아이일 뿐입니다. 그렇지만 저는 우리가 모두 하나이며, 하나의 목표를

'반복'을 통해 연설을 듣는 어른들의 감정에 호소하면서 생각의 변화를 촉구함.   환경 문제 해결

향해 행동해야 한다는 것만은 알고 있습니다. 저는 분노하고 있지만, 눈이 멀지는 않았습니다. 저는 두려워하고 있지만, 제가 어떻게 느끼는지 세상에 말하는 것을 망설이지는 않습니다.

→ 환경 문제 해결을 위한 노력의 필요성

우리나라 사람들은 너무 많은 쓰레기를 만들어 냅니다. 우리는 사고 버리고, 또

환경 문제의 실례 ⑤: 부유한 나라 사람들이 너무 많은 쓰레기를 배출함.

사고 버립니다. 그러면서도 가난한 사람들과 나누려 하지 않습니다. 우리는 필요한

빈곤 문제 ①: 부유한 나라의 사람들이 가난한 나라의 사람들과 자원을 나누려 하지 않음.

것보다 더 많이 가지고 있으면서도 조금도 잃고 싶어 하지 않고, 나누어 갖기를 두려워합니다.

저는 이틀 전 여기 브라질에서 큰 충격을 받았습니다. 우리는 길거리에서 살고 있

회의가 열리는 브라질에서 있었던 실제 사건을 근거로 들어 자신의 주장을 생동감 있게 전달함.

는 몇몇 아이들과 얼마 동안 시간을 보냈습니다. 그중 한 아이가 우리에게 이렇게 말하더군요.

"내가 부자가 되었으면 좋겠다. 만약 내가 부자라면 나는 거리의 모든 아이들에게

가난한 사람들과 나누려고 하지 않는 어른들의 모습과 대조적임.

음식과 옷과 약과 집, 그리고 사랑과 애정을 주겠다."

○ **이 연설에 제시된 환경 문제 ②**
- 숲의 사막화
- 쓰레기의 과도한 배출

○ **이 연설에서 말하는 이와 듣는 이**

말하는 이	에코의 대표인 열두 살 소녀 세번 스즈키
듣는 이	• 직접적 대상: '정부의 대표, 기업가, 기자, 정치가' → 유엔 환경 개발 회의 참석자 • 간접적 대상: '세상의 모든 어버이' → 선진국의 어른들

○ **이 연설에 쓰인 말하기 방식 ①**

표현	효과
'저는 어린아이일 뿐입니다.'	같은 표현을 반복하여 어른들의 감정에 호소하면서 생각의 변화를 촉구하고, 어른들의 적극적인 행동이 필요함을 강조함.
'저는 이틀 전 여기 브라질에서 큰 충격을 받았습니다.'	회의가 열리는 브라질 현지에서 경험한 일을 근거로 들어 자신의 주장을 생동감 있게 효과적으로 전달함.

➕ **보충 자료**
리우 회의
1992년 브라질 리우데자네이루에서 각국 정부 대표들이 중심이 된 '유엔 환경 개발 회의'와 각국 민간단체들이 중심이 된 '지구 환경 회의'가 함께 지구 환경 보전을 위해 개최한 회의이다. 유엔 환경 개발 회의에서는 리우 선언, 의제 21, 기후 변화 협약, 생물 다양성 협약, 산림 원칙 등을 채택하였고, 지구 환경 회의에서는 지구 헌장, 세계 민간단체 협약 등을 채택하였다.

아무것도 가진 게 없는 거리의 아이가

'질문'을 통해 나눔에 인색한 어른들의 행동을 비판하고 청중

기꺼이 나누겠다고 하는데, 모든 것을 다

들의 태도 변화를 촉구함.

가지고 있는 우리는 어째서 그토록 인색

할까요? 저는 이 아이들이 제 또래라는

사실을 자꾸 생각하게 됩니다. 어디서 태

어났는가 하는 사실이 굉장한 차이를 만

든다는 것, 저도 리우의 빈민가 파벨라스

에 살고 있는 저 아이들 중 하나일 수 있

었음을 생각하지 않을 수 없습니다. 『저는

소말리아에서 굶주려 죽어 가는 한 어린이일 수도 있었고, 중동의 전쟁 희생자, 또는

빈곤 문제 ②: 빈곤으로 인해 굶어 죽어 가는 어린이들이 있음.

인도의 거지일 수도 있었습니다.』 → 빈곤 문제의 심각성

『 』: 빈곤 문제나 전쟁 문제가 그들만의 문제가 아니라 우리 모두의 문제임을 강조함.

저는 아이일 뿐입니다. 그렇지만 전쟁에 쓰이는 모든 돈이 빈곤을 해결하고, 환경

환경 문제와 빈곤 문제의 해결 방안

문제를 해결하는 데 쓰인다면, 이 지구가 얼마나 멋진 곳으로 바뀔지 알고 있습니다.

→ 환경 문제와 빈곤 문제의 해결 방안 제시

학교에서도, 유치원에서도, 어른들은 우리에게 착한 사람이 되라고 가르칩니다.

어른들은 서로 싸우지 말고 존중하며, 자원을 절약하고, 몸과 주변을 청결히 하고,

다른 생물들을 해치지 말고 보호하며, 자원을 더불어 나누어야 한다고 가르칩니다.

그런데 어째서 여러분 어른들은 우리에게 하라고 한 것과는 정반대의 행동을 하십니

'질문'을 통해 어른들이 자신의 잘못된 행동을 스스로 성찰하게 함.

까?

→ 말과 행동이 다른 어른들의 태도 비판

여러분이 이 회의에 참석하고 계신 이유가 무엇이며, 누구를 위해서 이런 회의를

지구 환경 보전을 위한 원칙과 그에 따른 행동 강령 마련을 통한 환경 문제 해결

열고 있는지 잊지 마십시오. 저희는 여러분의 아이들입니다. 여러분은 저희가 앞으

로 어떤 세계에서 자라날지 결정하고 계신 겁니다. → 회의의 목적 상기

"모든 일이 잘될 거야. 우리는 최선을 다하는 중이고, 세상의 종말은 오지 않을 거

야."

라고 부모님들이 자녀들을 안심시킬 수 있어야만 합니다. 그렇지만 여러분은 그런

말을 우리에게 더 이상 할 수 없을 것 같아 보입니다. 도대체 어린아이들이 여러분이

하고 있는 회의의 우선순위에 올라 있기나 합니까?

질문을 통해 미래 세대를 생각한 문제 해결 방안을 내놓을 것을 촉구함.

저희 아빠는 항상 말씀하십니다.

"너의 말이 아니라 행동이 진짜 너를 만든단다."

행동의 중요성을 강조하는 말 → 어른들의 행동 변화를 촉구하기 위해 인용함.

하지만 여러분의 행동은 밤마다 저를 울게 합니다. 여러분은 항상 우리를 사랑한

까닭: 말과 행동이 다르기 때문에

다고 말합니다. 저는 이 자리에서 여러분에게 호소합니다. 제발 저희의 바람이 여러

분의 행동에 반영되도록 노력해 주십시오. → 문제 해결을 위한 태도 변화 촉구

문제 해결을 위한 주장: 어른들에게 빈곤 문제와 환경 문제의 해결을 위해 적극적으로 나서 달라고 촉구함.

(1) 듣고 말하며 나누기 **175**

○ 이 연설에 제시된 빈곤 문제

- 부유한 나라의 사람들이 가난한 나라의 사람들과 자원을 나누려 하지 않음.
- 빈곤으로 인해 굶어 죽어 가는 어린이들이 많음.

○ 이 연설에 쓰인 말하기 방식 ②

표현	효과
• '아무것도 가진 게 없는 ~ 그토록 인색할까요?' • '그런데 어째서 ~ 행동을 하십니까?' • '도대체 어린아이들이 ~ 있기나 합니까?'	질문을 통해 어른들이 자신의 행동을 스스로 돌아보게 하고 어른들의 태도 변화를 촉구함.
"너의 말이 아니라 행동이 진짜 너를 만든단다."	아빠의 말을 인용함으로써 어른들의 행동 변화를 촉구하고 자신의 주장을 분명히 제시함.

○ 이 연설의 목적

어른들에게 세계의 환경과 빈곤 문제를 인식하게 하고, 이 문제의 해결을 위한 행동을 촉구함.

➕ 심화 자료

공적인 말하기

- 뜻: 한 사람이 여러 사람에게 자신이 알고 있는 정보나 자신의 경험을 전달하거나, 여러 사람의 생각이나 의견, 감정, 태도 등을 변화시키고자 하는 말하기
- 유형: 연설, 강의나 강연, 수업 시간 발표, 진행(사회) 등

1. 이 연설의 내용을 정리한 후, 공적인 상황에서의 듣기 · 말하기에 관해 생각해 봅시다.

1 이 연설의 내용을 다음과 같이 정리해 봅시다.

• 말하는 이: 에코의 대표인 열두 살 소녀 세번 스즈키

• 연설 대상

직접적인 대상	유엔 환경 개발 회의 참석자(듣는 이)
간접적인 대상	세상의 모든 어른들(선진국의 어른들)

• 장소와 상황: 브라질 리우에서 열린 회의(유엔 환경 개발 회의)에서 연설하고 있다.

• 말하는 이의 입장

문제 상황의 인식

1. 환경 문제
   - 오존층이 파괴됨.
   - 병에 걸린 물고기가 발견됨.
   - 야생 동식물이 멸종됨.
   - 숲이 사막으로 변하고 있음.
   - 부유한 나라의 사람들은 너무 많은 쓰레기를 만들어 내고 있음.

2. 빈곤 문제
   - 부유한 나라의 사람들이 가난한 나라의 사람들과 자원을 나누려 하지 않음.
   - 빈곤으로 인해 굶어 죽어 가는 어린이들이 많음.

↓

주장

어른들이, 그리고 부유한 나라에서 미래 세대를 위하여 빈곤 문제와 환경 문제의 해결을 위해 적극적으로 나서야 한다.

연설을 들은 후 연설의 내용을 정리하는 활동이야. 연설을 들을 때 꼭 해야 할 일은 말하는 이가 무슨 내용을 청중에게 전하고자 하는지를 파악하는 것이겠지. 자기소개를 하는 부분에서 '말하는 이'가 누구인지, 연설의 제목과 '여러분'에 대한 정보를 알려 주는 부분에서 '듣는 이'가 누구인지 알 수 있을 거야. 연설 내내 반복되는 단어나 문제 상황 등을 통해 연설을 하는 '장소와 상황', 연설의 '주요 내용'도 파악할 수 있어. 그리고 마지막 부분에서 말하는 이가 어떤 '주장'을 펼치고 있는지, 나아가 연설의 목적은 무엇인지 찾아보렴.

➕ 보충 자료
이 연설의 구성

처음	자기소개 및 연설을 하게 된 과정과 까닭
중간	환경 문제, 빈곤 문제의 심각성 및 그 해결 방안
끝	회의의 목적 상기 및 문제 해결을 위한 태도 변화 촉구

콕콕 확인 문제

5. 이 연설의 내용을 정리할 때 꼭 들어가야 할 항목으로 적절하지 **않은** 것은?

① 말하는 이와 듣는 이
② 말하는 이의 감정과 기분
③ 연설을 하는 장소와 상황
④ 연설에서 주장하는 내용
⑤ 연설에서 다루는 문제 상황

|서술형|
6. 이 연설의 목적을 〈조건〉에 맞게 한 문장으로 서술하시오.

조건
• 연설 대상이 드러나게 쓸 것.
• '문제', '촉구'라는 단어가 들어가게 쓸 것.

2 이 연설을 앞서 배운 「아들과 함께 걷는 길」의 대화와 비교해 봅시다.

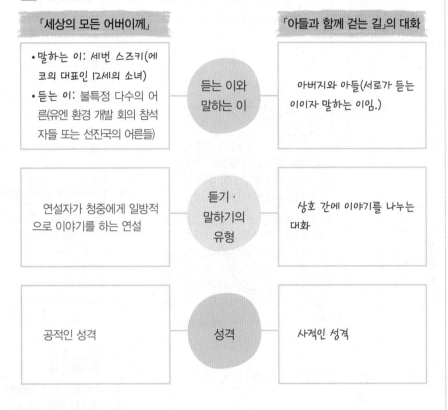

「세상의 모든 어버이께」	듣는 이와 말하는 이	「아들과 함께 걷는 길」의 대화
• 말하는 이: 세번 스즈키(에코의 대표인 12세의 소녀) • 듣는 이: 불특정 다수의 어른(유엔 환경 개발 회의 참석자들 또는 선진국의 어른들)		아버지와 아들(서로가 듣는 이이자 말하는 이임.)
연설자가 청중에게 일방적으로 이야기를 하는 연설	듣기·말하기의 유형	상호 간에 이야기를 나누는 대화
공적인 성격	성격	사적인 성격

3 연설을 들을 때는 어떤 태도로 들으면 좋을지 생각해 봅시다.

예시 답ㅣ자신의 배경지식을 충분히 활용하면서 말하는 이의 말을 주의 깊게 듣고, 말하는 이가 자신의 공감이나 이해 상태를 파악할 수 있도록 예의에 벗어나지 않게 적절하게 반응을 보인다. 또, 자신이 이해하기 어려웠던 내용, 더 알고 싶은 내용은 메모해 두었다가 연설이 끝난 후에 질문한다.

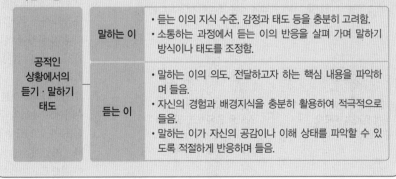

찬찬샘 핵심 강의

• **공적인 상황에서의 듣기·말하기 태도**

　여러 사람 앞에서 연설을 할 때 자신의 의사를 효과적으로 전달하려면 듣는 이의 지식 수준, 감정과 태도 등에 대한 고려가 필요하단다. 듣는 이 역시 말하는 이가 전하고자 하는 핵심 내용이 무엇인지를 파악하고, 연설자의 말에 적절하게 반응하면서 소통하려고 노력해야 하겠지?

▶**핵심 포인트**◀

	말하는 이	• 듣는 이의 지식 수준, 감정과 태도 등을 충분히 고려함. • 소통하는 과정에서 듣는 이의 반응을 살펴 가며 말하기 방식이나 태도를 조정함.
공적인 상황에서의 듣기·말하기 태도	듣는 이	• 말하는 이의 의도, 전달하고자 하는 핵심 내용을 파악하며 들음. • 자신의 경험과 배경지식을 충분히 활용하여 적극적으로 들음. • 말하는 이가 자신의 공감이나 이해 상태를 파악할 수 있도록 적절하게 반응하며 들음.

지학이가 도와줄게! – 1 ②

연설과 대화를 비교해 보는 활동이야. 연설은 연설자가 많은 사람들 앞에서 자기 생각이나 의견을 전달하는 말하기이고, 대화는 두 사람 이상이 자유로이 이야기를 나누는 말하기란다. 이러한 특성을 고려하여 「세상의 모든 어버이께」라는 연설과 「아들과 함께 걷는 길」의 대화가 어떤 점에서 다른지 생각해 보렴.

지학이가 도와줄게! – 1 ③

연설과 같은 공식적인 말하기를 들을 때에는 어떠한 태도를 갖추어야 할지 알아보는 활동이야. 연설을 들어 본 경험을 떠올려 보면서 어떤 태도로 들어야 연설의 내용을 더 잘 이해할 수 있고 연설자가 자신의 의사를 더 잘 전달하도록 도울 수 있을지 생각해 보자.

콕콕 확인 문제

7. 이 연설에 대한 설명으로 적절한 것은?

① 사적인 성격을 지닌 말하기이다.
② 듣는 이는 말하는 이의 부모님이다.
③ 말하는 이는 환경 문제에 관심이 많은 어른이다.
④ 말하는 이와 듣는 이가 상호 간에 이야기를 주고받고 있다.
⑤ 말하는 이가 듣는 이에게 설득을 목적으로 자신의 의사를 전달하고 있다.

8. 연설을 듣는 태도로 적절하지 않은 것은?

① 연설의 핵심 내용을 파악한다.
② 연설자의 말에 적절하게 반응한다.
③ 이해하기 어려운 내용은 메모한다.
④ 자신의 경험과 배경지식을 활용한다.
⑤ 연설자와의 소통을 위해 연설 중에 질문한다.

2. 이 연설을 들은 후 듣는 이의 생각이 어떻게 변화하였을지 생각해 봅시다.

1 이 연설을 들은 후 어떠한 생각을 하였을지 어른과 아이의 입장에서 각각 예측하여 정리해 봅시다.

예시 답ㅣ

어른들

• 부유한 나라의 정치인들이 가난한 나라의 아동 문제에 더욱 관심을 가지게 되었을 것이다.

• 유엔의 관계자들은 범국가적인 차원에서 가난한 나라의 아동들에 대한 원조를 강화할 수 있는 방법과 지속 가능한 지구 환경을 만들기 위한 방안을 생각해 볼 것이다.

아이들

• 가난한 나라의 아이들은 부유한 나라에도 자신들의 문제에 관심을 가지고 도움을 주고자 하는 사람이 있음을 알게 되었을 것이다.

• 부유한 나라의 아이들은 가난한 나라에서는 자신과 같은 또래의 아이들이 생존에 위협을 받을 정도로 극심한 가난을 겪고 있다는 것을 알았을 것이다.

2 이 연설을 들은 후 나의 생각은 어떻게 변하였는지 말해 보고, 달라진 내 생각을 친구들에게 이야기해 봅시다.

예시 답ㅣ이 연설을 듣고 이전에는 별로 관심을 갖지 않았던 다른 나라의 상황을 알게 됐어. 특히 나와 같은 아이들조차 굶주리고 있다는 얘기가 가슴 아팠어. 그리고 물이나 전기를 다른 나라 사람들과 같이 나눠야 하는 자원이라는 생각은 해 본 적이 없었는데, 앞으로는 물이나 전기를 쓸 때, 그것을 필요할 때 제대로 쓰지 못하는 다른 나라의 친구들도 생각해야 할 것 같아.

찬찬샘 핵심 강의

• 연설의 의미 공유 과정

세번 스즈키라는 열두 살 소녀는 「세상의 모든 어버이께」라는 제목의 연설을 통해 많은 사람들의 생각과 행동을 변화시키고 싶어 했어. 실제로 이 연설을 들은 전 세계 어른들은 가난한 나라의 아동 문제와 심각한 환경 문제에 더욱 관심을 가지고 이런 문제를 해결할 수 있는 방법에 대해 고민해 보았을 거야. 빈곤 문제나 환경 문제의 해결이 얼마나 중요한지에 대해 말하는 이와 듣는 이가 뜻을 함께하고 있다고 할 수 있겠지. 이렇게 연설을 비롯한 듣기와 말하기는 의사를 전달하고 공통의 가치를 나누는 의미 공유 과정이기도 하다는 것, 기억하렴.

▷핵심 포인트◁

「세상의 모든 어버이께」의 의미 공유 과정		연설의 의미 공유 과정
• 말하는 이: 전 세계의 어른들에게 미래 세대를 위하여 빈곤 문제와 환경 문제의 해결에 나서 달라고 촉구함. • 듣는 이: 빈곤 문제와 환경 문제의 심각성에 공감하고 해결 방안의 마련을 위해 노력함.	→	특정 주제에 대한 생각과 정보를 공유하고, 공통의 가치를 나누며, 문제 해결을 위해 함께 노력함.

지학이가 도와줄게! - 2 **1**

이 연설의 내용을 떠올려 보면서 연설의 대상인 부유한 나라의 어른들이나 선진국의 어른들이 어떤 생각을 하고 어떤 행동을 하게 되었을지 생각해 보렴. 아이들의 경우, 이 연설을 듣고 나서 가난한 나라의 아이들과 부유한 나라의 아이들이 각각 어떤 것들을 새롭게 알게 되었을지 추측해 보자.

지학이가 도와줄게! - 2 **2**

연설은 듣는 이들의 생각이나 태도, 행동 등을 변화시키기 위한 설득적 말하기야. 연설을 들으면서 새롭게 알게 된 사실이나 연설을 들은 후 자신에게 일어난 변화에 대해 이야기하면서 그렇게 된 까닭이 무엇인지 생각해 보렴.

콕콕 확인 문제

9. 이 연설을 들은 사람들의 반응을 예측한 내용으로 적절하지 않은 것은?

① 유엔의 관계자: 범국가적인 차원에서 가난한 나라의 아동들에 대한 원조를 강화하는 방법을 찾아봐야겠어.

② 가난한 나라의 아이: 우리 때문에 전 세계 환경이 오염되고 있다는 것을 알게 되어 내 행동을 반성해 보았어.

③ 부유한 나라의 아이: 가난한 나라에서는 나와 같은 또래의 아이들이 가난으로 인해 생존에 위협을 받고 있다는 사실을 알게 되었어.

④ 부유한 나라의 어른: 가난한 나라의 아동 문제와 전 세계의 환경 문제에 더욱 관심을 가지고 문제 해결을 위해 노력해야겠어.

⑤ 가난한 나라의 어른: 부유한 나라에도 우리의 문제에 관심을 가지고 도움을 주고자 하는 사람이 있음을 알게 되어 기쁘고 고마웠어.

🐣 창의 · 융합 활동

[혼자 하기] 🐾

1. 다음은 소설 「어린 왕자」 중 일부입니다. 글을 읽고 이어지는 활동을 해 봅시다.

여섯 살 때 나는 『체험담』이라는 제목의, 원시림에 관한 어떤 책에서 굉장한 그림 하나를 본 적이 있다. 보아뱀이 맹수를 잡아먹고 있는 그림이었다. 위의 그림은 그것을 옮겨
_{보아과의 뱀으로, 몸 길이가 5미터에 이름.}
그려 본 것이다.

그 책에는 이렇게 쓰여 있었다.

"보아뱀은 먹이를 씹지 않고 통째로 삼킨다. 그러고는 그것을 소화시키느라 꼼짝도 하지 못하고 여섯 달 동안 잠을 잔다."

그래서 나는 정글 속의 신기한 모험들에 관해 곰곰이 생각해 본 후 색연필을 가지고, 태어나서 처음으로 그림을 그려 보았다. 내 그림 1호는 이러했다.
_{코끼리를 소화시키고 있는 보아뱀의 겉모습을 그린 것}

나는 내 걸작품을 어른들에게 보여 주며 내 그림이 무섭지 않냐고 물어보았다.
_{자신의 생애 첫 그림인 '내 그림 1호'에 대한 자부심이 느껴짐.   까닭: 보아뱀이 코끼리를 잡아먹은 모습을 그렸으니까}
어른들은 "아니, 모자가 뭐가 무섭다는 거니?"라고 대답했다.
_{'내 그림 1호'를 가리키는 말로, '나'의 그림에 담긴 의미를 전혀 이해하지 못함. → 의미 공유에 실패함.}
내 그림은 모자를 그린 게 아니었다. 그건 코끼리를 소화시키고 있는 보아뱀이었다.
_{'내 그림 1호'에 담긴 의미}
그래서 나는 어른들이 이해할 수 있도록 보아뱀의 속을 그려 주었다. 어른들은 꼭 설명
_{상대방을 배려하는 태도 → 의미 공유를 위해 노력함.}
을 해 주어야만 한다. 내 그림 제2호는 이런 것이었다.
_{코끼리를 소화시키고 있는 보아뱀의 속을 그린 것}

소설 속 대화를 통해 의미 공유 과정 성찰하기

○ **활동 탐구**
듣기 · 말하기를 통한 의미 공유에 관해 학습한 내용을 소설 속 대화에 적용하여 살펴보는 활동이다. 제시문을 읽으며 의미 공유의 성공과 실패 원인을 분석하고, 자신의 의견을 어른들에게 효과적으로 전달하기 위해 어떻게 말해야 할지 생각해 본다.

○ **활동 제재 개관**
갈래: 소설
성격: 동화적, 교훈적, 비판적
제재: 코끼리를 삼킨 보아뱀 그림 이야기
주제: 본질을 이해하지 못하는 어른들과 그로 인한 소통 부재
특징
• 어린 시절을 회상하는 형식을 취하고 있다.
• 일화를 통해 아이의 시선에서 어른들을 비판하고 있다.
• 내용 이해를 위한 삽화를 함께 보여 준다.

➕ **보충 자료**
『**어린 왕자**』의 전체 줄거리
비행기 조종사인 '나'는 사막에 불시착하고, 거기에서 양 한 마리를 그려 달라는 어린 왕자를 만나게 된다. 소행성에서 별을 가꾸고, 석양을 보고, 장미를 돌보던 어린 왕자는 여러 별을 돌아다니며 많은 사람들을 만나는 중이다. '정말 중요한 것은 눈에 보이지 않는 것'이라는 어린 왕자의 말에 '나'는 동의하고 어린 왕자는 기뻐한다. 지구에 온 지 1년이 되었다는 어린 왕자는 자신의 장미를 위해 돌아가야 한다고 말하고, 독사에 물려 쓰러진다. 다음 날 어린 왕자가 사라진 것을 보고 '나'는 그가 자신의 소행성으로 돌아갔음을 알게 된다.

○ 아이인 '나'와 어른의 대화 내용과 결과

'내 그림 1호'에 관한 대화

• '나': 코끼리를 소화시키고 있는 보아뱀의 겉모습을 그린 '그림 1호'를 어른에게 보여 주며 무섭지 않냐고 말함.
• 어른: 보아뱀 그림을 '모자'로 잘못 이해하고 모자가 뭐가 무섭냐고 면박을 줌.

+

'내 그림 2호'에 관한 대화

• '나': 어른들이 이해할 수 있도록 코끼리를 소화시키고 있는 보아뱀의 속을 그린 '그림 2호'를 보여 줌.
• 어른: 보아뱀 그림은 집어치우고 지리, 역사, 산수, 문법 등에 관심을 가지라고 충고함.

↓

대화의 결과

'나'는 자신이 그린 그림에 관한 어른과의 대화 후, 낙심하여 화가라는 직업을 포기함.
→ '나'는 어른과의 대화에서 의미 공유에 실패함.

『 』: ① 어른들의 가치관: 아이들의 창의성을 존중하지 않고 학교에서 배우는 교과만 중요하게 여김.
② 어른과 아이의 대화에서 의미 공유가 제대로 이루어지지 않음.

『어른들은 나에게, 속이 보였다 안 보였다 하는 보아뱀의 그림일랑은 집어치우고 지리나 역사, 혹은 산수나 문법에 관심을 가져 보라고 충고해 주었다.』 이렇게 해서 나는 여섯 살 때에 화가라는 멋진 직업을 포기해 버렸다. 내 그림 1호와 2호가 성공을 거두지 못
어른들에 대한 비판적 태도 ①: 어른들은 자신들의 가치관을 내세워 아이들의 꿈을 꺾고 진로를 제한함.
해서 낙심했기 때문이었다. 어른들은 혼자서는 아무것도 이해하지 못한다. 그렇다고 늘
어른들에 대한 비판적 태도 ②: 어른들은 아이의 시선을 이해하지 못하고 자신들의 기준으로 세상을 봄.
설명을 해 주자니 어린이들로서는 여간 귀찮은 게 아니다.

— 생텍쥐페리 지음, 박성창 옮김, 『어린 왕자』

1 '나'가 어른들에게 전달하려는 바를 의도대로 전달하지 못한 까닭을 생각해 봅시다.
예시 답 |

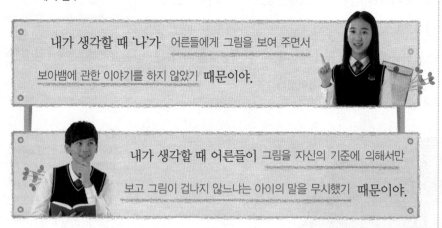

내가 생각할 때 '나'가 어른들에게 그림을 보여 주면서 보아뱀에 관한 이야기를 하지 않았기 때문이야.

내가 생각할 때 어른들이 그림을 자신의 기준에 의해서만 보고 그림이 겁나지 않느냐는 아이의 말을 무시했기 때문이야.

⭐ 지학이가 도와줄게! – 1 **1**

아이인 '나'와 어른이 대화를 하다 의미 공유에 실패한 까닭을 파악하는 활동이야. 어른이 '나'의 그림을 제대로 이해하지 못한 까닭이 무엇인지 '나'와 어른의 입장에서 각각 생각해 보면서 의미 공유에 실패한 원인을 찾아보자.

2 '나'와 어른들의 대화가 원활하게 이루어지려면 어떻게 하면 좋을지 이야기해 봅시다.
예시 답 |
● '나'는 듣는 이를 배려하여 그림에 관해 좀 더 자세한 설명을 해야 한다.

● 어른들은 말하는 이가 빠뜨린 정보를 요구하고 그 내용을 확인하며 이야기를 들어야 한다.

⭐ 지학이가 도와줄게! – 1 **2**

1 **1**에서 원인을 찾았으면 그에 따른 해결 방안도 생각해 볼 수 있을 거야. '나'와 어른 각자의 입장에서 의미 공유에 성공하기 위해서는 어떤 노력을 해야 할지 해결 방안을 찾아보자.

혼자 하기 ⊙

2. 다음 연설을 듣고, 이와 같이 어른들에게 내가 하고 싶은 말을 담아 연설문을 써 봅시다.

 제가 오늘 여러분들에게 소개해 드릴 것은 다양한 매력이 있는 <u>열대어</u>입니다. 기대되지 않나요? 저는 열대어를 키우는데요, 저의 어항에는 백여 마리의
질문의 형식을 사용하여 청중의 흥미와 관심을 유발함.
연설의 소재
많은 열대어들이 각각의 개성을 가지고 살고 있습니다. → 열대어 소개

제가 열대어를 키워 본 결과 열대어의 특징은 세 가지로 들 수 있는데요, 첫 번째로 <u>열</u>
<u>대어는 굉장히 약합니다.</u> 그래서 수온이나 산도가 갑자기 높아지면 죽
열대어의 특징 ①
을 수도 있습니다. 두 번째로는 <u>진화를 합니다.</u> 코리도라스라는
열대어의 특징 ②
열대어는 여느 물고기처럼 아가미로 호흡하지만 창자를 통

한 장 호흡이 가능하게 진화해서 모세혈관을 통해 대기 중

의 산소를 흡수하기도 합니다. 세 번째 특징은 <u>혼자 있으면</u>
열대어의 특징 ③

▲ 코리도라스

<u>안 된다는 것입니다.</u> 네온테트라라는 열대어는 무리 지어 헤엄치

는 물고기인데, 한 마리만 키우면 먹이도 안 먹고 움직이지도

않고 잠도 안 자며 굉장히 불안에 떨다가 3~4일 후면 죽고

맙니다. → 열대어의 세 가지 특징

▲ 네온테트라

그런데 제가 소개한 열대어들의 특징에서 무언가

느껴지시지 않았나요? 제가 2년 동안 열대어를 키

우면서 생각한 것은 이 열대어들의 특징이 저나 제
열대어와 유사한 청소년들의 특징┐   청소년들
친구들의 특징과 굉장히 비슷하다는 점입니다. <u>약하고, 진화하고, 혼자 두면 안 되고,</u>
→ 열대어의 특징과 유사한 청소년의 특징
청소년들은 열대어입니다. 저희는 약해서 잘 보살펴 주어야 해요. 차가운 수온이 열대
청소년들의 특징을 열대어에 빗대어 설명함(비유).
어를 죽게 만들 수도 있듯이 어른들의 차가운 시선은 우리의 마음을 얼어붙게 하고, 차

가운 말들은 우리를 아프게 만듭니다. 우리는 매일 진화하고, 혼자 있으면 외로워집니

다. 방황하는 청소년, 무기력한 청소년들은 사회의 시선, 사회가 자신에게 대하는 태도

에 따라 점점 변하고 있는 것입니다. → 청소년에게는 어른들의 따뜻한 보살핌과 사랑이 필요함.

제 이야기를 듣는 분들께서 한 가지 약속을 해 주셨으면 좋겠습니다. <u>여러분들의 사랑</u>
┌ 원관념: 청소년들
<u>하는 열대어들</u>에게 사랑하는 말투, 사랑하는 마음으로 다가가 주세요. 그러면 열대어들
연설의 주제(주장): 청소년을 대할 때 사랑하는 마음으로 따뜻하게 보살펴 달라고 당부함.
은 자신의 예쁜 원래 색을 찾고, 원래의 자신으로 돌아갈 겁니다. 제 이야기를 들어 주셔

서 감사합니다. → 사랑하는 마음으로 청소년들을 대해 달라고 청중에게 당부함.

– 『세상을 바꾸는 시간, 15분』(시비에스(CBS), 2015. 9. 16. 방송)

★★
풍자의 표현 방법을 활용하여 표현하기

◉ 활동 탐구
중학생이 어른들을 대상으로 한 연설을 듣고, 실제로 연설 주제를 정하여 연설문을 써 보는 활동이다. 연설을 들으면서 연설 주제와 주제를 뒷받침하는 논거를 파악해 본 후, 이와 유사한 형식으로 근거를 들어 자기 의견을 사람들에게 전달하는 연설문을 써 본다.

◉ 이 연설의 주제와 논거

논거

청소년은 열대어와 비슷한 특징을 가지고 있다.
→ ① 굉장히 약하다.
  ② 진화를 한다.
  ③ 혼자 두면 안 된다.

↓

주제
청소년들에게는 열대어처럼 따뜻한 보살핌과 사랑이 필요하다.

➕ 보충 자료
『세상을 바꾸는 시간, 15분』
세상에서 가장 보람 있는 15분을 경험할 수 있는 강연(연설)을 보여 주겠다는 방송 취지로 2011년 6월부터 방영을 시작하였다. 다양한 영역, 연령, 직업, 국적의 사람들이 자유로운 주제로 직접 강연 · 연설을 하는 프로그램으로, 주로 최신 경향, 교육, 경제, 청년, 평화 등을 주제로 청중 앞에서 15분간 이야기를 한다. 2015년부터 청소년을 대상으로 '세바시 청소년 캠프'를 모집하여 말하기 교육을 하고 있다.

1 이 연설에서 말하고자 하는 것은 무엇인지 이야기해 봅시다.

예시 답 | 청소년들의 특성을 열대어에 빗대어 설명하고 청소년들에게 따뜻한 보살핌과 사랑이 필요함을 주장하고 있다.

2 자기 나름의 소재를 찾아 내용을 구성해 보고, 어른들에게 전달하기 위한 연설문을 써 봅시다.

예시 답 |

> 우리는 살아가면서 여러 가지 선택을 해야 합니다. 그 선택은 '오늘 뭘 먹을까?' 하는 가벼운 문제에서부터 인생의 방향을 바꾸는 중대한 문제까지 다양합니다.
>
> 저는 우리가 선택할 수 있는 하나의 가치로서 '정직'을 주제로 이야기하려 합니다.
>
> 우리는 가정에서, 그리고 학교에서 '바른생활', '도덕', '윤리' 과목을 통해 정직하게 살라고 배웠습니다. 우리는 과연 정직하게 살고 있을까요?
>
> 2013년 한 대학과 언론사의 조사에 따르면 '길에서 돈을 주우면 주인을 찾아 줄 것인가?'라는 물음에 중학생 2,171명 중 41.8%가 '찾아 주지 않겠다.'고 답했다고 합니다. 오히려 잃어버린 사람이 잘못이라고 말하는 경우도 있었다고 합니다. 또 2012년 한국투명성기구 조사에 따르면 15~30세 1,031명 중 40.1%가 '부정부패를 저질러서라도 부자가 되는 것이 정직하게, 가난하게 사는 것보다 낫다.'고 했다고 합니다.
>
> 저 역시도 높은 점수와 지위를 얻기 위해서라면 한 번쯤은 그런 잘못을 저질러도 된다고 생각했습니다. 물론 이런 행동이 잘못된 것임을 압니다. 그러나 학교에서 따돌림이나 괴롭힘을 당할까 봐 두려워서, 또는 여러 유혹에서 벗어나지 못해 정직하지 못한 선택을 하는 경우가 종종 있습니다. 하지만 분명한 것은 정직하지 못한 행동을 하면 양심의 가책을 느낀다는 것입니다.
>
> 미국 작가 H. 잭슨 브라운 주니어는 '잘 사는 삶이란 자식들이 공정, 정직, 배려를 생각했을 때 당신을 떠올리는 삶이다.'라고 말했습니다. 저는 미래의 제 자식들에게 부끄럽지 않고, 존경스러운 부모가 되고 싶습니다. 이런 생각을 하면 순간의 이익만을 위한 손쉬운 거짓이 아닌 양심을 선택할 수 있게 됩니다. 저는 우리 모두가 아직은 양심이 살아 있는 우리 사회를 만드는 데 중요한 역할을 할 수 있고 이러한 선택이 우리 사회를 공정하게 만들 수 있다고 생각합니다. 지금까지 제 이야기를 들어 주셔서 감사합니다.

★ 지학이가 도와줄게! - 2 **1**

연설을 듣고 연설의 주제를 파악하는 활동이야. 연설을 들을 때에는 연설자가 어떤 내용을 우리에게 전하려고 하는지를 꼭 파악해야 해. 이 연설은 열대어를 소개하면서 시작되는데, 연설자가 열대어를 통해 무슨 이야기를 우리에게 전하려고 했는지 생각해 보렴.

★ 지학이가 도와줄게! - 2 **2**

자신의 의견을 어른들에게 전달하는 연설문을 직접 써 보는 활동이야. 청중이 어른들이라는 점을 고려하여 평소에 주변 어른들에게 하고 싶었던 말을 생각해 보자. 의견을 정했다면, 연설의 목적은 설득에 있으니까 상대방의 마음을 움직일 수 있는 설득력 있는 근거를 마련해야 하겠지? 의견이 잘 전달되도록 근거와 사례, 일화 등을 함께 제시해 보렴.

▮ 활동 관련 Tip

연설문을 쓸 때 활용할 수 있는 표현 방식을 찾아본다면?
이 활동의 제시문인 『세상을 바꾸는 시간, 15분』의 연설에서는 설득력을 높이고 청중과 의미를 공유하기 위해 다양한 말하기 방식이 사용되었다. 첫째로 '기대되지 않나요?', '제가 소개한 열대어들의 특징에서 무언가 느껴지시지 않았나요?'라는 질문의 형식을 사용하여 청중의 관심과 흥미를 유발하였고, 둘째로 자신이 열대어를 키운 경험을 근거로 들어 내용의 신뢰성을 높였다. 셋째로 청소년들의 특징을 열대어에 빗대어 표현함으로써 청소년에게 따뜻한 보살핌과 사랑이 필요함을 인상적으로 전달하였다.

소단원 콕! 짚고 가기

핵심 포인트

1. 『아들과 함께 걷는 길』에 나오는 대화의 의미 공유 과정

● 『아들과 함께 걷는 길』의 대화

말하는 이와 듣는 이	아버지와 ①⬜⬜	유형	상호 간에 이야기를 나누는 대화
장소와 상황	대관령의 밤길	성격	사적인 성격
주제	②⬜⬜의 참뜻과 친구를 사귀는 기준		

● 의미 공유를 위한 듣기·말하기 태도

아버지의 듣기·말하기 태도
• 아들의 눈높이에 맞추어 '우정'의 의미를 이해하기 쉽게 설명함.   • 질문을 통해 아들의 말에 담긴 구체적 의미를 확인함.

–

상우의 듣기·말하기 태도
• 아버지의 말에 맞추어 적절하게 ③⬜⬜함.   • 아버지의 질문에 성실하게 답변함.

● 의미 공유 과정으로서 대화의 가치

상우가 우정에 관해 아버지와 공유하게 된 생각
• 우정은 친구임을 확인할 수 있는 계기를 통해 다시 쌓이는 것임.   • 우정은 친구를 자랑스럽게 여기는 것임.   • ④⬜⬜하지 않고 친구를 사귀어야 함.

⇒

대화의 가치
우정에 관한 의미를 공유함으로써 아버지와 아들의 관계가 더욱 깊어짐.

연설에서는 말하는 이가 일방적으로 말하는 형태를 띠고 있지만, 연설 역시 청중과 공통된 의미를 주고받는 상호 교섭적인 의사소통 과정임을 이해하자.

2. 『세상의 모든 어버이께』라는 연설의 의미 공유 과정

● 『세상의 모든 어버이께』라는 연설

말하는 이와 듣는 이	• 말하는 이: 세번 스즈키(에코의 대표인 열두 살 소녀) • 듣는 이: 유엔 환경 개발 회의 참석자들을 비롯한 세상의 모든 어른들
장소와 상황	리우의 유엔 환경 개발 회의
유형	연설자가 청중에게 일방적으로 이야기를 하는 연설
성격	⑤⬜⬜인 성격
주제	지구의 환경을 지키고 빈곤이 없는 세상을 만들기를 바람.

● 『세상의 모든 어버이께』의 의미 공유 과정

말하는 이
전 세계의 어른들에게 미래 세대를 위하여 빈곤 문제와 환경 문제의 해결에 나서 달라고 촉구함.

듣는 이
빈곤 문제와 환경 문제의 심각성에 ⑥⬜⬜하고 해결 방안의 마련을 위해 노력함.

정답: ① 아들 ② 우정 ③ 반응 ④ 차별 ⑤ 공적 ⑥ 공감

[01~04] 다음 글을 읽고, 물음에 답하시오.

가 "상우야, 이제 많이 어두워졌지?"

"예, 별도 하나둘 보이고요."

"이제 몇 굽이만 더 내려가면 우리가 내려가야 할 대관령은 다 내려가는 거야. 거기서부턴 다시 작은 산길로 가면 되고."

나 "너 익현이 아저씨 알지?" [중략]

"아빠하고 그 아저씨는 4대에 걸친 친구거든. 아빠의 증조할아버지와 그 아저씨의 증조할아버지가 친구였고, 아빠 할아버지와 그 아저씨의 할아버지가 친구였고, 네 할아버지와 그 친구의 아버지가 친구였었고, 또 아빠와 그 아저씨가 친구니까." / "우와."

"그런 사이를 어른들은 집안 간에 오랜 세교가 있었다고 말한단다. 오랜 세월을 두고 우정을 쌓고 왕래한 집안이라는 뜻으로."

"그럼 백 년도 더 넘겠어요." / "아마 그럴 거야."

다 "아빠, 친구는 꼭 서로 나이나 수준이 맞아야 되는 건 아니죠?" / "어떤 수준 말이냐?"

"공부도 그렇고, 생각하는 것도 그렇고요."

"옛말에 보면 친구는 위로 보고 사귀라고 했는데, 아빠는 그 말이 잘못되었다고 생각한다. 그 말은 이왕 친구를 사귈 거면 좋은 친구를 사귀라고 한 말이지 꼭 그래야 한다는 건 아닐 거야. 친구를 사귈 때 다 위로 보고 사귀면, 아래에 있는 친구는 자기보다 나은 친구를 사귀고 싶어도 평생 그런 친구를 사귈 수 없는 거지. 자기가 사귀고 싶어하는 그 친구가 자기보다 못한 사람과 친구를 하지 않으려 하면 말이지."

라 "자기보다 나은 친구, 못한 친구 얘기를 하는 건 친구에게 배울 점을 찾으라는 이야기인 거야. 또 나쁜 친구를 사귀게 되면 함께 나쁜 생각과 나쁜 행동을 하게 되는 것도 사실이고. 더구나 너희처럼 자라날 때는 말이지. 그렇지만 어른이 되면 친구란 내가 외롭거나 어려울 때 서로 믿고 도울 수 있고, 또 당장 어렵거나 외롭지 않더라도 그런 친구 곁에 있는 것만으로도 위로가 되고 큰 힘이 될 수 있는 친구가 가장 좋은 친구란다. 서로 붙어 다니며 놀기만 좋아하는 친구보다는 이다음 서로 믿고, 서로 돕고, 서로 위로하고, 서로 힘이 될 수 있는 그런 친구를 사귀라는 뜻이야. 너 친구에 관한 옛날이야기 알지? 아버지의 친구와 아들의 친구 이야기 말이다."

01. 이 글의 대화에 대한 설명으로 적절한 것은?

① 말하는 이가 듣는 이에게 일방적으로 말하고 있다.

② 말하는 이와 듣는 이가 서로 다른 견해를 내세우고 있다.

③ 말하는 이와 듣는 이의 수준이 달라 대화에 어려움을 겪고 있다.

④ 말하는 이와 듣는 이가 협력하여 함께 의미를 만들어 가고 있다.

⑤ 말하는 이와 듣는 이는 각각 상대방을 설득하고자 노력하고 있다.

02. 이 글에서 아버지의 말을 통해 상우가 알게 되었을 진정한 친구의 모습으로 적절하지 <u>않은</u> 것은?

① 서로의 잘못을 지적하고 나무랄 수 있는 존재

② 외롭거나 어려울 때 서로 믿고 도울 수 있는 존재

③ 곁에 있는 것만으로도 위로가 되고 힘이 되는 존재

④ 나이나 수준과 상관없이 서로에게 배울 점을 찾아 함께 성장하는 존재

⑤ 집안 간의 여러 세대에 걸쳐 서로의 사정을 헤아리며 끊임없이 교류하는 존재

활동 응용 문제

03. 이 글의 대화에 나타난 상우와 아버지의 듣기·말하기 태도에 대한 평가로 적절한 것은?

① 아버지: 상대방의 말에 집중하지 못하고 있다.

② 아버지: 불필요한 질문으로 대화의 흐름을 깨고 있다.

③ 상우: 상대방의 말에 적절하게 반응하고 있다.

④ 상우: 상대방의 수준에 맞춰 쉽게 설명하고 있다.

⑤ 상우: 상대방의 감정을 고려하여 화제를 전환하고 있다.

활동 응용 문제 |서술형|

04. 이 글에서 이루어지는 대화를 〈조건〉에 맞게 한 문장으로 서술하시오.

| 조건 |
- 말하는 이, 듣는 이, 대화 상황, 대화 주제가 드러나게 쓸 것.
- '~고 있다.'의 형태로 쓸 것.

[05~08] 다음 글을 읽고, 물음에 답하시오.

가 "비행기도 안 뜨고, 아빠도 운전에 자신이 없어 할아버지 댁에도 못 가고 서울에 눌러앉았을 때, 성률이 아빠가 대목 날인데도 온종일 자기 택시 영업을 하지 않고 우리를 데려다 주러 왔던 거야. 그리고 서울에서 열네 시간 동안 이 길을 넘어왔다가 다시 쉬지도 않고 열 시간 동안 이 길을 넘어가고. 그때에도 아빠가 영업하는 차가 그냥 허탕 치면 어떻게 하느냐고 택시 요금을 주려고 하니까 성률이 아빠가 뭐랬는 줄 아니?" / "안 받겠다고요."

"그냥 안 받은 게 아니란다. 나는 네가 친구니까 죽음을 무릅쓰고 눈길을 넘어온 건데 너는 왜 그걸 꼭 돈으로만 계산하려고 하느냐고 그랬단다. 그래도 직업이고 영업하는 차가 아니냐니까, 너는 글을 쓸 때마다 영업을 생각하며 글을 쓰냐며 오히려 아빠를 부끄럽게 했단다."

나 "아빠한텐 ㉠기한이 아저씨도 그렇잖아요. 우리가 이사를 하면 나중에 와서 손을 다 봐 주고요. 전기선도 달아 주고 제 책상도 다시 손봐 주고. 그러면서도 전에 아빠가 밤중에 기한이 아저씨한테 가 준 걸 늘 고마워하고요."

"그때 기한이 아저씨가 함께 집 짓는 일을 하러 다니는 사람들과 이상한 내기를 했거든. 기한이 아저씨가 내 친구 중에 소설가가 있다고 자랑을 한 거야. 그러니 다른 아저씨들이 우리가 막일을 하러 다니는 사람인데 어떻게 그런 친구가 있을 수 있느냐고 믿지 않고. 그 사람이 정말 친구면 불러내 보라고 한 거지." [중략]

"그래서 기한이 아저씨가 이긴 거예요?"

"아니, 아빠가 이긴 거지. 그때까지 아빠는 아직 한 번도 기한이 아저씨를 위해 몸으로 무얼 해 본 적이 없었거든. 그런데도 기한이 아저씨는 아빠한테 자기는 늘 몸으로만 때우는 친구라 미안하다고 했는데, 그날 아빠가 기한이 아저씨를 위해 몸으로 때워 보니 정말 몸으로 때워 주는 것만큼 힘든 일도 없고, 또 좋은 친구도 없는 거야."

다 "장난이긴 하지만 친구란 그런 거야. 무얼 꼭 크게 도와주고 힘든 일을 해 주어야만 좋은 친구인 것이 아니라 어떤 일로든 그 사람이 정말 내 친구구나 하는 걸 확인하게 될 때 마음속에 다시 커다란 우정이 쌓이는 거란다. 그리고 그런 우정이 쌓일 때 옛날이야기 속의 아버지 친구 같은 이야기도 나오는 거고."

"알아요, 아빠. 그리고 따뜻하고요."

"친구를 가려 사귀기는 하되 절대 차별해서 사귀면 안 되는 거야. 알았지?"

"저도 이다음에 아빠 같은 친구를 많이 사귈 거예요. 제가 그 사람의 친구인 걸 자랑스럽게 여기는 친구들을요."

05. 이 글에 대한 설명으로 적절하지 않은 것은?

① 독자에게 교훈과 감동을 주는 내용을 담고 있다.
② 아버지와 아들이 이야기를 주고받는 형식으로 되어 있다.
③ 아버지와 아들이 각자의 생각을 진솔하게 표현하고 있다.
④ 일상생활에서 경험하기 어려운 특별한 일을 소재로 삼고 있다.
⑤ 아버지를 이해하는 아들과 아들에게 지혜를 전하는 아버지의 모습을 따뜻하게 그리고 있다.

06. 이 글에서 나눈 대화에 대한 이해로 적절한 것은?

① 대화를 통해 아버지와 아들은 우정에 관한 의미를 공유하게 되었다.
② 대화를 나누는 과정에서 그동안 쌓여 있었던 아버지와 아들의 갈등이 해소되었다.
③ 아버지 친구들의 이야기를 통해 아들은 자신의 단점을 깨닫고 스스로를 돌아보고 있다.
④ 대화를 하는 중에 아버지와 아들은 친구를 사귀는 방법에 대한 견해가 달라 토론을 벌였다.
⑤ 대화를 통해 아버지는 아들이 학교생활에서 힘들어하는 부분에 대해 아들에게 조언하고 있다.

07. 이 글의 대화에서 알 수 있는 바람직한 대화의 태도로 적절하지 않은 것은?

① 상대방의 말을 적극적으로 듣는다.
② 상대방의 질문에 성실하게 답변한다.
③ 상대방을 존중하고 배려하는 마음을 지닌다.
④ 자신의 배경지식을 적극적으로 활용하며 듣는다.
⑤ 자기 생각이 옳다는 것을 논리적으로 증명한다.

활동 응용 문제 | 서술형 |

08. ㉠의 일화를 통해 아버지가 아들에게 말하고자 한 내용을 〈조건〉에 맞게 한 문장으로 서술하시오.

┌ 조건 ┐
• '우정이란 ~는 것이다.'의 형태로 쓸 것.

[09~12] 다음 글을 읽고, 물음에 답하시오.

가 안녕하세요. 저는 세번 스즈키입니다. 저는 에코(ECHO –환경을 지키는 어린이 조직)의 대표로 여기에 왔습니다. 저희들은 열두 살에서 열세 살 사이의 캐나다 아이들로서 무언가 변화에 기여하려는 모임을 만들었는데, 바네사 수티, 모건 가이슬러, 미셸 퀴그, 그리고 제가 회원이에요. 어른들께 살아가는 방식을 바꾸지 않으면 안 될 거라는 말씀을 드리기 위해 오천 마일(mil)을 여행하는 데 필요한 경비를 저희 스스로 모금했답니다.

나 저는 오존층의 구멍 때문에 햇빛 속으로 나가기가 두렵습니다. 공기 속에 무슨 화학 물질이 들어 있을지 모르기 때문에 숨 쉬기가 두렵습니다. 저는 아빠와 함께 밴쿠버에서 낚시를 즐겼습니다. 그런데 바로 몇 해 전에 암에 걸린 물고기들을 발견했습니다. 그리고 지금 우리는 날마다 동식물이 사라지고 있다는, 그들이 영원히 소멸되고 있다는 소식을 듣고 있습니다.

다 저는 어린아이일 뿐이고, 따라서 해결책을 가지고 있지 않습니다. 저는 여러분께 과연 해결책을 가지고 있으신지 묻고 싶습니다. 여러분은 오존층에 난 구멍을 수리하는 방법, 죽은 강으로 연어를 다시 돌아오게 할 방법, 사라져 버린 동물을 되살려 놓는 방법을 알지 못합니다. 그리고 여러분은 이미 사막이 된 곳을 푸른 숲으로 되살려 놓을 능력도 없습니다.

라 여러분이 고칠 방법을 모른다면, 제발 그만 망가뜨리시기 바랍니다! 여러분은 정부의 대표로, 기업가로, 기자나 정치가로 여기에 와 계실 겁니다. 그렇지만 여러분은 그 이전에 누군가의 어머니와 아버지, 형제와 자매, 아주머니와 아저씨 들이며, 그리고 여러분 모두 누군가의 자녀입니다.

마 ㉠저는 어린아이일 뿐입니다. 그렇지만 저는 우리가 모두 삼십오억 명으로 된 가족, 아니 삼천만 종으로 된 한 가족의 일부라는 사실을 알고 있습니다. 우리는 모두 공기, 물, 흙을 나누어 가지고 있으며, 정부와 국경이 감히 그것을 변경하지는 못할 겁니다.

바 저는 어린아이일 뿐입니다. 그렇지만 저는 우리가 모두 하나이며, 하나의 목표를 향해 행동해야 한다는 것만은 알고 있습니다. 저는 분노하고 있지만, 눈이 멀지는 않았습니다. 저는 두려워하고 있지만, 제가 어떻게 느끼는지 세상에 말하는 것을 망설이지는 않습니다.

09. 이와 같은 말하기의 특징으로 적절하지 <u>않은</u> 것은?

① 공적인 상황에서 이루어진다.
② 다수의 청중을 대상으로 한다.
③ 상대방을 설득하는 것을 목적으로 한다.
④ 말하는 이와 듣는 이가 입장을 바꿔 가며 말을 주고받는다.
⑤ 말하는 이와 듣는 이가 특정 주제에 대한 생각과 정보를 공유한다.

> 활동 응용 문제

10. 다음은 (가)~(바)를 바탕으로 정리한 메모이다. ⓐ~ⓔ 중 적절하지 <u>않은</u> 것은?

> • 말하는 이: ⓐ에코의 대표인 열두 살 소녀 세번 스즈키
> • 듣는 이
>   – 직접적인 대상: ⓑ정부의 대표, 기업가, 기자, 정치가 등
>   – 간접적인 대상: ⓒ세상의 모든 어른들
> • 장소와 상황: 리우의 유엔 환경 개발 회의
> • 말하는 이의 입장
>   – 연설 주제: ⓓ동식물의 멸종을 막아야 한다.
>   – 말하는 이의 의도: ⓔ문제 해결을 위해 듣는 이의 태도 변화를 촉구한다.

① ⓐ   ② ⓑ   ③ ⓒ   ④ ⓓ   ⑤ ⓔ

11. 이 연설의 말하는 이가 ㉠과 같이 말하는 의도로 적절한 것은?

① 새로운 화제를 제시하기 위해서
② 문제의 심각성을 강조하기 위해서
③ 자신의 주장이 지닌 문제점을 숨기기 위해서
④ 어린아이를 대하는 어른들의 태도를 비판하기 위해서
⑤ 어른들의 적극적인 행동이 필요함을 강조하기 위해서

> 활동 응용 문제 | 서술형 |

12. 이 연설에서 다음 주장을 뒷받침하는 근거로 제시된 내용 네 가지를 모두 쓰시오.

> 지구의 환경 오염이 심각하다.

[13~16] 다음 글을 읽고, 물음에 답하시오.

가 저는 이틀 전 여기 브라질에서 큰 충격을 받았습니다. 우리는 길거리에서 살고 있는 몇몇 아이들과 얼마 동안 시간을 보냈습니다. 그중 한 아이가 우리에게 이렇게 말하더군요.

"내가 부자가 되었으면 좋겠다. 만약 내가 부자라면 나는 거리의 모든 아이들에게 음식과 옷과 약과 집, 그리고 사랑과 애정을 주겠다."

아무것도 가진 게 없는 거리의 아이가 기꺼이 나누겠다고 하는데, 모든 것을 다 가지고 있는 우리는 어째서 그토록 인색할까요? 저는 이 아이들이 제 또래라는 사실을 자꾸 생각하게 됩니다. 어디서 태어났는가 하는 사실이 굉장한 차이를 만든다는 것, 저도 리우의 빈민가 파벨라스에 살고 있는 저 아이들 중 하나일 수 있었음을 생각하지 않을 수 없습니다. 저는 소말리아에서 굶주려 죽어 가는 한 어린이일 수도 있었고, 중동의 전쟁 희생자, 또는 인도의 거지일 수도 있었습니다.

나 저는 아이일 뿐입니다. 그렇지만 전쟁에 쓰이는 모든 돈이 빈곤을 해결하고, 환경 문제를 해결하는 데 쓰인다면, 이 지구가 얼마나 멋진 곳으로 바뀔지 알고 있습니다.

다 학교에서도, 유치원에서도, 어른들은 우리에게 착한 사람이 되라고 가르칩니다. 어른들은 서로 싸우지 말고 존중하며, 자원을 절약하고, 몸과 주변을 청결히 하고, 다른 생물들을 해치지 말고 보호하며, 자원을 더불어 나누어야 한다고 가르칩니다. 그런데 어째서 여러분 어른들은 우리에게 하라고 한 것과는 정반대의 행동을 하십니까?

라 여러분이 이 회의에 참석하고 계신 이유가 무엇이며, 누구를 위해서 이런 회의를 열고 있는지 잊지 마십시오. 저희는 여러분의 아이들입니다. 여러분은 저희가 앞으로 어떤 세계에서 자라날지 결정하고 계신 겁니다.

마 저희 아빠는 항상 말씀하십니다.

"너의 말이 아니라 행동이 진짜 너를 만든다."

하지만 여러분의 행동은 밤마다 저를 울게 합니다. 여러분은 항상 우리를 사랑한다고 말합니다. 저는 이 자리에서 여러분에게 호소합니다. 제발 저희의 바람이 여러분의 행동에 반영되도록 노력해 주십시오.

활동 응용 문제

13. **이와 같은 연설을 듣는 방법으로 적절하지 않은 것은?**

① 말하는 이가 전달하고자 하는 핵심 내용을 파악한다.

② 자신의 경험과 배경지식을 충분히 활용하여 적극적으로 듣는다.

③ 말하는 이가 여러 사람과 나누고 싶어 하는 의미와 가치를 이해한다.

④ 말하는 이가 전하려는 내용을 비판하지 말고 수용하기 위해 노력한다.

⑤ 말하는 이가 자신의 공감이나 이해 상태를 파악할 수 있도록 적절하게 반응하며 듣는다.

14. **이 연설에 나타나는 말하는 이의 태도로 적절한 것은?**

① 밝고 명랑한 태도

② 진지하고 정중한 태도

③ 침울하고 무거운 태도

④ 가볍고 익살스러운 태도

⑤ 재미있고 장난스러운 태도

15. **이 연설에 쓰인 말하기 방식으로 적절하지 않은 것은?**

① 다른 사람의 말을 인용하여 자신의 주장을 분명히 제시한다.

② 질문을 통해 듣는 이가 자신의 행동을 스스로 돌아보게 한다.

③ 비유적 표현을 사용하여 문제의 심각성을 인상적으로 보여 주고 있다.

④ 회의의 목적을 상기시키면서 듣는 이의 태도 변화를 이끌어 내고자 한다.

⑤ 회의가 열리는 현지에서 경험한 일을 근거로 들어 자신의 주장을 생동감 있게 전달한다.

활동 응용 문제 |서술형|

16. **다음 설명을 참고하여, 이 연설에 나타난 주장을 한 문장으로 서술하시오.**

> 이 연설이 이루어진 회의는 '유엔 환경 개발 회의'이다. '유엔 환경 개발 회의(UNCED)'는 1992년 브라질 리우에서 각국 정부 대표가 중심이 되어 열린 국제회의로 공식 명칭은 '환경 및 개발에 관한 국제 연합 회의'이다.

②흑설 공주

생각 열기 --○

다음 두 작품을 보고 이야기 나누어 봅시다.

▲ 레오나르도 다빈치, 「모나리자」

▲ 페르난도 보테로, 「모나리자」

- 원작인 레오나르도 다빈치의 「모나리자」와 이를 재창작한 보테로의 「모나리자」가 주는 느낌을 비교하여 봅시다.

  예시 답 | • 레오나르도 다빈치의 「모나리자」는 우아한 느낌을 준다.
  - 보테로의 「모나리자」는 익살스러운 느낌을 준다.
  - 보테로의 「모나리자」는 원작의 어둡고 무거운 색채 대신 밝고 가벼운 색채를 활용해 경쾌한 느낌을 준다.

- 보테로가 「모나리자」를 통해 표현하려고 한 것이 무엇일지 생각해 봅시다.

  예시 답 | • 뚱뚱함에도 그 나름의 아름다움이 있다는 것을 표현하고 있는 듯하다.
  - 뚱뚱함의 귀여움을 보여 주려 한 것 같다.
  - 사람들이 '뚱뚱하다'의 문제에 관해서 다시 생각해 보기를 원한 것 같다.

> **이렇게 열자**
>
> 이 단원을 본격적으로 학습하기 전에 레오나르도 다빈치의 명작 「모나리자」를 차용해 새롭게 구성한 그림은 보면서 재구성의 의미를 이해하는 활동이다. 작품 재구성의 예로 제시된 그림을 보면서 원작과 재구성된 작품이 주는 느낌이 어떻게 다른지 생각해 본다. 그리고 작가가 원작을 재구성하는 과정에서 무엇을 표현하고자 했을지 작가의 의도에 대해 생각해 보면서, 재구성 과정에서 작가의 관점이 반영된다는 점을 알고 그 의미를 이해하도록 한다.

이 단원의 학습 요소

학습 목표 | 재구성된 작품을 원작과 비교하고, 변화 양상을 파악하며 감상할 수 있다.

재구성된 작품을 원작과 비교하여 재구성 과정에서의 변화 양상 파악하기 ▶	재구성된 작품을 원작과 비교하며 감상하고 공통점과 차이점을 파악하여 재구성 과정에서의 변화 양상을 이해한다.
작품 재구성 과정에서 반영되는 새로운 상상과 가치 등을 발견하기 ▶	재구성된 작품에 반영된 새로운 상상과 가치 등을 발견하며 감상하고, 재구성된 작품에 담긴 글쓴이의 의도를 이해한다.

▶소단원 바탕 학습

핵심 개념 미리 보기

1. 재구성의 뜻

관점을 바꾸어서 원작을 비판적, 창조적으로 다시 쓰는 것을 말한다.

예 • 「흑설 공주」: 원작 「백설 공주」에서 인물의 성격, 사건 등의 내용을 바꾸어 글쓴이의 가치관에 따라 '아름다움'을 재정의하여 전달함.
• 「라디오같이 사랑을 끄고 켤 수 있다면」: 김춘수의 「꽃」을 재구성한 장정일의 시로, 사랑을 라디오를 켜고 끄는 행위로 표현함으로써 쉽게 만나고 헤어지는 현대인의 이기적인 인간관계를 비판하고 있음.

2. 재구성의 방법

내용 바꾸기	줄거리 바꾸기, 등장인물의 성격 변화, 새로운 인물의 삽입 등 작품의 내용에 변형을 가함. 예 백설 공주의 성격을 바꾼 「백설 공주」
형식 바꾸기	작품의 서술 방식, 시점 등 형식을 달리함. 예 1인칭 주인공 시점의 「백설 공주」
맥락 바꾸기	작품 속의 사회·문화적 배경을 바꿈. 예 현대판 「백설 공주」
매체 바꾸기	작품의 갈래를 바꿈. 예 웹툰으로 창작된 「백설 공주」

3. 재구성된 작품을 읽는 방법

• 재구성된 작품을 원작과 비교하고 공통점과 차이점을 정리한다.
• 재구성 과정에서의 변화 양상에 주목하여 작품을 감상한다.
• 원작을 재구성하는 과정에서 반영된 글쓴이의 창의적, 비판적 관점을 이해한다.
• 글쓴이가 원작을 재구성한 까닭을 생각하면서 글쓴이의 의도와 주제 의식을 파악한다.
• 재구성된 작품에 담긴 새로운 상상과 가치를 발견하며 감상한다.

4. 재구성된 작품을 읽는 의의

• 익숙한 작품의 변화를 통해 재미와 즐거움을 느낄 수 있다.
• 글쓴이의 생각에 공감하며 감동하거나 아니면 반대하며 자신만의 생각을 이끌어 낼 수 있다.
• 작품을 해석하는 다양한 관점이 있음을 이해하고 다양한 가치를 존중하는 태도를 기를 수 있다.

제재 훑어보기

흑설 공주(이경혜)

• **해제**: 널리 알려진 동화인 『백설 공주』를 재구성하여, 저마다 가지고 있는 아름다움을 발견하는 것이 중요함을 이야기하고 있는 작품이다.
• 「백설 공주」: 독일의 언어학자이자 작가인 그림형제가 1812년에 『어린이와 가정을 위한 동화집』에 수록한 이야기이다. 초판에 '백설 공주'라는 제목으로 실렸으며 이후 수차례 고쳐 1857년 최종판의 간행을 끝으로 오늘날까지 그 이야기가 전해져 오고 있다.
• **갈래**: 현대 소설, 개작 동화
• **성격**: 동화적, 환상적, 교훈적
• **주제**: 인간은 모두 자신만의 아름다움을 가지고 있음.
• **특징**
  ① 동화 「백설 공주」를 재구성한 작품이다.
  ② 원작의 인물 구성과 이야기 요소를 변형하였다.
  ③ 아름다움에 대한 글쓴이의 생각이 드러난다.
• **구성**

발단	왕비(백설 공주)의 소망으로 살빛이 검은 공주가 태어남.
전개	왕비가 죽자 새 왕비가 들어와 흑설 공주를 질투하여 죽이려 함.
위기	공주가 위기를 극복하고 난쟁이들의 도움을 받아 평화롭게 살아감.
절정	변장한 왕비에 의해 공주의 숨이 끊어짐.
결말	나무꾼에 의해 공주가 깨어나고, 왕비는 쫓겨남. 공주는 나무꾼과 결혼하여 행복하게 삶.

흑설 공주 _이경혜

학습 포인트
· 재구성 과정에서의 인물 변화 양상 파악하기
· 아름다움에 관한 시녀들과 왕비의 서로 다른 관점 파악하기

발단 **1** 흰 눈이 펑펑 쏟아지는 겨울날이었다.
   시간적 배경: 겨울

눈처럼 하얀 드레스를 입은 왕비가 창가에 앉아 뜨개질을 하고 있었다. 왕비
   백설 공주로, 주인공의 어머니임.
는 하얀 털실로 태어날 아기가 입을 망토를 짜고 있었다. 왕비는 하얀색을 유난

히 좋아해서 커튼도 침대보도 아기가 입을 옷도 모두 하얀색으로 만들었다. 이

왕비가 바로 **❶**눈처럼 하얀 피부에 피처럼 붉은 입술, *흑단처럼 검은 머리칼을

지닌 그 유명한 '백설 공주'였다.
원작 「백설 공주」의 주인공인 '백설 공주'가 공주 아닌 왕비로 나옴.

'우리 아기도 나를 닮아 눈처럼 하얀 살결을 지니겠지.'

왕비는 조용히 미소를 지었다.   ➔ 왕비가 된 백설 공주가 아기가 입을 하얀 망토를 짜고 있음.

2 그때였다. 문득 고개를 들고 창을 바라보던 왕비는 깜짝 놀라고 말았다.

창밖에 검은 눈이 내리고 있었다!
왕비에게 새로운 아름다움을 깨닫게 하고 새로운 바람을 갖게 하는 계기가 됨.
그것도 다른 곳에는 여전히 흰 눈이 펄펄 내리는데, 왕비가 앉아 있는 창밖에

만 반짝반짝 검게 빛나는 눈이 내리는 것이었다.

"아니, 이게 무슨 일이지?"

왕비는 놀라서 창문을 열고 손바닥에 검은 눈을 받아 보았다.

하얀 왕비의 손 위에 놓인 검은 눈송이는 흑진주처럼 영롱한 빛으로 반짝이다

가 조용히 녹아내렸다.
   ⟋교과서 날개
"아, 정말로 아름답구나. ㉠이 검은 눈처럼 아름다운 아기를 낳았으면!"
                    왕비가 검은 피부의 흑설 공주를 낳게 될 것임을 암시함.
왕비는 자기도 모르게 한숨 쉬듯 그런 말을 뱉고 말았다.

                    ➔ 왕비는 검은 눈처럼 아름다운 아기를 낳기를 바람.

3 몇 달 후 왕비는 공주를 낳았다. 그런데 놀랍게도 공주는 굴뚝에서 빼내 온 아

이처럼 온몸이 새까맸다. ㉡시녀들은 어쩔 줄 몰라 비명을 질렀지만 왕비만은
                    대부분의 사람들과 달리 왕비는 검은 피부를 지닌 공주를 매우 사랑함.
그 새까만 공주를 품에 안으며 기쁨의 눈물을 흘렸다.

"오, 정말로 검은 눈처럼 아름다운 아기가 태어났구나. 이 아기를 흑설 공주라
   왕비의 소망이 이루어짐.   이 작품의 주인공으로, 검은 눈처럼 아름다운 공주라는 뜻임.
고 부르도록 하여라."

흑설은 검은 눈이란 뜻이었다. 왕비는 흑설 공주에게 하얀 망토를 입히고 몹

시 사랑했지만 안타깝게도 흑설 공주가 첫돌이 되기 전에 그만 병에 걸려 세상을
         원작과의 공통점: 「백설 공주」에서도 공주가 탄생하고 왕비는 일찍 죽음.
떠나고 말았다.
                    ➔ 왕비는 살빛이 검은 흑설 공주를 낳고 세상을 떠남.

작가 소개: 이경혜 (1960~)
동화 작가. 주요 작품으로 『어느 날 내가 죽었습니다』, 『스물일곱 송이 붉은 연꽃』, 『유명이와 무명이』, 『형이 아니라 누나라니까요』 등이 있다.

읽기 중 활동

교과서 날개
왕비의 바람이 무엇을 암시하고 있을지 생각해 봅시다.
→ 왕비가 검은 피부의 흑설 공주를 낳게 될 것임을 암시하고 있다.

어휘 풀이
· 흑단(黑檀): 감나뭇과의 상록 활엽 교목인 흑단나무에서 얻는 단단하고 검은 목재.

어구 풀이
❶ 백설 공주의 외모를 드러낸 부분으로 일반적으로 아름다운 여인의 외모를 함축적으로 묘사하는 문장 표현이다.

➕ 보충 자료
원작 「백설 공주」의 '발단' 부분의 줄거리
옛날 흰 눈이 펑펑 내리는 한겨울, 한 왕비가 바느질을 하고 있었다. 눈송이를 바라보던 왕비는 바늘 끝에 손가락을 찔렸고, 세 방울의 피가 흰 눈 위에 떨어지고 말았다. 왕비는 아이를 낳는다면 눈처럼 하얀 피부, 붉은 입술, 검은 머리카락을 가진 공주가 태어났으면 좋겠다고 생각하며, 그 이름을 백설이라고 지었다. 백설 공주가 태어나고 왕비는 일찍 세상을 떠났다.

찬찬샘 핵심 강의

• 재구성 과정에서의 인물 변화 양상

재구성된 작품을 읽을 때에는 원작과 비교하면서 달라진 점을 찾아야 해. 그래야 원작의 재구성을 통해 글쓴이가 전하려고 하는 가치, 의도를 파악할 수 있단다. 그럼, 연습을 함께 시작해 볼까? **1**~**3**은 소설 구성 단계상 발단에 해당해. 일반적으로 발단에서는 인물이 소개되고 배경이 제시되며 사건의 실마리가 나온단다. 그런데 원작과 이 작품 모두 배경은 '한겨울 왕궁'이고 사건의 실마리는 '공주의 탄생과 왕비의 죽음'으로 비슷해. 하지만 주인공은 원작과 달리 '검은 피부를 지닌 흑설 공주'이고, 주인공의 어머니는 원작의 주인공이었던 '백설 공주'로 원작과 달리 검은 눈과 같은 아기를 낳기를 원하고 있어.

▶핵심 포인트◀

	「백설 공주」	「흑설 공주」
공주	검은 머리, 하얀 피부, 붉은 입술을 지닌 백설 공주	검은 머리, 검은 눈동자, 검은 피부를 지닌 흑설 공주
왕비	백설 공주의 어머니로, 검은 머리, 하얀 피부, 붉은 입술을 지닌 아이를 원함.	백설 공주로, 검은 눈처럼 아름다운 아이를 원함.
왕	백설 공주의 아버지	백설 공주의 남편

• 아름다움에 관한 시녀들과 왕비의 서로 다른 관점

왕비인 백설 공주는 살빛이 검은 아기를 낳게 되자 아름답다고 여기며 무척 기뻐한단다. 하지만 시녀들은 흑설 공주가 태어날 때 비명을 지를 정도로 흑설 공주를 아름답다고 여기지 않아. 하얀 피부를 지닌 여자가 아름답다고 생각하는 편견을 가지고 있는 거지. 하지만 왕비는 검은 피부를 지닌 여자도 아름답다는 열린 관점을 보여 주고 있어. 앞으로 전개되는 내용을 보면 알겠지만, 이 왕비가 바라보는 아름다움에 대한 관점은 글쓴이의 관점이기도 하단다.

▶핵심 포인트◀

왕비	아름다움	시녀들
검은 피부를 지닌 여자도 아름답다.		하얀 피부를 지닌 여자가 아름답다.

(2) 흑설 공주　**191**

콕콕 확인 문제

1. 이 글에 대한 설명으로 적절한 것은?

① 원작의 가치를 평가하여 쓴 비평문이다.

② 원작과 같은 인물이 주인공으로 등장한다.

③ 원작을 새로운 관점에서 재구성한 작품이다.

④ 원작의 부족한 부분을 보완하여 쓴 작품이다.

⑤ 원작의 주제를 더 잘 드러내기 위해 재창작한 작품이다.

2. 이 글에 나타난 원작과의 공통점으로 적절하지 <u>않은</u> 것은?

① 어머니의 소망을 따서 딸의 이름을 짓는다.

② 흰 눈이 내리는 한겨울에 이야기가 시작된다.

③ 공간적 배경은 왕과 왕비, 공주가 사는 궁궐이다.

④ 딸이 태어난 지 얼마 되지 않아 어머니가 세상을 뜬다.

⑤ 검은 눈이 내리는 것과 같은 비현실적인 사건이 일어난다.

3. ㉠의 역할에 대한 설명으로 적절한 것은?

① 작품의 사회적 배경을 짐작하게 한다.

② 앞으로 일어날 사건을 암시하고 있다.

③ 인물의 내적 갈등을 불러일으키고 있다.

④ 무겁고 어두운 분위기를 조성하고 있다.

⑤ 인물의 우울하고 절망적인 심리를 보여 준다.

4. ㉡에 대한 독자의 반응으로 가장 적절한 것은?

① 왕비는 딸에 대한 실망감을 애써 감추고 있어.

② 왕비는 자신의 딸을 진심으로 사랑하는 것 같아.

③ 시녀들은 왕비가 놀라고 당황할까 봐 걱정하고 있어.

④ 시녀들은 왕비와 함께 공주의 탄생을 기뻐하고 있어.

⑤ 시녀들은 왕비가 느낄 감정을 대신하여 표현하고 있어.

|서술형|

 5. 이 글의 주인공이 지닌 특징을 원작인 「백설 공주」의 주인공과 비교하여 〈조건〉에 맞게 서술하시오.

> **조건**
> • 인물의 겉모습에 대해 쓸 것.
> • 원작과의 차이점이 드러나게 쓸 것.

4 어머니가 없어도 흑설 공주는 무럭무럭 자라났다. 하지만 ㉠공주를 사랑해 주
원작과의 차이점: 흑설 공주는 아무에게도 사랑받지 못함.
는 사람은 이 세상에 한 사람도 없었다.

백성들은 모두 공주를 이상한 눈으로 바라보았다.

"기가 막히지. 임금님도 왕비님도 모두 고귀한 하얀 피부를 갖고 계신데, 어째
온몸이 새까만 공주를 싫어하는 백성들
서 공주는 저렇게 온몸이 새까맣지? 어유, 보기 싫어라!"

아버지인 왕마저 공주를 볼 때마다 한숨을 푹푹 쉬었다.

"❶어허, 어째서 백설 공주의 딸이 흑설 공주가 되었단 말인가? 비록 내 딸이
검은 피부를 지녔다는 이유로 딸을 사랑하지 않는 아버지
지만 사랑스럽지가 않구나."　　　　　➜ 공주는 살빛이 검다는 이유로 아무에게도 사랑받지 못함.

5 흑설 공주는 손가락질을 당하고 미움을 받는 것에 *길이 들어 늘 고개를 숙이
　　　　　　　　　　　교과서 날개 ②
고 다녔다. 오직『어머니가 떠 준 ㉡하얀 망토만을 언제나 품속에 넣고 다녔다.』
『 』: 흑설 공주를 사랑해 주었던 어머니를 떠올리며 위로를 받고자 함.
무엇에든 욕심이 없는 공주였지만 그 하얀 망토만은 절대로 몸에서 떼어 놓는 법
이 없었고, 아무도 손을 대지 못하게 했다. 잠을 잘 때도 공주는 망토를 품에 꼭
　　　　　　　　　　　　　　공주의 심리: 어머니에 대한 간절한 그리움
안고 잤다. 그럴 때면 공주도 엄마 품에서 잠드는 것처럼 아늑한 행복을 느꼈다.
　　　　　　　　　　　　　➜ 공주는 어머니가 남긴 하얀 망토를 항상 품속에 넣고 다님.

6 궁궐의 시녀조차도 흑설 공주 앞에서는 자신의 하얀 피부를 뽐내며 공주를 무
　　　　이유: 피부가 검은 공주를 무시하는 시녀들
시하기 일쑤였다. 그래서 흑설 공주는 언제나 사람들 눈에 띄지 않는 곳만을 찾
　　　　　　　　　　　　자신을 놀리고 무시하고 싫어하는 사람들로부터 벗어나려고
아다녔다. 아무도 책을 읽는 사람이 없어 먼지만 쌓이고 있는 궁궐의 작은 도서
관이나 정원 귀퉁이의 *덤불숲 같은 곳에서 하루 종일 시간을 보내곤 하였다. 그
　　　사람들이 찾지 않는 곳, 혼자 있을 수 있는 곳
러다 보니 흑설 공주는 어느덧 책을 좋아하게 되었고, 들쥐나 새 같은 작은 짐승
들과도 친해졌다.　　원작에는 없는 흑설 공주의 특징　➜ 공주는 사람들을 피해 숨어 지내다가 책을 좋아하게 됨.

|발단| 왕비(백설 공주)의 소망으로 살빛이 검은 공주가 태어남.

학습 포인트
· 원작과의 공통점과 차이점
　파악하기 ①
· 재구성된 작품에 나타난
　글쓴이의 비판적 관점 이
　해하기

읽기 중 활동

교과서 날개 ①
여기까지의 이야기에서 원작
과 다른 점은 무엇이고 같은
점은 무엇인지 말해 봅시다.
→ 같은 점은 공주가 태어나자
얼마 안 되어 왕비가 죽는다는
점이고, 다른 점은 원작「백설
공주」에서는 눈처럼 흰 피부를
가진 공주가 태어나고 모두에
게서 사랑받았는데 이 이야기
에서는 까만 피부를 가진 공주
가 태어나고 아버지인 왕까지
도 흑설 공주를 사랑스럽게 여
기지 않는다는 점이다.

교과서 날개 ②
흑설 공주가 하얀 망토를 언제
나 품속에 넣고 다닌 까닭은
무엇일까요?
→ 어머니가 남긴 망토에서 위
로를 받아 모두에게 미움받는
괴로움을 달랠 수 있었기 때문
이다.

어휘 풀이
· 길: 어떤 일에 익숙하게 된
　솜씨.
· 덤불숲: 어수선하고 엉클어
　진 얕은 수풀이 꽉 들어찬
　것.

어구 풀이
❶ 원작과 달리 흑설 공주는
아버지에게마저 사랑받지 못
하고 있다. 단지 피부가 검다는
이유로 자신의 딸을 사랑하지
않는 왕의 모습을 통해 글쓴이
는 외모만 중시하는 사람들의
태도를 비판하고 있다.

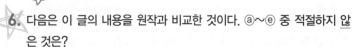

찬찬샘 핵심 강의

• 원작과의 공통점과 차이점 ①

발단 부분을 보면서 원작과 이 작품에 공통적으로 나타나는 사건 전개 양상을 정리해 볼까? 두 작품 모두 왕비가 바라는 대로 공주가 태어났지만 안타깝게도 얼마 안 되어 왕비가 죽었다는 점은 동일해. 하지만 결정적인 차이가 있어. 바로 왕비가 낳은 공주가 원작에서는 하얀 피부를 지닌 백설 공주이지만 이 작품에서는 까만 피부를 지닌 흑설 공주라는 사실! 그리고 이러한 피부색의 차이로 인해 원작의 공주는 모두의 사랑을 받지만 이 작품의 공주는 아버지의 사랑조차 받지 못한다는 것이야.

◦핵심 포인트◦

	「백설 공주」	「흑설 공주」
공통점	왕비의 바람대로 공주가 태어났으나, 얼마 안 되어 왕비가 죽음.	
차이점	눈처럼 하얀 피부를 가진 공주가 태어나고 모두에게서 사랑을 받음.	검은 피부를 가진 공주가 태어나고 아무에게도 사랑받지 못함.

• 재구성된 작품에 나타난 글쓴이의 비판적 관점

우리가 알아본 원작과의 차이점에 주목하면 글쓴이가 원작을 재구성한 의도를 알아챌 수 있어. 단지 피부가 검다는 이유만으로 흑설 공주를 싫어하는 사람들을 보면서 우리는 자연스럽게 이건 잘못되었다는 생각을 하게 돼. 하얀 피부만 아름답다고 생각하는 편견, 내면의 아름다움보다 외모만을 중시하는 사회 풍조를 글쓴이는 비판하고 싶었을 거야.

◦핵심 포인트◦

공주를 대하는 인물들의 태도	글쓴이의 비판적 관점
• 백성들: 온몸이 새까맣다는 이유로 공주를 이상한 눈으로 바라보고 싫어함. • 왕(아버지): 살빛이 검다는 이유로 딸을 사랑하지 않음. • 궁궐의 시녀: 검은 피부를 지닌 공주를 무시함.	⇒ • 하얀 피부만 아름답다고 생각하는 편견에 대한 비판 • 내면의 아름다움보다 외모를 중시하는 풍조에 대한 비판

콕콕 확인 문제

6. 다음은 이 글의 내용을 원작과 비교한 것이다. ⓐ~ⓔ 중 적절하지 않은 것은?

> ⓐ이 작품과 원작의 주인공은 모두 왕비의 딸인 공주이다. ⓑ공주가 태어난 지 얼마 되지 않아 왕비가 죽어 두 공주는 어머니 없이 자란다. 그런데 ⓒ원작의 백설 공주는 모든 사람들의 사랑을 받지만, 흑설 공주는 아무에게도 사랑을 받지 못한다. ⓓ심지어 아버지인 왕조차 흑설 공주를 사랑스럽게 여기지 않는다. 결국 ⓔ흑설 공주는 원작의 주인공과 달리 스스로 집을 나와 궁궐 밖에서 혼자 살아가게 된다.

① ⓐ   ② ⓑ   ③ ⓒ   ④ ⓓ   ⑤ ⓔ

7. 이 글에 등장하는 흑설 공주에 대한 설명으로 적절하지 않은 것은?

① 책 읽기를 좋아한다.
② 어떤 물건에도 욕심을 내지 않는다.
③ 사람들이 없는 장소에서 주로 시간을 보낸다.
④ 들쥐나 새 같은 작은 짐승들과 친하게 지낸다.
⑤ 사람들로부터 놀림을 받고 미움을 받는 것에 익숙해져 있다.

8. ㉠의 이유로 가장 적절한 것은?

① 공주의 살빛이 검은색이었기 때문에
② 공주의 어머니가 일찍 돌아가셨기 때문에
③ 공주가 자신보다 아름다운 여자를 질투했기 때문에
④ 공주가 자신의 아버지로부터 인정을 받지 못했기 때문에
⑤ 공주가 늘 고개를 숙이고 다니며 자신 없는 태도를 보였기 때문에

9. ㉡에 담긴 의미로 가장 적절한 것은?

① 늘 혼자 지내야 하는 외로움
② 어머니에 대한 공주의 그리움
③ 하얀 피부를 가지고 싶은 소망
④ 아버지의 사랑을 얻고 싶은 마음
⑤ 아름다운 사람이 되고자 하는 열망

|서술형|

10. 이 글에서 백성들, 아버지, 궁궐의 시녀가 아름다움에 대해 가지고 있는 공통된 생각이 무엇인지 〈조건〉에 맞게 서술하시오.

 조건
• '아름다운 사람은'으로 문장을 시작할 것.

(2) 흑설 공주   **193**

왕은 새 왕비를 맞아들이고, 새 왕비는 자신의 아름다움을 더욱 빛나 보이게 하기 위하여 흑설 공주를 데리고 다니며 잘 대해 주는 척한다. 그러다가 『진실의 거울로부터 세상에
『　』: 거울이 갈등의 실마리를 제공함. → 왕비와 공주의 갈등이 본격적으로 전개됨.
서 가장 아름다운 사람이 흑설 공주라는 사실을 들은 왕비는 왕을 설득하여 공주를 성 밖
으로 내보내고, 사냥꾼을 시켜 공주를 죽이게 한다.』 사냥꾼의 동정으로 겨우 목숨을 구한
　　　　　　　　공주가 겪는 1차 위기
흑설 공주는 깊은 숲속에 들어가 「백설 공주」에 나왔던 일곱 난쟁이의 자식인 일곱 명의 난
쟁이들을 만나 함께 지내게 된다.➡ 공주는 새 왕비가 자신을 죽이려 하는 위기를 피해 난쟁이들과 살아감.

전개 및 위기	왕비가 죽자 새 왕비가 들어와 흑설 공주를 질투하여 죽이려 하지만, 공주는 이러한 위기를 극복하고 난쟁이들의 도움을 받아 평화롭게 살아감.

절정 8 한편 왕비는 이제 흑설 공주를 죽였으니 다시 거울에게 물어보고 싶은 마음이 생겼다.

"거울아 거울아, 이 세상에서 가장 아름다운 사람이 누구지?"

그러자 거짓말을 못하는 거울은 슬픈 목소리로
　　　　　　　　진실의 거울
이렇게 대답하고 말았다.

"왕비님, 왕비님은 물론 아름다우십니다. 하지만

❶세상에서 가장 아름다운 분은 저기 일곱 개의
새 왕비에게 흑설 공주가 살아 있음을 알려 왕비의 질투와 분노를 유발함.
산 너머 일곱 난쟁이 집에 있는 흑설 공주님이십
→ 거울이 갈등을 심화함.
니다."
　　　　　➡ 왕비의 질문에 거울은 흑설 공주가 가장 아름답다고 대답함.

9 왕비는 질투와 분노로 바드득 이를 갈았다. 사냥꾼이 자기를 속인 것이다! 당
장 사냥꾼을 잡아들이게 했지만 사냥꾼은 이미 왕비가 준 상금을 들고 다른 나라
로 달아나고 없었다.
　　　　　　　　　　　　　　　　　📖 교과서 날개
'으으! ㉠흑설 공주가 살아 있어선 안 돼. 그랬다가는 내가 자기를 죽이려 했
　　　　　　　　　　　　　　　　새 왕비가 흑설 공주를 죽이려고 하는 까닭 ①
다는 사실을 언젠가는 세상에 알리고야 말걸. 더군다나 거울도 저렇게 지껄이
고 있는 걸 보면 언제 그 애가 갑자기 아름답게 둔갑해 나타날지 어떻게 안단
　　　　흑설 공주
말이야? 나보다 아름다운 사람이 이 세상에 있는 꼴은 절대로 볼 수 없지!'
　　　　　　　　　새 왕비가 흑설 공주를 죽이려고 하는 까닭 ②
예전에 마녀에게서 마법을 배우기도 했던 왕비는 자신이 직접 나서 흑설 공주
　　　　　　　　　　　　　　　　　　공주가 겪는 2차 위기
를 죽이기로 마음먹었다. 왕비는 *늘수그레한 장사꾼 영감처럼 모습을 바꾸고,
　　　　　새 왕비는 흑설 공주가 자신의 정체를 알아채지 못하도록 남자인 영감으로 변장함.
일곱 개의 산을 넘어 일곱 난쟁이의 집을 찾아가 문을 두드렸다.
　　　　　　　　　　➡ 왕비가 흑설 공주를 직접 죽이기 위해 난쟁이의 집을 찾아감.

🔖 학습 포인트
· 새 왕비의 등장에 따른 사건 전개 양상 파악하기
· '거울'의 역할 이해하기

읽기 중 활동

교과서 날개
새 왕비가 흑설 공주를 죽이려고 한 까닭은 무엇일까요?
→ 사냥꾼을 시켜 공주를 죽이려고 한 자신의 음모가 드러날 수 있기 때문이다. 공주가 없으면 자신이 세상에서 가장 아름다운 사람이 될 수 있다고 생각했기 때문이다.

어휘 풀이
· 늘수그레하다: 꽤 늙어 보이다.

어구 풀이
❶ 거울은 새 왕비의 질문에 대답을 하는 과정에서 공주의 생존 사실과 공주의 거처를 알려 준다. 이로써 새 왕비가 공주를 직접 죽이게 하는 결정적 계기를 제공하게 된다.

➕ 보충 자료
원작 「백설 공주」의 '전개', '위기' 부분의 줄거리
왕이 새로 맞이한 왕비는 교만하고 야심이 가득했다. 새 왕비는 마법의 거울을 통해 자신의 아름다움을 확인받았으며, 자신보다 아름다운 존재를 죽이곤 했다. 세월이 흘러 자신보다 더욱 아름다워진 백설 공주를 새 왕비는 눈엣가시로 여겨 결국 성에서 쫓아내 죽이려 마음먹고, 사냥꾼을 시켜 없애려 한다. 사냥꾼에게 애원하여 구사일생으로 도망친 백설 공주는 일곱 난쟁이의 집에 머물게 된다.

찬찬샘 핵심 강의

• 새 왕비의 등장에 따른 사건 전개 양상

새로운 인물인 새 왕비가 등장하면서 사건과 갈등이 본격적으로 전개된단다. 새 왕비는 아름다움에 대한 집착이 심한 인물이야. 그래서 자신보다 아름답다는 이유로 흑설 공주를 죽이려고 해. 죽을지도 모를 위기 상황에 내몰린 공주가 이 위기에 어떻게 대처하는지 따라가다 보면 사건 전개 과정을 쉽게 정리할 수 있단다.

▶핵심 포인트◀

새 왕비의 등장

공주가 겪는 1차 위기	새 왕비는 사냥꾼을 시켜 공주를 죽이게 함. → 공주는 사냥꾼의 동정으로 겨우 목숨을 구하고, 깊은 숲속에서 일곱 난쟁이들과 지냄.

⬇

공주가 겪는 2차 위기	공주가 살아 있음을 알고 새 왕비는 자신이 직접 나서 늙수그레한 장사꾼 영감으로 변장해 공주를 죽이려 함.

• '거울'의 역할

새 왕비는 이 세상에서 가장 아름다운 사람이 되고 싶어 해. 그런데 이 작품에서 아름다움을 판단해 주는 존재는 '진실의 거울'이야. 새 왕비는 거울로부터 흑설 공주가 세상에서 가장 아름다운 사람이라는 말을 듣자, 사냥꾼을 시켜 공주를 죽이려고 하지. 그런데 공주는 사냥꾼의 동정으로 죽을 위기를 극복하고 난쟁이들과 지내게 된단다. 하지만 거울은 새 왕비에게 공주가 살아 있고 난쟁이들 집에 살고 있다는 진실을 알려 주지. 그래서 새 왕비는 공주를 직접 죽이러 나서게 된다. 이렇게 거울은 갈등의 실마리를 제공할 뿐만 아니라 갈등을 심화하는 등 갈등 전개 과정에서 중요한 역할을 하고 있단다.

▶핵심 포인트◀

'거울'의 역할	• 아름다움을 판단하여 갈등의 실마리를 제공함. • 공주의 생존 사실과 거처를 왕비에게 알려 주어 갈등을 심화함.

콕콕 확인 문제

11. 이 글의 내용과 일치하는 것은?
① 왕비는 사냥꾼을 잡아들여 공주의 거처를 확인한다.
② 왕비는 왕의 반대를 무릅쓰고 공주를 성 밖으로 내보낸다.
③ 왕비는 공주를 죽이기 위해 늙어 보이는 영감으로 변장한다.
④ 공주는 「백설 공주」에 나왔던 일곱 난쟁이들과 아는 사이이다.
⑤ 공주는 자신을 놓아주지 않으려는 사냥꾼으로부터 겨우 도망친다.

12. 이 글에서 왕비가 가장 중요하게 여기는 가치로 적절한 것은?
① 세상에서 가장 아름다운 외모
② 남을 속이지 않는 정직한 마음
③ 자신에 대한 왕의 변함없는 사랑
④ 어떤 위기도 극복하는 강인한 정신
⑤ 어려운 일도 쉽게 포기하지 않는 끈기

13. 이 글에서 다음 ⓐ~ⓒ에 해당하는 인물을 바르게 짝지은 것은?

> 소설에서는 역할에 따라 인물을 두 부류로 나눌 수 있다. 하나는 ⓐ작품의 주인공으로 사건을 이끌어 가는 역할을 하는 주동 인물이고, 다른 하나는 ⓑ주인공과 대립하여 갈등을 일으키는 반동 인물이다. 그밖에 ⓒ주동 인물을 도와 사건을 전개하는 조력자 역할을 하는 인물도 있다.

	ⓐ	ⓑ	ⓒ
①	공주	왕비	영감
②	공주	왕비	난쟁이들
③	왕비	공주	사냥꾼
④	왕비	사냥꾼	공주
⑤	왕비	공주	난쟁이들

14. **7**~**9**에 등장하는 거울에 대한 설명으로 적절하지 <u>않은</u> 것은?
① 아름다움을 판단해 주는 존재이다.
② 갈등의 실마리를 제공하고 갈등을 심화한다.
③ 왕비가 공주를 죽이게 하는 계기를 제공한다.
④ 진실을 말함으로써 왕비의 분노를 불러일으킨다.
⑤ 공주 편에 서서 공주가 위기를 극복하도록 돕는다.

|서술형|
15. 새 왕비가 ㉠과 같이 생각하는 까닭 두 가지를 서술하시오.

10 "헌책 사세요! 헌책 사세요!"

왕비는 독 사과 따위를 들고 가는 짓은 하지 않았다. 공주가 가장 좋아하는 것
<small>원작의 내용: 새 왕비가 준 독이 묻은 사과를 먹고 백설 공주의 숨이 끊어짐.</small>
이 [책]이란 것을 잘 알고 있었던 것이다. 흑설 공주는 책이란 말에 눈이 번쩍 뜨였
<small>└ 원작의 '사과'를 대체하는 소재로, 책에 묻은 독으로 공주를 죽음에 이르게 함.</small>
다. 안 그래도 난쟁이네 집에 있는 몇 권 안 되는 책들은 벌써 외울 만큼 여러 번
읽어 버린 뒤여서 다른 책이 몹시 읽고 싶었던 참이었다.

공주는 가만히 창밖을 내다보았다. 밖에는 <u>늙수그레한 영감</u>이 책을 한 *더미
<small>새 왕비</small>
나 지고 서 있었다. <u>여자가 아니라 남자인 것을 보니 마음이 놓인 공주는 살그머</u>
<small>남자이기 때문에 새 왕비가 아니라고 생각해 안심하고 문을 열어 줌.</small>
<u>니 문을 열었다.</u>
　　　　　　　　　　　　　→ 왕비는 책을 파는 영감으로 변장하여 공주에게 접근함.

읽기 중 활동

교과서 날개
책에 독과 함께 해독제를 바른 새 왕비의 행동이 어떠한 결과로 이어질지 예측해 봅시다.
→ 공주는 왕자의 입맞춤이 아닌 이 책의 해독제를 통해 다시 살아나게 될 것이다.

11 왕비는 이때다 싶어 책 한 권을 펼쳐 보이며 말했다.

"자, 예쁜 아가씨, 세상에서 가장 재미있는 이 책을 한번 보시우."

<u>그 책에는 공주가 살던 왕궁의 모습과 '진실의 거울'과 아늑한 다락방의 친구</u>
<small>공주에게 왕궁에서의 추억과 그리움을 불러일으키는 그림들</small>
<u>들이 그려져 있었다.</u> 흑설 공주는 자기도 모르게 손을 뻗어 그 책을 받아 들었
다. 왕비는 굵직한 목소리로 말했다.

"아주 귀한 책이라우. 이런 산속에서는 볼 수도 없는 책이지. 내가 지고 다니
기가 무거워서 그러니 물 한 잔만 주면 이 책을 선물로 주고 가리다."
<small>공주가 물을 가지러 간 사이에 책에 독을 바르기 위해 한 말임.</small>
"정말요?"/ 흑설 공주는 기뻐서 얼른 물을 가지러 안으로 들어갔다.
　　　　　　　　　→ 공주는 왕비가 펼쳐 보이는 책을 받기 위해 물을 가지러 집 안으로 들어감.

12 그 사이 왕비는 공주가 펼쳐 둔 페이지에 재빨리 독을 발랐다. 그리고 ㉮<u>다음</u>
<small>교과서 날개</small>
<u>페이지에는 그 독을 풀 수 있는 *해독제도 발랐다.</u> ❶<u>책에 독을 바를 때는 반드시</u>
<small>공주가 해독제에 의해 다시 살아나게 될 것임을 암시함.</small>
<u>다음 장에 해독제도 발라야 하는 것이 마녀 세계의 법칙이었다.</u> 그것은 마녀와 책
의 요정들 사이에 맺어진 계약이었다. 하지만 책을 읽는 사람은 독이 입에 들어가
는 순간 숨이 끊어지니 다음 장에 해독제가 발라져 있어도 별달리 소용이 없었다.
　　　　　　　　　　　　　　　　→ 왕비는 가져간 책에 독과 해독제를 몰래 바름.

13 아니나 다를까, 물을 가져다준 공주는 아까 읽던 페이지를 다 읽고 손가락에
침을 묻혀 다음 장을 넘겼다. 왕비는 침을 꼴깍 삼키며 공주를 바라보았다. 이미
공주의 손끝에는 독이 묻어 있었다. 그 손가락에 다시 침을 묻히면 왕비의 목적
<small>공주를 죽이는 것</small>
이 *달성되는 것이었다. 또다시 다음 장을 넘기기 위해 손가락에 침을 묻히던 공
<small>손가락 끝에 묻어 있던 독이 입안으로 들어갔기 때문에</small>
<u>주는 그대로 자리에서 풀썩 쓰러지고 말았다.</u> 왕비는 미소를 지으며 품 안에서 손
거울을 꺼내 공주의 코끝에 대 보았다. 만약 공주가 숨을 쉰다면 거울에 김이 서릴
것이기 때문이다. 그러나 거울에는 아무런 흔적도 없었다. 공주는 숨이 끊어졌다.

㉠<u>"으히히히히히!"</u> / 왕비의 소름 끼치는 웃음소리가 오래도록 숲을 울렸다.
<small>공주를 죽임으로써 목적을 달성하여 기뻐하는 왕비의 모습을 표현함.</small>
　　　　　　　　　　　　　　　　→ 공주는 왕비가 책에 바른 독에 의해 숨이 끊어짐.

어휘 풀이
· 더미: 많은 물건이 한데 모여 쌓인 큰 덩어리.
· 해독제(解毒劑): 몸 안에 들어간 독성 물질의 작용을 없애는 약.
· 달성되다(達成--): 목적한 것이 이루어지다.

어구 풀이
❶ 책에 독과 해독제를 함께 바른 까닭을 설명한 부분이다. 공주를 죽이기 위해서는 독만 바르면 되는데 해독제까지 함께 바를 수밖에 없는 까닭을 독자에게 알려 주고 있다. 이로써 해독제를 바른 것에 대한 개연성을 높이고, 공주가 해독제에 의해 다시 살아날 것임을 암시하는 역할을 한다.

원작과의 공통점과 차이점 ②

전개, 위기, 절정 부분까지 이어지는 사건의 흐름은 원작과 크게 다르지 않아. 절정 부분을 좀 더 구체적으로 살펴볼까? 새 왕비는 거울에게 세상에서 가장 아름다운 사람이 여전히 공주라는 이야기를 듣고 공주가 살아 있음을 알게 되고 공주를 죽이고자 해. 독을 사용해서 직접 죽이려고 하며, 왕비의 독에 의해 공주의 숨이 끊어지는 것도 원작과 일치하지. 하지만 세부 내용에서 차이가 발견된단다. 원작에서는 사과에 독을 발랐지만, 이 작품에서는 책에 독을 바르지. 이것은 흑설 공주는 백설 공주와 달리 책 읽기를 좋아하는 인물이라는 점과 관련이 있어. 그리고 또 하나! 원작에서는 독만 발랐지만, 이 작품에서는 독과 해독제를 함께 발랐다는 차이가 있단다.

핵심 포인트

	「백설 공주」	「흑설 공주」
공통점	• 새 왕비는 독을 사용해 공주를 죽이려 함. • 새 왕비의 독에 의해 공주의 숨이 끊어짐.	
차이점	사과에 독만 바름.	책에 독과 해독제를 함께 바름.

'해독제'의 역할

새 왕비가 책에 독과 함께 해독제를 바른다는 설정은 원작에는 없는 내용이야. 그렇다면 재구성 과정에서 새롭게 등장한 해독제는 어떤 역할을 하게 될까? 공주를 해칠 독만이 아니라 해독제까지 있다는 점을 통해 우리는 흑설 공주가 다시 살아날 거라는 결말을 예측할 수 있어. 또한 원작과는 다른 방식으로 공주가 위기를 벗어나게 될 테니까 해독제로 인해 원작과는 다른 이야기가 펼쳐지게 되리라는 것을 짐작할 수 있겠지?

핵심 포인트

'해독제' 의 역할	• 흑설 공주가 위기에서 벗어나 다시 살아날 것임을 예측하게 함. • 원작과는 다른 이야기로 이어질 것임을 예상하게 함.

16. 이 글의 중심 사건을 표현한 문장으로 가장 적절한 것은?

① 왕비는 책으로 공주를 유인한다.
② 공주는 왕비에게 책을 선물로 받다.
③ 왕비가 변장을 하여 공주를 죽이다.
④ 공주가 왕비와의 싸움에서 승리하다.
⑤ 왕비는 책에 독과 해독제를 함께 바르다.

17. 이 글을 원작 「백설 공주」와 비교한 내용으로 적절한 것은?

① 두 작품에서 공주는 난쟁이네 집에서 혼자 살아간다.
② 두 작품에서 왕비는 공주를 죽이기 전에 잠시 망설인다.
③ 원작에서는 거울에 독을 바르지만, 이 글에서는 책에 독을 바른다.
④ 원작에서는 독만 바르지만, 이 글에서는 독과 해독제를 함께 바른다.
⑤ 원작에서 공주는 사과를 좋아하지만, 이 글에서는 사과를 좋아하지 않는다.

18. ⑩~⑬에 나타난 공주의 속마음을 예측한 내용으로 적절하지 <u>않은</u> 것은?

① ⑩: '잠깐, 문 열기 전에 확인해야지. 저 책 장수는 혹시 날 죽이러 온 왕비가 아닐까?'
② ⑩: '늙어 보이는 영감이니 왕비는 아닐 거야. 안심하고 문을 열어 주어도 되겠군.'
③ ⑪: '내가 왕궁에 살았을 때의 옛 추억이 담긴 그림이구나. 빨리 읽고 싶어.'
④ ⑪: '이렇게 좋은 책을 공짜로 주다니! 책 장수한테 얼른 물을 갖다 주고 이 책을 받아야지.'
⑤ ⑬: '책의 내용을 보니 이 책 장수는 나를 아는 사람인 것 같은데 노내체 누굴까?'

|서술형|
19. ㉠의 웃음에 담긴 왕비의 심리를 〈조건〉에 맞게 서술하시오.

> **조건**
> • 왕비의 심리 상태와 그 원인을 밝혀 쓸 것.
> • '~ 때문에 ~고 있다.'의 형태로 쓸 것.

|서술형|
20. ㉯로 인해 발생할 수 있는 결과를 예측하여 서술하시오.

14 궁궐에 돌아온 왕비는 얼른 다락방으로 올라가 거울에게 물었다.
_{자신이 세상에서 가장 아름다운 사람임을 확인받고 싶어서}

"거울아 거울아, 이 세상에서 가장 아름다운 사람은 누구지?"

거울은 슬픈 목소리로 대답했다.

"왕비님입니다. ㉮바로 왕비님이 이 세상에서 가장 아름다운 분입니다."
_{세상에서 가장 아름다운 사람인 흑설 공주가 죽었기 때문에}

"오호호호호! 이제야 네가 바른말을 하는구나."

질투심으로 미칠 것 같았던 왕비는 이제야 겨우 마음을 놓고 더욱 아름답게 보이기 위해 새 옷을 지을 *재단사를 불렀다.

➜ 왕비는 거울에서 자신이 가장 아름다운 사람이라는 말을 듣고 기뻐함.

절정	변장한 왕비에 의해 공주의 숨이 끊어짐.

결말 **15** 한편 달이 떠서 집으로 돌아온 일곱 난쟁이들은 공주가 쓰러져 있는 것을 발견했다. ❶난쟁이들은 예전의 일을 *거울삼아 공주의 허리띠도 풀어 보고,
_{원작에서 백설 공주가 새 왕비에게 당했던 일}
머리에 빗이 꽂혀 있는지, 입안에 독 사과가 남아 있는지 다 뒤져 보았지만 아무
_{원작에서 새 왕비가 백설 공주에게 취한 세 번의 공격들을 말함.}
리 찾아도 공주가 어떻게 죽었는지 알 수가 없었다. 흑설 공주는 숨이 끊어진 게 확실했다. 일곱 난쟁이들은 흑설 공주의 옆에 앉아 사흘 밤낮을 울었다.

➜ 일곱 난쟁이들은 공주가 죽은 것을 발견하고 몹시 슬퍼함.

16 하지만 흑설 공주는 여전히 흑진주처럼 영롱하게 빛이 나서 죽은 사람처럼 보
_{흑설 공주의 아름다운 모습을 흑진주에 빗대어 표현함.   광채가 찬란하게}
이지 않았다. 그래서 난쟁이들은 예전에 백설 공주를 담았던 투명한 유리 관에
_{원작에서 사용된 유리 관으로, 일곱 난쟁이의 아버지들이 원작에서 죽은 백설 공주를 담았던 관임.}
흑설 공주를 눕혔다. ㉠죽은 공주 옆에 놓여 있던 읽다 만 책도 펼친 쪽 그대로
_{책을 펼친 쪽에 묻어 있는 해독제가 공주를 살리게 될 것임을 암시함.}
관 속에 넣었다. 죽어서라도 공주가 그 책을 계속 읽고 싶을지 모른다고 생각했
_{난쟁이들은 책에 해독제가 묻어 있는 사실을 모름.}
기 때문이다.   ➜ 난쟁이들은 공주가 읽던 책과 함께 공주를 유리 관에 눕힘.

17 그런 다음 난쟁이들은 숲속으로 관을 메고 갔다. 낮이면 사슴이며 여우, 토
_{흑설 공주가 궁궐에서 사람들을 피해 숨어 지낼 때 친하게 지낸 작은 짐승들}
끼, 다람쥐, 까마귀, 들쥐 들이 모두 공주의 관 앞에 찾아와 눈물을 흘렸다. 난쟁이들은 밤마다 번갈아 공주의 관을 지켰다. 하지만 신기하게도 공주의 몸은 전혀
_{공주가 완전히 죽은 게 아니라 다시 살아날 수 있음을 암시함.}
썩지 않아서 그냥 조용히 잠든 사람만 같았다.

➜ 난쟁이들은 공주의 관을 숲속에 갖다 놓고 관을 지킴.

어휘 풀이
· 재단사(裁斷師): 옷감이나 재목 따위를 치수에 맞도록 재거나 자르는 일을 하는 것을 전문으로 하는 사람.
· 거울삼다: 남의 일이나 지나간 일을 보아 본받거나 분명히 타일러 다시는 같은 잘못을 저지르지 않도록 하다.

어구 풀이
❶ 난쟁이들은 공주를 살리기 위해 공주가 죽은 원인을 찾고 있다. 그 원인은 원작의 내용에서 가져온 것이다. 즉 '허리띠', '빗', '독 사과'는, 원작에서 새 왕비가 백설 공주를 죽이기 위해 취한 세 번의 공격들과 관련이 있다. 새 왕비는 '허리끈'을 잡아당겨 백설 공주가 숨을 쉬지 못하게 만들어 쓰러뜨렸고, '독이 묻은 빗'을 머리에 꽂아 백설 공주가 정신을 잃고 쓰러지게 만들었으며, 한 입만 깨물면 그 자리에서 죽고 마는 '독 사과'를 먹고 쓰러지게 했다. 이를 통해 이 작품이 원작을 재구성하여 창작된 것임을 보여 준다.

➕ 보충 자료
원작 「백설 공주」의 '절정' 부분의 줄거리
백설 공주가 살아 있다는 사실을 알게 된 새 왕비는 끈, 독이 묻은 빗, 독 사과를 차례로 이용해 백설 공주를 없애려 한다. 끈과 빗을 이용한 새 왕비의 살해 음모는 난쟁이들의 도움으로 극복했지만, 독 사과를 먹은 백설 공주는 숨이 끊어져 한동안 투명한 유리 관 안에 안치된다.

원작의 '거울'과 이 작품의 '거울'의 차이점

'거울'은 두 작품에서 중요한 역할을 하는데, 원작과 재구성된 작품 모두에서 갈등의 실마리를 제시한다는 점은 공통적이지만, 이 작품에서는 아름다움의 판단 기준을 스스로 바꾼다는 점에서 차이를 보인단다. 세상에서 가장 아름다운 사람이 누구냐고 했을 때, 처음에는 사람들이 보기 싫어하는 검은 피부의 흑설 공주가, 다음에는 새 왕비가 아름답다고 말해. 하지만 원작과는 달리 후반부에도 등장해 모두가 아름답다고 대답해. 이러한 거울의 변화는 아름다움의 기준이 절대적인 것에 있지 않다는 글쓴이의 창의적인 주제 의식을 드러낸단다.

핵심 포인트

거울의 변화	세상에서 가장 아름다운 사람이 있다.
	⬇
	모두가 나름대로 아름답다. (작품의 주제 의식)

재구성된 작품에 활용된 원작의 이야기

이 작품에 등장하는 일곱 난쟁이는 『백설 공주』에 나왔던 일곱 난쟁이의 자식으로 설정되어 있어. 그래서 '예전의 일을 거울삼아' 공주를 살리려는 모습은 원작인 『백설 공주』에 나온 내용을 독자에게 상기시킨단다. '허리띠', '빗', '독 사과'는, 원작에서 새 왕비가 백설 공주를 죽이기 위해 사용한 소재들이니까 말이야. 이렇게 원작의 내용을 그대로 가져다 씀으로써 독자에게 재미와 즐거움을 주고, 이 작품이 원작인 『백설 공주』를 재구성한 것임을 분명히 보여 주지. 난쟁이들이 흑설 공주를 안치한 관이 '예전에 백설 공주를 담았던 투명한 유리 관'이라고 한 것도 마찬가지로 이해할 수 있단다.

핵심 포인트

재구성된 작품에 활용된 원작의 내용	• '난쟁이들은 예전의 일을 거울삼아 공주의 허리띠도 풀어 보고, 머리에 빗이 꽂혀 있는지, 입안에 독 사과가 남아 있는지 다 뒤져 보았지만'
	• '난쟁이들은 예전에 백설 공주를 담았던 투명한 유리 관에 흑설 공주를 눕혔다.'

21. 이 부분에 사용된 재구성 방법으로 가장 적절한 것은?
① 등장인물의 성격을 바꾸었다.
② 작품의 갈래에 변화를 주었다.
③ 작품의 세부 내용에 변형을 가했다.
④ 서술 방식과 시점 등 형식을 달리하였다.
⑤ 작품 속의 사회·문화적 배경을 바꾸었다.

22. 이 글에 직접 드러난 원작의 내용을 〈보기〉에서 모두 골라 바르게 묶은 것은?

> **보기**
> ㄱ. 난쟁이들은 죽은 공주를 투명한 유리 관에 눕혔다.
> ㄴ. 왕비는 허리띠, 빗, 독 사과를 이용하여 공주를 죽이고자 했다.
> ㄷ. 난쟁이들은 공주가 살아날 것을 미리 알고 공주의 관을 지켰다.
> ㄹ. 난쟁이들은 죽은 공주를 위해 공주가 읽다 만 책을 관에 함께 넣었다.

① ㄱ, ㄴ　　　② ㄱ, ㄷ　　　③ ㄴ, ㄷ
④ ㄴ, ㄹ　　　⑤ ㄷ, ㄹ

23. 이 글에서 공주의 아름다운 모습을 빗대어 표현한 말을 찾아 한 단어로 쓰시오.

24. ㉠의 행동을 통해 글쓴이가 암시하고자 한 내용으로 가장 적절한 것은?
① 난쟁이들이 공주의 관을 지키면서 책을 읽을 것이다.
② 책을 펼친 쪽에 묻어 있는 해독제가 공주를 살릴 것이나.
③ 공주는 살아나서 자신이 읽다 만 책을 다 읽게 될 것이다.
④ 난쟁이들은 공주를 죽인 범인인 책 장수의 정체를 밝혀낼 것이다.
⑤ 책을 좋아하는 사람에 의해 공주가 죽게 된 원인이 밝혀질 것이다.

|서술형|
25. 거울이 ㉮와 같이 대답한 까닭을 15~17의 내용을 바탕으로 하여 서술하시오.

18 그렇게 며칠이 흐른 뒤였다. 젊은 나무꾼 한 사람이 나무를 하러 왔다가 공주
가 누워 있는 관을 보게 되었다. <u>드레스를 입고 누워 있는 검은 여인의 모습을 보</u>
<u>자 나무꾼은 한눈에 그가 흑설 공주란 것을 알아보았다.</u>

원작과의 차이 ①: 원작의 왕자와 달리 평범한 존재임.
원작과의 차이 ②: 나무꾼은 예전부터 흑설 공주에 대해 알고 있었음.

→ 나무꾼이 숨이 끊어진 흑설 공주를 발견함.

19 "아, 공주님이 돌아가시다니!"

교과서 날개 ①

나무꾼은 너무나 슬펐다. 『고개를 숙인 채 화려한 왕비에게 끌려다니던 검은
공주를 나무꾼은 오래전부터 사모하고 있었다. 공주가 마녀라고 사람들이 수군
댈 때도 나무꾼은 공주 편이었다. 나무꾼 역시 혼자 있기를 좋아하고, 책을 좋아
하는 청년이라 공주의 괴로움을 잘 알 수 있었다.』옛날이야기를 많이 읽은 나무
꾼은 혹시나 하는 마음에 유리 관 뚜껑을 열고 공주의 입에 살짝 입맞춤을 해 보
았지만 공주의 입술은 여전히 싸늘하기만 했다. 나무꾼의 눈에 눈물이 그렁그렁
맺혔다.

『 』: 원작과의 차이 ③: 나무꾼은 공주의 외모가 아닌 내면의 아름다움을 알고 사모함.
애틋하게 생각하며 그리워하고
원작과의 차이 ④: 원작의 왕자와 달리 책을 좋아함.
원작 「백설 공주」에서 왕자가 공주에게 한 입맞춤을 떠올리게 함.

→ 오래전부터 흑설 공주를 사모해 온 나무꾼은 공주의 죽음을 몹시 슬퍼함.

20 그때 나무꾼의 눈에 공주가 읽다 만 책이 들어왔다. 책을 좋아하는 나무꾼은
공주가 읽던 책이 무슨 책인지 몹시 궁금해졌다. 그래서 책을 가져다 보니, 펼쳐
진 책에는 공주가 즐겨 머물렀던 다락방과 진실의 거울에 관한 이야기가 적혀 있
었다. 그러자 나무꾼의 가슴은 다시금 슬픔으로 차올랐다.

책을 읽으면서 공주가 느꼈을 그리움과 괴로움에 공감하며 슬퍼함.

"아, 가엾은 공주님……."

┌ 나무꾼은 공주의 죽음을 진심으로 마음 아파하고 슬퍼함.
❶<u>슬픔에 젖은 나무꾼의 눈에서 눈물이 줄줄 흘러내렸다. 눈물은 책장 위를 지</u>
<u>나 아래로 뚝뚝 떨어져 공주의 입안으로 흘러 들어갔다.</u>

나무꾼의 눈물 덕분에 펼쳐진 책에 묻어 있는 해독제가 공주의 입안으로 녹아 들어감.

→ 나무꾼의 눈물에 책에 묻은 해독제가 공주의 입안으로 흘러 들어감.

21 그때였다. 공주가 "아!" 하고 작은 한숨을 내쉬더니 눈을 떴다. 나무꾼의 눈물
에 책장에 묻어 있던 해독제가 공주의 입안으로 녹아 들어간 것이었다. ㉠『눈을

원작과의 차이 ⑤: 나무꾼의 눈물에 녹은 해독제로 공주가 살아남.

뜬 공주는 나무꾼의 눈 속에 비친 자신의 모습을 바라보았다. 공주는 그 모습이
아름답게 느껴졌다. 자기도 아름다운 사람이라는 것을 깨달은 공주는 나무꾼을
바라보며 환하게 미소를 지었다.』숲속에 검은 태양이 뜬 듯 그 모습은 눈부시게
아름다웠다.

『 』: 원작과의 차이 ⑥: 공주가 깨어났을 때 나무꾼이 아닌 자신의 모습을 먼저 보고 자신의 아름다움을 깨달음.

→ 나무꾼 덕분에 살아난 공주는 자기도 아름다운 사람임을 깨달음.

22 흑설 공주가 돌아오자 왕궁은 발칵 뒤집어졌다. 무엇보다도 조금도 달라진 것

교과서 날개 ②

이 없는 여전히 새까만 공주가 어째서 이토록 아름답게 여겨지는지 사람들은 당

공주 스스로 자신의 아름다움을 깨달았기 때문에

황하고 말았다. 왕비의 사악한 °음모도 드러났다. ㉡아름답게만 여겨졌던 왕비

독을 사용해 공주를 죽이려고 한 것

의 모습은 이제 징그러운 껍질처럼만 느껴졌다. 왕은 불같이 화를 내며 왕비를

사람들이 외모가 아니라 내면의 아름다움에 주목하게 되었음을 보여 줌.

감옥에 가두었다. → 사람들은 왕궁으로 돌아온 공주를 아름답게 여기고, 왕은 왕비를 감옥에 가둠.

학습 포인트
· 원작과의 공통점과 차이점 파악하기 ③
· 글쓴이가 전달하려는 가치 파악하기 ①

읽기 중 활동

교과서 날개 ①
「백설 공주」의 왕자와 이 글의 나무꾼의 차이를 생각해 봅시다.

→ 원작에서는 왕자가 그저 백설 공주의 외모에 반했던 것이라면 이 이야기의 나무꾼은 예전부터 흑설 공주의 내면의 아름다움을 알고 사모했으며 흑설 공주처럼 책을 좋아한다.

교과서 날개 ②
다시 깨어난 흑설 공주가 예전과 조금도 달라진 것이 없음에도 사람들의 눈에 아름답게 여겨진 것은 무엇을 뜻하는지 말해 봅시다.

→ 나무꾼의 눈에 비친 자신의 모습을 보며 스스로를 아름답다고 느끼고 행복감을 얻게 된 흑설 공주가 남에게도 아름다워 보였듯이, 자신을 아끼고 사랑할 때 다른 사람의 눈에도 그 사람이 아름다워 보일 수 있음을 의미한다.

어휘 풀이
· 음모(陰謀): 나쁜 목적으로 몰래 흉악한 일을 꾸밈. 또는 그런 꾀.

어구 풀이
❶ 왕자가 아닌 나무꾼이 흑설 공주를 구하는 장면으로, 원작을 향한 글쓴이의 비판적 관점이 드러나는 지점이다. 왕자와 같은 특별한 사람이 공주의 외모에 반해 입맞춤한 것보다 나무꾼과 같은 평범한 사람이라도 사랑하는 사람의 죽음을 진정으로 슬퍼하며 흘린 눈물이 더 소중함을 일깨우고 있다.

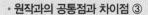

콕콕 확인 문제

• 원작과의 공통점과 차이점 ③

이 소설의 결말 부분에서는 원작과의 차이가 두드러지게 나타나고 있어. 그렇다면 그 차이점을 파악하는 것은 매우 중요하겠지? 그 차이를 통해 글쓴이가 우리에게 전하려는 가치가 드러날 테니까 말이야.

▶핵심 포인트◀

	「백설 공주」	「흑설 공주」
공통점	• 일곱 난쟁이들이 공주를 유리 관에 두고, 지나가는 남자가 이를 발견함. • 공주를 발견한 남자에 의해 공주가 깨어남. • 공주를 깨운 남자는 공주를 사랑함.	
차이점	• 왕자가 숨이 끊어진 백설 공주를 발견함.	• 나무꾼이 숨이 끊어진 흑설 공주를 발견함.
	• 왕자가 공주의 미모에 첫눈에 반함.	• 나무꾼은 이전부터 공주를 사모하고 있었으며 공주처럼 책을 좋아함.
	• 자신에게 입맞춤을 한 왕자에 의해 공주가 깨어남.	• 나무꾼의 눈물에 책에 묻은 해독제가 공주의 입에 흘러 들어가 공주가 깨어남.
	• 공주가 깨어난 후 둘은 서로 사랑하게 됨.	• 깨어난 공주는 나무꾼의 눈에 비친 자신의 얼굴을 보고 자신의 아름다움을 깨닫게 됨.

• 이 작품을 통해 글쓴이가 전달하려는 가치 ①

글쓴이가 원작을 의도적으로 바꾼 부분에는 글쓴이의 의도가 분명히 드러나기 마련이야. 원작에서 공주의 미모에 반한 왕자와 달리 나무꾼은 오래전부터 공주가 지닌 내면의 아름다움을 알고 사랑해 왔지. 그리고 흑설 공주는 깨어나면서 나무꾼의 눈 속에 비친 자신의 모습을 보고 자신의 아름다움을 깨달아. 이런 차이를 통해 글쓴이는 진정한 사랑과 진정한 아름다움의 가치를 우리에게 전하려는 거란다.

▶핵심 포인트◀

나무꾼의 사랑	진정한 사랑은 외모의 아름다움보다는 내면의 아름다움을 발견하는 것임.
흑설 공주의 깨달음	자신의 아름다움을 알고 자신을 사랑하는 사람은 남들의 눈에도 아름답게 보임.(작품의 주제 의식)

26. 이 글의 '나무꾼'이 원작의 '왕자'와 다른 점으로 적절하지 <u>않은</u> 것은?
① 공주를 오래전부터 사모해 왔다.
② 혼자 있기를 좋아하고 책을 좋아하였다.
③ 숲을 지나가다가 우연히 공주의 관을 발견하였다.
④ 평범한 사람으로 공주의 죽음을 무척 슬퍼하였다.
⑤ 공주가 지닌 내면의 아름다움을 알고 사랑하였다.

27. 이 글에서 나무꾼의 사랑을 통해 글쓴이가 전하려는 가치로 적절한 것은?
① 참된 사랑은 외모가 아닌 내면의 아름다움을 발견하는 것이다.
② 사랑하는 사람과는 동일한 취미와 관심사를 가지도록 노력해야 한다.
③ 상대방의 잘못까지 너그럽게 용서하고 이해할 때 사랑은 더욱 깊어진다.
④ 진정한 사랑은 서로를 마주 보는 것이 아니라 같은 길을 함께 가는 것이다.
⑤ 사랑하는 사람을 위해 자신을 희생할 때 사랑의 진정한 의미를 깨달을 수 있다.

28. ㉠에 담긴 글쓴이의 의도를 추측한 내용으로 가장 적절한 것은?
① 다른 사람을 사랑할 수 있는 용기가 필요함을 강조하고 있어.
② 자신의 아름다움을 깨닫고 자신감을 갖는 게 중요함을 알리고 있어.
③ 아름다운 사람이 되고 싶다면 사랑을 해 봐야 한다고 이야기하고 있어.
④ 누군가로부터 사랑을 받을 때 비로소 아름다워질 수 있음을 전하고 있어.
⑤ 남들의 눈에 아름다워 보이고 싶다면 그들을 사랑할 수 있어야 한다고 말하고 있어.

29. 사람들이 ㉡과 같이 느낀 이유로 적절한 것은?
① 왕비가 갑자기 늙어 버렸기 때문에
② 왕비의 외모에 변화가 생겼기 때문에
③ 왕비가 마녀라는 사실이 밝혀졌기 때문에
④ 왕비가 지닌 내면의 추함이 드러났기 때문에
⑤ 왕비는 이제 세상에서 가장 아름다운 사람이 아니기 때문에

|서술형|
30. 이 글에서 나무꾼이 공주를 살린 방법을 서술하시오.

23 나무꾼과 공주의 결혼식이 성대하게 거행되었다.

숲에서 묻은 먼지 모양의 검은 가루
㉠**❶**검게 빛나는 공주가 어찌나 아름다운지 숯검정을 얼굴에 칠하는 게 유행
아름다움의 기준이 바뀜. → 하얀 피부만 아름답다고 여겼던 사람들이 검은 피부를 아름답다고 여김.
이 되었다. 더 아름다워지고 싶은 여자들은 아예 굴뚝 속에 들어갔다 나오기도

하였다.　　　　　　➜ 공주는 나무꾼과 결혼하고 사람들은 공주의 아름다움을 닮고자 함.

24 ㉡큰 깨달음을 얻은 흑설 공주는 다락방의 거울에게 가서 물었다.

❷"거울아 거울아, 세상에서 가장 못생긴 사람이 누구니?"

그러면 거울은 그때마다 정직하게 대답했다.

"저 바닷가 마을 오두막에 사는 메리라는 처녀입니다."

그러면 공주는 그 사람을 불러다 자신의 아름다움을 깨달을 수 있도록 도와주

었다. 다른 사람들이 세운 아름다움의 기준이라는 것은 하루아침에 바뀔 수 있
흑설 공주의 깨달음 ①: 아름다움의 기준이 상대적임.
는 허약한 것으로, 아름다움이란 것은 누구에게나 깃들어 있다는 것을 알려 주었
흑설 공주의 깨달음 ②: 모든 사람이 나름의 아름다움을 가지고 있음.
다. 자신만이 가지고 있는 아름다움을 찾아내어 바라볼 수 있는 눈을 키워 주었
흑설 공주의 깨달음 ③: 자신의 아름다움을 스스로 발견할 때 남에게도 아름다워 보일 수 있음.
던 것이다. 그리하여 흑설 공주의 나라에는 아름답지 않은 사람이 하나도 없게 되
흑설 공주의 노력으로 모든 사람이 아름다운 사람이 됨.
었다.　　　　　　➜ 공주는 사람들에게 누구나 각각 다른 아름다움을 가지고 있음을 알려 줌.

25 이제 거울은 "거울아 거울아, 세상에서 가장 아름다운 사람이 누구지?"하는

공주의 질문에 대답할 수 없게 되었다.

"모르겠어요. 다들 나름대로 아름다우니 누가 가장 아름다운지 도무지 알 수
거울이 아름다움의 판단 기준을 스스로 바꿈. → 인간은 모두 자신만의 아름다움을 가지고 있다는 주제 의식을 드러냄.
가 없어요."

흑설 공주는 그제야 미소를 지으며 대답했다.

교과서 날개
"그래, 그게 정답이란다. 세상 사람들은 누구나 각각 다른 아름다움을 가지고

있거든. 장미는 장미대로 아름답고, 제비꽃은
이 작품의 주제
제비꽃대로 아름답듯이 말이야!"

그러나 나무꾼에게 있어 가장 아름

다운 사람은 여전히 검은 피부, 검은
흑설 공주에 대한 나무꾼의 사랑이 변함없고 진실한 것임을 보여 줌.
눈동자, 검은 머리의 온통 밤처럼 새

까만 흑설 공주 한 사람뿐이었다.

➜ 공주의 노력으로 왕궁의 모든 사람은 아름다운 사
　람이 됨.

결말 나무꾼에 의해 공주가 깨어나고,
왕비는 쫓겨남. 공주는 나무꾼과
결혼하여 행복하게 삶.

읽기 중 활동

교과서 날개
「백설 공주」이야기와 이 이야기의 결말을 비교해 봅시다.
→ 「백설 공주」이야기는 왕자와 공주가 결혼하여 행복하게 산다는 것으로 끝났는데 이 이야기는 흑설 공주가 모든 사람들이 각자 나름의 아름다움을 지니고 있음을 깨닫게 해 준다는 것으로 끝맺고 있다.

어구 풀이
❶ 아름다움의 기준은 절대적인 것이 아니라 상대적인 것이라는 글쓴이의 관점을 보여 준다.
❷ 인간은 모두 나름의 아름다움을 가지고 있음을 깨닫지 못한 거울의 모습을 보여 준다. 하지만 흑설 공주의 노력으로 모든 사람이 자신만의 아름다움을 발견하게 되면서 거울도 아름다움에 대한 판단 기준을 바꾸게 된다.

➕ 보충 자료
원작 「백설 공주」의 '결말' 부분의 줄거리
지나가던 한 왕자가 백설 공주의 아름다움에 반해 공주에게 입맞춤하자 백설 공주가 깨어나게 된다(공주의 아름다움에 반한 왕자가 공주의 관을 자신의 성으로 가져가려 하였고, 이동하기 위해 들어 올린 관의 흔들림으로 백설 공주의 목에서 독사과 조각이 튀어나와 공주가 깨어났다는 동화도 존재함.). 그 후 백설 공주와 왕자는 결혼하였고, 사악한 새 왕비는 이들의 결혼식에서 불에 달군 쇠구두를 신고 춤을 추는 벌을 받게 되었다.

• 원작과의 공통점과 차이점 ④

두 작품의 결말을 살펴보면 원작 「백설 공주」에서 왕비가 벌을 받고 공주는 왕자와 결혼을 했듯이, 재구성된 작품 「흑설 공주」에서도 왕비는 감옥에 갇히고 공주는 나무꾼과 성대한 결혼식을 올려. 그럼 이제 두 작품의 서로 다른 부분을 살펴볼까? 그 달라진 점에 바로 글쓴이의 주제 의식이 담겨 있단다.

▶핵심 포인트◀

	「백설 공주」	「흑설 공주」
공통점	• 왕비는 벌을 받음. • 공주는 자신을 살려 준 남자와 결혼함.	
차이점	• 백설 공주는 자기만 세상에서 가장 아름다운 사람으로 남음.	• 흑설 공주는 사람들에게 누구나 각각의 아름다움을 가지고 있음을 알려 줌. • 흑설 공주의 나라에 사는 모든 사람이 아름다운 사람이 됨.
	• 거울이 결말에는 등장하지 않음.	• 거울이 결말까지 등장함.

• 이 작품을 통해 글쓴이가 전달하려는 가치 ②

흑설 공주는 아름다움에 대해 큰 깨달음을 얻은 후 실제로 아름다운 사람이 되었어. 공주가 깨달은 그것이 바로 이 작품의 주제 의식이고, 글쓴이가 이 작품을 쓴 의도이며, 글쓴이가 재구성 과정에서 독자에게 전달하고자 한 가치라고 할 수 있단다. 공주가 다른 사람들에게도 알리고자 노력한 깨달음은 아름다움의 기준은 상대적이며, 모든 사람은 나름의 아름다움을 가지고 있다는 거야. 그리고 그 아름다움은 디른 사람이 아닌 자기 자신에 의해 발견된다는 거지. 흑설 공주 나라에 사는 사람들처럼 너희들도 모두 아름다운 사람이 되었으면 좋겠구나.

▶핵심 포인트◀

작품의 주제 의식	• 아름다움의 기준은 상대적인 것임. • 모든 사람들이 각자 나름의 아름다움을 지니고 있음. • 자신의 아름다움을 알고 자신을 사랑하면 남들에게도 아름답게 보임.

31. 소설 구성 단계를 고려할 때, 이 부분의 특징으로 적절한 것은?
① 등장인물과 배경이 제시되며 사건의 실마리가 나타난다.
② 인물 간의 대립과 갈등이 서서히 나타나며 사건이 전개된다.
③ 갈등이 해소되면서 주인공의 운명이 결정되고 사건이 마무리된다.
④ 갈등이 최고조에 이르러 극도의 긴장이 형성되고 주제가 드러난다.
⑤ 갈등이 심화되고 새로운 사건이 발생하여 주인공이 위험에 처한다.

32. 이 글을 재구성하는 과정에서 글쓴이가 했을 법한 생각으로 적절한 것은?
① 나무꾼과 공주의 결혼식을 좀 더 상세하게 묘사해야겠어.
② 결말에도 거울을 계속 등장시켜서 긴장감을 조성해야겠어.
③ 예상치 못한 반전을 통해 독자에게 재미와 즐거움을 주어야겠어.
④ 메리라는 새로운 인물을 등장시켜 또 다른 갈등을 일으켜야겠어.
⑤ 공주의 깨달음과 노력, 그로 인한 변화에 대한 내용을 추가해야겠어.

33. ㉠을 통해 글쓴이가 표현하고자 한 내용으로 적절한 것은?
① 아름다움은 객관적으로 평가될 수 있다.
② 아름다움의 기준은 언제든지 바뀔 수 있다.
③ 피부색은 아름다움을 결정하는 중요한 요인이 된다.
④ 다수의 사람들이 느끼는 아름다움이 참된 아름다움이다.
⑤ 아름다운 사람이 되려면 내면을 가꾸기 위해 노력해야 한다.

34. ㉡의 구체적인 내용으로 적절하지 <u>않은</u> 것은?
① 자신을 아끼고 사랑하는 것이 중요하다.
② 모든 사람이 나름의 아름다움을 가지고 있다.
③ 아름다움은 절대적인 것이 아니라 상대적인 것이다.
④ 다른 사람들을 사랑하면 자신의 아름다움을 발견하게 된다.
⑤ 자신의 아름다움을 깨달을 때 남에게도 아름다워 보일 수 있다.

35. ㉕에서 이 글의 주제 의식을 담고 있는 말을 찾아 한 문장으로 쓰시오.

학습활동

이해 활동

1. 이 소설의 내용을 사건이 일어난 순서에 따라 정리해 봅시다.

왕비가 된 백설 공주는 아름다운 검은 눈을 보고 흑설 공주를 낳지만 일찍 세상을 떠난다. 흑설 공주는 자라면서 자신을 싫어하는 사람들을 피해 숨어 지낸다.

예시 답 | 왕과 결혼한 새 왕비는 세상에서 가장 아름다운 사람이 흑설 공주라는 거울의 말을 듣고 사냥꾼을 시켜 공주를 죽이려 하였다.

예시 답 | 오래전부터 흑설 공주를 사모했던 나무꾼이 공주의 죽음을 보고 슬퍼서 눈물을 흘렸고, 그 눈물이 책장에 묻어 있던 해독제를 녹이고 공주의 입안에 흘러 들어가 공주가 살아났다.

사냥꾼에게 애원하여 목숨을 건진 흑설 공주는 일곱 난쟁이들의 집에 살게 된다. 이를 알고 왕비는 영감으로 둔갑하여 공주를 찾아가 독을 바른 책으로 공주를 죽였다.

예시 답 | 흑설 공주는 왕궁으로 돌아와 나무꾼과 결혼하였고, 사람들이 각자의 아름다움을 찾아낼 수 있도록 도와주어 모든 사람들이 아름답게 되었다.

이야기 끝!

시험엔 이렇게!!

1. 이 글에서 일어난 사건에 대한 이해로 적절하지 <u>않은</u> 것은?

① 백설 공주는 살빛이 검은 흑설 공주를 낳고 기뻐하지만 얼마 되지 않아 죽는다.

② 궁궐 사람들이 흑설 공주를 무시하고 놀리기 시작하자 새 왕비는 공주를 궁궐 밖으로 쫓아낸다.

③ 새 왕비는 일곱 난쟁이 집에 살고 있는 흑설 공주를 직접 찾아가 독을 바른 책을 이용하여 공주를 죽인다.

④ 흑설 공주의 죽음을 슬퍼하던 나무꾼이 눈물을 흘리자, 그 눈물에 녹은 해독제가 공주의 입안으로 들어가 공주는 살아난다.

⑤ 흑설 공주는 궁궐로 돌아가 나무꾼과 결혼하고, 사람들이 자신들 나름의 아름다움을 깨닫도록 도와준다.

🐛 목표 활동

1. 이 소설의 내용을 원작 「백설 공주」의 내용과 비교해 보고, 공통점과 차이점을 정리해 봅시다.

1 두 작품에 공통적으로 나타나는 사건의 전개 양상을 정리해 봅시다.

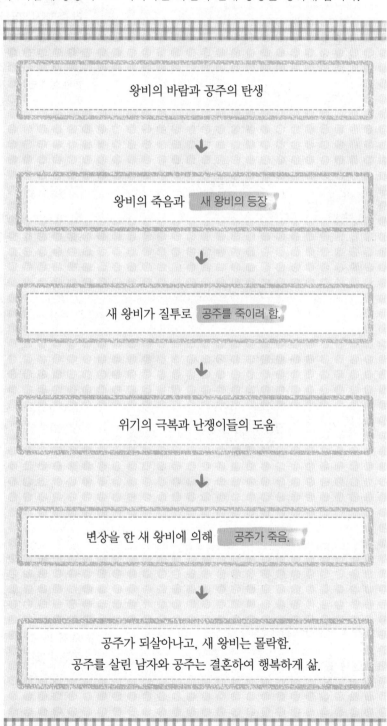

왕비의 바람과 공주의 탄생

↓

왕비의 죽음과 새 왕비의 등장

↓

새 왕비가 질투로 공주를 죽이려 함.

↓

위기의 극복과 난쟁이들의 도움

↓

변상을 한 새 왕비에 의해 공주가 죽음.

↓

공주가 되살아나고, 새 왕비는 몰락함.
공주를 살린 남자와 공주는 결혼하여 행복하게 삶.

1. 이 작품과 원작의 공통점과 차이점 파악하기

✏️ 지학이가 도와줄게! - **1**

이 작품과 원작의 공통점을 사건 전개 양상을 중심으로 정리해 보는 활동이야. 두 작품의 공통된 사건을 중심으로 이야기의 큰 틀을 정리해 보렴. 그러다 보면 두 작품의 이야기 구조가 다르지 않다는 것을 알 수 있을 거야.

🌱 시험엔 이렇게!!

2. 이 글과 원작에서 나타나는 공통된 사건 전개 양상으로 적절하지 <u>않은</u> 것은?

① 왕비의 바람대로 공주가 태어난다.
② 왕비가 죽고 나자 왕은 새 왕비와 결혼한다.
③ 새 왕비는 질투심으로 공주를 죽이려 한다.
④ 변장한 새 왕비는 책에 묻은 독으로 공주를 죽인다.
⑤ 지나가던 남자에 의해 공주는 되살아나고 그 남자와 결혼한다.

3. 이 글과 원작에서 공주와 갈등을 겪다 몰락하는 인물로 적절한 것은?

① 왕　　　② 나무꾼
③ 사냥꾼　④ 새 왕비
⑤ 일곱 난쟁이

|서술형|
4. 이 글과 원작에서 다음과 같은 위기를 극복한 방법의 공통점을 서술하시오.

> 새 왕비는 사냥꾼을 시켜 공주를 죽이려고 한다.

학습활동

2 두 작품의 주인공과 그 주변 인물들의 성격과 행동 등의 특징을 비교해 보고, 「흑설 공주」에서 원작과 달라진 점을 정리해 봅시다.

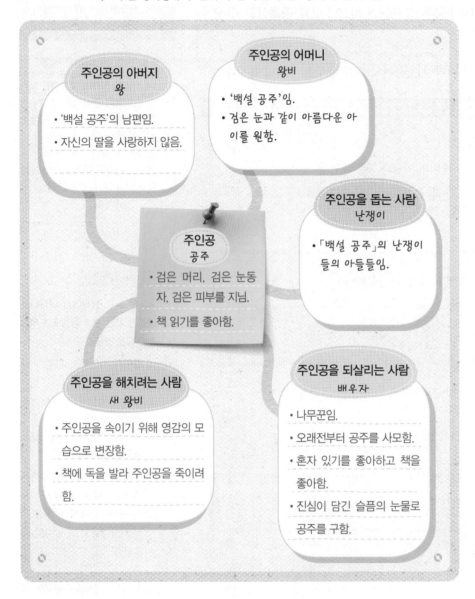

주인공의 아버지
왕

• '백설 공주'의 남편임.
• 자신의 딸을 사랑하지 않음.

주인공의 어머니
왕비

• '백설 공주'임.
• 검은 눈과 같이 아름다운 아이를 원함.

주인공
공주

• 검은 머리, 검은 눈동자, 검은 피부를 지님.
• 책 읽기를 좋아함.

주인공을 돕는 사람
난쟁이

• 「백설 공주」의 난쟁이들의 아들들임.

주인공을 해치려는 사람
새 왕비

• 주인공을 속이기 위해 영감의 모습으로 변장함.
• 책에 독을 발라 주인공을 죽이려 함.

주인공을 되살리는 사람
배우자

• 나무꾼임.
• 오래전부터 공주를 사모함.
• 혼자 있기를 좋아하고 책을 좋아함.
• 진심이 담긴 슬픔의 눈물로 공주를 구함.

➕ **보충 자료**

소설 속 인물의 유형
소설 속에서 성격을 가지고 행동하는 사람을 '인물'이라고 하며 일반적으로 다음과 같이 분류한다.
① 인물의 중요도에 따라
• 중심인물: 사건을 이끌어 가는 인물 ⑩ 「춘향전」의 춘향과 이몽룡
• 주변 인물: 사건의 진행을 도와주는 부수적인 인물 ⑩ 「춘향전」의 향단과 방자
② 인물의 역할에 따라
• 주동 인물: 주인공으로서 사건을 이끌어 가는 인물 ⑩ 「춘향전」의 춘향
• 반동 인물: 주동 인물과 대립하고 갈등하는 인물 ⑩ 「춘향전」의 변학도(원님)
③ 인물의 성격 변화에 따라
• 평면적 인물: 처음부터 끝까지 성격이 변하지 않는 인물 ⑩ 「흥부전」의 흥부
• 입체적 인물: 사건이 진행됨에 따라 성격이 변하고 발전하는 인물 ⑩ 「흥부전」의 놀부

지학이가 도와줄게! ─ 2

앞에서 공통점을 정리했으니, 이젠 차이점을 정리해 보자. 이 활동은 이 작품과 원작에서 동일한 역할을 하는 인물 간의 비교를 바탕으로 두 작품의 차이점을 정리하는 활동이야. 성격, 행동 등 여러 측면에서 인물의 특징에 어떤 변화가 생겼는지를 정리해 보렴. 이렇게 인물의 변화 양상을 살펴본 후에는, 같은 역할을 하는 인물의 성격 변화가 재구성된 작품에서 어떠한 기능을 하는지도 생각해 보자.

시험엔 이렇게!!

5. 이 글의 등장인물에 대한 설명으로 적절한 것은?

① '왕'은 백설 공주의 남편으로 자신의 딸을 무척 사랑한다.
② '왕비'는 백설 공주이며, 새하얀 눈과 같이 아름다운 아이를 낳기를 소망한다.
③ '공주'는 책 읽기를 좋아하며, 검은 피부 때문에 사람들로부터 사랑받지 못한다.
④ '난쟁이'는 백설 공주를 도와주었던 일곱 난쟁이들로, 흑설 공주에게도 도움을 준다.
⑤ '새 왕비'는 마녀로 변장한 후 공주를 직접 찾아가 마법의 책을 이용하여 공주를 죽인다.

6. 이 글에 등장하는 공주의 배우자가 원작의 배우자와 다른 점으로 적절하지 않은 것은?

① 평범한 나무꾼이다.
② 책 읽기를 좋아한다.
③ 혼자 있기를 좋아한다.
④ 공주의 외모를 보고 첫눈에 반한다.
⑤ 공주의 죽음을 슬퍼하며 흘린 눈물로 공주를 구한다.

2. 이 소설이 원작 「백설 공주」의 인물과 사건을 달리함으로써 전달하려 한 바가 무엇일지 질문을 만들어 정리해 봅시다.

예시 답 I

질문지

예

Q 죽은 공주를 다시 살리는 사람을 왕자에서 나무꾼으로 바꾸고, 눈물에 의해 공주가 다시 살아나게 한 까닭은 무엇일까요?

A 왕자와 같은 특별한 사람이 공주의 외모에 반해서 입맞춤한 것보다, 나무꾼과 같이 평범한 사람이라 하더라도 사랑하는 이의 죽음을 진정으로 슬퍼하며 흘린 눈물이 더 소중하다는 점을 일깨우려고 하였다.

Q 주인공의 어머니가 하얀 눈과 같은 아기를 원하는 것에서 검은 눈과 같은 아기를 원하는 것으로 바뀐 것은 무엇 때문일까요?

A 아름다움을 한 가지 기준('흰색')으로만 판단해서는 안 된다는 이야기의 주제를 전달하려고 검은색 피부를 가진 주인공을 내세운 것이다. 이를 통해 검은색도 아름답다는 것을 이야기하려 한 것일 수도 있고, 아름다움이 외면에 의해서만 결정되는 것은 아니라는 것을 이야기하려 한 것일 수도 있다.

Q 죽은 공주가 깨어날 때 자신을 구한 남자가 아니라 그 남자의 눈 속에 비친 자신의 모습을 먼저 보는 것으로 바뀐 것은 무엇 때문일까요?

A 공주는 나무꾼의 눈 속에 비친 자신의 모습을 보고 자신의 아름다움을 깨닫고 나자 환하게 웃으며 나무꾼을 바라본다. 그리고 그 모습이 눈부시게 아름다웠다고 표현되어 있다. 이를 통해 글쓴이는 자신의 아름다움을 알고 자신을 아끼고 사랑할 때 남에게도 아름다워 보일 수 있다는 깨달음을 우리에게 전하려고 한 것일 수 있다.

---

2. 재구성 과정에서의 변화 양상이 전달하는 바를 파악하기

지학이가 도와줄게!

우리는 1번 활동에서 재구성된 작품과 원작의 공통점과 차이점을 정리해 보았어. 이번 활동은 그중 두 작품의 차이점, 다시 말해 인물과 사건의 '변화'에 주목하여 재구성 과정에서의 변화 양상이 지니는 가치를 정리해 보는 활동이야. 내용을 바꿈으로써 글쓴이는 우리에게 무슨 가치를 전달하려고 한 것일까? 바뀐 내용이 무엇이었는지 다시 한번 떠올려 보고, 그 변화에 담긴 뜻과 가치를 찾아볼 수 있도록 질문과 답변을 만들어 보자.

시험엔 이렇게!!

|서술형|
7. 이 글을 다음과 같이 재구성함으로써 글쓴이가 전달하려고 한 가치가 무엇인지 서술하시오.

> 원작의 왕비는 하얀 눈과 같은 아름다운 아기를 소망하지만, 새구성원 삭품의 왕비는 검은 눈처럼 아름다운 아기를 소망한다.

|서술형|
8. 이 글의 글쓴이가 원작의 사건을 다음과 같이 바꾼 까닭을 서술하시오.

> 죽은 공주는 공주의 미모를 보고 첫눈에 반한 남자의 입맞춤이 아니라 오래전부터 공주를 사모해 온 남자의 슬픔이 담긴 눈물에 의해 되살아난다.

학습활동

3. 다음은 「흑설 공주」를 쓴 글쓴이의 글입니다. 이를 읽고 이어지는 활동을 해 봅시다.

> "한 사람이 사는 짧은 인생의 시간 중에도 아름다움의 기준은 변합니다.
> 저는 「흑설 공주」 이야기를 통해 바로 그 얘기를 하고 싶었습니다.
> 그렇게 쉽사리 변하는 것에 죽을 둥 살 둥 매달리고, 그것으로
> 사람을 판단한다는 것이 얼마나 어리석은 일인지를 말하고 싶었답니다.
> [중략]
> 또한 아름다움이란 것은 우리 모두에게 깃들어 있는 것이란
> 이야기도 하고 싶었습니다. 단지 각자 가진 그 아름다움을 찾아내서
> 그것에 자신감을 갖는 것이 중요할 뿐이지요."

1 「흑설 공주」를 통해 전달하려는 가치가 무엇인지 이야기해 봅시다.

예시 답 l

→ 글쓴이는 「흑설 공주」를 통해 <u>외모만 중요한 것이 아니며 사람에게는 각자의</u>

<u>아름다움이 있고, 그 아름다움을 스스로 발견해야 한다</u>

는 말을 전달하려고 한 것이다.

2 아름다움에 관한 글쓴이의 입장을 평가하고, 자기 생각을 정리해 봅시다.

예시 답 l

> 나는 아름다움의 기준이 사람에 따라서 달라질 수 있다는 것과, 자신의 아름 다움을 찾아내고 자신감을 갖는 게 중요하다는 이야기가 신선하게 느껴졌다. 지금까지 나는 아름다움은 누구나 알 수 있는 객관적인 것이어야 한다고 생각 하고 남의 눈에 예쁘게 보이는 게 중요하다고만 여겨 왔던 것 같다. 다른 사람 들의 시선을 무시할 수만도 없지만 사람은 자기 자신과 가장 오랜 시간을 보내 기 때문에 자신만의 기준을 가지고 아름다움을 지켜 나갈 수 있어야만 언제 어 디서나 진정하게 아름다운 사람이 될 수 있을 것 같다.

3. 재구성된 작품에 담긴 글쓴 이의 의도 이해하기

⭐ 지학이가 도와줄게! - **1**

글쓴이의 말을 바탕으로 이 작품 에 담긴 글쓴이의 관점과 의도를 파악하여 글쓴이가 전달하려는 가치를 이해하기 위한 활동이야. 작품을 읽으면서 너희가 추측해 보았던 글쓴이의 의도와, 여기에 제시된 글쓴이의 집필 의도를 종 합하여 글쓴이가 이 작품에 담고 자 한 주제와 글쓴이의 의도를 정 리해 보렴.

⭐ 지학이가 도와줄게! - **2**

이 글을 통해 글쓴이가 전달하려 한 '아름다움의 기준'에 관해 평 가해 보고, 자신의 의견을 정리해 보는 활동이야. 먼저, 글쓴이는 아 름다움에 대해 어떤 입장을 드러 냈는지 정리해 봐야겠지? 그런 다음, 자신은 글쓴이의 의견에 동 의하는지 비판하는지 자신의 입 장을 정하는 거야. 그리고 그런 입장을 정한 까닭을 함께 정리해 보렴.

🍎 시험엔 이렇게!!

9. 이 글에 담긴 글쓴이의 의도 로 적절하지 <u>않은</u> 것은?

① 아름다움의 기준은 끊임없 이 변한다.
② 다른 사람을 사랑할 때 아름 다움이 생겨난다.
③ 사람들마다 자기만의 아름 다움을 지니고 있다.
④ 외모만 중요한 것이 아니며 내면의 아름다움도 중요하다.
⑤ 자신의 아름다움을 스스로 발견하여 자신감을 가져야 한다.

3 자기 생각을 친구들과 나누고, 친구들의 의견을 정리해 봅시다.

예시 답 |

> **나의 생각을 들은 친구들의 생각**
>
> 아름다움의 기준이 계속 바뀌고 주관적인 것이라는 점에 대체로 동의하는 편이었다.
>
> **친구들의 의견**
>
> 영미: 사람들이 가지고 있는 각자의 개성이 모두 아름다운 것도 맞지만, 내면적인 아름다움은 결국 선을 추구하는 마음이라고 생각한다.
>
> 우진: 옷이나 머리 모양 등의 유행이 늘 변하는 것을 보면 아름다움의 기준이 변한다는 입장에 동의하고, 그래서 유행을 따라가기 위해 애써 노력할 필요는 없다고 생각한다.
>
> 정연: 자신의 아름다움을 발견한다는 것은 꼭 외모와 관련된 것은 아니며, 자신만의 장점을 찾고 자신의 긍정적인 면을 발견하여 자신감을 회복하는 것이라고 생각한다.

새로운 상상과 가치를 담는, 재구성

문학 작품을 재구성하는 과정은 단순히 원작의 일부를 변형하는 것이 아니라, 작품을 비판적으로 이해하고 그로부터 생겨난 새로운 생각과 느낌을 담는 창조적인 과정입니다. 따라서 형식, 맥락, 매체 등의 변화를 바탕으로, 글쓴이가 원작을 어떠한 관점에서 재구성하여 어떤 가치를 담으려 하였는지 주목하며 읽도록 합니다.

지학이가 도와줄게! – 3

아름다움에 관한 자신의 관점을 친구들에게 이야기하고, 그에 관한 친구들의 의견을 듣는 활동이야. 자유롭게 서로의 생각을 교환해 보렴. 다만, 말하기 예절을 지키고 상대방의 의견을 존중해야 한다는 것, 잊지 마. 그리고 친구들의 의견을 한두 문장으로 간략하게 요약해서 메모해 보자.

시험엔 이렇게!!

10. 이 글을 읽고 아름다움에 관해 토의할 때, 글쓴이의 관점에 동의하는 입장으로 적절한 것은?

① 인터넷이나 방송 매체에서 아름답다고 평가받는 사람들은 대체로 비슷한 외모를 지니고 있어.

② 자신의 부족한 체형을 남다른 패션 감각으로 보완해 꾸미면 누구나 아름답다는 인정을 받을 수 있어.

③ 수많은 미인 대회가 여전히 존재하는 것을 보면 누구나 느낄 수 있는 아름다움의 보편적 기준은 있는 것 같아.

④ 꾸준한 운동을 통해 자신의 외모를 철저하게 관리하는 사람들을 보면 아름다움도 노력에 의해 얻어진다는 것을 알게 돼.

⑤ 우리나라 사람들이 보기에는 평범하고 다소 못난 얼굴이 서양에서는 특별하고 아름답게 여겨지는 것을 보면 아름다움에서도 다양성을 인정해야 할 것 같아.

학습활동

창의 · 융합 활동

‖ 새로운 관점에서 「백설 공주」를 창의적으로 재구성하여 동영상을 만들어 봅시다.

함께하기

1. 「백설 공주」를 재구성하여 우리 모둠만의 이야기를 만들어 봅시다.

1 새로운 이야기를 통해 사람들에게 전하고 싶은 주제를 정하여 봅시다.

예시 답 | 아름다움보다는 건강과 행복의 가치를 전해 주는 이야기를 만들고 싶다.

2 **1**에서 정한 주제를 표현하기 위하여 「백설 공주」에서 바꾸어야 할 사항을 정리해 봅시다. 예시 답 |

	바꿀 내용
인물의 측면	씩씩하고 운동을 잘하는 중학생 여자아이로 바꾼다.
사건의 측면	다리를 다쳐 축구를 그만두었다가 다시 축구 선수를 하게 되는 이야기로 바꾼다.
배경의 측면	예 21세기 현대를 배경으로 한다.

3 **2**의 내용을 바탕으로 새로운 내용의 「백설 공주」의 줄거리를 구상해 봅시다.

예시 답 | 우리 모둠에서는 현대를 배경으로, 씩씩하고 운동을 잘하는 여자아이를 주인공으로 정하였다. 주인공 '백설'을 가졌을 때 튼튼하고 운동을 잘하는 아이를 소원했던 백설의 엄마는 백설을 낳고 곧 세상을 뜬다. 백설은 엄마의 바람대로 튼튼하고 씩씩하게 자라며 축구 선수를 꿈꾸나 백설네 집의 재산을 노리는 친척 아저씨의 계략으로 사고를 당하게 된다. 다리를 다치고 자신이 좋아하던 축구를 하지 못하게 된 백설은 단짝 친구의 도움으로 재활에 성공하여 결국 축구 선수가 된다.

함께하기

2. 1에서의 설정을 바탕으로 촬영 대본을 작성해 영상으로 제작해 봅시다.

예

순서	장면의 내용	표현 방법	
		시각 요소	청각 요소
1	백설의 엄마: 우리 아이는 저렇게 튼튼하고 운동을 잘하는 아이였으면 좋겠어.	• 자막을 삽입한다. • 멀리 보이던 아이들을 클로즈업한다.	• 밝고 경쾌한 음악을 삽입한다. • 아이들이 떠드는 소리를 효과음으로 삽입한다.

○ 활동 탐구

재구성된 소설을 원작과 비교한 소단원의 학습 내용을 바탕으로, 「백설 공주」를 관점과 매체를 바꾸어 창의적으로 재구성하고 그 결과를 친구들과 나누는 활동이다.

지학이가 도와줄게! - 1

「백설 공주」를 재구성하려면 이야기를 새롭게 만들어야겠지? 먼저, 어떤 주제를 전달하고 싶은지를 정하자. 그런 다음, 이 주제를 전달하기에 알맞은 인물, 사건, 배경을 설정하는 거지. 이야기의 주제와 이야기의 구성 요소인 인물, 사건, 배경을 정했으면 이제 줄거리를 구상해 보렴.

지학이가 도와줄게! - 2

1번 활동에서 바꾼 설정과 줄거리를 바탕으로, 매체를 바꾸어 영상으로 된 「백설 공주」를 만들어 보는 활동이야. 촬영 계획을 세울 때에는 장면 단위로 내용을 나누어 보고, 각 장면의 내용을 영상화하기 위해 필요한 시각 요소와 청각 요소를 고려해야 한단다. 그리고 자신이 시도할 수 있는 다양한 촬영 기법을 사용해 보는 것도 좋겠지.

예시 답 |

순서	장면의 내용	표현 방법	
		시각 요소	청각 요소
2	백설의 아빠: 백설아! 너는 누굴 닮아서 이렇게 뛰어노는 것을 좋아하니? 장면 그림: 백설을 혼내고 있는 백설의 아빠	• 옆집의 깨진 창문 아래에서 축구공을 들고 있는 백설을 클로즈업한다.	• 창문이 깨지는 효과음을 넣는다. • 어두운 분위기의 음악을 삽입한다.
10	백설의 남자: 백설아! 한 걸음만 더! 장면 그림: 재활 치료 걷기 운동을 하고 있는 백설과, 그 곁에서 백설을 돕고 있는 남자	• 고통스럽지만 강한 의지가 느껴지는 백설의 표정을 클로즈업한다.	• 희망적이고 감동적인 분위기가 느껴지는 음악을 삽입한다.

⊕ 보충 자료
영상화의 다양한 방법
• 직접 연기하는 것을 촬영하기
• 사진이나 그림을 이어 붙여 촬영하기
영상의 장면을 연결하는 방법
• 커팅: 가장 기본적인 장면 전환 방식으로, 장면 하나 하나를 잘라서 다음 장면으로 이어지게 만드는 것
• 디졸브: 하나의 화면이 다른 화면과 겹치면서 장면이 전환되는 방식으로, 한 화면의 영상이 서서히 나타나는 동안 다른 화면의 영상이 사라지는 것
• 와이프: 자동차에서 사용되는 와이프처럼 앞의 장면을 깨끗이 쓸어내리면서 다음 장면으로 전환하는 방식
• 페이드 인: 하나의 화면이 어둠에서부터 점점 밝아지면서 장면이 전환되는 방식
• 페이드 아웃: 페이드 인과 반대로 화면이 점점 어두워지면서 장면이 전환되는 방식

함께하기 😊😊😊

3. 완성한 영상을 친구들과 함께 보고, 다른 모둠의 영상은 어떠했는지 이야기해 봅시다.

예시 답 |

모둠	바뀐 내용	그에 대한 나의 생각
1모둠	백설 공주를 평범한 중학생으로 바꾸고, 축구 선수로 성장하는 이야기로 재구성했다.	허구적 배경이 아닌 현대를 배경으로 설정하여 더 재미있었고, 나와 같은 중학생이 주인공이라 더 공감이 되었다.
2모둠	백설 공주를 조선 왕조의 공주로 바꾸고, 외적의 침략으로부터 나라를 구하는 이야기로 재구성했다.	조선 왕조를 배경으로 설정하여 서양 동화를 우리나라 동화처럼 바꾼 것이 참신하였고, 여성 인물이 나라를 구한다는 설정은 고전 소설 「박씨전」을 떠올리게 해서 흥미로웠다.
3모둠	〈생략〉	〈생략〉

🌱 지학이가 도와줄게! – 3

상영회를 열어 앞서 만든 영상을 함께 감상하고, 영상을 각자 평가해 보는 활동이야. 비평 활동을 할 때에는 바뀐 내용을 먼저 정리하는 것이 좋아. 그리고 모둠별로 영상에서 재구성된 내용과 그렇게 재구성한 까닭을 다른 모둠의 모둠원들에게 설명하는 시간을 가지렴. 모든 영상을 감상하고 서로 이야기를 나눈 후에는 재구성 활동이 어떤 점에서 가치가 있고 또 재미가 있는지 토의해 보도록 하자.

소단원 제재

1. 제재 정리

글쓴이	이경혜(1960~)	갈래	현대 소설, 개작 동화
성격	동화적, 환상적, 교훈적		
주제	인간은 모두 자신만의 ① □□□□을 가지고 있다.		
특징	• 동화 「백설 공주」를 ② □□□한 작품임. • 원작의 인물 구성과 이야기 요소를 변형함. • 아름다움에 대한 글쓴이의 생각이 드러남.		

2. 글의 구성

발단	전개	위기	절정	결말
	〈중략된 부분〉			
왕비(백설 공주)의 소망으로 살빛이 ③ □□ 공주가 태어남.	왕비가 죽자 새 왕비가 들어와 흑설 공주를 질투하여 죽이려 함.	공주가 위기를 극복하고 난쟁이들의 도움을 받아 평화롭게 살아감.	변장한 왕비에 의해 공주의 숨이 끊어짐.	④ □□□에 의해 공주가 깨어나고, 왕비는 쫓겨남. 공주는 나무꾼과 결혼하여 행복하게 삶.

핵심 포인트

1. 원작 「백설 공주」와 이를 재구성한 「흑설 공주」의 비교

• 두 작품의 공통점 – 기본적인 사건 전개 양상

> 왕비의 바람대로 공주가 탄생함. ⇒ 왕비가 죽자 왕은 새 왕비와 결혼함. ⇒ 새 왕비는 질투로 공주를 죽이려 함.

이 글의 작가는 독자들에게 이미 익숙한 원작의 이야기 구조를 그대로 가져온 셈이지.

> 공주는 위기를 극복하고 난쟁이들과 함께 지냄. ⇒ 변장을 한 새 왕비에 의해 공주가 죽음. ⇒ 공주가 되살아나고, 새 왕비는 몰락함. 공주를 살린 남자와 공주는 ⑤ □□하여 행복하게 삶.

• 두 작품의 차이점 – 인물의 특징 및 결말의 양상

	「백설 공주」	「흑설 공주」
공주의 특징과 어린 시절	• 눈처럼 하얀 피부를 가짐. • 모두의 사랑을 받으며 자람.	• 검은 피부를 가짐. • 아무의 사랑도 받지 못하고 사람들을 피해 지내며 책을 즐겨 읽음.
새 왕비가 공주를 죽이는 방법	• 사과에 독을 발라 공주를 죽임.	• 책에 독을 발라 공주를 죽임. • 책에 독과 ⑥□□□를 함께 바름.
공주가 되살아나는 과정	• 공주를 발견한 사람은 왕자임. • 왕자는 공주의 미모에 첫눈에 반함. • 왕자가 공주에게 입맞춤을 하자 공주가 깨어남. • 공주가 깨어난 후 둘은 서로 사랑하게 됨.	• 공주를 발견한 사람은 나무꾼임. • 나무꾼은 오래전부터 공주를 사모해 왔고, 공주처럼 책을 좋아함. • 나무꾼의 ⑦□□에 녹은 해독제로 공주가 깨어남. • 깨어난 공주는 나무꾼의 눈에 비친 자기 얼굴을 보고 자신의 아름다움을 깨달음.
되살아난 이후의 공주의 삶	• 공주는 세상에서 가장 아름다운 사람으로 남음.	• 공주는 사람들에게 누구나 나름의 아름다움을 가지고 있음을 일깨움. • 공주의 나라에 사는 모든 사람이 아름다운 사람이 됨.

2. 재구성된 작품을 통해 글쓴이가 전달하려는 가치

이 소설을 통해 전달하고자 하는 글쓴이의 생각은 무엇일지 옆의 항목에 따라 정리해 보자.

	내용	가치
왕비 (백설 공주)의 바람	• 왕비는 하늘에서 내리는 검은 눈을 보면서 아름답다고 느끼고, 검은 눈과 같이 아름다운 아기를 낳기를 원함.	• 아름다움을 한 가지 기준(흰색)으로만 판단해서는 안 됨. • 아름다움이란 외면에 의해서만 결정되는 것이 아님.
공주에 대한 나무꾼의 사랑	• 나무꾼은 사람들이 공주를 마녀라고 수군댈 때에도 공주 편이었으며 공주가 느낄 괴로움에 마음 아파함.	• 진정한 사랑은 외모의 아름다움보다는 ⑧□□의 아름다움을 발견하는 것임.
흑설 공주의 깨달음과 실천	• 나무꾼의 눈물에 의해 깨어난 공주가 ⑨□□의 아름다움을 깨닫자 남들에게도 아름답게 여겨짐. • 공주는 자신의 나라에 사는 사람들을 불러 각자가 지닌 아름다움을 깨닫도록 도와줌.	• 아름다움의 기준은 언제든지 바뀔 수 있음. • 모든 사람들은 각각 다른 나름의 아름다움을 지님. • 자신의 아름다움을 발견하고 자신감을 갖는 것이 중요함.

정답: ① 아름다움 ② 재구성 ③ 검은 ④ 나무꾼 ⑤ 결혼 ⑥ 해독제 ⑦ 눈물 ⑧ 내면 ⑨ 자신

[01~04] 다음 글을 읽고, 물음에 답하시오.

가 흰 눈이 펑펑 쏟아지는 겨울날이었다.

눈처럼 하얀 드레스를 입은 ㉠왕비가 창가에 앉아 뜨개질을 하고 있었다. 왕비는 하얀 털실로 태어날 아기가 입을 망토를 짜고 있었다. 왕비는 하얀색을 유난히 좋아해서 커튼도 침대보도 아기가 입을 옷 모두 하얀색으로 만들었다. 이 왕비가 바로 눈처럼 하얀 피부에 피처럼 붉은 입술, 흑단처럼 검은 머리칼을 지닌 그 유명한 '백설 공주'였다.

'우리 아기도 나를 닮아 눈처럼 하얀 살결을 지니겠지.'

나 "아니, 이게 무슨 일이지?" / 왕비는 놀라서 창문을 열고 손바닥에 검은 눈을 받아 보았다.

하얀 왕비의 손 위에 놓인 검은 눈송이는 흑진주처럼 영롱한 빛으로 반짝이다가 조용히 녹아내렸다.

"아, 정말로 아름답구나. 이 검은 눈처럼 아름다운 아기를 낳았으면!"

다 몇 달 후 왕비는 공주를 낳았다. 그런데 놀랍게도 공주는 굴뚝에서 빼내 온 아이처럼 온몸이 새까맸다. ㉡시녀들은 어쩔 줄 몰라 비명을 질렀지만 왕비만은 그 새까만 공주를 품에 안으며 기쁨의 눈물을 흘렸다.

"오, 정말로 검은 눈처럼 아름다운 아기가 태어났구나. 이 아기를 흑설 공주라고 부르도록 하여라."

흑설은 검은 눈이란 뜻이었다. 왕비는 흑설 공주에게 하얀 망토를 입히고 몹시 사랑했지만 안타깝게도 흑설 공주가 첫돌이 되기 전에 그만 병에 걸려 세상을 떠나고 말았다.

라 ㉢백성들은 모두 공주를 이상한 눈으로 바라보았다.

"기가 막히지. 임금님도 왕비님도 모두 고귀한 하얀 피부를 갖고 계신데, 어째서 공주는 저렇게 온몸이 새까맣지? 어유, 보기 싫어라!"

아버지인 ㉣왕마저 공주를 볼 때마다 한숨을 푹푹 쉬었다.

"어허, 어째서 백설 공주의 딸이 흑설 공주가 되었단 말인가? 비록 내 딸이지만 사랑스럽지가 않구나."

마 궁궐의 시녀조차도 흑설 공주 앞에서는 자신의 하얀 피부를 뽐내며 공주를 무시하기 일쑤였다. 그래서 ㉤흑설 공주는 언제나 사람들 눈에 띄지 않는 곳만을 찾아다녔다. 아무도 책을 읽는 사람이 없어 먼지만 쌓이고 있는 궁궐의 작은 도서관이나 정원 귀퉁이의 덤불숲 같은 곳에서 하루 종일 시간을 보내곤 하였다. 그러다 보니 흑설 공주는 어느덧 책을 좋아하게 되었고, 들쥐나 새 같은 작은 짐승들과도 친해졌다.

01. 이와 같은 글을 읽는 방법으로 적절하지 <u>않은</u> 것은?

① 재구성된 작품을 원작과 비교하며 읽는다.

② 재구성 과정에서의 변화 양상을 파악하며 읽는다.

③ 작품 재구성 과정에서 반영된 글쓴이의 관점을 이해하며 읽는다.

④ 재구성된 작품에 담겨 있는 글쓴이의 실제 경험을 확인하며 읽는다.

⑤ 재구성된 작품을 통해 글쓴이가 전달하려는 가치를 파악하며 읽는다.

활동 응용 문제

02. (가)~(마)를 원작과 비교한 내용으로 적절하지 <u>않은</u> 것은?

① (가): 이 글에서는 원작의 주인공이었던 백설 공주가 주인공의 어머니로 등장한다.

② (나): 하얀 피부를 지닌 아기를 소망했던 원작의 왕비와 달리 이 글의 왕비는 검은 눈처럼 아름다운 아기를 소망한다.

③ (다): 궁궐에서 태어난 공주는 원작과 달리 어머니가 일찍 돌아가셔서 어머니의 사랑을 충분히 받지 못한다.

④ (라): 원작에서 많은 사랑을 받으며 자란 공주와 달리 이 글의 공주는 백성들과 궁궐의 시녀들은 물론 아버지에게조차 사랑을 받지 못한다.

⑤ (마): 원작과 달리 이 글의 공주는 궁궐 도서관을 자주 찾으며 책 읽기를 좋아하는 아이로 자라난다.

03. ㉠~㉤ 중, 아름다움에 대한 관점이 나머지와 <u>다른</u> 하나는?

① ㉠ ② ㉡ ③ ㉢ ④ ㉣ ⑤ ㉤

활동 응용 문제 | 서술형 |

04. 이 글을 재구성하는 과정에서 나타난 주인공의 변화 양상을 세 가지만 나열하여 서술하시오.

[05~08] 다음 글을 읽고, 물음에 답하시오.

가 '으으! 흑설 공주가 살아 있어선 안 돼. 그랬다가는 내가 자기를 죽이려 했다는 사실을 언젠가는 세상에 알리고야 말걸. 더군다나 거울도 저렇게 지껄이고 있는 걸 보면 언제 그 애가 갑자기 아름답게 둔갑해 나타날지 어떻게 안단 말이야? 나보다 아름다운 사람이 이 세상에 있는 꼴은 절대로 볼 수 없지!'

예전에 마녀에게서 마법을 배우기도 했던 ㉠왕비는 자신이 직접 나서 흑설 공주를 죽이기로 마음먹었다. 왕비는 늙수그레한 장사꾼 영감처럼 모습을 바꾸고, 일곱 개의 산을 넘어 일곱 난쟁이의 집을 찾아가 문을 두드렸다.

나 "헌책 사세요! 헌책 사세요!"

왕비는 독 사과 따위를 들고 가는 짓은 하지 않았다. 공주가 가장 좋아하는 것이 책이란 것을 잘 알고 있었던 것이다. 흑설 공주는 책이란 말에 눈이 번쩍 뜨였다. 안 그래도 난쟁이네 집에 있는 몇 권 안 되는 책들은 벌써 외울 만큼 여러 번 읽어 버린 뒤여서 다른 책이 몹시 읽고 싶었던 참이었다.

공주는 가만히 창밖을 내다보았다. 밖에는 늙수그레한 영감이 책을 한 더미나 지고 서 있었다. 여자가 아니라 남자인 것을 보니 마음이 놓인 공주는 살그머니 문을 열었다.

다 그 사이 왕비는 공주가 펼쳐 둔 페이지에 재빨리 독을 발랐다. 그리고 다음 페이지에는 그 독을 풀 수 있는 해독제도 발랐다. 책에 독을 바를 때는 반드시 다음 장에 해독제도 발라야 하는 것이 마녀 세계의 법칙이었다. 그것은 마녀와 책의 요정들 사이에 맺어진 계약이었다. 하지만 책을 읽는 사람은 독이 입에 들어가는 순간 숨이 끊어지니 다음 장에 해독제가 발려져 있어도 별달리 소용이 없었다.

라 아니나 다를까, 물을 가져다준 공주는 아까 읽던 페이지를 다 읽고 손가락에 침을 묻혀 다음 장을 넘겼다. 왕비는 침을 꼴깍 삼키며 공주를 바라보았다. 이미 공주의 손끝에는 독이 묻어 있었다. 그 손가락에 다시 침을 묻히면 왕비의 목적이 달성되는 것이었다. 또다시 다음 장을 넘기기 위해 손가락에 침을 묻히던 공주는 그대로 자리에서 풀썩 쓰러지고 말았다. 왕비는 미소를 지으며 품 안에서 손거울을 꺼내 공주의 코끝에 대 보았다. 만약 공주가 숨을 쉰다면 거울에 김이 서릴 것이기 때문이다. 그러나 거울에는 아무런 흔적도 없었다. 공주는 숨이 끊어졌다.

05. 이 글에 나타난 재구성 과정에서의 변화 양상으로 적절한 것은?

① 작품의 주인공을 공주에서 왕비로 바꾸었다.
② 작품의 갈래를 동화에서 희곡으로 바꾸었다.
③ 공간적 배경을 유럽에서 우리나라로 바꾸었다.
④ 작품의 주요 소재를 사과에서 책으로 바꾸었다.
⑤ 전지적 시점을 1인칭 주인공 시점으로 바꾸었다.

06. 이 글을 읽은 독자의 반응으로 적절하지 않은 것은?

① 왕비에게는 자신이 세상에서 가장 아름다운 사람이 되는 것이 가장 중요한 일이야.
② 왕비가 영감으로 변장한 까닭은 공주가 자신의 정체를 알아보지 못하게 속이기 위해서야.
③ 왕비는 공주가 책을 좋아하는 것을 알고 있었기 때문에 책을 파는 장사꾼으로 모습을 바꾸었어.
④ 책에 독과 함께 해독제를 바른 왕비의 행동은 공주가 이 해독제로 다시 살아나게 될 것을 암시해.
⑤ 왕비는 자신의 목적을 달성하기 위해 손거울에 독을 바른 후, 쓰러진 공주의 콧속으로 독을 넣는 치밀함을 보이고 있어.

[활동 응용 문제]

07. 이 글의 등장인물을 다음과 같이 분류할 때, ㉠에 해당하는 인물 유형이 무엇인지 쓰시오.

[활동 응용 문제] | 서술형 |

08. 이 글 전체의 사건 전개 양상을 다음과 같이 정리할 때, 빈칸에 들어갈 (가)~(라)의 중심 사건을 서술하시오.

> 왕비와 바람과 공주의 탄생 → 왕비의 죽음과 새 왕비의 등장 → 새 왕비가 질투로 공주를 죽이려 함. → 위기의 극복과 난쟁이들의 도움 → (   ) → 공주가 되살아나고 새 왕비는 몰락함. 공주를 살린 남자와 공주는 결혼하여 행복하게 삶.

소단원
나의 실력 다지기

[09~12] 다음 글을 읽고, 물음에 답하시오.

가 한편 달이 떠서 집으로 돌아온 일곱 난쟁이들은 공주가 쓰러져 있는 것을 발견했다. 난쟁이들은 ㉠예전의 일을 거울삼아 공주의 허리띠도 풀어 보고, 머리에 빗이 꽂혀 있는지, 입안에 독 사과가 남아 있는지 다 뒤져 보았지만 아무리 찾아도 공주가 어떻게 죽었는지 알 수가 없었다. 흑설 공주는 숨이 끊어진 게 확실했다. 일곱 난쟁이들은 흑설 공주의 옆에 앉아 사흘 밤낮을 울었다.

나 그렇게 며칠이 흐른 뒤였다. 젊은 나무꾼 한 사람이 나무를 하러 왔다가 공주가 누워 있는 관을 보게 되었다. 드레스를 입고 누워 있는 검은 여인의 모습을 보자 나무꾼은 한눈에 그가 흑설 공주란 것을 알아보았다.

다 "아, 공주님이 돌아가시다니!" / 나무꾼은 너무나 슬펐다. 고개를 숙인 채 화려한 왕비에게 끌려다니던 검은 공주를 나무꾼은 오래전부터 사모하고 있었다. 공주가 마녀라고 사람들이 수군댈 때도 나무꾼은 공주 편이었다. 나무꾼 역시 혼자 있기를 좋아하고, 책을 좋아하는 청년이라 ㉡공주의 괴로움을 잘 알 수 있었다. ㉢옛날이야기를 많이 읽은 나무꾼은 혹시나 하는 마음에 유리 관 뚜껑을 열고 공주의 입에 살짝 입맞춤을 해 보았지만 공주의 입술은 여전히 싸늘하기만 했다. 나무꾼의 눈에 눈물이 그렁그렁 맺혔다.

라 그때 나무꾼의 눈에 공주가 읽다 만 책이 들어왔다. 책을 좋아하는 나무꾼은 공주가 읽던 책이 무슨 책인지 몹시 궁금해졌다. 그래서 책을 가져다 보니, ㉣펼쳐진 책에는 공주가 즐겨 머물렀던 다락방과 진실의 거울에 관한 이야기가 적혀 있었다. 그러자 나무꾼의 가슴은 다시금 슬픔으로 차올랐다.

"아, 가엾은 공주님……." / 슬픔에 젖은 나무꾼의 눈에서 눈물이 줄줄 흘러내렸다. 눈물은 책장 위를 지나 아래로 뚝뚝 떨어져 공주의 입안으로 흘러 들어갔다.

마 그때였다. 공주가 "아!" 하고 작은 한숨을 내쉬더니 눈을 떴다. 나무꾼의 눈물에 책장에 묻어 있던 해독제가 공주의 입안으로 녹아 들어간 것이었다. ㉤눈을 뜬 공주는 나무꾼의 눈 속에 비친 자신의 모습을 바라보았다. 공주는 그 모습이 아름답게 느껴졌다. 자기도 아름다운 사람이라는 것을 깨달은 공주는 나무꾼을 바라보며 환하게 미소를 지었다. ⓐ숲속에 검은 태양이 뜬 듯 그 모습은 눈부시게 아름다웠다.

09. 이 글에 대한 이해로 적절한 것은?

① 나무꾼은 공주가 살아날 것을 예상하고 있었다.
② 난쟁이들은 공주가 죽은 원인을 결국 밝혀내었다.
③ 공주는 나무꾼의 외모에 반해 나무꾼을 사랑하게 된다.
④ 난쟁이들은 나무꾼을 위해 공주의 관을 숲속으로 옮긴다.
⑤ 나무꾼은 공주가 읽다 만 책을 읽다가 우연히 공주를 살린다.

> 활동 응용 문제 ✔

10. 이 글의 재구성 과정에서 나타난 변화 양상에 대한 설명으로 적절하지 않은 것은?

① 공주를 살리는 남자는 특별한 왕자가 아니라 평범한 나무꾼이다.
② 남자는 공주의 미모에 반한 것이 아니라 내면의 아름다움을 알고 사모해 왔다.
③ 공주는 남자의 입맞춤이 아니라 남자가 흘린 진심 어린 눈물에 의해 살아난다.
④ 공주는 깨어났을 때 남자의 얼굴이 아니라 자신의 얼굴을 먼저 보게 된다.
⑤ 공주는 남자가 자신을 살렸기 때문이 아니라 남자의 외로운 처지를 동정하여 사랑하게 된다.

11. ㉠~㉤에 대한 설명으로 적절한 것은?

① ㉠: 원작에서 백설 공주가 새 왕비에게 당한 세 번의 공격을 말한다.
② ㉡: 새 왕비의 괴롭힘 때문에 공주가 읽고 싶은 책을 마음껏 읽지 못하는 것을 말한다.
③ ㉢: 나무꾼은 흑설 공주의 아름다운 모습을 보고 자신도 모르게 입맞춤을 하고 있다.
④ ㉣: 공주가 죽기 직전에 읽은 책으로 공주를 죽게 만든 독이 묻어 있는 쪽을 말한다.
⑤ ㉤: 공주는 자신을 살린 존재가 나무꾼임을 전혀 모르고 있음을 보여 준다.

> 활동 응용 문제 | 서술형 |

12. ⓐ에서 흑설 공주가 아름답게 보인 까닭을 쓰고, 그것을 통해 글쓴이가 전달하려고 하는 가치를 서술하시오.

• 까닭: _____

• 가치: _____

[13~16] 다음 글을 읽고, 물음에 답하시오.

 흑설 공주가 돌아오자 왕궁은 발칵 뒤집어졌다. 무엇보다도 조금도 달라진 것이 없는 여전히 새까만 공주가 어째서 이토록 아름답게 여겨지는지 사람들은 당황하고 말았다. 왕비의 사악한 음모도 드러났다. 아름답게만 여겨졌던 왕비의 모습은 이제 징그러운 껍질처럼만 느껴졌다. 왕은 불같이 화를 내며 왕비를 감옥에 가두었다.

 나무꾼과 공주의 결혼식이 성대하게 거행되었다.

검게 빛나는 공주가 어찌나 아름다운지 숯검정을 얼굴에 칠하는 게 유행이 되었다. 더 아름다워지고 싶은 여자들은 아예 굴뚝 속에 들어갔다 나오기도 하였다.

 큰 깨달음을 얻은 흑설 공주는 다락방의 거울에게 가서 물었다.

"거울아 거울아, 세상에서 가장 못생긴 사람이 누구니?"

그러면 거울은 그때마다 정직하게 대답했다.

"저 바닷가 마을 오두막에 사는 메리라는 처녀입니다."

그러면 공주는 그 사람을 불러다 자신의 아름다움을 깨달을 수 있도록 도와주었다. 다른 사람들이 세운 아름다움의 기준이라는 것은 하루아침에 바뀔 수 있는 허약한 것으로, 아름다움이란 것은 누구에게나 깃들어 있다는 것을 알려 주었다. 자신만이 가지고 있는 아름다움을 찾아내어 바라볼 수 있는 눈을 키워 주었던 것이다. 그리하여 흑설 공주의 나라에는 아름답지 않은 사람이 하나도 없게 되었다.

 이제 거울은 "거울아 거울아, 세상에서 가장 아름다운 사람이 누구지?"하는 공주의 질문에 대답할 수 없게 되었다.

"모르겠어요. 다들 나름대로 아름다우니 누가 가장 아름다운지 도무지 알 수가 없어요."

흑설 공주는 그제야 미소를 지으며 대답했다.

"그래, 그게 정답이란다. 세상 사람들은 누구나 각각 다른 아름다움을 가지고 있거든. 장미는 장미대로 아름답고, 제비꽃은 제비꽃대로 아름답듯이 말이야!"

그러나 나무꾼에게 있어 가장 아름다운 사람은 여전히 검은 피부, 검은 눈동자, 검은 머리의 온통 밤처럼 새까만 흑설 공주 한 사람뿐이었다.

 이 글의 글쓴이가 원작을 재구성하는 과정에서 했을 법한 질문으로 적절한 것은?

① 공주는 꼭 아름다워야 할까?

② 새 왕비는 꼭 사악한 존재여야 할까?

③ 새 왕비와 공주는 꼭 대립하고 갈등해야 할까?

④ 공주가 아닌 사람은 왕자를 사랑할 수 없는 걸까?

⑤ 세상에서 가장 아름다운 사람이 꼭 정해져 있는 걸까?

활동 응용 문제

14. 이 글과 원작의 공통점으로 적절하지 않은 것은?

① 새 왕비는 벌을 받고 몰락하였다.

② 공주는 자신을 살린 남자와 결혼하였다.

③ 공주는 왕위를 물려받아 여왕이 되었다.

④ 공주는 궁궐로 다시 돌아오는 데 성공하였다.

⑤ 공주는 사람들에게 아름다운 사람으로 받아들여졌다.

15. 이 글에서 다음 빈칸에 공통으로 들어갈 소재를 찾아 한 단어로 쓰시오.

> 이 글에서 (   )은/는 원작에서처럼 아름다움을 판단하여 갈등의 실마리를 제시한다. 하지만 원작과 달리 아름다움의 판단 기준을 스스로 바꾸게 된다. 이러한 (   )의 변화는 글쓴이의 창의적인 주제 의식을 드러낸다.

활동 응용 문제 |서술형|

16. 다음은 이 글을 쓴 글쓴이의 말이다. (다)와 (라)를 바탕으로 빈칸에 들어갈 내용을 〈조건〉에 맞게 서술하시오.

> "한 사람이 사는 짧은 인생의 시간 중에도 아름다움의 기준은 변합니다. 저는 「흑설 공주」 이야기를 통해 바로 그 얘기를 하고 싶었습니다. 그렇게 쉽사리 변하는 것에 죽을 둥 살 둥 매달리고, 그것으로 사람을 판단한다는 것이 얼마나 어리석은 일인지를 말하고 싶었답니다. [중략] 또한 아름다움이란 것은 (   )이란 이야기도 하고 싶었습니다. 단지 각자 가진 그 아름다움을 찾아내서 그것에 자신감을 갖는 것이 중요할 뿐이지요."

┤ 조건 ├

• 주제가 드러나게 쓸 것.

• '~는 것'이라는 형태로 쓸 것.

단원+단원 통합과 적용

단원+단원, 이렇게 통합·적용했어요!

듣고 말하며 나누기
듣기 말하기가 서로의 의견을
나누는 과정이며 의미를 만들어
가는 과정임을 알기

+

흑설 공주
재구성된 작품의 가치를 알고
재미를 느끼며 작품에 담긴
새로운 상상과 가치 이해하기

⬇

모둠원끼리 의견을 조정하여
「흥부전」을 재구성한 후
만화로 그려보기

할 수 있어! 「흥부전」을 새로운 이야기의 만화로 만들려고 합니다. 모둠원들과 의견을 나누어 우리 모둠만의 만화 「흥부전」을 만들어 봅시다.

1. 다음 대화를 참고하여 모둠원끼리 의견을 나누며 이어지는 활동을 해 봅시다.

> 혜민 「흥부전」의 내용을 어떻게 바꿀까?
> 지원 시대는 현대로 바꾸면 재미있을 것 같아.
> 세현 현대로? 박씨를 물어 오는 제비나 도깨비가 등장하는 장면은 어떻게 하고?
> 지원 모두 사람으로 바꾸어야지.
> 혜민 사람으로?
> 지원 응, 사람으로. 제비는 다리를 다친 아이로, 도깨비는 나쁜 사람을 잡는 경찰로 바꾸면 되지 않을까?
> 세현 아아, 그러니까 비현실적인 요소들을 현대의 배경에 맞춰 현실적인 것들로 바꾸자는 거지?
> 혜민 재미있겠다. 그럼 이건 어때? 박씨는 포상금으로 바꾸는 거야.
> 지원 그것도 좋은 생각이네.
> 세현 그리고 사회적 문제인 저출산 현상을 반영해서 흥부네가 다자녀 가구인 것을 강조하는 이야기로 만들면 더 뜻깊을 것 같아.

❶ 모둠원끼리 의견을 조정하여 우리 모둠이 만들 「흥부전」의 내용을 재구성해 봅시다.

예

주제	세 아이의 부모인 착한 흥부 부부가 얻은 행운
배경	21세기 대한민국
등장 인물	흥부, 흥부 부인, 흥부의 아이들, 놀부, 놀부 부인, 다친 아이, 아이 부모, 경찰들
줄거리	흥부는 마을에서 자식 많고 착하기로 유명하다. 흥부는 형의 질투로 부모님의 유산을 한 푼도 받지 못하고 살던 집에서 쫓겨난다. 그러던 어느 날 다리를 다친 채 부모를 잃어버린 어린아이를 도와주는데, 아이의 부모가 선물로 준 복권이 당첨되며 흥부는 부자가 된다.

❷ 모둠원끼리 대화를 하여, 만화를 만들기 위한 역할 분담을 해 봅시다. 예시 답 | 생략

2. 모둠원들과 나눈 의견을 바탕으로, 만화 「흥부전」을 만들어 봅시다.

예

3. 만화의 내용이 모둠에서 정한 주제를 잘 드러내는지 생각해 봅시다. 예시 답 | 생략

4. 친구들에게 우리 모둠의 「흥부전」은 고전 소설 「흥부전」의 어떤 특징을 중심으로 새롭게 재구성한 것인지 설명해 봅시다.

예시 답 | 흥부가 곤경에 처한 아이를 도와주고 생각지도 않았던 복권 당첨의 행운을 얻게 되었다는 이야기인데, 이것은 아무런 계산 없이 선행을 베풀었던 「흥부전」 원작에서의 흥부의 성격을 그대로 유지한 것이다.

대단원을 닫으며

정리와 점검

·학습 목표 점검하기·

❶ 듣고 말하며 나누기

듣기와 말하기를 통해 의미를 나누기

> • 듣기 · 말하기는 말하는 이와 듣는 이가 서로 소통하여 함께 [의][미]를 만들어 가는 과정이다.
> • 듣는 이와 말하는 이는 듣기 · 말하기를 통해 서로의 관계를 발전시키며 서로를 [배][려]해야 한다.

⇒

> **잘 모른다면**
> 교과서 129쪽의 활동 3, 135쪽의 활동 2를 다시 한번 살펴보면 대화란 의미 공유의 과정임을 잘 이해할 수 있을 거야

❷ 흑설 공주

원작과 재구성된 작품의 차이를 파악하며 감상하기

> • 작품을 [재][구][성] 할 때에는 내용, 표현, 관점, 형식, 맥락, 매체를 달리하여 새로운 상상과 가치를 나타낼 수 있다.
> • 「흑설 공주」는 「백설 공주」를 재구성함으로써 아름다움에 대한 다른 [관][점]을 보여 주고 있다.

⇒

> **잘 모른다면**
> 교과서 155쪽의 활동 2를 다시 한번 살펴보면 글쓴이가 작품의 재구성을 통해 상상과 가치를 어떻게 전달하는지 파악할 수 있을 거야.

·어휘력 점검하기·

다음에 제시된 단어와 〈보기〉의 뜻풀이가 바르게 연결되도록 알맞은 기호를 넣어 보자.

보기
㉠ 두 사람 이상이 한 물건을 공동으로 소유함.
㉡ 어떤 일을 이루기 위하여 서로 의논하고 절충함.
㉢ 한 번 구성하였던 것을 다시 새롭게 구성함.
㉣ 모양이나 형태가 달라지거나 달라지게 함. 또는 그 달라진 형태.
㉤ 1. 본디의 저작이나 제작. 2. 〈문학〉연극이나 영화의 각본으로 각색되거나 다른 나라의 말로 번역되기 이전의 본디 작품.

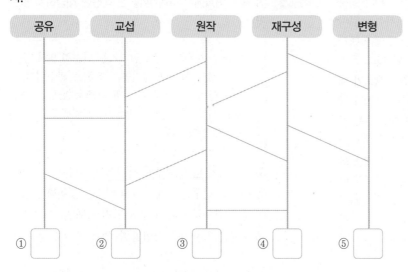

공유   교섭   원작   재구성   변형

① ☐   ② ☐   ③ ☐   ④ ☐   ⑤ ☐

정답: ① ㉢ ② ㉤ ③ ㉣ ④ ㉡ ⑤ ㉠

[01~04] 다음 글을 읽고, 물음에 답하시오.

가 "너 익현이 아저씨 알지?"

"예, 서점에 있는 아저씨요." [중략]

"아빠하고 그 아저씨는 4대에 걸친 친구거든. 아빠의 증조할아버지와 그 아저씨의 증조할아버지가 친구였고, 아빠 할아버지와 그 아저씨의 할아버지가 친구였고, 네 할아버지와 그 친구의 아버지가 친구였었고, 또 아빠와 그 아저씨가 친구니까." / "우와."

"그런 사이를 어른들은 집안 간에 오랜 세교가 있었다고 말한단다. 오랜 세월을 두고 우정을 쌓고 왕래한 집안이라는 뜻으로." / "그럼 백 년도 더 넘겠어요."

나 "비행기도 안 뜨고, 아빠도 운전에 자신이 없어 할아버지 댁에도 못 가고 서울에 눌러앉았을 때, 성률이 아빠가 대목 날인데도 온종일 자기 택시 영업을 하지 않고 우리를 데려다 주러 왔던 거야. 그리고 서울에서 열네 시간 동안 이 길을 넘어왔다가 다시 쉬지도 않고 열 시간 동안 이 길을 넘어가고. 그때에도 아빠가 영업하는 차가 그냥 허탕 치면 어떻게 하느냐고 택시 요금을 주려고 하니까 성률이 아빠가 뭐랬는 줄 아니?" / "안 받겠다고요."

"그냥 안 받은 게 아니란다. 나는 네가 친구니까 죽음을 무릅쓰고 눈길을 넘어온 건데 너는 왜 그걸 꼭 돈으로만 계산하려고 하느냐고 그랬단다. 그래도 직업이고 영업하는 차가 아니냐니까, 너는 글을 쓸 때마다 영업을 생각하며 글을 쓰냐며 오히려 아빠를 부끄럽게 했단다."

"⊙성률이 아빠도 아빠한텐 참 좋은 친구예요. 그렇죠?"

다 "ⓒ아빠한텐 기한이 아저씨도 그렇잖아요. 우리가 이사를 하면 나중에 와서 손을 다 봐 주고요. 전기선도 달아 주고 제 책상도 다시 손봐 주고. 그러면서도 전에 아빠가 밤중에 기한이 아저씨한테 가 준 걸 늘 고마워하고요."

[중략] "기한이 아저씨는 아빠한테 자기는 늘 몸으로만 때우는 친구라 미안하다고 했는데, 그날 아빠가 기한이 아저씨를 위해 몸으로 때워 보니 정말 몸으로 때워 주는 것만큼 힘든 일도 없고, 또 좋은 친구도 없는 거야."

라 "장난이긴 하지만 친구란 그런 거야. 무얼 꼭 크게 도와주고 힘든 일을 해 주어야만 좋은 친구인 것이 아니라 어떤 일로든 그 사람이 정말 내 친구구나 하는 걸 확인하게 될 때 마음속에 다시 커다란 우정이 쌓이는 거란다. 그리고 그런 우정이 쌓일 때 옛날이야기 속의 아버지 친구 같은 이야기도 나오는 거고."

"알아요, 아빠. 그리고 따뜻하고요." / "친구를 가려 사귀기는 하되 절대 차별해서 사귀면 안 되는 거야. 알았지?"

"저도 이다음에 아빠 같은 친구를 많이 사귈 거예요. 제가 그 사람의 친구인 걸 자랑스럽게 여기는 친구들을요."

01. 이 글의 대화에 대한 이해로 적절하지 <u>않은</u> 것은?

① 아버지와 친구들 간의 일화를 주로 다루고 있다.

② 어떤 친구를 사귀어야 하는지에 대해 이야기한다.

③ 아버지와 아들 간에 소통이 원활하게 이루어지고 있다.

④ 아들이 아버지를 설득하려는 목적으로 대화가 진행되고 있다.

⑤ 아버지와 아들 상호 간에 이루어지는 사적인 성격의 말하기이다.

02. 이 글에 나타난 아들과 아버지의 대화 태도에 대한 설명으로 적절하지 <u>않은</u> 것은?

① 아들은 아버지의 질문에 성실하게 대답한다.

② 아들은 아버지의 말에 맞추어 적절하게 반응한다.

③ 아버지는 아들의 관심사를 파악하기 위해 질문한다.

④ 아버지는 아들의 눈높이에 맞추어 알기 쉽게 설명한다.

⑤ 아버지와 아들은 서로를 배려하며 적극적으로 대화한다.

03. 이 글의 대화에서 다음 밑줄 친 내용에 해당하지 <u>않는</u> 것은?

> 대화를 비롯한 듣기·말하기는 단순히 말을 주고받는 것이 아니라 의미를 공유하는 과정이다. 상우와 아버지도 우정에 관해 대화를 나누는 과정에서 서로 영향을 주고받으며 <u>우정에 관한 생각</u>을 공유하게 된다.

① 차별하지 않고 친구를 사귀어야 한다.

② 우정은 친구를 자랑스럽게 여기는 것이다.

③ 좋은 친구와 나쁜 친구를 가려 사귀면 안 된다.

④ 우정은 친구임을 확인할 수 있는 계기를 통해 쌓인다.

⑤ 두 집안이 여러 세대에 걸쳐 교류하며 우정을 쌓아 갈 수도 있다.

| 서술형 |

04. ㉠의 '성률이 아빠'와 ㉡의 '기한이 아저씨'의 공통점을 바탕으로 우정의 의미를 한 문장으로 쓰시오.

[05~08] 다음 글을 읽고, 물음에 답하시오.

가 저는 미래의 모든 세대를 위해 여기에 섰습니다. 저는 세계 전역의 굶주리는 아이들을 대신하여 여기에 섰습니다. 저는 이 행성 위에서 죽어 가고 있는 수많은 동물들을 위해 여기에 섰습니다. 우리는 이제 말하지 않고는 그냥 있을 수 없게 되었거든요.

나 ㉠저는 오존층의 구멍 때문에 햇빛 속으로 나가기가 두렵습니다. 공기 속에 무슨 화학 물질이 들어 있을지 모르기 때문에 숨 쉬기가 두렵습니다. 저는 아빠와 함께 밴쿠버에서 낚시를 즐겼습니다. 그런데 ㉡바로 몇 해 전에 암에 걸린 물고기들을 발견했습니다. 그리고 ㉢지금 우리는 날마다 동식물이 사라지고 있다는, 그들이 영원히 소멸되고 있다는 소식을 듣고 있습니다.

다 여러분이 고칠 방법을 모른다면, 제발 그만 망가뜨리시기 바랍니다! 여러분은 정부의 대표로, 기업가로, 기자나 정치가로 여기에 와 계실 겁니다. 그렇지만 여러분은 그 이전에 누군가의 어머니와 아버지, 형제와 자매, 아주머니와 아저씨 들이며, 그리고 여러분 모두 누군가의 자녀입니다.

라 ㉣우리나라 사람들은 너무 많은 쓰레기를 만들어 냅니다. 우리는 사고 버리고, 또 사고 버립니다. 그러면서도 ㉤가난한 사람들과 나누려 하지 않습니다. 우리는 필요한 것보다 더 많이 가지고 있으면서도 조금도 잃고 싶어 하지 않고, 나누어 갖기를 두려워합니다.

마 ⓐ아무것도 가진 게 없는 거리의 아이가 기꺼이 나누겠다고 하는데, 모든 것을 다 가지고 있는 우리는 어째서 그토록 인색할까요? 저는 이 아이들이 제 또래라는 사실을 자꾸 생각하게 됩니다. 어디서 태어났는가 하는 사실이 굉장한 차이를 만든다는 것, 저도 리우의 빈민가 파벨라스에 살고 있는 저 아이들 중 하나일 수 있었음을 생각하지 않을 수 없습니다.

바 학교에서도, 유치원에서도, 어른들은 우리에게 착한 사람이 되라고 가르칩니다. 어른들은 서로 싸우지 말고 존중하며, 자원을 절약하고, 몸과 주변을 청결히 하고, 다른 생물들을 해치지 말고 보호하며, 자원을 더불어 나누어야 한다고 가르칩니다. 그런데 ⓑ어째서 여러분 어른들은 우리에

게 하라고 한 것과는 정반대의 행동을 하십니까?

여러분이 이 회의에 참석하고 계신 이유가 무엇이며, 누구를 위해서 이런 회의를 열고 있는지 잊지 마십시오. 저희는 여러분의 아이들입니다. 여러분은 저희가 앞으로 어떤 세계에서 자라날지 결정하고 계신 겁니다.

 05. 이 연설에 대한 분석 내용으로 적절한 것은?

① 말하는 이: 환경 분야 전문가
② 듣는 이: 평범한 시민들
③ 상황: 공식적인 회의
④ 목적: 전문적 지식의 전달
⑤ 의도: 동물 보호를 위한 일상에서의 노력 촉구

| 고난도 |

06. 다음 내용을 고려할 때, 이 연설에 대한 청중의 반응으로 적절하지 <u>않은</u> 것은?

> 연설의 의미 공유 과정이란 연설을 통해 특정 주제에 대한 생각과 정보를 공유하고, 공통의 가치를 나누며, 문제 해결을 위해 함께 노력하는 것이다.

① 부유한 나라가 빈곤 문제 해결에 나설 때가 되었어.
② 환경 문제를 방치하면 더 큰 피해가 발생할 거야.
③ 환경 개발을 위해 시민들을 설득할 수 있는 방법을 찾아봐야겠어.
④ 아이들의 미래를 위해 어른으로서 좀더 책임감 있는 모습을 보여 줘야 해.
⑤ 가난한 나라의 아동 문제에 관심을 가지고 그들을 도울 정책을 마련해야겠어.

07. ㉠~㉤ 중, 다음 주장을 뒷받침하는 근거로 적절하지 <u>않은</u> 것은?

> 전 세계적으로 환경오염이 심각하다.

① ㉠   ② ㉡   ③ ㉢   ④ ㉣   ⑤ ㉤

| 서술형 | | 고난도 |

 08. ⓐ와 ⓑ에 쓰인 말하기 방식과 그 효과를 쓰시오.

[09~12] 다음 글을 읽고, 물음에 답하시오.

가 몇 달 후 왕비는 공주를 낳았다. 그런데 ㉠놀랍게도 공주는 굴뚝에서 빼내 온 아이처럼 온몸이 새까맸다. 시녀들은 어쩔 줄 몰라 비명을 질렀지만 왕비만은 그 새까만 공주를 품에 안으며 기쁨의 눈물을 흘렸다.

"오, 정말로 검은 눈처럼 아름다운 아기가 태어났구나. 이 아기를 흑설 공주라고 부르도록 하여라."

흑설은 검은 눈이란 뜻이었다. 왕비는 흑설 공주에게 하얀 망토를 입히고 몹시 사랑했지만 안타깝게도 흑설 공주가 첫돌이 되기 전에 그만 병에 걸려 세상을 떠나고 말았다.

나 궁궐의 시녀조차도 흑설 공주 앞에서는 자신의 하얀 피부를 뽐내며 공주를 무시하기 일쑤였다. 그래서 흑설 공주는 언제나 사람들 눈에 띄지 않는 곳만을 찾아다녔다. 아무도 책을 읽는 사람이 없어 먼지만 쌓이고 있는 궁궐의 작은 도서관이나 정원 귀퉁이의 덤불숲 같은 곳에서 하루 종일 시간을 보내곤 하였다. 그러다 보니 ㉡흑설 공주는 어느덧 책을 좋아하게 되었고, 들쥐나 새 같은 작은 짐승들과도 친해졌다.

다 '으으! 흑설 공주가 살아 있어선 안 돼. 그랬다가는 내가 자기를 죽이려 했다는 사실을 언젠가는 세상에 알리고야 말걸. 더군다나 거울도 저렇게 지껄이고 있는 걸 보면 언제 그 애가 갑자기 아름답게 둔갑해 나타날지 어떻게 안단 말이야? 나보다 아름다운 사람이 이 세상에 있는 꼴은 절대로 볼 수 없지!'

예전에 마녀에게서 마법을 배우기도 했던 ㉢왕비는 자신이 직접 나서 흑설 공주를 죽이기로 마음먹었다. 왕비는 늙수그레한 장사꾼 영감처럼 모습을 바꾸고, 일곱 개의 산을 넘어 일곱 난쟁이의 집을 찾아가 문을 두드렸다.

라 아니나 다를까, ㉣물을 가져다준 공주는 아까 읽던 페이지를 다 읽고 손가락에 침을 묻혀 다음 장을 넘겼다. 왕비는 침을 꼴깍 삼키며 공주를 바라보았다. 이미 공주의 손끝에는 독이 묻어 있었다. 그 손가락에 다시 침을 묻히면 왕비의 목적이 달성되는 것이었다. 또다시 다음 장을 넘기기 위해 손가락에 침을 묻히던 공주는 그대로 자리에서 풀썩 쓰러지고 말았다. 왕비는 미소를 지으며 품 안에서 손거울을 꺼내 공주의 코끝에 대 보았다. [중략] 그러나 거울에는 아무런 흔적도 없었다. 공주는 숨이 끊어졌다.

마 그때였다. 공주가 "아!" 하고 작은 한숨을 내쉬더니 눈을 떴다. ㉤나무꾼의 눈물에 책장에 묻어 있던 해독제가 공

주의 입안으로 녹아 들어간 것이었다. 눈을 뜬 공주는 나무꾼의 눈 속에 비친 자신의 모습을 바라보았다. 공주는 그 모습이 아름답게 느껴졌다. 자기도 아름다운 사람이라는 것을 깨달은 공주는 나무꾼을 바라보며 환하게 미소를 지었다. 숲속에 검은 태양이 뜬 듯 그 모습은 눈부시게 아름다웠다.

09. 다음은 이 글에 대한 설명이다. ⓐ~ⓔ 중, 적절하지 않은 것은?

> 이 글은 사람들에게 널리 알려진 동화인 「백설 공주」를 ⓐ긍정적 관점에서 재구성한 작품이다. 원작에서 ⓑ인물의 성격, ⓒ세부 이야기 요소 등을 바꾸어 글쓴이의 ⓓ가치관에 따라 ⓔ아름다움의 의미를 재정의하여 전달하고 있다.

① ⓐ ② ⓑ ③ ⓒ ④ ⓓ ⑤ ⓔ

10. (가)~(마)에 나타난 중심 사건으로 적절한 것은?

① (가): 왕비는 흑설 공주에게 하얀 망토를 입히고 사랑함.

② (나): 하얀 피부를 지닌 궁궐의 시녀는 검은 피부를 지닌 공주를 무시함.

③ (다): 거울이 왕비에게 이 세상에서 가장 아름다운 사람이 흑설 공주라고 말함.

④ (라): 공주는 책 읽기에 몰입하여 손가락에 침을 묻혀 가며 책장을 넘김.

⑤ (마): 나무꾼의 눈물에 의해 깨어난 공주는 자신의 아름다움을 깨달음.

11. ㉠~㉤ 중, 글쓴이가 재구성 과정에서 바꾼 내용이 아닌 것은?

① ㉠ ② ㉡ ③ ㉢ ④ ㉣ ⑤ ㉤

| 서술형 |

12. 〈보기〉는 (마)에 이어지는 내용이다. 밑줄 친 부분의 일이 일어난 까닭을 (마)의 내용을 바탕으로 서술하시오.

> ┤보기├
> 흑설 공주가 돌아오자 왕궁은 발칵 뒤집어졌다. 무엇보다도 조금도 달라진 것이 없는 여전히 새까만 공주가 어째서 이토록 아름답게 여겨지는지 사람들은 당황하고 말았다.

(가) 어머니가 없어도 흑설 공주는 무럭무럭 자라났다. 하지만 공주를 사랑해 주는 사람은 이 세상에 한 사람도 없었다.

백성들은 모두 공주를 이상한 눈으로 바라보았다.

"기가 막히지. 임금님도 왕비님도 모두 고귀한 하얀 피부를 갖고 계신데, 어째서 공주는 저렇게 온몸이 새까맣지? 어유, 보기 싫어라!"

아버지인 왕마저 공주를 볼 때마다 한숨을 푹푹 쉬었다.

"어허, 어째서 백설 공주의 딸이 흑설 공주가 되었단 말인가? 비록 내 딸이지만 사랑스럽지가 않구나."

(나) 그 사이 왕비는 공주가 펼쳐 둔 페이지에 재빨리 독을 발랐다. 그리고 다음 페이지에는 그 독을 풀 수 있는 해독제도 발랐다. 책에 독을 바를 때는 반드시 다음 장에 해독제도 발라야 하는 것이 마녀 세계의 법칙이었다. 그것은 마녀와 책의 요정들 사이에 맺어진 계약이었다.

(다) 한편 달이 떠서 집으로 돌아온 일곱 난쟁이들은 공주가 쓰러져 있는 것을 발견했다. 난쟁이들은 예전의 일을 거울 삼아 공주의 허리띠도 풀어 보고, 머리에 빗이 꽂혀 있는지, 입안에 독 사과가 남아 있는지 다 뒤져 보았지만 아무리 찾아도 공주가 어떻게 죽었는지 알 수가 없었다. 흑설 공주는 숨이 끊어진 게 확실했다. 일곱 난쟁이들은 흑설 공주의 옆에 앉아 사흘 밤낮을 울었다.

(라) "아, 가엾은 공주님……." / 슬픔에 젖은 나무꾼의 눈에서 눈물이 줄줄 흘러내렸다. 눈물은 책장 위를 지나 아래로 뚝뚝 떨어져 공주의 입안으로 흘러 들어갔다.

그때였다. 공주가 "아!" 하고 작은 한숨을 내쉬더니 눈을 떴다. 나무꾼의 눈물에 책장에 묻어 있던 해독제가 공주의 입안으로 녹아 들어간 것이었다. 눈을 뜬 공주는 나무꾼의 눈 속에 비친 자신의 모습을 바라보았다. 공주는 그 모습이 아름답게 느껴졌다. 자기도 아름다운 사람이라는 것을 깨달은 공주는 나무꾼을 바라보며 환하게 미소를 지었다.

(마) 큰 깨달음을 얻은 흑설 공주는 다락방의 거울에게 가서 물었다.

"거울아 거울아, 세상에서 가장 못생긴 사람이 누구니?"

그러면 거울은 그때마다 정직하게 대답했다.

"저 바닷가 마을 오두막에 사는 메리라는 처녀입니다."

그러면 공주는 그 사람을 불러다 자신의 아름다움을 깨달을 수 있도록 도와주었다. 다른 사람들이 세운 아름다움의 기준이라는 것은 하루아침에 바뀔 수 있는 허약한 것으로,

아름다움이란 것은 누구에게나 깃들어 있다는 것을 알려 주었다. 자신만이 가지고 있는 아름다움을 찾아내어 바라볼 수 있는 눈을 키워 주었던 것이다. 그리하여 ㉠흑설 공주의 나라에는 아름답지 않은 사람이 하나도 없게 되었다.

13. 이 글이 독자에게 전하려는 가치로 가장 적절한 것은?

① 아름다움은 스스로 발견하는 것이다.
② 사랑은 받는 것이 아니라 주는 것이다.
③ 아름다운 외모는 끊임없는 노력의 결과이다.
④ 도덕적으로 행동할 때 아름다운 사람이 될 수 있다.
⑤ 삶의 아픔을 겪어 본 자만 참된 사랑을 할 수 있다.

14. 이 글과 원작의 차이점으로 적절하지 <u>않은</u> 것은?

① (가): 주인공은 온몸이 새까만 공주로, 사람들의 사랑을 받지 못한다.
② (나): 왕비는 공주를 죽이려고 할 때 책에 독과 함께 해독제도 바른다.
③ (다): 일곱 난쟁이는 공주가 죽은 사실을 알고 슬퍼한다.
④ (라): 공주는 나무꾼이 흘린 슬픔의 눈물로 다시 살아난다.
⑤ (마): 궁궐로 돌아온 공주는 사람들이 각자 지닌 아름다움을 깨달을 수 있도록 돕는다.

15. (가)~(마) 중, 다음 설명과 관련이 깊은 것은?

> 원작의 내용을 그대로 가져다 써 독자에게 원작의 내용을 상기시킴으로써 재미와 즐거움을 주고, 이 작품이 「백설 공주」를 재구성한 것임을 분명히 드러낸다.

① (가) ② (나) ③ (다) ④ (라) ⑤ (마)

| 서술형 | 고난도 |

16. ㉠에 담긴 글쓴이의 의도를 〈조건〉에 맞게 쓰시오.

┌ 조건 ┐
• 이 글의 주제 의식이 드러나게 쓸 것.
• '~고자 한다.'의 형태로 쓸 것.

[01~03] 다음 글을 읽고, 물음에 답하시오.

가 "아빠, 친구는 꼭 서로 나이나 수준이 맞아야 되는 건 아니죠?"

㉠"어떤 수준 말이냐?"

"공부도 그렇고, 생각하는 것도 그렇고요."

"옛말에 보면 친구는 위로 보고 사귀라고 했는데, 아빠는 그 말이 잘못되었다고 생각한다. 그 말은 이왕 친구를 사귈 거면 좋은 친구를 사귀라고 한 말이지 꼭 그래야 한다는 건 아닐 거야. 친구를 사귈 때 다 위로 보고 사귀면, 아래에 있는 친구는 자기보다 나은 친구를 사귀고 싶어도 평생 그런 친구를 사귈 수 없는 거지. 자기가 사귀고 싶어 하는 그 친구가 자기보다 못한 사람과 친구를 하지 않으려 하면 말이지."

㉡"그럼 어떻게 해요?"

"자기보다 나은 친구, 못한 친구 얘기를 하는 건 친구에게 배울 점을 찾으라는 이야기인 거야. 또 나쁜 친구를 사귀게 되면 함께 나쁜 생각과 나쁜 행동을 하게 되는 것도 사실이고. 더구나 너희처럼 자라날 때는 말이지. 그렇지만 어른이 되면 친구란 내가 외롭거나 어려울 때 서로 믿고 도울 수 있고, 또 당장 어렵거나 외롭지 않더라도 그런 친구 곁에 있는 것만으로도 위로가 되고 큰 힘이 될 수 있는 친구가 가장 좋은 친구란다. 서로 붙어 다니며 놀기만 좋아하는 친구보다는 이다음 서로 믿고, 서로 돕고, 서로 위로하고, 서로 힘이 될 수 있는 그런 친구를 사귀라는 뜻이야."

나 저는 어린아이일 뿐이고, 따라서 해결책을 가지고 있지 않습니다. 저는 여러분께 과연 해결책을 가지고 있으신지 묻고 싶습니다. 여러분은 오존층에 난 구멍을 수리하는 방법, 죽은 강으로 연어를 다시 돌아오게 할 방법, 사라져 버린 동물을 되살려 놓는 방법을 알지 못합니다. 그리고 여러분은 이미 사막이 된 곳을 푸른 숲으로 되살려 놓을 능력도 없습니다.

여러분이 고칠 방법을 모른다면, 제발 그만 망가뜨리시기 바랍니다! 여러분은 정부의 대표로, 기업가로, 기자나 정치가로 여기에 와 계실 겁니다. 그렇지만 여러분은 그 이전에 누군가의 어머니와 아버지, 형제와 자매, 아주머니와 아저씨 들이며, 그리고 여러분 모두 누군가의 자녀입니다.

[중략]

저는 어린아이일 뿐입니다. 그렇지만 저는 우리가 모두 하나이며, 하나의 목표를 향해 행동해야 한다는 것만은 알고 있습니다. 저는 분노하고 있지만, 눈이 멀지는 않았습니다. 저는 두려워하고 있지만, 제가 어떻게 느끼는지 세상에 말하는 것을 망설이지는 않습니다.

---

01. (가)와 (나)의 듣기·말하기 활동에 나타난 특징을 비교하여 〈조건〉에 맞게 서술하시오.

조건
• 듣기·말하기의 유형과 성격의 차이점을 서술할 것.
• '반면에'라는 접속어를 사용하여 두 문장으로 서술할 것.

02. ㉠과 ㉡에 나타난 아버지와 아들의 듣기·말하기 태도를 평가하여 〈조건〉에 맞게 서술하시오.

조건
• ㉠과 ㉡의 질문에 담긴 말하는 이의 의도를 분석할 것.
• 아버지와 아들의 듣기·말하기 태도를 각각 한 문장으로 서술할 것.

03. (나)에서 말하는 이가 듣는 이에게 전하려는 의미를 다음과 같이 정리할 때, ⓐ와 ⓑ에 들어갈 적절한 내용을 서술하시오.

문제 상황	• 문제: 환경 오염이 매우 심각하다. • 실례: ⓐ _____
주장	ⓑ _____

[01~03] 다음 글을 읽고, 물음에 답하시오.

가 하얀 왕비의 손 위에 놓인 검은 눈송이는 흑진주처럼 영롱한 빛으로 반짝이다가 조용히 녹아내렸다.

"아, 정말로 아름답구나. 이 검은 눈처럼 아름다운 아기를 낳았으면!"

왕비는 자기도 모르게 한숨 쉬듯 그런 말을 뱉고 말았다.

몇 달 후 왕비는 공주를 낳았다. 그런데 놀랍게도 공주는 굴뚝에서 빼내 온 아이처럼 온몸이 새까맸다. ㉠시녀들은 어쩔 줄 몰라 비명을 질렀지만 왕비만은 그 새까만 공주를 품에 안으며 기쁨의 눈물을 흘렸다.

나 어머니가 없어도 흑설 공주는 무럭무럭 자라났다. 하지만 공주를 사랑해 주는 사람은 이 세상에 한 사람도 없었다.

백성들은 모두 공주를 이상한 눈으로 바라보았다.

㉡"기가 막히지. 임금님도 왕비님도 모두 고귀한 하얀 피부를 갖고 계신데, 어째서 공주는 저렇게 온몸이 새까맣지? 어유, 보기 싫어라!"

다 '으으! 흑설 공주가 살아 있어선 안 돼. [중략] 나보다 아름다운 사람이 이 세상에 있는 꼴은 절대로 볼 수 없지!'

예전에 마녀에게서 마법을 배우기도 했던 왕비는 자신이 직접 나서 흑설 공주를 죽이기로 마음먹었다. 왕비는 늙수그레한 장사꾼 영감처럼 모습을 바꾸고, 일곱 개의 산을 넘어 일곱 난쟁이의 집을 찾아가 문을 두드렸다.

라 아니나 다를까, 물을 가져다준 공주는 아까 읽던 페이지를 다 읽고 손가락에 침을 묻혀 다음 장을 넘겼다. 왕비는 침을 꼴깍 삼키며 공주를 바라보았다. 이미 공주의 손끝에는 독이 묻어 있었다. 그 손가락에 다시 침을 묻히면 왕비의 목적이 달성되는 것이었다. 또다시 다음 장을 넘기기 위해 손가락에 침을 묻히던 공주는 그대로 자리에서 풀썩 쓰러지고 말았다.

마 "아, 공주님이 돌아가시다니!"

나무꾼은 너무나 슬펐다. 고개를 숙인 채 화려한 왕비에게 끌려다니던 검은 공주를 나무꾼은 오래전부터 사모하고 있었다. 공주가 마녀라고 사람들이 수군댈 때도 나무꾼은 공주 편이었다. 나무꾼 역시 혼자 있기를 좋아하고, 책을 좋아하는 청년이라 공주의 괴로움을 잘 알 수 있었다.

바 슬픔에 젖은 나무꾼의 눈에서 눈물이 줄줄 흘러내렸다. 눈물은 책장 위를 지나 아래로 뚝뚝 떨어져 공주의 입안으로 흘러 들어갔다.

그때였다. 공주가 "아!" 하고 작은 한숨을 내쉬더니 눈을 떴다. 나무꾼의 눈물에 책장에 묻어 있던 해독제가 공주의 입안으로 녹아 들어간 것이었다.

---

01. (가)~(바)의 사건 전개 과정을 다음과 같이 정리할 때, 빈칸에 들어갈 적절한 내용을 한 문장으로 서술하시오.

(가), (나)	
(다), (라)	왕비는 공주가 자신보다 아름답다는 이유로 책에 독을 발라 공주를 죽인다.
(마), (바)	나무꾼이 흘린 슬픔의 눈물에 의해 공주는 다시 살아난다.

02. (마)에 나타난 '나무꾼'과 원작 속 '왕자'의 차이점을 쓰고, 그 변화를 통해 글쓴이가 전하려는 바를 〈조건〉에 맞게 서술하시오.

┤ 조건 ├
• 차이점과 글쓴이가 전하려는 바를 각각 한 문장으로 서술할 것.

03. 〈보기〉는 글쓴이의 말 중 일부이다. ㉠의 행동과 ㉡의 말을 통해 글쓴이가 비판하고자 한 내용을 〈보기〉를 바탕으로 한 문장으로 서술하시오.

┤ 보기 ├
"한 사람이 사는 짧은 인생의 시간 중에도 아름다움의 기준은 변합니다. 저는 「흑설 공주」 이야기를 통해 바로 그 얘기를 하고 싶었습니다. 그렇게 쉽사리 변하는 것에 죽을 둥 살 둥 매달리고, 그것으로 사람을 판단한다는 것이 얼마나 어리석은 일인지를 말하고 싶었답니다."

「백설 공주」와 재구성된 이야기들

원천 콘텐츠 「백설 공주」의 현대적 변용에 나타나는 여성상 변화 연구 / 이채론

「백설 공주」 이야기

옛날 흰 눈이 펑펑 내리는 한겨울, 한 왕비가 바느질을 하고 있었다. 눈송이를 바라보던 왕비는 바늘 끝에 손가락을 찔렸고, 세 방울의 피가 흰 눈 위에 떨어지고 말았다. 왕비는 아이를 낳는다면 눈처럼 하얀 피부, 붉은 입술, 검은 머리카락을 가진 공주가 태어났으면 좋겠다고 생각하며, 그 이름을 백설이라고 지었다. 백설 공주가 태어나고 왕비는 일찍 세상을 떠났으며, 왕이 새로 맞이한 왕비는 교만하고 야심이 가득했다. 새 왕비는 마법의 거울을 통해 자신의 아름다움을 확인받았으며, 자신보다 아름다운 존재를 죽이곤 했다. 세월이 흘러 자신보다 더욱 아름다워진 백설 공주를 새 왕비는 눈엣가시로 여겨 결국 성에서 쫓아내 죽이려 마음먹고, 사냥꾼을 시켜 없애려 한다. 사냥꾼에게 애원하여 구사일생으로 도망친 백설 공주는 일곱 난쟁이의 집에 머물게 되고, 이 사실을 알게 된 새 왕비는 끈, 독이 묻은 빗, 독 사과를 차례로 이용해 백설 공주를 없애려 한다. 끈과 빗을 이용한 새 왕비의 살해 음모는 난쟁이들의 도움으로 극복했지만, 사과를 먹고는 숨이 끊어져 공주는 한동안 투명한 유리 관 안에 안치된다. 이를 본 지나가던 한 왕자가 백설 공주의 아름다움에 반해 그녀의 관을 자신의 성으로 가져가려 하였고, 이동하기 위해 들어 올린 관의 흔들림으로 인해 백설 공주의 목에서 독이 묻었던 사과 조각이 튀어나오고 백설 공주가 깨어나게 된다. 그 후 백설 공주와 왕자는 결혼하였고, 사악한 새 왕비는 이들의 결혼식에서 불에 달군 쇠 구두를 신고 춤을 추는 벌을 받게 되었다.

「백설 공주」의 원작과 재구성

'백설 공주'라는 말은 눈처럼 하얀 피부, 피처럼 붉은 입술, 흑단처럼 검은 머리카락을 설명하는 단어가 되었다. 아름다운 여인의 외모를 함축적으로 묘사한 이 표현을 원작의 작가인 그림 형제는 1812년 53번째로 낸 그들의 동화 모음집에 「백설 공주」라는 제목으로 사용했으며, 이후 수차례 고쳐 1857년 최종판의 간행을 끝으로 오늘날까지 그 이야기가 전해져 오고 있다.

백설 공주의 이야기는 다양한 이본이 존재한다. 공주가 깨어날 때 관이 흔들려 사과가 튀어나왔다는 이야기가 존재하고, 왕자의 입맞춤으로 깨어났다는 동화도 존재한다. 디즈니의 만화 영화 「백설 공주와 일곱 난쟁이」의 경우 새 왕비가 백설 공주에게 취한 세 번의 공격들 중 독이 묻은 사과만을 내용에 담았으며, 아름다운 결말을 위해 왕자의 입맞춤으로 공주가 깨어나는 것으로 하였다. 또한 새 왕비에 대한 처벌 역시 인간에 의해 이루어지는 신체 고문 형태가 아닌 도망치다가 절벽에서 추락사하는 자연적인 사고로 처리함으로써 완곡한 결말을 취한다.

구전으로 전해져 내려오던 「백설 공주」 이야기는 인쇄, 영상 등 다양한 매체를 통해 끊임없이 변용되어 왔다. 현대에 이르러서도 「백설 공주」의 이러한 변형은 계속되고 있으며, 같은 매체에서도 장르에 따라 이야기 구조, 등장 캐릭터들의 변형을 취하고 있는 것을 확인할 수 있다. 조현영(2010)은 「백설 공주」 이야기가 현대 작가들을 만나 시대정신에 맞는 이야기로 각색되거나, 혹은 시대를 재조명하고 끊임없이 변화하고 재탄생함으로써 사람들에게 무한한 상상력의 나래를 펼칠 수 있는 마르지 않는 화수분으로 존재할 것이라고 하였다. 이는 「백설 공주」의 원천 콘텐츠로서의 가치를 함축적으로 표현한 설명이라고 할 수 있다.

「흥부전」을 재구성한 다양한 장르의 작품

시 「흥부 부부상」 (1962)

흥부 부부가 박덩이를 사이하고
가르기 전에 건넨 웃음살을 헤아려 보라.
금이 문제리,
황금 벼이삭이 문제리,
웃음의 물살이 반짝이며 정갈하던
그것이 확실히 문제다.

없는 떡방아 소리도
있는 듯이 들어내고
손발 닳은 처지끼리
같이 웃어 비추던 거울 면(面)들아.

웃다가 서로 불쌍해
서로 구슬을 나누었으리.
그러다 금시
절로 면에 온 구슬까지를 서로 부끄리며
먼 물살이 가다가 소스라쳐 반짝이듯
서로 소스라쳐
본(本) 웃음 물살을 지었다고 헤아려 보라.
그것은 확실히 문제다.

> 박재삼의 시. 고전 소설 「흥부전」의 흥부 부부의 삶을 소재로 하여 현대적인 의미를 부여하였다. 말하는 이는 가난하지만 서로 사랑하며 살아가는 흥부 부부를 긍정적으로 바라보면서 가난한 이들의 삶의 애환과 소박한 행복을 드러내어 정신적 행복이 가장 소중한 가치임을 알려 주고 있다.

소설 「놀부뎐」 (1966)

줄거리

흥부는 놀부와 똑같이 유산을 분배받는다. 놀부는 모진 고생 끝에 5년 만에 큰 부자가 된다. 그러나 흥부는 시정잡배에게 속아 벼락부자를 꿈꾸다 알거지가 되고 만다. 여기에 자식들은 게으르기 짝이 없어 비참한 생활을 한다. 그러던 어느 날 놀부는 흥부가 돈을 물 쓰듯 한다는 소문을 듣고 흥부의 집에 가서 자초지종을 캐묻는다. 이에 흥부는 '제비 다리' 덕분이라고 이야기한다. 놀부가 '허무맹랑한 소리 말라'고 윽박지르자 흥부는 사실대로 고백한다. 즉 산에서 온갖 보화가 들어 있는 큰 철궤를 발견해 가져왔다는 것이다. 놀부는 '화가 있을 것이니 제자리에 갖다 놓으라'고 한다. 둘은 철궤를 지고 산으로 가다가 관원에게 잡힌다. 그 궤는 봉고파직한 전라 감사가 숨겨 뒀던 것으로 복권이 되어 그 궤를 다시 찾았으나 궤가 없어진 것을 알고 나졸을 매복해 두었다가 이들을 잡은 것이다. 결국 이들은 옥에서 온갖 수모를 겪다가 죽고 만다.

> 최인훈의 소설. 액자식 구성을 통해 고전 소설 「흥부전」을, 놀부를 주인공으로 하여 재구성하였다. 고전 소설의 문체를 비슷하게 따르면서도 전지적 작가 시점을 통해 놀부를 악인의 전형으로 묘사했던 원작의 이야기와는 달리 놀부의 시점으로 이야기를 서술하였다. 마당극, 연극 등으로 꾸준히 각색되어 공연되고 있다.

자료·정보 활용 역량

　이 역량은 필요한 자료나 정보를 수집, 분석, 평가하고 이를 효과적으로 활용하여 의사를 결정하거나 문제를 해결하는 능력을 말해. 이 단원에서는 기사문을 학습하면서 글 속 자료가 효과적이고 적절한지 평가하면서 읽는 능력을 길러 보자.

의사 소통 역량

이 역량은 음성 언어, 문자 언어, 기호와 매체 등을 활용하여 생각과 느낌, 경험을 표현하거나 이해하면서 의미를 구성하고 자아와 타인, 세계의 관계를 점검하고 조정하는 능력을 말해. 이 단원에서는 다양한 매체를 활용한 강연을 학습하고 이를 바탕으로 다양한 매체를 활용하여 자기 생각이나 느낌을 표현하는 능력과 매체 자료의 효과를 판단하며 듣는 능력을 키워 보자.

읽기

듣기·말하기

5

이해를 돕는 매체

(1) 명태의 귀환

(2) 내가 보는 세상은 진짜일까 _
김경일

대단원을 펼치며

◆ 도입 만화를 살펴보면서 이 단원에서 배울 내용을 짐작해 보아요!

핵심 질문

매체 자료를 활용한 말하기를 듣거나 글을 읽을 때는 어떤 점에 주목해야 할까?

 이 질문은 이 대단원을 이끄는 핵심 질문이란다. 이 질문을 왜 하였는지 이 단원을 공부하면서 찾아낼 수 있도록 하는 것이 중요해. 매체 활용과 효과가 이 단원 핵심 질문의 답을 풀 수 있는 열쇠말이라는 것을 기억하자.

보조 질문

글을 읽을 때 글 속의 자료가 효과적이고 적절한지 평가할 수 있나요?
예시 답ㅣ글에 제시된 정보를 정확하게 파악하기 위해서는 글에 사용된 어휘나 문장 표현 외에도 도표, 그림, 사진 등과 같은 시각 자료의 효과와 적절성을 판단하며 읽어야 한다.

말하기에 사용된 다양한 매체 자료의 효과를 파악하며 들을 수 있나요?
예시 답ㅣ오늘날의 말하기 상황에서는 사진이나 동영상 자료와 같은 다양한 매체 자료를 활용하는 것이 일반적이다. 듣는 이가 보다 효과적으로 이해하기 위해서는 말하는 이의 의도와 목적에 어울리는 적절한 매체 자료가 활용되었는지 판단하며 들을 수 있어야 한다.

학습 목표

[읽기] 매체에 드러난 다양한 표현 방법과 의도를 평가하며 읽을 수 있다.
[듣기·말하기] 매체 자료의 효과를 판단하며 들을 수 있다.

배울 내용

(1) 명태의 귀환	(2) 내가 보는 세상은 진짜일까	단원 + 단원
• 제시된 자료를 보며 글의 정보 파악하기 • 매체에 사용된 표현 방법과 매체 자료 사용 의도 평가하기 • 매체 자료의 효과와 적절성 판단하기	• 매체 자료의 효과 이해하기 • 매체 자료의 효과를 판단하며 듣기	• 다양한 매체 자료를 활용하여 우리 반의 한 학기를 소개하는 기사 만들기

(1) 명태의 귀환

● 생각 열기 ●

친구네 집에 가는 길을 설명하는 두 상황을 비교해 보고, 매체 자료의 효과를 생각해 봅시다.

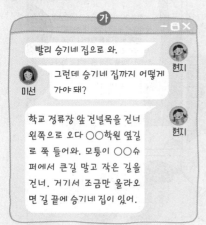

이렇게 열자

일상생활 속에서 쉽게 접할 수 있는 자료의 활용 양상과 그 효과를 생각해 보는 활동이다. 자신의 경험을 떠올리면서 두 상황을 비교해 보고 글로 설명한 경우와 지도를 이용해 설명한 경우 중 더 쉽게 이해되는 것이 어떤 것인지 생각해 보자.

• ㉮와 ㉯ 중 승기네 집에 가는 방법을 쉽게 알려 주는 설명은 어느 쪽일까요?

예시 답 | 지도를 활용하여 안내를 한 ㉯의 설명이 승기네 집에 가는 방법을 쉽게 알려 준다.

• 위에서 선택한 설명이 더 쉽게 이해되었던 까닭을 생각해 봅시다.

예시 답 | 글로 길게 설명하는 것보다, 지도와 같은 시각 자료를 활용한 설명이 더 이해하기 편하기 때문이다.

〉 이 단원의 학습 요소

학습 목표 | 매체에 드러난 다양한 표현 방법과 의도를 평가하며 읽을 수 있다.

매체 자료를 활용하여 글의 정보 파악하기	다양한 매체 자료의 특징을 이해하고, 자료가 제시된 목적을 고려하여 글쓴이가 전달하고자 하는 내용을 효과적으로 이해한다.
매체에 사용된 다양한 표현 방법의 효과와 의도를 평가하기	매체에 사용된 시각 자료, 동영상 자료의 표현 방법의 효과와 글쓴이의 의도를 평가하며 글을 읽을 수 있다.

소단원 바탕 학습

핵심 개념 미리 보기

1. 매체의 개념과 유형

매체의 개념	음성이나 문자를 보완하는 역할을 하는, 정보 전달의 매개물	
매체 자료의 종류	시각 자료	사진, 그림, 도표, 그래프 등
	청각 자료	소리, 음악 등
	시청각 자료	동영상, 애니메이션, 플래시 등

2. 매체 자료의 유형과 효과

그림, 삽화	영상이나 사진으로 보여 줄 수 없는 사건이나 상황을 전달하는 데 효과적임.
도표, 그래프	복잡한 수치를 간단하게 제시하는 데 효과적임.
사진, 영상	사실적인 느낌이나 현장감을 주는 데 효과적임.

3. 매체 자료 활용의 장점

• 독자나 청중의 관심을 끌고 주의를 집중시킬 수 있다.
• 정보를 효과적으로 전달하여 이해도를 높일 수 있다.
• 정보에 대한 신뢰도를 높일 수 있다.
• 정보를 인상적으로 전달하여 오래 기억할 수 있게 한다.

4. 매체 자료가 갖추어야 할 요건

신뢰성	출처가 분명하고, 그 내용이 믿을 만하고 확실해야 함.
정보성	글이나 말의 내용을 알리는 데 실제로 도움이 되어야 함.
관련성	글이나 말의 내용과 밀접한 관련이 있어야 함.
효과성	글이나 말의 내용을 뒷받침하는 데에 효과적인 것이어야 함.
가독성	자료의 내용이 독자나 청중에게 쉽게 이해되어야 함.

5. 매체 자료 활용할 때 유의점

• 글이나 말의 내용과 주제에 적합한지 고려한다.
• 글이나 말의 내용과 주제를 전달하는 데 효과적인지 고려한다.
• 글이나 말의 상황과 맥락, 독자와 청중을 고려한다.
• 활용한 자료의 출처를 분명히 밝힌다.

6. 매체 자료의 효과를 판단하기

• 자료가 제시된 의도를 파악해 본다.
• 자료에 따라 글이나 말의 내용에 대한 이해도가 어떻게 달라지는지 판단해 본다.
• 자료 형태, 자료 제시 순서나 방법이 달라지면 내용 이해에 어떤 변화나 차이가 있을지 판단해 본다.

제재 훑어보기

명태의 귀환

• **해제**: 이 글은 문자뿐만 아니라 사진, 도표, 그림, 그래프 등의 다양한 매체 자료를 활용하여 명태 완전 양식에 대해서 이해하기 쉽게 소개하는 글이다.
• **갈래**: 기사문
• **성격**: 정보 전달적, 객관적
• **제재**: 명태 살리기 프로젝트
• **주제**: 사라진 '국민 생선' 명태의 성공적인 복원 과정 소개
• **특징**
 ① 그림, 사진, 도표 등의 다양한 자료를 활용하여 글의 내용을 효과적으로 전달하고 있다.
 ② 소제목을 제시하여 글의 주요 내용에 대한 독자의 이해를 돕고 있다.
 ③ '표제-부제-전문-본문-해설'의 기사문 구성 형식을 따르고 있다.

표제 명태의 귀환

부제 - 집 나간 국민 생선이 돌아왔다!

전문 **1** 따끈한 생태탕, 푸짐한 코다리찜, 짭짤한 °명
　　　　　　　　　　　　　　　　명태 요리의 종류
란젓……. 이름은 다 달라도 모두 명태 요리이다. '국

민 생선'이라고 불릴 만큼 사랑받는 생선 명태. 그런
　　　우리 국민이 즐겨 먹고 좋아하는 생선임.
명태가 안타깝게도 2008년 이후로 우리 바다에서 사

라졌다. ❶그런데 최근 명태 양식에 성공했다는 소식이

들린다. 우리 식탁에 국산 명태가 오르는 날이 다시 찾
　　　　　　　　　글쓴이의 기대감이 드러남.
아올까. ➡ 사라졌던 '국민 생선' 명태 양식에 성공했다는 소식이 들림.

'국민 생선' 명태
소제목을 제시하여 글의 주요 내용에 대한 이해를 도움.

본문 **2** 명태만큼 여러 이름으로 불리는 생선이 있을까?『예로부터 우리나라에
　　　　　　　　　　　　　　　　　　　　　　『 』: 명태의 여러 이름을 열거하며 이를 이용한 요리들을 소개함.
서는 잡은 지 얼마 안 된 싱싱한 '생태'로, 또는 꽁꽁 얼린 '동태'로 얼큰하게 탕을

끓여 먹고 매콤하게 찜을 해 먹었다. °꾸덕꾸덕하게 말려 찜 요리에 적당한 '코다

리', 노릇노릇하게 구워 먹는 °'노가리', 통통한 주머니 안에 작은 알들이 가득한

'명란젓', °꼬들꼬들한 식감을 자랑하는 °'창난젓'까지
　　　　　　　　　사람이 음식을 먹으며 입 안에 느끼는 감촉
모두 명태로 만든 것이다. 눈과 비, 바
　　　　　　　　　산란기에 잡아 얼리고 말리는 과정을 반복
람을 맞히며 오랫동안 말린 '황태'나
해서 가공한 명태로, 빛깔이 누르고 살이 연하며 맛이 좋음.
바싹 말린 '북어'로 육수를 우려내 요

리의 기본 재료로 쓰기도 한다.』❷많

은 이름에서도 알 수 있듯, 우리 식
　　　　　교과서 날개
단에 가장 많이 등장하는 생선이 명

태다.

➡ 명태는 여러 이름으로 불리고, 명태를 활용한 요리가 많아 우리 식단에 가장 많이 등장함.

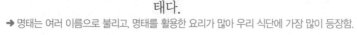

코다리찜　　노가리

사진을 통해 사실적인 모습을 효과적으로 보여 줌.

3 하지만 명태는 다른 나라에서는 그렇게 인기 있는 생선이 아니다. 살코기 자

체에 별다른 맛이나 식감이 없어, 불에 직접 구워 먹기를 좋아하는 식문화에는
　　　　　　　　　　　　　　　　　　다른 나라에서 인기 있는 생선이 아닌 이유
어울리지 않기 때문이다. 그래서 외국에서는 다른 생선과 함께 잘게 다져서 어묵

을 만들거나, 튀김옷을 입혀 바삭하게 튀겨서 소스를 묻혀 먹는다. 하지만 얼큰
　　　　　　　　　　　　　　　　　　다른 나라에서 주로 즐기는 명태 요리
한 국물을 좋아하는 한국인의 입맛에는 딱 맞는 '국민 생선'이라 해도 손색이 없
　　　　　　　　　　　　　　　　　　　　　　　　　　　　　다른 것과 견주어 못한 점이 없음.
다. 우리나라에서는 명태를 한 해에 25만 톤(t)이나 소비한다.
　　명태를 이용한 요리를 즐겨 먹어서 소비량이 많음.　　➡ '국민 생선'인 명태는 우리나라에서 한 해 25만 톤 소비됨.

찬찬샘 핵심 강의

• 글을 쓴 목적

이 글은 우리나라 근해에서 사라졌던 명태를 복원하기 위해서 최근 국산 명태를 완전 양식하는 데 성공했다는 소식을 알려 주기 위해서 쓴 일종의 기사문이야. 그래서 **1**에서 '국민 생선' 명태가 2008년 이후 사라졌는데 최근 명태 양식에 성공했다는 내용을 간결하게 요약해서 보여 주고 있어. **2**에서부터는 명태가 '국민 생선'으로 불리는 이유를 밝히고, 명태 완전 양식에 성공하게 된 과정에 대한 정보를 전달하겠지? 그러니까 이 글은 글쓴이가 전달하는 정보에 유의하면서 글에 사용된 매체 표현 방법, 그리고 그 효과에 유의하면서 읽어야 해.

> **핵심 포인트**
>
> **글을 쓴 목적**
>
> 명태 완전 양식에 성공했다는 소식과 국산 명태 양식을 통한 성공적인 복원 과정에 대한 정보 전달

• 자료의 표현 방법과 그 효과

이 글은 명태 완전 양식을 세계 최초로 성공했다는 정보를 전달하고 있어. 그런데 명태가 어떤 생선인지 모른다면 글을 충분히 이해하는 데에 부족한 점이 있겠지? 그래서 글쓴이는 **1**, **2**에서 명태와 명태를 이용한 요리를 매체 자료인 사진을 통해 제시하고 있어. 이런 사진 자료를 보면서 독자는 글을 통해 이해하기 어려운 부분을 쉽게 이해할 수 있겠지? 이렇게 사진 자료는 설명하고 있는 대상의 사실적인 모습을 확인할 수 있게 해 준단다.

> **핵심 포인트**
>
> **사진 자료의 효과**
>
> 대상의 사실적인 모습을 확인할 수 있게 하여 독자의 이해를 도움.

콕콕 확인 문제

1. 이 글의 특징을 설명한 내용으로 적절한 것은?

① 글쓴이의 지난 삶에 대한 성찰이 드러난다.
② 타당한 근거를 들어서 글쓴이의 주장을 내세우고 있다.
③ 글쓴이의 일상 경험과 깨달음을 진솔하게 표현하고 있다.
④ 매체를 활용하여 대상에 대한 정보를 효과적으로 전달한다.
⑤ 대상에 대한 글쓴이의 정서를 함축적인 언어로 압축하여 전달한다.

2. 이 글에서 알 수 있는 내용으로 적절하지 <u>않은</u> 것은?

① 우리 국민이 즐겨 먹는 명태 요리는 다양하다.
② 명태의 냉동 여부에 따라서 생태와 동태로 나뉜다.
③ 명태는 2008년 이후 우리 바다에서 자취를 감추었다.
④ 명태는 다른 나라에서 다양한 요리에 쓰이고 인기가 많다.
⑤ 명태는 얼큰한 국물을 좋아하는 우리 국민의 입맛에 제격이다.

3. 이 글에서 사진 자료를 사용한 효과로 가장 적절한 것은?

① 대상의 사실적인 모습을 확인하여 이해에 도움이 된다.
② 대상의 변화된 모습을 한눈에 알 수 있어서 효과적이다.
③ 명태가 사라졌다는 사실을 뒷받침하는 근거를 부각한다.
④ 복잡한 자료를 간단한 수치로 제시하여 이해를 쉽게 한다.
⑤ 명태의 어획량 변화를 시간의 추이에 따라 파악할 수 있다.

4. 이 글을 쓰게 된 계기로 가장 적질한 것은?

① 명태가 국민 생선이 되었다는 소식
② 명태가 우리 바다에서 사라졌다는 소식
③ 명태의 완전 양식에 성공했다는 최근 소식
④ 명태가 우리 바다에서 많이 잡힌다는 소식
⑤ 명태가 다양한 요리로 식탁에 오른다는 소식

|서술형|
5. 이 글에서 명태를 '국민 생선'이라고 한 이유를 한 문장으로 쓰시오.

국산 명태가 사라졌다 → 소제목은 단락의 내용을 압축하고 있으므로 단락의 주제나 중심 내용을 짐작할 수 있음.

4 명태는 1970년대만 해도 동해에서 매년 7만 톤(t) 안팎으로 잡힐 만큼 흔했다.
<u>현재와 달리 1970년대만 해도 명태의 어획량이 많았음을 알 수 있음.</u>
알을 밴 고기일수록 맛이 좋고 어린 고기까지 술안주로 인기 있었던 탓일까. 결
<u>산란기 어미 명태, 어린 명태까지 마구잡이로 잡음.</u>
국, 우리 바다에서 명태의 씨가 말라 버렸다. 2008년 이후 매년 우리나라 가까운
<u>명태가 사라짐.</u>
바다에서 잡히는 명태는 1톤(t) 안팎이다. ❶지금 우리 식탁에 올라오는 명태는
거의 다 수입한 것으로, 러시아산이 대부분이다.
→ 1970년대에 많이 잡혔던 명태가 2008년 이후 사라짐.

5 전문가들은 국산 명태가 사라진 원인
중 하나로, _{교과서 날개} 어린 명태까지 *마구잡이로
<u>명태가 사라진 원인 ①</u>
잡은 것을 든다. 기후가 변하면서 동해의
<u>명태가 사라진 원인 ②</u>
*표층 수온이 변한 것도 원인으로 추정한
다. 명태는 차가운 물을 좋아하는 냉수성
어류인데, 수온이 올라가는 바람에 동해
<u>냉수성 어류인 명태가 기후 변화로 동해에 서식하기 어려워짐.</u>
가 이제는 명태가 살기 어려운 환경이 되

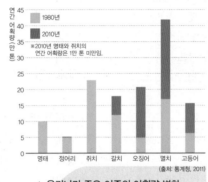
※2010년 명태와 쥐치의 연간 어획량은 1만 톤 미만임.
(출처: 통계청, 2011)
▲ 우리나라 주요 어종의 어획량 변화

었다는 것이다. ㉠❷국립수산과학원에 따르면 동해의 연평균 표층 수온은 1970
년부터 2016년까지 47년간 섭씨 0.93도(℃)가량 올랐다. 이렇게 바닷물이 따뜻
해지면서, 1970년대와 1980년대에 많이 잡히던 명태와 정어리, 갈치, 쥐치의 수
<u>기후 변화에 따른 현상 ① – 수온 상승으로 주요 어종의 어획량이 줄어듦.</u>
가 줄어들었다. 특히 명태와 정어리는 2000년대 이후 찾기가 힘들다. 대신에
1990년대부터 오징어, 멸치, 고등어 등이 늘어났으며 예전에는 우리 바다에 거
<u>기후 변화에 따른 현상 ② – 바다 수온 상승으로 어종의 변화가 나타남.</u>
의 없었던 온대성, 아열대성 물고기들이 많이 나타났다. 모두 기후 변화에 따른
<u>기후 변화에 따른 현상 ③</u>
현상이다.
→ 국산 명태가 사라진 원인

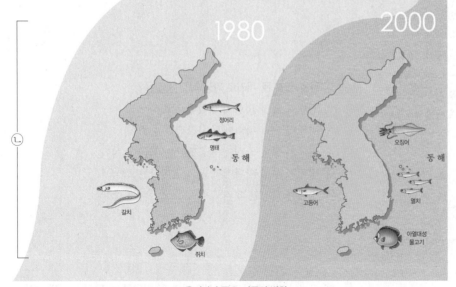
▲ 우리나라 주요 어종의 변화

❝ **학습 포인트**
• 매체 자료 활용하여 내용 파악하기
• 자료의 표현 방법과 효과 파악하기

읽기 중 활동

교과서 날개
국산 명태가 사라진 원인을 정리해 봅시다.
→ 어린 명태까지 마구잡이로 잡았고, 기후 변화로 인해 동해의 표층 수온이 상승하면서 동해가 명태가 살기 어려운 환경이 되었기 때문이다.

➕ **보충 자료**
일반적인 기사문의 형식

표제	내용 전체를 간결하게 나타내는 제목
부제	내용을 구체적으로 알리는 작은 제목
전문	기사 내용을 육하원칙에 따라 요약한 부분
본문	기사의 구체적인 부분을 서술한 부분
해설	기사에 대한 참고 사항이나 설명을 덧붙이는 부분

어휘 풀이
• 마구잡이: 이것저것 생각하지 아니하고 닥치는 대로 마구 하는 짓.
• 표층: 여러 층으로 된 것의 겉을 이루고 있는 층.

어구 풀이
❶ 동해에서 잡히는 명태 어획량이 급격히 줄면서 현재는 러시아 등에서 수입해서 먹는 상황임을 알 수 있다.
❷ 자료의 출처를 밝히면서 정보의 신뢰성을 높이고 있다. 글의 내용과 관련하여 시간의 변화에 따른 수온 변화 양상을 보여 주는 그래프 자료를 활용할 수 있다.

• 매체의 표현 방법과 그 효과

4에서는 1970년대에만 해도 동해에서 많이 잡히던 명태가 2008년 이후 우리나라 가까운 바다에서는 거의 씨가 말라 버렸다는 사실을 언급하고 있어.

이와 관련하여 **5**에서는 통계청 자료를 활용하여 우리나라 주요 어종의 어획량 변화를 도표로 제시해. 이러한 도표 자료는 비교 대상이 되는 특정한 기간 어획량의 구체적인 수치와 그 변화 양상에 대한 정보를 한눈에 파악할 수 있게 하는 효과가 있어서 글의 내용을 더욱 쉽게 이해할 수 있도록 돕는단다.

또한 우리나라 해역의 수온 변화에 따른 주요 어종의 변화 양상을 보여 주는 지도를 그림 자료로 제시하고 있어. 이러한 그림 자료는 실물이나 상황에 대한 특징을 묘사함으로써 내용을 효과적으로 이해할 수 있게 하지.

▶핵심 포인트◀

우리나라 주요 어종의 어획량 변화 도표	구체적인 수치와 그 변화 양상에 대한 정보를 한눈에 파악할 수 있음.
우리나라 주요 어종의 변화 그림	실물이나 상황에 대한 특징을 그림으로 묘사함으로써 내용을 효과적으로 전달하는 데에 도움이 됨.

• 명태가 사라진 원인

5에서는 국산 명태가 사라진 원인에 대해서 구체적으로 분석하고 있어. 그 원인의 하나는 어린 명태까지 마구잡이로 잡은 것이 되겠지. 그리고 또 다른 원인은 기후의 변화로 동해의 표층 수온이 상승했기 때문이야. 동해가 냉수성 어류인 명태가 살기에는 어려운 환경이 된 것이야. 그 구체적인 근거로 신뢰성 있는 국립수산과학원의 자료를 제시하고 있어.

▶핵심 포인트◀

명태가 사라진 원인	• 어린 명태의 남획 • 동해 표층 수온의 상승

6. 이 글에서 소제목이 하는 역할로 가장 적절한 것은?

① 앞에서 언급한 주요 내용을 정리하고 요약한다.

② 앞으로 설명할 내용을 부연하여 자세히 제시한다.

③ 글의 내용과 관련된 매체 자료가 활용될 것임을 암시한다.

④ 단락의 내용을 압축적으로 제시하여 그 중심 내용을 예측하게 한다.

⑤ 앞으로 다룰 정보에 대한 인과 관계를 분명히 제시하여 내용의 이해를 돕는다.

7. 이 글에 제시된 매체와 그 효과로 적절하지 <u>않은</u> 것은?

① 그림 자료는 특정 기간의 상황 변화를 효과적으로 보여 준다.

② 도표 자료를 통해 주요 어종의 어획량 변화 양상을 보여 준다.

③ 그림 자료는 1980년대와 2000년대의 어종 변화를 한눈에 보여 준다.

④ 도표 자료는 시청각 자료의 일종으로 글의 내용 이해에 도움이 된다.

⑤ 도표 자료는 구체적인 수치를 제시하여 주요 어종의 어획량을 비교하여 보여 준다.

8. ㉠에서 추측할 수 있는 내용으로 가장 적절한 것은?

① 동해의 표층 수온은 1970년대 이전에는 해마다 동일하였군.

② 동해의 표층 수온의 상승은 고등어, 오징어 어획량을 감소시켰군.

③ 동해의 표층 수온이 상승한 만큼 서해의 표층 수온은 하강했겠군.

④ 동해의 표층 수온의 상승은 정어리 어획량을 늘리는 요인이 되었군.

⑤ 동해의 표층 수온 변화는 명태의 서식 환경에 부정적 영향을 끼쳤군.

9. ㉡에서 확인할 수 있는 정보로 가장 적절한 것은?

① 1980년대에는 남해에서 아열대성 물고기가 주로 잡혔다.

② 1980년대에는 동해에서 명태나 정어리가 주로 잡혔다.

③ 2000년대에는 동해의 표층 수온이 급격히 하강하였다.

④ 2000년대에는 서해에서 고등어보다 갈치가 주로 잡힌다.

⑤ 시간의 변화에 관계없이 냉수성 어종인 쥐치는 어디서든지 많이 잡힌다.

|서술형|
10. 이 글에서 명태가 사라진 이유를 찾아 두 가지로 쓰시오.

집 나간 명태를 찾습니다 → 소제목을 통해 앞으로 다루어질 주요 내용을 짐작해 볼 수 있음.

⑥ 명태는 이대로 국민 생선의 명성을 잃고 마는 것일까. 해양수산부는 국산 명태를 복원할 필요성을 인식하고 2014년 '명태 살리기 프로젝트'를 시작했다. 국
완전 양식 기술을 이용하여 국산 명태를 대량으로 번식시키기 위해서
립수산과학원 동해수산연구소, 강원도 한해성수산자원센터, 강릉원주대가 함께 연구팀을 꾸렸다. 이 프로젝트는 국산 명태를 대량으로 번식시킬 수 있도록 완전 양식 기술을 개발하는 데 목표를 두었다.

→ 해양수산부는 완전 양식 기술 개발을 목표로 '명태 살리기 프로젝트'를 시작함.

⑦ 완전 양식은 명태를 인공적으로 키워 종자를 생산하는 기술이다. 먼저 동해에
완전 양식 기술의 개념
서 살아 있는 명태를 잡아 수정란을 얻은 다음 인공적으로 *부화하게 한다. 이렇
수정란을 얻을 수 있는 성숙하고 건강한 명태를 찾아야 하는 이유
게 부화한 어린 고기를 건강한 *성체로 잘 사육해서 다시 수정란을 얻는다. 이 과정이 순조롭게 되풀이된다면 명태를 바다에서 낚지 않고도 계속 생산할 수 있다.
완전 양식 기술로 명태를 대량 생산할 수 있으므로 → 완전 양식 기술의 개념과 과정

⑧ ❶그런데 명태를 완전 양식 하려니 걸림돌이 있었
다. 우선 동해에서 명태를 찾기가 쉽지 않았다. 어쩌다
명태가 사라져 버렸기 때문에
명태를 잡더라도 수정란을 얻을 수 있을 만큼 성숙하
지 않거나 건강하지 않았다. 명태를 잡아 올리는 과정
그물에 걸려 상처가 나거나 스트레스로 2~3일 안에 죽기 쉬움.
도 문제였다. 명태는 깊은 바닷속에서 살기 때문에 *자

▲ 연구소에서 양식되고 있는 명태 치어

망을 이용해서 잡는다. 자망의 그물코는 물고기보다 작아서, 지나가던 물고기들이 그 그물코에 걸려 낚인다. 그물에 걸릴 때 상처가 나거나 스트레스를 받기 때
교과서 날개
문에, 이렇게 잡힌 명태는 2~3일 안에 죽기 일쑤였다. ❷결국, 연구팀은 한 마리
건강한 명태 어미를 얻은 일이 쉽지 않았음을 짐작할 수 있음.
에 50만 원씩 현상금을 걸고 '살아 있는 명태 어미 고기'를 찾아 나섰다.
→ 연구팀이 살아 있는 명태 어미 고기에 현상금을 걸고 찾아 나섬.

⑨ 몸값까지 걸며 간절히 찾은 덕분일까. 명태 살리기 프로젝트를 시작한 이듬해
명태에 걸린 현상금
인 2015년 1월, 건강한 자연산 명태 어미 한 마리를 구할 수 있었다. 그리고 그해
프로젝트 진행을 위한 첫 문제점이 해결됨.
2월, 실내 수조에서 질 좋은 수정란 53만 개를 얻어 인공 부화하였다.
→ 자연산 어미 명태에서 수정란을 얻어 인공 부화에 성공함.

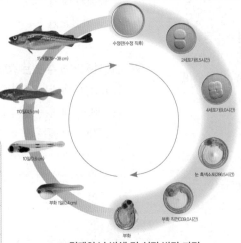

명태 완전 양식 과정	
2015년 1월	자연산 명태 어미 포획
2015년 2월	명태 어미의 알로부터 인공 1세대인 어린 고기 부화
2015년 12월	양식한 인공 1세대 일부를 동해안에 방류
2016년 9월	성체가 된 인공 1세대의 산란
2017년 1월	동해산 명태 67마리 중 2마리가 인공 1세대와 일치하는 것으로 밝혀짐.
2018년 12월	인공 2세대가 산란기를 맞는 시기로 추정됨.

▲ 명태의 난 발생 및 성장 발달 과정

❝ 학습 포인트
· 매체 자료 활용하여 내용 파악하기
· 자료의 표현 방법과 효과 파악하기

읽기 중 활동

교과서 날개

현상금까지 걸면서 살아 있는 명태 어미 고기를 찾은 까닭은 무엇일까요?
→ 명태 완전 양식을 진행하기 위해서, 수정란을 얻을 수 있을 만큼 성숙하고 건강한 명태 어미 고기가 필요했기 때문이다.

➕ 보충 자료
정보로서 가치가 있는 자료
· 출처가 분명하고 검증된 자료
· 주제와 긴밀히 연관된 자료
· 독자의 흥미를 끌 만한 자료
· 일반적인 사례에 해당하는 자료

어휘 풀이
· 부화(孵化): 동물의 알 속에서 새끼가 껍데기를 깨고 밖으로 나옴. 또는 그렇게 되게 함.
· 성체(成體): 다 자라서 생식 능력이 있는 동물. 또는 그런 몸.
· 자망(刺網): 바다에서 물고기 떼가 지나다니는 길목에 쳐 놓아 고기를 잡는 데 쓰는 그물.

어구 풀이
❶ '명태 살리기 프로젝트'를 진행하는 데에 해결해야 할 장애가 있었음을 알 수 있다.
❷ 수정란을 얻을 수 있는 명태 어미를 찾기 위한 연구팀의 노력을 짐작해 볼 수 있다.

• '명태 살리기 프로젝트'의 목표와 과정

　6, 7에서는 '명태 살리기 프로젝트'의 시작과 목표, 진행 과정에 대해서 밝히고 있어. 해양 수산부는 사라진 국산 명태 복원의 필요성을 인식하고, 국산 명태를 대량으로 번식시킬 수 있도록 완전 양식 기술을 개발하고자 하는 목표를 세운 거야. 즉 동해에서 살아 있는 명태 어미 고기를 잡아 수정란을 얻고 이를 인공적으로 부화해. 그리고 부화한 어린 고기를 건강하게 사육하여 다시 수정란을 얻는 과정을 반복하는 거야. 이렇게 하면 명태를 대량으로 생산할 수 있겠지?

> 핵심 포인트 <

목표	국산 명태를 대량으로 번식시킬 수 있도록 완전 양식 기술을 개발하는 것.
과정	동해에서 살아 있는 건강하고 성숙한 명태 어미 고기를 잡아 수정란을 얻음. → 수정란을 부화함. → 어린 고기를 성체로 잘 사육함. → 다시 수정란을 얻어 부화함.

• 매체 자료의 효과 파악하기

　8, 9에서는 글의 내용을 쉽게 이해하도록 돕고 효과적으로 전달하기 위해서 사진, 표, 도해와 같은 매체 자료를 활용하고 있어. 먼저 명태 치어 사진은 치어가 사육되고 있는 모습을 현장감 있고 실감 나게 확인할 수 있게 해. 그리고 명태 완전 양식 과정을 정리한 표는 실제 '명태 살리기 프로젝트'의 성공 과정을 한눈에 알아볼 수 있게 정리해 주지. 마지막으로 명태의 난 발생 및 성장 발달 과정을 정리한 도해는 명태의 한살이를 보여 줌으로써 명태의 양식 과정을 쉽게 이해할 수 있게 해.

> 핵심 포인트 <

명태 치어 사진	치어 사육 모습을 사실적으로 전달함.
명태 완전 양식 과정 표	프로젝트의 성공 과정을 한눈에 볼 수 있게 정리함.
명태의 난 발생 및 성장 발달 과정 도해	명태의 한살이를 보여 주어 명태 양식 과정을 쉽게 이해할 수 있게 함.

11. 이 글의 내용과 일치하지 않은 것은?

① 자망으로 잡은 명태는 상처나 스트레스로 죽기 일쑤였다.
② 완전 양식은 명태를 자연 상태에서 키워 종자를 생산하는 기술이다.
③ '명태 살리기 프로젝트'는 국산 명태 완전 양식 기술 개발이 목표이다.
④ 양식에 필요한 수정란은 건강하고 성숙한 명태 어미에서 얻을 수 있다.
⑤ '명태 살리기 프로젝트' 연구팀의 첫 걸림돌은 동해 명태 어미를 찾기 어려운 것이었다.

12. 이 글에 활용된 매체 자료에 대한 이해로 적절하지 않은 것은?

① 매체 자료들이 정보를 효과적으로 전달하고 있군.
② 명태 치어 사진은 양식 모습을 사실적으로 보여 주는군.
③ 명태 양식 과정을 보여 주는 표는 글쓴이의 의견을 덧붙여 이해를 돕는군.
④ 매체를 활용하면 독자의 관심을 끌고 대상을 인상 깊게 기억하도록 하는군.
⑤ 명태의 난 발생과 성장 발달 과정을 보여 주는 도해는 명태의 한살이를 한눈에 보여 주는군.

13. 이 글에 〈보기〉와 같은 의견이 반영되도록 매체 자료를 활용하고자 할 때, 가장 적절한 것은?

> 보기

• 시각 자료로 제시할 수 있을 것.
• 명태 어미를 찾는 연구팀의 노력이 드러날 것.

① 명태 치어가 사육되는 모습을 동영상으로 보여 준다.
② 과거 명태잡이 어선이 많은 명태를 잡아 올리는 사진을 제시한다.
③ 바닷가에서 낚시로 고기를 잡고 있는 어부의 인터뷰 영상을 활용한다.
④ 동해의 표층 수온 변화를 계절별로 보여 주는 꺾은선 그래프를 제시한다.
⑤ 연구팀이 살아 있는 명태 어미 고기에 현상금을 내건 포스터나 광고를 제시한다.

|서술형|

14. 8에서 연구팀이 '살아 있는 명태 어미 고기'를 찾아 나선 이유를 간략히 쓰시오.

명태 완전 양식, 세계 최초로 성공하다 → '명태 살리기 프로젝트'의 성공

10 '명태 살리기 프로젝트' 연구팀은 명태가 살기에 가장 적절한 수온을 찾기 시
_{교과서 날개}
작했다. 그 결과 섭씨 7~12도(℃)에서 잘 자란다는 사실을 알아냈다. 그리고 명
_{명태 완전 양식을 위한 연구팀의 연구 내용 ①}
태를 키우는 실내 수조에 *병원체가 얼마나 있는지, 이것이 어린 고기에게 어떤
_{명태가 잘 자라는 수온}
영향을 미치는지도 연구했다. 어린 고기가 질병에 걸리는 일을 예방해 초기 생존
_{명태 완전 양식을 위한 연구팀의 연구 내용 ②}
율을 높이기 위해서였다. →명태 완전 양식을 위해 명태에 적절한 수온과 수조 내 병원체를 연구함.
_{명태를 키우는 수조 내의 병원체를 연구한 이유}

11 또 하나 특별하게 고려한 것은 먹이였다. 알
_{명태 완전 양식을 위해 연구팀이 특별히 고려한 것이 먹이임.}
에서 부화한 새끼 명태에게 적합한 저온성 먹이
생물이 당장 없었기 때문이다. 보통은 어류 종자
를 생산할 때 동물성 플랑크톤인 로티퍼를 먹이
로 쓴다. 그래서 명태가 사는 차가운 물에 로티

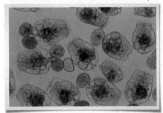
명태 양식에 필요한 먹이 생물을 사실적으로 드러
내기는 하지만, 글의 이해에 꼭 필요한 정보는 아님.

▲ 로티퍼

퍼를 넣었더니, 로티퍼는 활력을 잃고 수조 바닥으로 가라앉아 버렸다. 로티퍼는
_{명태에게 알맞은 수온이 로티퍼에게는 너무 낮음. → 저온성 로티퍼 개발의 필요성}
섭씨 25도(℃) 이상의 환경에서 잘 자라기 때문에, 명태에게 맞는 온도가 로티퍼
에게는 너무 낮았던 것이다. 그렇게 가라앉은 로티퍼는 심지어 수질을 악화시키
_{명태 성장에 나쁜 영향을 끼치게 됨.}
기까지 했다. →동물성 플랑크톤인 로티퍼를 명태 먹이로 사용했으나 실패함.

12 연구팀은 '저온성 먹이생물 *배양 장치'를 개발해, 로티퍼가 자라는 수조의 온
_{명태 완전 양식을 위한 연구팀의 연구 내용 ③}
도를 단계적으로 낮췄다. 그런 다음 차가운 물에서도 활기를 띠는 로티퍼만 고른
뒤 따로 배양했다. 이렇게 배양한 로티퍼는 약 섭씨 10도(℃)의 물에서 10퍼센트
_{명태의 먹이생물인 저온성 로티퍼 배양 과정}
(%) 이상 *증식했다. ❶저온성 로티퍼는 명태뿐 아니라 대구 등 다른 냉수성 어류
_{명태 완전 양식에 쓰일 저온성 로티퍼 배양에 성공함.}
를 사육하는 데에도 큰 역할을 하리라 본다.
→연구팀이 '저온성 먹이생물 배양 장치'를 통해 저온성 로티퍼 배양에 성공함.

13 연구팀은 고도 불포화 지방산(EPA, DHA) 같은 영양 성분이 든 고에너지 명
태 전용 배합 사료도 개발했다. 명태가 잘 성장하고 성숙하는 데 필요한 영양 성
_{명태 완전 양식을 위한 연구팀의 연구 내용 ④}   _{연구팀이 양식하는 명태가 자연 상태에서보다 빨리 성장한 이유}
분을 이 사료로 공급했다. ❷그 결과, 연구팀이 사육하는 명태는 자연 상태에서
보다 훨씬 빨리 자랐다. 명태는 원래 알을 낳을 정도로 성숙하는 데 3~4년이 걸
리지만, 연구팀이 키운 명태는 약 1년 8개월 만에 성숙해 2016년에 알을 낳았다.
명태의 완전 양식을 하는 데 세계 최초로 성공한 것이다.
_{'명태 살리기 프로젝트'의 결과로, 이 글의 핵심 내용임.}
→명태 전용 배합 사료를 개발해 사용한 연구팀이 세계 최초로 명태 완전 양식에 성공함.

읽기 중 활동

교과서 날개
우리나라 연구팀이 세계 최초
로 명태를 완전 양식하기 위해
연구한 내용을 정리해 봅시다.
→ 명태가 살기에 가장 적절한
수온, 실내 수조의 병원체, 저
온성 먹이생물 배양 장치, 고에
너지 명태 전용 배합 사료

어휘 풀이
· 병원체(病原體): 병의 원인이
되는 본체. 세균, 바이러스,
기생충 등의 미생물이 이에
해당한다.
· 배양(培養): 인공적인 환경을
만들어 동식물 세포와 조직
의 일부나 미생물 따위를 가
꾸어 기름.
· 증식(增殖): 늘어서 많아짐.
또는 늘려서 많게 함.

어구 풀이
❶ 연구팀이 개발한 '저온성 먹
이생물 배양 장치'를 통해 배양
된 저온성 로티퍼가 명태뿐 아
니라 대구 등과 같은 다른 냉
수성 어류 양식에도 도움이 될
것이라는 글쓴이의 전망이 드
러난다.
❷ 연구팀이 개발한 고에너지
명태 전용 배합 사료를 먹여
키운 명태가 자연 상태에서보
다 성장과 성숙에 필요한 영양
성분을 충분히 공급받았기 때
문이다.

찬찬샘 핵심 강의

• '명태 살리기 프로젝트' 연구팀의 노력

　⑩~⑬에는 연구팀이 명태를 완전 양식하기 위해서 기울인 노력과 연구 내용을 소개하고 있어. ⑩에서는 연구팀이 명태가 살기에 가장 적절한 수온을 알아낸 사실, 어린 고기의 생존율을 높이기 위해서 명태를 키우는 수조 내의 병원체에 대해서 연구한 내용을 언급하고 있어. ⑪에서는 동물성 플랑크톤인 로티퍼를 명태 먹이로 사용했다가 실패한 사실을 밝히고 있고, ⑫에서는 ⑪의 실패를 바탕으로 연구팀이 저온성 먹이생물 배양 장치를 통해 냉수성 어류인 명태의 먹이로 쓸 수 있는 저온성 로티퍼를 배양한 과정을 알려 줘. ⑬에서는 명태를 자연 상태에서보다 빨리 성장하고 성숙하게 하는 고에너지 명태 전용 배합 사료 연구 개발에 대해서 소개하고 있어.

›핵심 포인트‹

'명태 살리기 프로젝트' 연구팀의 연구 내용	• 명태가 살기에 가장 적절한 수온 • 명태 수조 내의 병원체 • 저온성 먹이생물 배양 장치 • 고에너지 명태 전용 배합 사료

• 매체 자료의 적절성 판단하기

　⑩~⑬에서는 세계 최초로 명태 완전 양식을 하기 위해 연구팀이 연구한 내용들이 소개되고 있어. 여기서 활용한 로티퍼 사진 자료는 명태의 먹이가 되는 로티퍼의 모습을 사실적으로 전달할 수 있으나, 이 글의 내용 이해와 관련하여 판단해 볼 때 꼭 필요한 정보는 아니야. 글의 내용과 관련하여 무조건 많은 매체 자료를 사용해야 효과적인 것은 아니란다. 주제나 내용과의 관련성, 글의 내용에 대한 이해에 도움이 되는지 여부, 자료가 있을 때와 없을 때의 차이 등을 고려해 보고 사용하고자 하는 자료가 적절한지 판단해 볼 필요가 있어.

›핵심 포인트‹

로티퍼 사진 자료의 적절성	명태의 먹이인 로티퍼를 실감 나게 보여 줄 수는 있으나, 글의 내용을 이해하는 데 꼭 필요한 정보는 아님.

콕콕 확인 문제

15. 이 글을 능동적으로 읽는 방법으로 적절하지 않은 것은?
① 문자 하나하나의 지시적 의미에 집중하면서 읽는다.
② 소제목을 통해 단락의 주요 내용을 예측하며 읽는다.
③ 매체 자료에 담긴 정보를 적극적으로 파악하며 읽는다.
④ 배경지식을 활용하면서 글의 의미를 재구성하며 읽는다.
⑤ 스스로 내용과 관련된 질문을 만들고 그 답을 찾아보며 읽는다.

16. 이 글에서 확인할 수 있는 정보로 적절하지 않은 것은?
① 우리나라 연구팀은 명태 완전 양식을 세계 최초로 성공하였다.
② 연구팀은 명태가 섭씨 7~12도에서 잘 자란다는 사실을 알아냈다.
③ 연구팀이 배양한 저온성 로티퍼는 섭씨 10도의 물에서 대부분 증식했다.
④ 연구팀의 배합 사료를 먹은 명태는 자연 상태에서보다 빨리 성장했다.
⑤ 명태 수조의 병원체를 연구한 이유는 초기 생존율을 높이기 위해서이다.

17. 이 글에 제시된 '로티퍼 사진' 자료에 대한 적절성을 평가한 내용으로 가장 적절한 것은?
① 저온성 로티퍼 개발 과정을 순차적으로 보여 준다.
② 저온성 로티퍼의 필요성을 강조하는 효과를 준다.
③ 명태의 먹이 활동 과정을 효과적으로 이해할 수 있게 한다.
④ 대상의 모습을 사실적으로 보여 주나 글 이해에 꼭 필요한 자료는 아니다.
⑤ 일반적인 로티퍼와 연구팀이 개발한 로티퍼의 차이를 효과적으로 보여 준다.

18. 이 글에서 연구팀이 명태 완전 양식을 위해 연구한 내용에 해당하지 않은 것은?
① 명태가 살기에 가장 적절한 수온
② 저온성 먹이생물 배양 장치 개발
③ 명태를 키우는 수조 내의 병원체
④ 고에너지 명태 전용 배합 사료 개발
⑤ 로티퍼를 이용한 대구와 같은 냉수성 어류 사육

|서술형|
19. 연구팀이 저온성 먹이생물 배양 장치를 개발한 이유를 ⑪의 내용을 바탕으로 쓰시오.

명태의 오늘과 내일 → 명태의 완전 양식과 관련된 현재 상황과 미래의 전망이 드러남.

학습 포인트

66 학습 포인트
· 글의 내용 파악하기
· 전문가의 말을 인용한 의도
  파악하기

해설 **14** 2017년 1월 23일, 해양수산부는 2016년 동해에서 잡힌 명태 가운데 예
순일곱 마리의 유전 정보를 분석해 봤더니 그중 두 마리의 유전 정보가 2015년
에 °방류한 인공 1세대의 것과 일치했다고 밝혔다. 인공적으로 키워 방류한 명태
가 자연에 잘 적응해 살고 있다는 뜻이다.
양식하여 동해에 방류한 명태가 자연에서도 잘 적응하여 살고 있음.
교과서 날개
→ 인공 양식하여 방류한 명태가 자연에서 잘 적응해 살고 있음.

15 이제부터는 명태를 대량으로 생산할 방법을 찾아야 한다. ❶국립수산과학원
동해수산연구소 변순규 박사는 "유전적 다양성을 위해 자연산 명태 어미 고기를
계속 확보하고, 1세대 어미를 관리해 질 좋은 수정란을 얻는 기술을 발전시킬 계
획"이라고 말했다. 또 "질병을 예방하기 위해 계속 관찰하면서 우수한 종자를 만
들 수 있는 기술을 개발할 것"이라고 밝혔다.
명태 완전 양식 이후의 과제
명태 대량 생산을 위한 과제 ①
명태 대량 생산을 위한 과제 ②
→ 명태 대량 생산을 위한 과제

16 그렇다면 이렇게 키운 명태를 언제쯤 맛볼 수 있을까? 이제 막 인공 양식 기
술을 개발한 수준이므로 양식 명태가 당장 식탁에 오르기는 어렵다. 변 박사
는 "어업인들에게 수정란을 분양하고 기술 지도를 하고 있다."라고 말했다. 국
립수산과학원에서는 대량 생산이 되면 육지에서는 수조 양식으로, 바다에서는
°가두리 양식으로 동시에 명태를 키워 낼 계획도 하고 있다. 이대로라면 머지않
아 우리 식탁에 국산 양식 명태가 올라오지 않을까 기대한다.
문답법을 사용하여 글 전개에 변화를 줌.
명태를 대량 양식하여 생산할 계획이 있음.
명태 대량 생산에 대한 글쓴이의 전망
→ 명태의 대량 생산으로 머지않아 우리 식탁에 국산 양식 명태가 오를 것으로 기대함.
– 『과학동아』, 2017년 3월호

읽기 중 활동

교과서 날개
인공적으로 키운 명태를 바다
에 방류한 까닭은 무엇일까요?
→ 인공적으로 양식한 명태가
자연 상태에서 잘 적응해 살
수 있는지 확인하기 위해서이
다.

➕ 보충 자료
**글에 사용된 자료의 적절성 판단
하기**
· 필요한 형태로 적절한 위치에
  제시되었는가?
· 필요한 정보 수준으로 제시되
  어 글의 내용을 이해하는 데 도
  움이 되는가?
· 내용이 정확하고 출처가 믿을
  만한가?
· 자료가 글쓴이의 주장이나 설
  명 내용에 적합한가?

어휘 풀이
· 방류(放流): 물고기를 기르기
  위하여, 어린 새끼 고기를 강
  물에 놓아 보냄.
· 가두리 양식(–––養殖): 그
  물을 물에 쳐서 구획을 지어,
  그 안에서 여러 가지 물고기
  를 기르고 번식시키는 일.

어구 풀이
❶ 관련 전문가의 말을 인용하
여 정보의 신뢰성을 높이고 독
자의 이해를 돕고 있다.

• 명태의 현재 상황

14에서는 인공적으로 양식하여 동해에 방류한 명태가 자연에 잘 적응해 살고 있다는 사실을 확인할 수 있어. 그럼 명태를 양식하여 바다에 방류한 의도는 무엇일까? 양식된 명태가 과연 동해에서 잘 살아갈 수 있는지를 확인해 보고 싶었던 거야. 그래서 해양수산부에서는 2016년 동해에서 잡힌 명태 예순일곱 마리의 유전 정보를 분석하고, 그중에서 2015년 인공 양식하여 방류했던 명태가 있는지 확인했어. 양식한 인공 1세대 명태들이 동해에 잘 적응했음을 입증한 거지.

◆핵심 포인트◆

명태의 현재 상황	2015년 동해에 방류한 양식 1세대 명태들이 자연에 잘 적응했음이 밝혀짐.

• 전문가의 말을 인용한 의도

글쓴이는 명태 대량 생산 방법과 관련하여 국립수산과학원 동해수산연구소 변순규 박사의 말을 인용하고 있어. 이렇게 전문가의 말을 인용하면 정보의 정확성과 신뢰성이 높아지는 효과가 있어. 변순규 박사는 명태를 대량 생산하기 위한 두 가지 과제를 제시하고 있어. 유전적 다양성 확보를 위해서 자연산 명태 어미 고기를 계속 확보하고 1세대 어미를 잘 관리해 질 좋은 수정란을 얻는 기술을 발전시켜야 한다는 점, 또 명태의 우수한 종자를 만들 수 있는 기술을 개발해야 한다는 점을 밝히고 있어. 그리고 어업인들에게 명태 양식 기술을 전수하고, 육지의 수조 양식과 바다의 가두리 양식으로 동시에 명태를 사육하면 글쓴이의 말처럼 대량 생산이 가능하지 않을까? 국산 명태와 식탁에서 만날 날을 기대해 보자.

◆핵심 포인트◆

전문가의 말을 인용한 의도	글의 내용과 관련된 정보의 정확성과 신뢰성이 높아짐.

20. 글쓴이가 이 글의 제목을 '명태의 귀환'이라고 붙인 이유로 가장 적절한 것은?

① 명태의 서식지로 동해의 환경이 가장 최적임을 부각하려고

② 사라졌던 명태를 인공 양식을 통해 복원한 사실을 전달하려고

③ 명태가 사라졌던 원인에 대해서 심층 분석한 내용을 알려 주려고

④ 명태의 인공 양식으로 동해의 명태 어획량이 급증했음을 강조하려고

⑤ 명태의 양식 성공으로 명태가 국민 생선의 위상을 되찾았음을 밝히려고

21. 14의 중심 내용과 관련하여 제시할 수 있는 매체 자료로 가장 적절한 것은?

① 동해의 표층 수온 변화 그래프

② 2016년도 동해의 명태 어획량 표

③ 어린 명태를 동해에 방류하는 사진

④ 연구팀이 명태의 수정란을 채취하는 영상

⑤ 바다의 가두리에서 명태가 사육되는 사진

22. 이 글에서 전문가의 말을 인용한 의도로 가장 적절한 것은?

① 양식 명태만이 갖고 있는 유전 정보의 특성을 상세히 보여 준다.

② 명태의 우수한 종자 확보를 위해 자연 환경을 보존해야 함을 강조한다.

③ 명태 대량 생산 계획에 대한 독자의 이해를 돕고 정보의 신뢰성을 높인다.

④ 명태 생산량의 구체적인 수치 변화 추이를 보여 주어 독자의 이해를 돕는다.

⑤ 국립수산과학원에서 진행한 명태 복원 과정을 처음부터 끝까지 요약적으로 보여 준다.

|서술형|
23. 연구팀이 인공 양식한 명태를 동해에 방류한 이유를 간략히 쓰시오.

학습활동

이해 활동

1. 소제목과 제시된 사진을 바탕으로 이 글의 내용을 정리해 봅시다.

'국민 생선' 명태

• 다양한 이름을 가진 명태는 여러 종류의 음식 재료로 사용된다.
• 한국인의 입맛에 맞는 명태는 한 해에 25만 톤이나 소비된다.

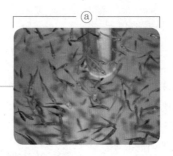

국산 명태가 사라졌다

• 오늘날 우리가 소비하는 명태는 대부분 수입된 것이다.
• 예시 답 | 어린 명태까지 마구잡이로 잡아들이고, 기후 변화로 동해의 표층 수온이 상승해서 명태가 사라졌다.

집 나간 명태를 찾습니다

• 예시 답 | 명태의 완전 양식을 위한 '명태 살리기 프로젝트'가 시작되었다.
• 예시 답 | 힘들게 구한 자연산 명태에서 수정란을 얻어 인공 부화에 성공하였다.

ⓐ

명태 완전 양식, 세계 최초로 성공하다

• 적절한 수온과 병원체에 관한 연구를 바탕으로 어린 명태의 초기 생존율을 높였다.
• 어린 명태를 위한 저온성 먹이생물과 전용 배합 사료를 개발하여 영양분을 공급하였다.

명태의 오늘과 내일

• 예시 답 | 인공적으로 키워 방류한 명태가 자연에 성공적으로 적응해 잘 살고 있다.
• 예시 답 | 국립수산과학원에서는 명태를 대량으로 키우고 생산해 낼 계획을 세우고 있다.

---

1. 소제목을 중심으로 주요 내용 정리하기

★ 지학이가 도와줄게!

본문 날개 질문의 답을 확인하고, 소제목, 매체 자료의 연관성에 주목하면서 주요 내용을 정리해 봐. 소제목별로 관련 사진을 제시하고 있으므로 이를 고려하여 핵심어, 중심 내용을 파악해 보면 될 거야.

시험엔 이렇게!!

1. 이 글의 내용과 일치하지 않은 것은?

① 명태 치어의 남획은 명태 어획량 감소의 원인에 해당한다.
② 명태 완전 양식은 세계 최초로 성공한 쾌거라고 할 수 있다.
③ 명태는 다양한 이름을 가지고 있고 여러 종류의 음식 재료로 사용된다.
④ 인공적으로 양식된 명태는 자연에 성공적으로 적응했다고 볼 수 있다.
⑤ 우리 국민의 입맛에 맞는 명태는 국내에서 한 해에 25만 톤이나 생산된다.

2. ⓐ와 연관 지어 파악한 내용으로 가장 적절한 것은?

① 미래의 우리 밥상에서 명태를 보기가 어렵겠군.
② 명태는 수온과 상관없이 어디서든 잘 자라는군.
③ 국립수산과학원에서는 명태를 대량으로 수입하고 있군.
④ 기후 환경의 변화로 동해에 명태에 다시 돌아오고 있군.
⑤ 자연산 명태에서 수정란을 얻어 인공 부화에 성공하였군.

목표 활동

1. 이 글에 제시된 매체 자료와 그 효과를 연결해 보고, 매체 자료의 명칭을 적어 봅시다.

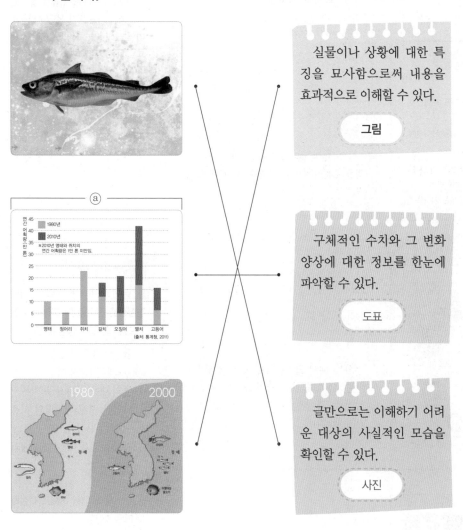

실물이나 상황에 대한 특징을 묘사함으로써 내용을 효과적으로 이해할 수 있다.

그림

구체적인 수치와 그 변화 양상에 대한 정보를 한눈에 파악할 수 있다.

도표

글만으로는 이해하기 어려운 대상의 사실적인 모습을 확인할 수 있다.

사진

효과적인 이해를 돕는, 매체 자료

매체 자료는 사진, 그림, 도표 등의 시각 자료, 소리, 음악 등의 청각 자료, 동영상, 애니메이션 등의 시청각 자료 등으로 나뉩니다. 내용과 어울리는 매체 자료를 사용하면 내용을 효과적으로 전달할 수 있고, 글이나 매체를 읽는(보는) 이의 이해를 돕고 관심을 유발하여 신뢰성을 높일 수 있습니다.

1. 매체 자료의 다양한 표현 방법의 효과와 적절성 판단하기

🪄 지학이가 도와줄게!

글에 사용된 매체 자료의 다양한 표현 방법의 효과와 적절성에 대해 판단하고 점검해 보는 활동이야. 그러니까 단순히 어휘나 문장 표현의 차원에서가 아니라 도표, 그림, 사진 등의 다양한 자료의 표현 방법과 그 효과, 적절성에 대해서 글의 내용과 관련지어 생각해 보아야 해.

시험엔 이렇게!!

3. 글에서 다양한 매체 자료를 사용하여 얻을 수 있는 효과로 적절하지 **않은** 것은?

① 독자의 관심과 주의를 끌 수 있다.
② 정보에 대한 이해도를 높일 수 있다.
③ 정보에 대한 신뢰도를 높일 수 있다.
④ 정보를 인상적으로 전달할 수 있다.
⑤ 다양한 주제를 동시에 전달할 수 있다.

4. ⓐ와 같은 매체 자료의 특성으로 가장 적절한 것은?

① 사실적인 느낌과 현장감을 준다.
② 비언어적인 정보를 많이 포함한다.
③ 대상의 특징을 구체적으로 묘사한다.
④ 복잡한 수치와 변화 양상을 효과적으로 제시한다.
⑤ 시간의 경과에 따른 변화 추이를 영상으로 보여 준다.

학습활동

2. 이 글에 제시된 매체 자료가 글의 이해에 얼마나 도움이 되었는지 평가해 봅시다.

제시 자료	효과와 적절성 평가
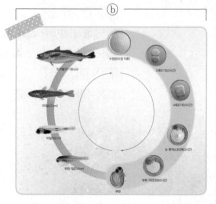 ⓐ **명태 완전 양식 과정** 2015년 1월 — 자연산 명태 어미 포획 2015년 2월 — 명태 어미의 알로부터 인공 1세대인 어린 고기 부화 2015년 12월 — 양식한 인공 1세대 일부를 동해안에 방류 2016년 9월 — 성체가 된 인공 1세대의 산란 2017년 1월 — 동해산 명태 67마리 중 2마리가 인공 1세대와 일치하는 것으로 밝혀짐. 2018년 12월 — 인공 2세대가 산란기를 맞는 시기로 추정됨.	효과가 작다. ──○──○──◑──○──● 효과적이고 적절하다. **까닭** 실제 '명태 살리기 프로젝트'의 성공 과정을 한눈에 알아볼 수 있게 정리하고 있다.
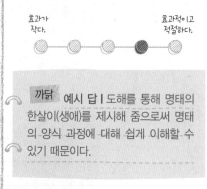 ⓑ	효과가 작다. ──○──○──○──◕──○ 효과적이고 적절하다. **까닭** 예시 답ㅣ도해를 통해 명태의 한살이(생애)를 제시해 줌으로써 명태의 양식 과정에 대해 쉽게 이해할 수 있기 때문이다.
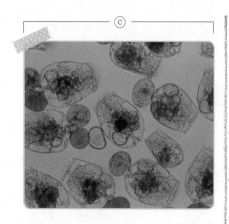 ⓒ	효과가 작다. ──○──●──○──○──○ 효과적이고 적절하다. **까닭** 예시 답ㅣ로티퍼 사진은 명태의 양식에 필요한 먹이생물을 사실감 있게 보여 주고는 있으나, 글을 이해하는 데 꼭 필요한 것은 아니기 때문이다.

2. 글에 사용된 매체 자료의 효과 판단하기

지학이가 도와줄게!

글에 제시된 매체 자료의 효과와 적절성에 대해 평가 척도를 활용하여 판단해 보는 활동이야. 매체 자료의 표현 방법이 무조건 적절하다고 평가하기보다는 설명하고자 하는 대상이나 정보를 효과적으로 이해할 수 있도록 제시하였는지, 글의 내용과 관련성이 있는지, 매체 자료의 형태, 위치, 정보 수준 등이 적절한지 등에 대해 검토해 볼 필요가 있어.

시험엔 이렇게!!

5. 글에 쓰인 매체 자료의 효과와 적절성을 판단할 때 고려해야 할 점으로 적절하지 <u>않은</u> 것은?

① 글 내용과의 관련성
② 주제의 뒷받침 여부
③ 글의 내용 이해 도움 여부
④ 다양한 색채와 도형의 사용 여부
⑤ 자료가 없을 때와 있을 때의 차이 여부

6. ⓐ~ⓒ에 대한 이해로 적절하지 <u>않은</u> 것은?

① ⓐ는 '명태 살리기 프로젝트'의 성공 과정을 한눈에 보여 주는군.
② ⓐ는 매체 자료를 글의 내용과 관련하여 효과적으로 제시했군.
③ ⓑ는 명태의 양식 과정을 쉽게 알 수 있게 하는군.
④ ⓒ는 명태의 먹이생물을 사실감 있게 보여 주는군.
⑤ ⓑ와 달리 ⓒ는 글을 이해하는 데 꼭 필요한 자료라고 할 수 있군.

246   5. 이해를 돕는 매체

3. 이 글의 이해를 돕기 위해 ㉮~㉲를 추가하려고 할 때, 적절한 부분을 찾고 그렇게 생각한 까닭을 적어 봅시다.

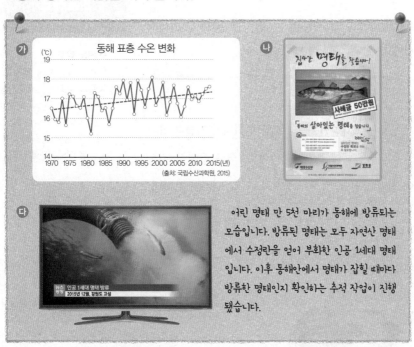

㉮ 동해 표층 수온 변화
(출처: 국립수산과학원, 2015)

㉯ 집나간 명태를 찾습니다!
사례금 50만원

㉲ 어린 명태 만 5천 마리가 동해에 방류되는 모습입니다. 방류된 명태는 모두 자연산 명태에서 수정란을 얻어 부화한 인공 1세대 명태입니다. 이후 동해안에서 명태가 잡힐 때마다 방류한 명태인지 확인하는 추적 작업이 진행됐습니다.

자료	자료를 추가할 부분	까닭
㉮	국립수산과학원에 따르면 동해의 연평균 표층 수온은 1970년부터 2016년까지 47년간 섭씨 0.93도(℃)가량 올랐다.	시간의 흐름에 따른 표층 수온 변화 양상의 구체적인 수치를 제시하여 글의 내용을 뒷받침할 수 있기 때문이다.
㉯	예시 답ㅣ결국, 연구팀은 한 마리에 50만 원씩 현상금을 걸고 '살아 있는 명태 어미 고기'를 찾아 나섰다.	예시 답ㅣ'살아 있는 명태 어미 고기'를 찾기 위한 연구팀의 노력을 더욱 효과적으로 이해할 수 있다.
㉲	예시 답ㅣ2017년 1월 23일, 해양수산부는 2016년 동해에서 잡힌 명태 가운데 예순일곱 마리의 유전 정보를 분석해 봤더니 그중 두 마리의 유전 정보가 2015년에 방류한 인공 1세대의 것과 일치했다고 밝혔다.	예시 답ㅣ양식하여 방류한 명태가 자연 상태에 적응하여 살아남았다는 중심 화제를 뒷받침하는 구체적인 장면이면서 추적 관찰의 사실을 증명해 주는 자료로서 효과적이다.

➕ 보충 자료

영상 매체의 특징
• 다양한 장르와의 혼합이 가능하다.
• 시각과 청각을 모두 사용하여 내용을 전달한다.
• 인쇄 매체보다 신속하게 내용을 전달할 수 있다.
• 짧은 시간에 다수의 사람에게 많은 정보를 전달할 수 있다.
• 문자, 소리, 영상 등을 활용하여 복합적 정보를 제시할 수 있다.
• 감각적으로 정보를 제시하기 때문에 생생한 현장감을 전달할 수 있다.

3. 글의 내용을 효과적으로 뒷받침할 수 있는 자료의 형태와 적정 위치 판단하기

지학이가 도와줄게!

추가로 제시한 매체 자료 유형을 판단해 보고 그 특성을 고려한 후 글의 내용 중 어느 부분과 관련이 있는지 먼저 생각해 봐. 인터넷이 발달한 오늘날의 매체 환경을 고려해 보면 글의 내용과 관련한 다양한 자료들을 탐색하여 활용할 수 있다는 점도 기억해 두자.

시험엔 이렇게!!

7. 3번 활동의 ㉮가 〈보기〉를 뒷받침하는 데에 효과적인 이유로 가장 적절한 것은?

〈보기〉
국립수산과학원에 따르면 동해의 연평균 표층 수온은 1970년부터 2016년까지 47년간 섭씨 0.93도(℃)가량 올랐다.

① 방류한 명태의 자연 적응을 사실적으로 보여 주어서
② 동해의 표층 수온이 명태 서식에 적절함을 알려 주어서
③ 명태 안전 양식에 힘을 쏟는 연구팀의 노력을 부각할 수 있어서
④ 시간 경과에 따른 동해 표층 수온 변화 양상을 수치로 보여 주어서
⑤ 장면을 통해 감각적인 정보를 제시함으로써 생생한 현장감을 전달할 수 있어서

학습활동

창의 · 융합 활동

혼자 하기

1. 다음은 중학교 『음악』 교과서 일부입니다. 이어지는 활동을 통해 교과서에 제시된 매체 자료와 그 효과에 대해 생각해 봅시다.

1. 교과서에 제시된 매체 자료와 그 효과 파악하기

장구

　　장구는 채를 들고 친다는 뜻으로 '장고(杖鼓)', 통의 모양이 허리가 가늘다 하여
<small>장구 명칭의 유래</small>
'세요고(細腰鼓)'라고도 한다. 우리나라의 대표적인 타악기로, 궁중 음악을 비롯
하여 정악과 민속 음악 전반에 널리 쓰인다. 장구의 통으로는 오동나무가 쓰이며,
<small>민간에 계승되어 온 우아하고 고상한 순정(純正) 음악을. 궁중 음악에 상대하여 이르는 말.</small>
북편은 소가죽, 채편은 주로 말가죽이 쓰인다.
<small>장구 주요 부분에 쓰인 재료</small>

악기 구조 — 사진 자료를 제시하여 장구의 구조에 대해서 이해하기 쉽게 보여 줌.

- 조임줄
- 울림통
- 조롱목
- 채편 – 채로 치는 오른쪽 얇은 가죽면 (오른쪽)
- 소가죽으로 만든 장구의 북면 – 북편 (왼쪽)
- 갈고리쇠
- 조이개
- 궁굴채 – 장구를 칠 때에 왼손에 쥐고 장단을 치는 채. 곧은 대나무 뿌리 막대기에 박달나무를 동그랗게 깎아 끼워서 만듦.
- 열채 – 장구를 칠 때에 오른손에 쥐고 장단을 치는 채. 길이가 30cm 정도 되는 쪼갠 대나무를 가늘게 깎아서 만듦.

연주 자세

　　『장구의 북편이 왼쪽, 채편이 오른쪽으로 가도록 하고, 몸의 중앙에 장구를 둔다. 허리를 곧게 펴고 다리는 책상다리로 앉아 오른발로 장구를 고정한다.』
<small>『 』: 장구 연주의 기본 자세</small>
① **채편**: 채를 잡을 때는 대나무의 겉이 손등과 같은 방향이 되도록 하며, 엄지손가락과 집게손가락으로 채를 누르듯이 손바닥에 잡는다. 채 끝이 채편 중앙에 오도록 하며, 45°로 기울게 잡고 연주한다.

② **북편**: 북편 테두리 위쪽 변죽에 엄지손가락을 가볍게 대고 손가락을 모아 북편 가운데를 쳐서 연주한다. 사물이나 설장구를 연주할 때는 궁굴채를 사용한다.

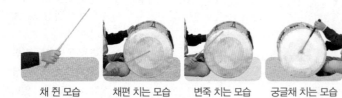

| 채 쥔 모습 | 채편 치는 모습 | 변죽 치는 모습 | 궁굴채 치는 모습 | 북편 치는 모습 |

○ 활동 탐구
『음악』 교과서에 제시된 다양한 자료의 효과 및 적절성을 판단하는 활동이다. 앞서 배운 매체 자료를 평가하며 읽는 행위가 타교과의 학습에도 직접적인 관련이 있음을 이해하도록 한다.

○ 활동 제재 개관
갈래: 설명문
성격: 정보 전달적, 객관적
제재: 장구
주제: 장구에 대한 소개와 악기 구조, 연주 자세 및 장구 부호에 대한 설명
특징
• 사진, 도표 자료를 통해 독자의 이해를 돕고 있다.
• 장구의 명칭, 각 부분의 재료, 구조와 연주 자세, 장구 부호 등에 대해 객관적으로 설명하고 있다.

○ 정보 전달을 위한 매체 자료 활용 방안

시간적 순서나 논리적 선후 관계가 있는 사건, 사물 등을 소개하거나 보고할 때	동영상 또는 여러 장의 시각 자료 등
추상적 개념이나 용어, 복잡한 구조를 지닌 대상을 설명할 때	사진 자료, 실물 자료, 모형 등
통계나 다양한 양상 변화를 정리하여 보고할 때	도해나 도표, 표, 그래프 등

장구의 부호

부호	이름	구음	연주법
⦶	합장단	덩	북편과 채편을 동시에 친다.
◯	북편	쿵	왼손 또는 궁굴채로 북편을 친다.
│	채편	덕	채로 채편을 친다.
┊	겹채	기덕	채로 채편을 연이어 친다.
⋮	굴림채	더러러러	채로 채편을 굴려서 친다.
•	찍음채	더	채로 채편을 약하게 한 번 친다.

활동 ❶ 장구 부호를 입소리로 읽으면서 연주법을 익혀 보자.

| ⦶ | | | ⦶ | | | ⦶ | | │ | ◯ | | |

활동 ❷ 장구 부호를 입소리로 읽으면서 '기덕'과 '더러러러' 연주법을 익혀 보자.

| ┊ | ⋮ | | ┊ | ⋮ | | ┊ | ⋮ | | ┊ | ⋮ | |

---

1 이 글에서 장구를 이해하는 데 가장 도움이 된 자료를 고르고, 그 까닭을 이야기해 봅시다.

예시 답ㅣ • 장구의 모양을 대충 알고 있었는데 장구의 사진을 보며 장구의 구조를 정확히 이해할 수 있었다.
• 채편과 북편을 쥐는 방법을 글로만 보았을 때는 잘 이해가 되지 않았는데, 연주 자세 사진이 있어서 쉽고 정확하게 이해할 수 있었다.

2 장구를 더 효과적으로 이해하기 위해 어떠한 매체 자료가 더 필요할지 생각해 봅시다.

예시 답ㅣ • '연주 자세'에서 장구를 어떻게 다루는지를 보여 주는 전신사진 자료
• '연주 자세'에서 장구를 연주하는 모습을 담은 동영상 자료
• '장구의 부호'에서 부호에 따라 장구를 연주했을 때의 장구 소리를 들려주는 청각 자료

장구
국악에서 쓰는 타악기의 하나. 기다란 오동나무로 만든 것으로, 통의 허리는 가늘고 잘록하며, 한쪽에는 말가죽을 매어 오른쪽 마구리에 대고, 한쪽에는 쇠가죽을 매어 왼쪽 마구리에 대어 붉은 줄로 얽어 팽팽하게 켕겨 놓았다. 왼쪽은 손이나 궁굴채로, 오른쪽은 열채로 치는데, 그 음색이 각기 다르다. 고려 시대에 중국에서 전하여 온 것이라고 하며, 우리나라의 대표적 악기로서 반주에 널리 쓰인다.

지학이가 도와줄게! – **1**
제시된 자료의 종류와 표현 방법을 바탕으로, 글을 이해하는 데에 가장 효과적인 자료를 선정하고 그 까닭을 생각해 보는 활동이야. 자신이 생각할 때 가장 효과적이라고 생각하는 자료를 고르고, 그 까닭을 구체적으로 생각해 보사.

지학이가 도와줄게! – **2**
『음악』 교과서의 특성을 고려하면 청각 자료나 동영상 자료가 제시되는 것이 좋을 거야. 인쇄 매체로 제시되다 보니까 시각 자료 중심으로 제시되어 있지만, 오늘날 인터넷 환경을 고려해서 디지털 교과서와 같은 형태로 생각의 범위를 확장해 보는 것도 좋겠어.

【함께하기】 😊😊😊

2. 1의 교과서를 참고하여, 나만의 『음악』 교과서를 만들어 봅시다.

1 자신이 다룰 수 있거나, 관심 있는 악기를 선택해 봅시다.

예시 답 |

기타

2 선택한 악기를 효과적으로 표현할 수 있는 다양한 자료를 찾아 정리해 봅시다.

예시 답 | 기타의 구조, 기타 연주 방법, 기타 사진, 기타 연주 영상, 기타 소리 음원

3 2에서 정리한 자료를 바탕으로 나만의 교과서를 만들고, 친구들에게 소개해 봅시다.

예시 답 | 기타

1. 기타의 구조
기타는 현악기의 하나로, 앞뒤가 편평한 표주박 모양의 공명통에 자루를 달고 여섯 개의 줄이 매어 있다. 앞판 안쪽의 받침목의 배치는 제작자들에 의해 연구가 이루어져 제각기 음색에 변화를 주고 있다.

2. 기타의 연주법 및 연주 자세
일반적으로 왼손 손가락으로 줄을 눌러 음정을 고르고, 오른손 손가락이나 손톱으로 줄을 튕겨 연주한다. 손톱 대신에 '피크'라는 도구를 이용해 줄을 튕겨 연주하기도 한다. 연주 자세는 앉은 자세나 일어선 상태로 모두 연주 가능하다.

○ 활동 탐구
『음악』 교과서에 제시된 다양한 자료의 효과 및 적절성을 판단하였다면 이를 참고하여 관심 악기에 관한 '나만의 교과서'를 제작하는 활동이다. 실제 교과서를 만들어 보는 활동을 통해 창의적으로 사고할 기회를 가져 보도록 한다.

✦ 지학이가 도와줄게! - **1**
나만의 『음악』 교과서를 만들기 위해 소개할 악기를 선정하는 활동이야. 자신이 잘 다룰 수 있거나, 관심 있는 악기가 무엇인지 자유롭게 생각해 보자.

✦ 지학이가 도와줄게! - **2**
자신이 선택한 악기를 효과적으로 표현할 수 있는 다양한 자료를 찾아 정리해 보는 활동이야. 도서관이나 인터넷을 활용하여 능동적으로 자료를 찾되 인쇄 매체 이외에도 다양한 시청각 자료도 찾아보자.

✦ 지학이가 도와줄게! - **3**
자신이 탐색한 다양한 형태의 자료를 바탕으로 효과적으로 정보를 전달할 수 있는 교과서를 제작하는 활동이야. 인쇄 교과서의 제약에서 벗어나 인터넷을 활용한 디지털 교과서 형태로 생각을 확장해 보자.

소단원 콕! 짚고 가기

소단원 제재

1. 제재 정리

갈래	기사문	성격	① □□ 전달적, 객관적
제재	명태 살리기 프로젝트		
주제	사라진 '국민 생선' ② □□의 성공적인 복원 과정 소개		
특징	• 그림, ③ □□, 도표 등의 다양한 자료를 활용하여 글의 내용을 효과적으로 설명함. • ④ □□□을 제시하여 해당 부분의 주요 내용에 대한 독자의 이해를 도움.		

2. 글의 구성

'국민 생선' 명태	국산 명태가 사라졌다	집 나간 명태를 찾습니다	명태 완전 양식, 세계 최초로 성공하다	명태의 오늘과 내일
한 해에 25만 톤이나 소비될 정도로 우리 식단에 자주 등장하는 명태	마구잡이와 ⑤ □□ 변화로 사라진 국산 명태	국산 명태의 완전 양식을 위한 명태 살리기 프로젝트 시행	다양한 연구와 개발을 통한 명태 완전 양식 성공	자연에 잘 적응하는 인공 양식 명태와 앞으로의 명태 양식 계획

핵심 포인트

1. 매체 자료의 유형과 효과

그림, 삽화	영상이나 사진으로 제시할 수 없는 사건이나 상황 등을 보여 줄 때 효과적임.
도표, 그래프	복잡한 수치나 변화 양상을 간단하게 제시하는 데 효과적임.
사진, 영상	사실적인 느낌이나 현장감을 주는 데 효과적임.

2. 글에 사용된 매체 자료와 그 효과

매체 자료	매체 자료의 효과	매체 자료	매체 자료의 효과
	글만으로 이해하기 어려운 명태이 ⑥ □□□인 모습을 확인할 수 있음.		우리나라 주요 어종 변화를 그림으로 묘사하여 내용을 효과적으로 이해할 수 있음.
	우리나라 주요 어종의 어획량에 대한 구체적인 ⑦ □□와 변화 양상을 한눈에 파악할 수 있음.		명태의 ⑧ □□□를 제시하여 명태의 양식 과정을 쉽게 이해할 수 있음.

정답: ① 정보 ② 명태 ③ 사진
④ 소제목 ⑤ 기후 ⑥ 사실적 ⑦
수치 ⑧ 한살이

[01~04] 다음 글을 읽고, 물음에 답하시오.

가 명태만큼 여러 이름으로 불리는 생선이 있을까? 예로부터 우리나라에서는 잡은 지 얼마 안 된 싱싱한 '생태'로, 또는 꽁꽁 얼린 '동태'로 얼큰하게 탕을 끓여 먹고 매콤하게 찜을 해 먹었다. 꾸덕꾸덕하게 말려 찜 요리에 적당한 '코다리', 노릇노릇하게 구워 먹는 '노가리', 통통한 주머니 안에 작은 알들이 가득한 '명란젓', 꼬들꼬들한 식감을 자랑하는 '창난젓'까지 모두 명태로 만든 것이다.

나 전문가들은 국산 명태가 사라진 원인 중 하나로, 어린 명태까지 마구잡이로 잡은 것을 든다. 기후가 변하면서 동해의 표층 수온이 변한 것도 원인으로 추정한다. 명태는 차가운 물을 좋아하는 냉수성 어류인데, 수온이 올라가는 바람에 동해가 이제는 명태가 살기 어려운 환경이 되었다는 것이다. 국립수산과학원에 따르면 동해의 연평균 표층 수온은 1970년부터 2016년까지 47년간 섭씨 0.93도(℃)가량 올랐다. 이렇게 바닷물이 따뜻해지면서, 1970년대와 1980년대에 많이 잡히던 명태와 정어리, 갈치, 쥐치의 수가 줄어들었

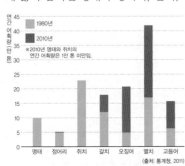

▲ ㉠우리나라 주요 어종의 어획량 변화

다. [중략] 대신에 1990년대부터 오징어, 멸치, 고등어 등이 늘어났으며 예전에는 우리 바다에 거의 없었던 온대성, 아열대성 물고기들이 많이 나타났다.

다 그런데 명태를 완전 양식 하려니 ㉡걸림돌이 있었다. 우선 동해에서 명태를 찾기가 쉽지 않았다. 어쩌다 명태를 잡더라도 수정란을 얻을 수 있을 만큼 성숙하지 않거나 건강하지 않았다. 명태를 잡아 올리는 과정도 문제였다. 명태는 깊은 바닷속에서 살기 때문에 자망을 이용해서 잡는다. 자망의 그물코는 물고기보다 작아서, 지나가던 물고기들이 그 그물코에 걸려 낚인다. 그물에 걸릴 때 상처가 나거나 스트레스를 받기 때문에, 이렇게 잡힌 명태는 2~3일 안에 죽기 일쑤였다. 결국, 연구팀은 한 마리에 50만 원씩 현상금을 걸고 '살아 있는 명태 어미 고기'를 찾아 나섰다. / 몸값까지 걸며 간절히 찾은 덕분일까. 명태 살리기 프로젝트를 시작한 이듬해인 2015년 1월, 건강한 자연산 명태 어미 한 마리를 구할 수 있었다. 그리고 그해 2월, 실내 수조에서 질 좋은 수정란 53만 개를 얻어 인공 부화하였다.

01. 이 글의 내용과 일치하지 **않는** 것은?

① 명태는 주로 자망을 이용하여 잡아 왔다.
② 명란젓은 명태의 창자에 소금 간을 한 음식이다.
③ 명태는 다른 어종에 비해 많은 이름을 갖고 있다.
④ 기후 변화로 우리 바다에 아열대성 물고기가 나타나고 있다.
⑤ 2015년, 동해 자연산 명태 어미 고기에게 얻은 수정란이 부화에 성공하였다.

활동 응용 문제

02. 〈보기〉의 자료를 활용할 때 그 효과로 적절한 것은?

보기

① 명태를 잡는 방법의 문제점을 효과적으로 지적할 수 있다.
② 명태가 아주 깊은 바닷속에서 서식한다는 점을 알릴 수 있다.
③ 명태 수정란 인공 부화에 성공했다는 사실을 강조할 수 있다.
④ 명태가 우리 식단에 가장 많이 등장하는 생선임을 간결하게 알릴 수 있다.
⑤ 수정란을 얻기 위해 명태 어미 고기를 찾으려는 연구팀의 노력을 효과적으로 드러낼 수 있다.

활동 응용 문제

03. ㉠에 대한 이해로 가장 적절한 것은?

① 동영상 자료로 변형하여 사용하기 쉽다.
② 멸치나 고등어의 어획량 감소를 알 수 있다.
③ 명태 어획량이 늘어나는 추세임을 보여 준다.
④ 명태의 어획량 변화 양상을 쉽게 알 수 있다.
⑤ 동해의 표층 수온이 낮아지고 있음을 수치로 확인할 수 있다.

활동 응용 문제 | 서술형 |

04. ㉡이 함축하는 의미를 (다)에서 찾아 간략히 쓰시오.

[05~08] 다음 글을 읽고, 물음에 답하시오.

㉮ '명태 살리기 프로젝트' 연구팀은 명태가 살기에 가장 적절한 수온을 찾기 시작했다. 그 결과 섭씨 7~12도(℃)에서 잘 자란다는 사실을 알아냈다. 그리고 명태를 키우는 실내 수조에 병원체가 얼마나 있는지, 이것이 어린 고기에게 어떤 영향을 미치는지도 연구했다. 어린 고기가 질병에 걸리는 일을 예방해 초기 생존율을 높이기 위해서였다.

또 하나 특별하게 고려한 것은 먹이였다. 알에서 부화한 새끼 명태에게 적합한 저온성 먹이생물이 당장 없었기 때문이다. 보통은 어류 종자를 생산할 때 동물성 플랑크톤인 로티퍼를 먹이로 쓴다. 그래서 명태가 사는 차가운 물에 로티

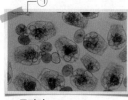

▲ 로티퍼

퍼를 넣었더니, 로티퍼는 활력을 잃고 수조 바닥으로 가라앉아 버렸다. 로티퍼는 섭씨 25도(℃) 이상의 환경에서 잘 자라기 때문에, 명태에게 맞는 온도가 로티퍼에게는 너무 낮았던 것이다. [중략] / 연구팀은 '저온성 먹이생물 배양 장치'를 개발해, 로티퍼가 자라는 수조의 온도를 단계적으로 낮췄다. 그런 다음 차가운 물에서도 활기를 띠는 로티퍼만 고른 뒤 따로 배양했다. 이렇게 배양한 로티퍼는 약 섭씨 10도(℃)의 물에서 10퍼센트(%) 이상 증식했다.

㉯ 연구팀은 고도 불포화 지방산(EPA, DHA) 같은 영양 성분이 든 고에너지 명태 전용 배합 사료도 개발했다. 명태가 잘 성장하고 성숙하는 데 필요한 영양 성분을 이 사료로 공급했다. 그 결과, 연구팀이 사육하는 명태는 자연 상태에서보다 훨씬 빨리 자랐다. 명태는 원래 알을 낳을 정도로 성숙하는 데 3~4년이 걸리지만, 연구팀이 키운 명태는 약 1년 8개월 만에 성숙해 2016년에 알을 낳았다. 명태의 완전 양식을 하는 데 세계 최초로 성공한 것이다.

㉰ 2017년 1월 23일, 해양수산부는 2016년 동해에서 잡힌 명태 가운데 예순일곱 마리의 유전 정보를 분석해 봤더니 그중 두 마리의 유전 정보가 2015년에 방류한 인공 1세대의 것과 일치했다고 밝혔다. 인공적으로 키워 방류한 명태가 자연에 잘 적응해 살고 있다는 뜻이다. / 이제부터는 명태를 대량으로 생산할 방법을 찾아야 한다. 국립수산과학원 동해수산연구소 변순규 박사는 "유전적 다양성을 위해 자연산 명태 어미 고기를 계속 확보하고, 1세대 어미를 관리해 질 좋은 수정란을 얻는 기술을 발전시킬 계획"이라고 말했다.

05. 이 글의 중심 내용으로 가장 적절한 것은?
① 명태 전용 배합 사료의 개발 과정
② 명태 완전 양식을 통한 성공적인 복원 과정
③ 명태의 먹이생물인 저온성 로티퍼 개발 과정
④ 명태 치어의 생존율 향상을 위한 병원체 연구 과정
⑤ 자연 상태에서 복원된 명태가 동해에 돌아온 과정

06. 이 글에서 확인할 수 있는 정보로 적절하지 <u>않은</u> 것은?
① 로티퍼는 섭씨 25도 이상에서 잘 자란다.
② 명태는 냉수성으로 섭씨 7~12도에서 잘 자란다.
③ 우리나라는 세계 최초로 명태 완전 양식에 성공하였다.
④ 유전적 통일성을 위해 자연산 명태를 계속 확보해야 한다.
⑤ 전용 배합 사료를 먹은 명태는 자연 상태에서보다 잘 자란다.

활동 응용 문제

07. (가)~(다)에 추가할 매체 자료로 적절하지 <u>않은</u> 것은?
① 명태를 이용한 다양한 요리들의 사진 자료
② 명태를 기르는 수조 내 병원체를 검사하는 사진
③ 저온성 먹이생물 배양 장치의 원리를 보여 주는 그림 자료
④ 명태 전용 배합 사료를 먹은 명태와 자연산 명태의 기간별 성장 차이를 보여 주는 그래프 자료
⑤ 양식 명태의 방류와 동해에서 잡힌 명태의 유전 정보를 분석하기까지의 추적 관찰 과정을 보여 주는 영상물

활동 응용 문제

08. ㉠에 대한 평가로 가장 적절한 의견을 말한 학생은?
① 재중: 로티퍼의 성장 과정 추이를 보여 주어서 효과적이야.
② 다현: 저온성 로티퍼와 비교할 수 있어서 이해에 도움이 돼.
③ 수빈: 로티퍼를 실감 나게 보여 주지만 글 이해에는 꼭 필요한 것 같지 않아.
④ 동원: 로티퍼의 사진 자료보다는 활동을 담은 동영상 자료가 필요한 것 같아.
⑤ 영우: 실물로 볼 수 없는 대상을 그림으로 보여 주어 전반적인 글 내용 이해에 도움이 되었어.

[09~11] 다음 글을 읽고, 물음에 답하시오.

가 국산 명태가 사라졌다

명태는 1970년대만 해도 동해에서 매년 7만 톤(t) 안팎으로 잡힐 만큼 흔했다. ⓐ알을 밴 고기일수록 맛이 좋고 어린 고기까지 술안주로 인기 있었던 탓일까. 결국, 우리 바다에서 명태의 씨가 말라 버렸다. 2008년 이후 매년 우리나라 가까운 바다에서 잡히는 명태는 1톤(t) 안팎이다. ⓑ지금 우리 식탁에 올라오는 명태는 거의 다 수입한 것으로, 러시아산이 대부분이다.

전문가들은 국산 명태가 사라진 원인 중 하나로, 어린 명태까지 마구잡이로 잡은 것을 든다. 기후가 변하면서 동해의 표층 수온이 변한 것도 원인으로 추정한다. 명태는 차가운 물을 좋아하는 냉수성 어류인데, 수온이 올라가는 바람에 동해가 이제는 명태가 살기 어려운 환경이 되었다는 것이다. ㉠국립수산과학원에 따르면 동해의 연평균 표층 수온은 1970년부터 2016년까지 47년간 섭씨 0.93도(℃)가량 올랐다. 이렇게 바닷물이 따뜻해지면서, 1970년대와 1980년대에 많이 잡히던 명태와 정어리, 갈치, 쥐치의 수가 줄어들었다. 특히 명태와 정어리는 2000년대 이후 찾기가 힘들다. 대신에 ⓒ1990년대부터 오징어, 멸치, 고등어 등이 늘어났으며 예전에는 우리 바다에 거의 없었던 온대성, 아열대성 물고기들이 많이 나타났다. 모두 기후 변화에 따른 현상이다.

나 집 나간 명태를 찾습니다

ⓓ명태는 이대로 국민 생선의 명성을 잃고 마는 것일까. 해양수산부는 국산 명태를 복원할 필요성을 인식하고 2014년 '명태 살리기 프로젝트'를 시작했다. 국립수산과학원 동해수산연구소, 강원도 한해성수산자원센터, 강릉원주대가 함께 연구팀을 꾸렸다. 이 프로젝트는 국산 명태를 대량으로 번식시킬 수 있도록 완전 양식 기술을 개발하는 데 목표를 두었다. / 완전 양식은 명태를 인공적으로 키워 종자를 생산하는 기술이다. 먼저 동해에서 살아 있는 명태를 잡아 수정란을 얻은 다음 인공적으로 부화하게 한다. 이렇게 부화한 어린 고기를 건강한 성체로 잘 사육해서 다시 수정란을 얻는다. 이 과정이 순조롭게 되풀이된다면 명태를 바다에서 낚지 않고도 계속 생산할 수 있다.

그런데 명태를 완전 양식 하려니 걸림돌이 있었다. 우선 동해에서 명태를 찾기가 쉽지 않았다. 어쩌다 명태를 잡더라도 수정란을 얻을 수 있을 만큼 성숙하지 않거나 건강하지 않았다. ⓔ명태를 잡아 올리는 과정도 문제였다. 명태는 깊은 바닷속에서 살기 때문에 자망을 이용해서 잡는다. 자

망의 그물코는 물고기보다 작아서, 지나가던 물고기들이 그 그물코에 걸려 낚인다. 그물에 걸릴 때 상처가 나거나 스트레스를 받기 때문에, 이렇게 잡힌 명태는 2~3일 안에 죽기 일쑤였다.

---

09. 이 글에 대한 설명으로 적절하지 <u>않은</u> 것은?

① 정보의 출처를 밝혀 글에 대한 신뢰성을 높이고 있다.

② 원인과 결과의 관계를 적절히 밝혀 내용 이해를 돕고 있다.

③ 문제점을 해결하기 위한 글쓴이의 주장과 근거가 드러난다.

④ 소제목을 활용하여 단락 내용을 압축적으로 제시하고 있다.

⑤ 대상에 대한 개념을 밝혀 독자가 쉽게 이해할 수 있도록 하였다.

활동 응용 문제

10. ㉠과 관련하여 사용할 수 있는 매체 자료로 가장 적절한 것은?

① 아열대성 물고기들의 종류를 보여 주는 그림 자료

② 어린 명태까지 잡아서 팔고 있는 어시장의 동영상 자료

③ 표층 수온이 변화하는 과정을 보여 주는 동해의 사진 자료

④ 1970년대 동해에서의 명태 어획량과 정어리 어획량 차이를 보여 주는 도표 자료

⑤ 1970년대부터 2016년까지 동해 연평균 표층 수온 변화 추이를 보여 주는 그래프 자료

11. ⓐ~ⓔ에 대한 이해로 적절하지 <u>않은</u> 것은?

① ⓐ: 명태가 자취를 감춘 원인에 해당하겠군.

② ⓑ: 명태 수요를 러시아산 수입으로 대체하고 있군.

③ ⓒ: 냉수성 어종이 동해에 많이 늘어나는 추세이군.

④ ⓓ: 의문형을 사용하여 글 서술 과정에 변화를 주고 있군.

⑤ ⓔ: 그물로 잡은 명태가 쉽게 죽어 버리는 문제점과 관련되는군.

[12~15] 다음 글을 읽고, 물음에 답하시오.

㉮ 국립수산과학원에 따르면 동해의 연평균 표층 수온은 1970년부터 2016년까지 47년간 섭씨 0.93도(℃)가량 올랐다. 이렇게 바닷물이 따뜻해지면서, 1970년대와 1980년대에 많이 잡히던 명태와 정어리, 갈치, 쥐치의 수가 줄어들었다. 특히 명태와 정어리는 2000년대 이후 찾기가 힘들다.

㉯ 그런데 명태를 완전 양식 하려니 걸림돌이 있었다. 우선 동해에서 명태를 찾기가 쉽지 않았다. 어쩌다 명태를 잡더라도 수정란을 얻을 수 있을 만큼 성숙하지 않거나 건강하지 않았다. 명태를 잡아 올리는 과정도 문제였다. 명태는 깊은 바닷속에서 살기 때문에 자망을 이용해서 잡는다. 자망의 그물코는 물고기보다 작아서, 지나가던 물고기들이 그 그물코에 걸려 낚인다. 그물에 걸릴 때 상처가 나거나 스트레스를 받기 때문에, 이렇게 잡힌 명태는 2~3일 안에 죽기 일쑤였다.

㉰ 몸값까지 걸며 간절히 찾은 덕분일까. 명태 살리기 프로젝트를 시작한 이듬해인 2015년 1월, 건강한 자연산 명태 어미 한 마리를 구할 수 있었다. 그리고 그해 2월, 실내 수조에서 질 좋은 수정란 53만 개를 얻어 인공 부화하였다.

㉱ 연구팀은 '저온성 먹이생물 배양 장치'를 개발해, 로티퍼가 자라는 수조의 온도를 단계적으로 낮췄다. 그런 다음 차가운 물에서도 활기를 띠는 로티퍼만 고른 뒤 따로 배양했다. 이렇게 배양한 로티퍼는 약 섭씨 10도(℃)의 물에서 10퍼센트(%) 이상 증식했다. 저온성 로티퍼는 명태뿐 아니라 대구 등 다른 냉수성 어류를 사육하는 데에도 큰 역할을 하리라 본다.

연구팀은 고도 불포화 지방산(EPA, DHA) 같은 영양 성분이 든 고에너지 명태 전용 배합 사료도 개발했다. 명태가 잘 성장하고 성숙하는 데 필요한 영양 성분을 이 사료로 공급했다. 그 결과, ㉠연구팀이 사육하는 명태는 자연 생태에서보다 훨씬 빨리 자랐다. 명태는 원래 알을 낳을 정도로 성숙하는 데 3~4년이 걸리지만, 연구팀이 키운 명태는 약 1년 8개월 만에 성숙해 2016년에 알을 낳았다. 명태의 완전 양식을 하는 데 세계 최초로 성공한 것이다.

㉲ 2017년 1월 23일, 해양수산부는 2016년 동해에서 잡힌 명태 가운데 예순일곱 마리의 유전 정보를 분석해 봤더니 그중 두 마리의 유전 정보가 2015년에 방류한 인공 1세대의 것과 일치했다고 밝혔다. 인공적으로 키워 방류한 명태가 자연에 잘 적응해 살고 있다는 뜻이다.

---

12. 이와 같은 글을 쓰면서 매체 자료를 활용하고자 할 때, 유의해야 할 점으로 적절하지 <u>않은</u> 것은?

① 글의 내용과 주제에 적합한가?
② 정보를 전달하는 데에 효과적인가?
③ 활용하고자 하는 자료의 출처가 분명한가?
④ 독자 수준에 맞고 흥미를 불러일으킬 수 있는가?
⑤ 특별한 정보를 담고 있고 다양한 해석이 가능한가?

활동 응용 문제 ✔
13. 〈보기〉의 자료를 활용하기에 가장 적절한 부분은?

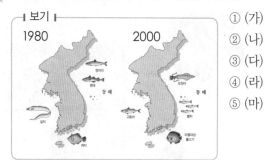

① (가)
② (나)
③ (다)
④ (라)
⑤ (마)

활동 응용 문제 ✔
14. 이 글을 읽은 독자의 반응으로 적절하지 <u>않은</u> 것은?

① 동해 수온 상승은 명태의 서식에 긍정적 영향을 끼쳤군.
② 2000년대 이후 동해에서 냉수성 어종의 수가 감소하였군.
③ 세계 최초로 명태 완전 양식에 성공하기까지 연구팀은 많은 어려움을 극복하였군.
④ 국산 명태 복원의 첫 난관은 수정란을 얻을 수 있는 명태 어미를 확보하는 문제였군.
⑤ 해양수산부는 동해에서 잡힌 명태의 유전 정보 분석을 통해 양식 명태의 자연 적응을 확인하였군.

15. ㉠의 이유로 가장 적절한 것은?

① 저온성 로티퍼를 먹고 자랐기 때문에
② 명태 성장에 적절한 수온에서 자랐기 때문에
③ 인공 양식을 하면 명태가 더 잘 자라기 때문에
④ 고에너지 명태 전용 배합 사료를 먹고 자랐기 때문에
⑤ 건강한 수정란에 명태에 필요한 영양 성분을 공급했기 때문에

②내가 보는 세상은 진짜일까

생각 열기

 다음 연설 장면을 바탕으로, 말하기에 사용된 다양한 자료의 효과를 생각해 봅시다.

이렇게 열자

말하기에 사용된 다양한 매체 자료의 효과에 대해 생각해 보는 활동이다.

먼저 제시된 말하기 상황을 잘 파악하고 사용된 매체 자료의 종류가 무엇인지 살펴본다. 매체 자료가 가진 특성을 정리해 보고 사용된 매체 자료를 통해 얻을 수 있는 표현 효과가 무엇인지 알아보자. 또한 사용된 매체 자료가 말하기 상황에서 적절한지 판단하여 보자.

• 동계 올림픽 유치를 위한 말하기에서 이와 같은 자료를 사용한 까닭은 무엇인가요?

예시 답 | 동계 올림픽과 관련된 다양한 자료를 활용하여 전달하고자 하는 바를 효과적으로 표현하기 위해서이다.

• 자료의 종류에 따른 표현 효과를 생각하며, 동계 올림픽 유치를 위한 말하기를 들어 봅시다.

예시 답 | 실물이나 상황에 대한 묘사 및 구체적인 수치가 드러난 시각 자료를 통해 말하는 이가 전달하고자 하는 내용을 더 쉽게 이해할 수 있다.

이 단원의 학습 요소

학습 목표 | 매체 자료의 효과를 판단하며 들을 수 있다.

강연 내용 이해하기	▶	말하는 이가 전달하는 내용을 이해한다.
매체 자료의 종류와 효과 파악하기	▶	말하는 이가 내용을 효과적으로 전달하기 위해 사용한 매체의 종류와 효과가 무엇인지 파악한다.
매체 자료의 적절성 판단하기	▶	말하는 이가 사용한 매체 자료가 적절하며 효과적인지 평가한다.

소단원 바탕 학습

핵심 개념 미리 보기

1. 매체의 개념과 종류

매체의 개념	• 어떤 대상을 전달하는 도구 • 인간이 지닌 생각이나 감정, 지식 등을 전달하고 공유하는 매개물
매체의 종류	• 시각 매체 자료(사진, 그림, 그래프, 표 등) • 청각 매체 자료(소리, 음악 등) • 시청각 매체 자료(동영상 등)

2. 말하기에 사용할 매체 자료 선정시의 유의점

• 전달하고자 하는 내용과 관련된 자료여야 한다.
• 듣는 이가 쉽게 이해할 수 있는 자료여야 한다.
• 듣는 이의 흥미를 유발하는 자료여야 한다.
• 출처가 분명하고 믿을 수 있는 자료여야 한다.

3. 매체 자료의 비판적 수용

비판적 듣기	말하는 이가 전달하는 내용을 비판적으로 분석하여 이해하는 것.
매체 자료의 비판적 수용	이미지, 소리, 그래프, 영상 등의 매체 자료를 통해 전달되는 뜻을 그대로 받아들이는 것이 아니라 의미, 효과, 적절성, 윤리성 등을 고려하여 비판적으로 이해하는 것.

4. 매체 자료의 효과를 판단하며 듣기

• 내용에 알맞은 자료인지 판단한다.
• 말하는 이의 의도를 잘 살려주는 자료인지 판단한다.
• 듣는 이와 매체의 특성을 고려하여 사용한 자료인지 판단한다.
• 자료의 형태, 제시 방법, 제시 순서가 적절한지 판단한다.

5. 강연에서의 매체 자료 사용

(1) 강연에서의 매체 자료 사용의 효과

• 강연자가 전달하고자 하는 내용을 청중에게 보다 쉽게 이해시킬 수 있다.
• 청중의 호기심을 유발하여 전달하고자 하는 내용에 집중하게 한다.

(2) 강연에서 매체 자료를 효과적으로 사용하는 방법

• 되도록 한 번에 한 가지씩 순차적으로 자료를 제시한다.
• 뒷자리의 청중도 충분히 보고 들을 수 있도록 크기와 음량을 조절하여 제시한다.
• 내용을 뒷받침할 수 있는 적절한 위치에 자료를 제시한다.
• 자료를 제시하며 자료가 의미하는 바에 대한 설명도 함께 해 준다.

제재 훑어보기

내가 보는 세상은 진짜일까(김경일)

• **해제**: 인지 심리학자인 강연자가 시각 매체 자료를 활용하여 착시 현상에 대한 정보를 전달하는 강연이다.
• **갈래**: 강연
• **성격**: 정보 전달적, 해설적, 논리적
• **주제**: 착시 현상을 통해 세상을 보는 인간
• **특징**
 ① 다양한 사례를 바탕으로 착시의 원인을 효과적으로 설명하고 있다.
 ② 듣는 이의 이해를 돕기 위해 적절한 시각 매체 자료를 사용하고 있다.
 ② 공식적인 상황의 말하기에 알맞은 격식 있는 표현을 사용하고 있다.
• **구성**

도입	자기소개 및 화제 제시
전개 1	다양한 착시 사례와 착시의 원인
전개 2	우리 생활에 착시 현상을 이롭게 이용하는 예
정리	자연스러운 인식의 하나인 착시

내가 보는 세상은 진짜일까 _김경일

학습 포인트
· 강연의 목적 파악하기
· 강연의 내용 파악하기

도입 **1** 안녕하세요? 저는 *인지 *심리학자 김경일입니다. 인지 심리학이
_{인사 및 자기소개}
라는 말이 조금 낯설지요? 아마 심리학이란 말은 들어 보았을 겁니다. 심리학은
사람의 의식이나 행동을 연구하는 학문인데요, 그중에서 인지 심리학은 정보를
_{심리학의 의미}
받아들이고 사용하는 과정을 다룹니다. 다시 말해 무엇을 느끼거나 배우고, 기억
_{인지 심리학의 연구 대상}   _{인지 심리학의 의미}
하고, 그것을 활용하는 모든 과정을 다루는 학문이 인지 심리학이지요.
➜ 자기소개 및 인지 심리학에 대한 안내

2 오늘은 제가 연구하는 '착시'에 관해 얘기해 보겠습니다. ❶착시는 우리가 어떤
_{강연의 목적이 '착시' 현상에 대한 정보를 전달하는 것임이 드러남.}   _{착시의 의미}
대상을 볼 때, 필요 없거나 잘못된 배경지식을 사용하는 바람에 실제와 다르게
해석하는 것을 말합니다. 간단히 말하자면, '그렇게 보았다고 착각하는' 현상이
_{착시에 대한 부연 설명}
바로 착시이지요.
➜ 강연 내용 소개

도입 | 자기 소개 및 화제 제시

작가 소개: 김경일(1970~)
심리학과 교수. 인지 심리학 분야 중 인간의 판단, 의사 결정, 문제 해결 그리고 창의성에 관해 연구했다. 현재 다양한 강연과 자문 활동을 왕성하게 펼치고 있다. 주요 저서 및 공저로는 『지혜의 심리학』, 『혁신의 도구』 등이 있다.

읽기 중 활동

교과서 날개
불을 끄고 한쪽 눈을 가리라고 하는 이유가 뭘까?
→ 청자에게 착시를 직접 경험하게 하기 위해서이다.

전개1 **3** 착시의 예로는 독특하고 흥미로운 것들이 많습니다. 그림으로 확인해
_{교과서 날개}   _{시각 매체 자료를 제시하여 청중의 '착시'에 대한 이해를 돕고 있음.}
볼까요? 불을 잠깐 꺼 주시겠어요? 자, 이제 한쪽 눈을 손으로 가리세요. 그리고
다른 한쪽 눈으로 여기 동전 세 개를 집중해서 바라봅시다.
_{착시를 경험하기 위한 과정}

어떤 동전이 가장 가까이 있는 것 같나요? 또 어떤 동전이 가장 멀어 보이나요?

❷정상적으로 착시가 일어났다면 500원 동전이 제일 멀리 떨어져 있는 거로
_{착시의 예 ①}
보일 거예요.
➜ 착시 현상의 예 ①

어휘 풀이
· 인지(認知): 자극을 받아들이고, 저장하고, 인출하는 일련의 정신 과정.
· 심리학자(心理學者): 생물체의 의식의 작용 및 현상에 관한 정신생활의 특질을 연구하는 사람.

어구 풀이
❶ 착시의 의미를 밝히고 있는데, 여기에 착시가 일어나는 원인이 무엇인지가 함께 드러나 있다.
❷ 착시는 같은 조건에서 사물을 볼 때 그것을 보는 모든 이가 겪게 되는 정상적인 현상임이 드러나 있으며, 강연자의 말대로 했을 때 세 동전이 어떻게 보이는지 착시의 결과를 설명하고 있다.

찬찬샘 핵심 강의

• 강연의 목적

①에서 강연자는 자신이 인지 심리학자이며 인지 심리학이 어떠한 학문인지 설명하고 있어. 그리고 ②에서 이 강연에서는 '착시 현상'에 대해 이야기하겠다고 말하고 있어. 즉 강연자는 인지 심리학자의 입장에서 '착시 현상'을 설명할 것임을 알 수 있지. 강연자는 '착시 현상'에 대한 청중의 집중도를 높이기 위한 방법으로 청중에게 계속 질문을 던지고 그에 답하는 방식을 사용하고 있어. '착시 현상'이라는 어려운 개념을 청중에게 이해시키고자 하는 강연의 목적을 이루기 위한 한 방법이라고 할 수 있지.

◆핵심 포인트◆

강연의 목적	—	청중에게 '착시 현상'을 설명하고자 함.

• 착시의 개념

②에서 강연자는 '착시 현상'의 개념을 설명해 주고 있어. 우리는 대상을 눈으로 보고 사실을 그대로 받아들인다고 생각하지만, 때로 그렇게 보았다고 착각한 것일 뿐인 경우가 있는데, 이러한 착시의 개념을 강연자는 어떻게 정의하고 있는지 정리해 볼까?

◆핵심 포인트◆

착시	—	우리가 어떤 대상을 볼 때, 필요 없거나 잘못된 배경지식을 사용하는 바람에 실제와 다르게 해석하는 것, 즉 그렇게 보았다고 착각하는 현상

• 강연에 사용된 매체 자료

③에서 강연자는 듣는 이에게 직접 착시 현상을 경험할 수 있도록 시각 자료를 제시하면서 자신의 말에 따라 제시한 시각 자료를 보게 하고 있어.

이러한 시각 자료는 착시 현상을 통해 보이는 것과 실제 대상 간의 차이를 바로 확인할 수 있도록 해 줌으로써 강연 내용의 효과적 이해에 큰 역할을 하고 있지.

③의 매체 자료	—	시각 자료를 강연자의 지시에 따라 일정한 과정을 거쳐 보도록 함.

콕콕 확인 문제

정답과 해설 40쪽

1. 이 강연에서 강연을 효과적으로 전달하기 위한 방법으로 사용한 것은?
① 인기 있는 학자의 말을 인용한다.
② 관련 사진을 보조 자료로 제시한다.
③ 주제를 드러내는 비유적 표현을 사용한다.
④ 관련 서적의 글을 직접 인용하여 제시한다.
⑤ 신뢰도를 높이기 위해 구체적 수치를 사용한다.

2. ②에서 주로 사용된 설명 방식은?
① 분류　　② 대조　　③ 정의
④ 열거　　⑤ 묘사

3. '착시'에 대한 설명으로 적절하지 않은 것은?
① 그렇게 보았다고 착각하는 현상이다.
② 청각적 감각과 관련하여 일어나는 현상이다.
③ 우리가 본 것이 실제와 다르게 해석되는 현상이다.
④ 불필요하거나 잘못된 배경지식의 영향을 받아 일어나는 현상이다.
⑤ 우리가 본 정보를 받아들이고 사용하는 과정에서 일어나는 현상이다.

4. ①~③을 통해 알 수 있는 내용으로 적절하지 않은 것은?
① 착시의 개념
② 인지 심리학의 의미
③ 인지 심리학의 연구 대상
④ 흥미로운 착시 현상의 사례
⑤ 착시 현상이 일어나는 여러 가지 원인

|서술형|
5. ③을 통해 설명하고자 하는 착시 현상이 무엇인지 서술하시오.

4 이제 눈을 가렸던 손을 치우고, 동전들을 다시 보시죠. 사실 이 그림에서 <u>동전 세 개는 같은 크기로, 같은 *평면에 나란히 배치되어 있습니다.</u> 그런데 왜 한쪽 눈을 가리고 집중해 보았을 때, 동전 셋이 서로 다른 거리에 있는 것처럼 보였을까요?

<u>실제 대상의 모습</u>

<u>한쪽 눈을 가리고 보았을 때 500원 동전이 제일 멀리 떨어져 보이는 현상(착시)이 일어난 이유에 대한 의문</u>

❶배경은 어둡고, 우리는 한쪽 눈마저 가렸기 때문에 거리가 얼마나 떨어져 있는지 정확히 알기가 어려웠습니다. 그래서 우리의 뇌는 이미 아는 정보, 즉

<u>정확한 판단을 방해하여 착시를 일으키는 요소</u>

배경지식을 활용하여 거리를 *판단했던 겁니다. <u>500원 동전이 100원 동전보다 크고, 100원 동전은 50원 동전보다 크다는 걸 우리는 이미 알고 있지요.</u> 멀리 있

<u>동전의 크기에 대한 우리의 배경지식</u>

<u>는 것은 작게, 가까이 있는 것은 크게 보인다는 사실도요.</u> 이 동전들이 원래 크

<u>원근감에 대한 우리의 배경지식</u>

기 그대로 같은 거리에 나란히 있었다면 500원 동전이 제일 크게, 50원 동전이 제일 작게 보이겠죠? 그런데 이 그림에서는 동전 크기가 셋 다 같아 보이니, 우

리 뇌가 어떻게 판단했겠어요? '［　　　　㉠　　　　］' 하고 판단한 것이죠.

<u>질문과 답변을 통해 청중의 주의를 집중시켜 착시 현상을 설명함.</u>

그러니까 ❷뇌가 배경지식의 영향을 받아, 실제로 보고 인식한 사실과 전혀 다르

<u>게 판단한 겁니다.</u> 이런 *현상이 바로 착시입니다.　→ 착시 현상의 예 ①이 일어나는 이유

<u>착시 현상이 일어나는 이유</u>

5 또 다른 예를 살펴볼까요?

<u>착시의 또 다른 예</u>

철길 위에 노란 막대가 두 개 보이지요? 두 막대 중 어떤 게 더 길어 보이나

<u>정확한 판단을 방해하여 착시를 일으키는 요소</u>

요? 이제, 실제 길이가 어떤지 확인해 볼까요?

→ 착시 현상의 예 ②

• 착시 현상의 예 ①

강연자는 실제 동전 세 개의 크기와 거리는 모두 같다고 하고 있어. 우리가 '본' 것은 같은 거리에 놓인 같은 크기의 동전 세 개인 것이지. 하지만 우리가 알고 있는 배경지식에 따르면 50원, 100원, 500원 동전의 크기는 모두 다르고 뒤로 갈수록 크기가 커져. 그리고 우리가 알고 있는 또 다른 배경지식에 따르면 멀리 있는 것은 작게, 가까이 있는 것은 크게 보이지. 세 개의 동전을 볼 때 이 두 가지의 배경지식이 함께 작용해서, 우리는 같은 거리에 놓인 같은 크기의 동전 세 개를 보고서도 세 동전이 놓인 거리가 다르다고 '판단'한 것이지. 이것이 '우리가 어떤 대상을 볼 때, 필요 없거나 잘못된 배경지식을 사용하는 바람에 실제와 다르게 해석하는 것, 또는 그렇게 보았다고 착각하는 현상', 착시인 거야.

►핵심 포인트◄

착시 현상의 예 ①	—	• 500원 동전이 가장 멀리 떨어져 있는 것처럼 보이지만, 실제 동전 세 개의 거리는 모두 같음. • 동전의 크기, 원근에 대한 우리의 배경지식이 착시의 원인임.

• 시각 매체 자료 사용의 효과

개념에 대한 설명만으로 '착시 현상'을 이해하는 것은 조금 어렵지? 그래서 강연자는 강연의 상당 부분을 할애하여 '착시 현상'의 구체적인 예를 제시하고 이를 통해 청중이 직접 '착시 현상'을 경험하게 한 후 그 과정과 원인을 설명하는 방식을 사용해. 이를 위해 강연자는 **3**, **5**에서 다양한 매체 자료를 제시하여 청중이 '착시'의 개념을 이해하도록 돕고 있단다. '착시'는 '보는 것', 즉 '시각'과 관련되는 현상이므로 강연에 제시되는 매체 자료는 시각 매체 자료가 주가 될 거야.

►핵심 포인트◄

시각 매체 자료 사용의 효과	—	착시 현상을 청중이 직접 경험하게 함으로써 착시의 개념을 더 쉽고 깊이 있게 이해하게 함.

---

6. 이 강연을 듣는 방법으로 알맞지 <u>않은</u> 것은?

① 강연자의 의도를 예측하면서 듣는다.
② 강연의 문제점을 지적하며 비판적으로 듣는다.
③ 강연에 사용된 매체의 효과를 이해하면서 듣는다.
④ 강연자의 질문에 대해 호기심을 갖고 답을 생각하며 듣는다.
⑤ 강연자가 설명하고자 하는 것이 무엇인지 파악하면서 듣는다.

7. 이 강연에서 설명하는 내용과 거리가 <u>먼</u> 것은?

① 착시는 사람에 따라 다르게 나타난다.
② 착시는 우리 뇌의 판단에 따라 나타난다.
③ 착시는 우리가 가진 배경지식의 영향을 받아 일어난다.
④ 착시는 어두운 배경과 한쪽 눈을 가린 상황에 영향을 받는다.
⑤ 착시는 정보가 정확하지 않을 때 기존의 지식을 가지고 판단하게 되면서 나타나기도 한다.

8. 이 강연을 듣는 청중의 생각으로 적절하지 <u>않은</u> 것은?

① 강연자가 격식 있는 표현을 사용하니까 청중인 나를 존중한다는 느낌이 드는군.
② 착시 현상에 대한 예를 나열하여 착시 현상의 개념과 원인을 이해시키려고 노력하고 있구나.
③ 질문을 할 때마다 질문에 대한 답을 생각하게 되니까 강연의 내용이 더 잘 이해되는 것 같아.
④ 시각 매체 자료 이외의 자료를 써서 착시의 예를 설명한다면 착시에 대한 이해가 더 쉬워질 텐데.
⑤ 착시 현상을 직접 경험하고 현상이 나타나는 이유에 대한 설명을 들으니 강연의 내용이 잘 이해되는구나.

9. ㉠에 들어갈 내용으로 가장 적절한 것은?

① 세 개의 동전은 크기가 같구나.
② 세 개의 동전이 서로 같은 거리에 있구나.
③ 500원짜리 동전이 가장 멀리 떨어져 있구나.
④ 50원짜리 동전과 500원짜리 동전의 크기가 같구나.
⑤ 50원짜리 동전과 100원짜리 동전의 거리가 가장 멀리 떨어져 있구나.

|서술형|
10. 를 토대로 착시 현상에 영향을 미치는 두 개의 배경지식을 서술하시오.

6 두 막대의 실제 길이는 같습니다. <u>위에 있는 막대가 더 길다고 생각한 분들이</u>
<u>꽤 있을 거예요.</u> 이것 역시 멀리 있는 사물은 작게 보이고 가까운 사물은 크게 보
두 막대의 실제 길이는 같은데 착시를 일으킴.
막대 길이를 인식하는 데 착시를 일으킨 원인
인다는 배경지식 때문에 일어난 착시입니다. 그 과정을 살펴볼까요? ❶사람들은
<u>사진의 배경인 철길을 참고해 위 막대는 멀리 있고 아래 막대는 가깝게 있다고</u>
철길에 놓인 침목이 위로 갈수록 길이가 줄어드는 것처럼 보임.
<u>여깁니다.</u> 그리고는 ❷실제로 길이가 같은 두 막대를 보면서, 멀리 있는 위 막대
가 가까이 있는 아래 막대보다 원래는 더 길 거라고 판단하는 거죠.

→ 착시 현상의 예 ②가 일어나는 이유

7 착시 현상의 예를 더 보겠습니다.

자, 그림 속 판자 위의 네모 칸 중 A와 B가 각각 적힌 칸의 밝기를 비교해 보
세요. 어떤 칸이 더 밝아 보이나요? <u>아마 많은 분이 B라고 생각할 겁니다.</u> 그럼
사람들이 생각하는 결과 → 착시
실제로 A와 B 두 칸을 이어 붙여서, 밝기를 비교해 보겠습니다.

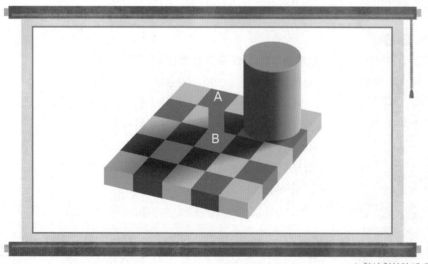

→ 착시 현상의 예 ③

어구 풀이
❶ 사진의 철길은 가까이 있는
것은 크게 보이고, 멀리 있는
것은 작게 보인다는 것을 선명
하게 보여 주고 있다. 철로의
침목은 모두 같은 길이인데 사
진에서 위로 갈수록 짧아 보임
이 반복적으로 나타나 있기 때
문이다. 이러한 철로를 배경으
로 놓인 막대는 자연스럽게 '멀
리 있는 사물은 작게, 가까이
있는 사물은 크게 보인다.'라는
배경지식을 떠올리도록 만드
는 것이다.
❷ 막대 자체만 본다면 길이가
같은데 불필요한 배경지식을
막대 길이를 판단하는 과정에
개입시켜 착시를 일으킨다는
의미이다.

➕ 보충 자료
시각 매체 자료의 종류와 효과

사진	사실적인 느낌이나 현장감을 주고, 청중의 이해도를 높임.
그림, 삽화	영상이나 사진으로 보여 줄 수 없는 사건이나 상황을 효과적으로 전달할 수 있음.
도표, 그래프	복잡한 수치를 한눈에 파악할 수 있음.

매체 자료를 활용하여 발표하기
의 과정
① 발표 주제 및 내용 정하기
② 매체 자료 수집 · 선정 및 활용
   방법 계획하기
③ 듣는 이를 고려하여 발표 내용
   구성하기
④ 매체 자료를 활용하여 발표하기
⑤ 발표 내용 평가하기

· 착시 현상의 예 ②

6에서 강연자는 멀리 있는 사물은 작게 보이고 가까운 사물은 크게 보인다는 배경지식 때문에 위에 있는 막대가 더 길다고 생각하는 착시가 일어난다고 설명하고 있어. 사람들은 사진의 배경인 철길을 기준 삼아 두 막대 중 위의 막대는 멀리, 아래의 막대는 가까이 있다고 생각해. 그리고 철길 위의 두 막대를 보면서 자신들이 가지고 있는 배경지식을 적용해서 두 막대의 길이가 같다면 위의 막대가 더 길기 때문에 같게 보인다고 착각하는 것이지.

›핵심 포인트‹

착시 현상의 예 ②가 일어나는 과정	
사진을 봄.	배경인 철길을 참고하여 위 막대는 멀리, 아래 막대는 가깝게 있다고 여김.
↓	
배경지식 적용	멀리 있는 사물은 작게 보이고 가까운 사물은 크게 보인다는 배경지식 적용
↓	
착시 현상	위 막대가 더 길다고 인식함.

· 강연자가 생각하는 착시 현상의 원인

강연자는 두 가지 착시 현상을 보여 주고 실제로는 같은 길이, 같은 밝기의 두 대상을 보는 것인데도 길이나 밝기가 다르다고 생각하는 것이 착시라고 설명하고 있어. 강연자는 이 두 현상 모두 우리가 어떤 대상을 볼 때 우리의 뇌가 우리가 알고 있는 배경지식에 따라 현상을 해석하기 때문에 일어난다고 설명하고 있어.

›핵심 포인트‹

착시 현상의 예 ②	같은 길이의 막대를 보고 위의 막대가 더 길다고 생각함.
↓	
착시 현상의 예 ③	같은 밝기의 네모 칸을 보고 B가 더 밝다고 생각함.
↓	
불필요한 배경지식의 개입 때문임.	

11. 이 강연의 특징으로 가장 적절한 것은?

① 강연자의 삶의 경험과 깨달음이 드러나 있다.
② 현상의 문제점과 해결 방안이 제시되어 있다.
③ 동일한 개념을 설명하는 예가 나열되어 있다.
④ 현상에 대한 강연자의 비판적 시선이 담겨 있다.
⑤ 대조된 두 가지 현상을 통해 현상의 개념을 설명하고 있다.

12. **7**의 사진 자료의 효과로 알맞은 것은?

① 정보의 이해를 돕는다.
② 생동감을 불러일으킨다.
③ 핵심 정보를 자세하게 설명한다.
④ 모든 정보를 요약적으로 제시한다.
⑤ 감정에 호소하여 설득력을 높인다.

13. 〈보기〉는 이 강연의 제목이다. 제목을 바탕으로 **6**을 이해한 내용으로 적절한 것은?

>
>
> 내가 보는 세상은 진짜일까

① 우리가 위 막대가 더 길 거라고 본 것은 진짜이다.
② 우리가 두 막대를 보았다고 생각한 것은 진짜가 아니라 허상이다.
③ 우리가 위 막대가 더 길다고 생각한 것은 진실이 아니라 착각이다.
④ 우리가 사진의 배경인 철길을 바탕으로 두 막대의 길이를 판단한 결과는 진짜이다.
⑤ 우리가 들은 두 막대의 실제 길이가 같다고 이야기한 강연자의 말은 진짜가 아니라 거짓이다.

14. 이 강연을 듣는 목적으로 가장 적절한 것은?

① 인생의 고민을 해결하기 위해
② 삶에 대한 감동을 느끼기 위해
③ 과학적 지식에 대한 이해를 넓히기 위해
④ 사회의 문제점을 해결할 방안을 찾기 위해
⑤ 긍정적인 태도를 배워 세상을 변화시키기 위해

|서술형|
15. **7**에 나타난 착시 현상이 무엇인지 서술하시오.

8 어떤가요? 두 칸의 밝기가 같죠? 이때 우리의 뇌가 사용한 배경지식은 '그림
_{두 칸의 실제 밝기는 같음.}
자가 드리우면 어두워진다.'라는 것입니다. 위 그림에서 원통의 그림자는 B가 있
_{착시 현상의 예 ③에 영향을 미친 배경지식}   _{B를 어둡게 하는 요인이 됨.}
는 쪽으로 드리워 있습니다. 그림자가 있는 곳은 그림자가 없는 곳에 비해서 어

둡겠죠? 우리는 이미 그렇게 알고 있습니다. 그래서 그림자 안에 있는 B는 그림

자 때문에 어두워진 결과이고, 원래 B는 보이는 것보다 더 밝았을 거라고 우리
_{실제로 보이는 대로 인식하는 것이 아니라 판단을 개입시켜 인식함.}
뇌가 판단한 것이죠. 하지만 뇌의 판단과는 달리, 실제 A와 B, 두 칸의 밝기는

같았습니다. ❶이 역시 사물을 볼 때 배경지식이 영향을 미쳐, 실제와 다른 것을

자기는 맞게 보았다고 착각한 경우입니다.   → 착시 현상의 예 ③이 일어나는 이유

전개 1	다양한 착시 사례와 착시의 원인

전개 2 **9** 결국, 우리는 사물을 두 번 본다고 할 수 있습니다. 한 번은 °감각 그대

로, °망막에 맺힌 상을 인식하는 것이고, 두 번째는 그 감각에 배경지식을 °적용
_{실제의 모습 그대로 보는 것}   _{사물의 실제 모습이 아닌 배경지식으로 인해 다르게 해석한 모습을 보는 것}
한 결과대로, 즉 착시대로 보는 것이죠. 이 둘은 일치하지 않을 때가 많은데, 우

리는 착시가 일어난 것을 깨닫지도 못한 채 사물을 보곤 합니다. ❷착시는 옳다,

그르다 하고 판단할 문제는 아닙니다.   → 착시 현상에 대한 판단

10 □ ㉠ □ 착시 현상을 우리 생활에 이롭게 °이용할 수는 있습니다. 다음 사진을

한번 보시죠.

〈사진 1〉   〈그림 1〉

〈사진 2〉   〈그림 2〉

→ 착시 현상을 우리 생활에 이롭게 이용한 예

• 착시 현상의 예 ③

7, **8**에서 강연자는 밝기가 같은 두 칸을 보고 두 칸의 밝기가 다르다고 생각하는 착시 현상을 제시하여 이 경우 역시 우리가 갖고 있는 배경지식이 적용된 결과라고 설명하고 있어. '그림자가 드리우면 어두워진다'는 배경지식이 A와 B가 똑같은 밝기인데도 원래 더 밝았던 B가 그림자 안에 있어서 A와 같은 밝기로 보이는 것이라고 판단하게 만들었다는 거지. 그래서 우리는 자연스럽게 B가 더 밝은 것이라고 인식하게 된다는 거야.

▸핵심 포인트◂

착시 현상의 예 ③	• A, B의 밝기는 같지만, B가 더 밝다고 느낌. • 그림자 부분이 어둡다는 우리의 배경지식이 착시의 원인이 됨.

• 우리가 '보는' 것과 착시 현상

강연자는 우리가 두 번 본다고 이야기하고 있어. 첫 번째는 감각 그대로, 망막에 맺힌 그대로를 보는 것이고 두 번째는 그 감각에 배경지식을 적용한 결과대로 보는 것이라고. 첫 번째 본 것과 두 번째 본 것이 일치한다면 착시가 일어나지 않을 것이고, 두 번의 본 것이 일치하지 않는 경우 두 번째로 본 것이 맞다고 인식하게 되면 착시 현상이 일어나는 것임을 말하고 있는 거지. 강연자는 이러한 착시 현상이 우리가 의식하지 못한 채 이루어지는 것이므로, 옳고 그름을 판단할 수 있는 문제가 아니라고 설명하고 있어.

▸핵심 포인트◂

착시 현상이 일어나지 않는 경우	망막에 맺힌 상(실제의 시각적 감각)과 배경지식을 적용하여 본 상이 일치할 때
착시 현상이 일어나는 경우	망막에 맺힌 상(실제의 시각적 감각)과 배경지식을 적용하여 본 상이 불일치하여 배경지식을 적용한 결과대로 인식할 때

---

16. 강연자가 '착시 현상'을 바라보는 태도로 가장 타당한 것은?
① 시각적 감각과 배경지식이 만나 일어나는 과학적 현상이다.
② 잘못된 판단에 의한 것이므로 반드시 고쳐져야 할 현상이다.
③ 당사자의 의도에 따라 일어나기도 하고 일어나지 않기도 한다.
④ 자신의 입장에 유리하게 시각적 감각을 왜곡시켜 나타나게 된다.
⑤ 자연 현상의 하나이므로 우리가 이용하거나 사용하는 것은 불가능하다.

17. **8**에 나타난 착시 현상을 경험할 당시에 든 생각으로 볼 수 <u>없는</u> 것은?
① 실제 A, B의 밝기는 같다.
② A는 그림자 밖에 위치해 있다.
③ 원통의 그림자는 B가 있는 쪽으로 드리워져 있다.
④ 그림자가 있는 곳은 그림자가 없는 곳에 비해 어둡다.
⑤ B가 그림자 때문에 어두워진 것을 고려해서 B의 밝기를 판단해야 한다.

18. **10**의 시각 매체 자료에 담긴 강연자의 의도로 적절한 것은?
① 착시 현상의 원인을 더 자세히 설명하려고 한다.
② 착시 현상에 담긴 과학의 원리를 설명하려고 한다.
③ 착시 현상의 원인에 대한 다른 견해를 제시하려고 한다.
④ 착시 현상을 통해 새로운 과학적 개념을 설명하려고 한다.
⑤ 착시 현상을 우리 생활에 적용하여 활용한 예를 보여 주려고 한다.

19. ㉠에 들어갈 접속어로 가장 적절한 것은?
① 그리고　　　　② 그래서　　　　③ 그런데
④ 따라서　　　　⑤ 그러므로

|서술형|
20. 이 강연의 내용을 바탕으로, 착시 현상이 일어나는 경우와 일어나지 않는 경우를 설명하시오.

11 ❶이 두 사진을 보면, 도로에 어린이 보호 구역을 알리는 표시가 있습니다. 차의 속도를 늦추고 조심해서 운전하도록 안내하는 글자이지요. 사진 옆에 있는 그림은 '어린이 보호 구역'이라는 글자가 실제로 바닥에 어떻게 그려져 있는지 나타냅니다. 〈사진 1〉은 흔히 볼 수 있는 표시인데 운전자의 눈높이에서는 잘 보이지 않습니다. 이에 비해 〈사진 2〉는 글자가 마치 서 있는 것처럼 잘 보이네요. 도대체 어떻게 했기에 이렇게 보이는 걸까요? 그 해답은 〈그림 1〉과 〈그림 2〉를 비교해 보면 알 수 있습니다. 〈그림 2〉와 같이 글자 윗부분을 아랫부분보다 두껍고 크게 하여 윗부분이 더 가까워 보이도록 했기 때문이지요. 앞에서 보았듯 우리는 '멀리 있는 것은 작게, 가까이 있는 것은 크게 보인다.'라고 알고 있잖아요? ❷그 지식을 바탕으로 우리의 뇌는 〈그림 2〉의 글자 모양이 아닌, 〈사진 2〉의 모양으로 인식하는 것이죠. 그러고는 다음과 같이 도로에 세워진 글자를 보게 되는 것입니다.

〈사진 1〉의 '어린이 보호 구역' 표시가 가진 문제점
〈사진 1〉의 '어린이 보호구역' 표시가 가진 문제점을 해결함.
질문을 통해 청중의 주의를 집중시킴.
〈사진 2〉가 〈사진 1〉에 비해 운전자의 눈높이에서 잘 보이는 이유
우리가 가진 배경지식

→ 착시 현상을 효과적으로 활용하는 방법

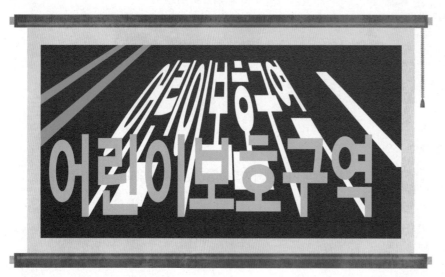

| 전개 2 | 우리 생활에 착시 현상을 이롭게 이용하는 예 |

정리 12 자, 지금까지 착시에 관해 살펴봤는데 어땠나요? 우리가 원래 알고 있던 ˚지식 때문에 착시가 일어난다는 점이 재미있기도 하고, 신기하기도 하지요? 다시 말하지만, 착시는 옳고 그름을 판단할 수 없는 현상입니다. 그러니 자연스럽게 일어나는 ˚인식의 하나로 받아들이고, 생활에 도움이 되도록 이용해 보는 게 바람직하겠죠. 앞에서 보았던 '어린이 보호 구역' 표시처럼, 착시 현상을 멋지게 ˚활용할 방법을 한번 찾아보면 어떨까요? 그럼, 여기서 ˚강연을 마치겠습니다.

배경지식
자연스럽게 일어나는 인식의 하나이므로
착시 현상에 대한 강연자의 생각

→ 자연스럽게 일어나는 인식의 하나인 착시 현상

| 정리 | 자연스러운 인식의 하나인 착시 |

어휘 풀이
· 지식(知識): ① 어떤 대상에 대하여 배우거나 실천하여 알게 된 명확한 인식이나 이해. ② 알고 있는 내용이나 사물.
· 인식(認識): 사물을 분별하고 판단하여 앎.
· 활용(活用): 충분히 잘 이용함.
· 강연(講演): 일정한 주제로 청중 앞에서 이야기함.

어구 풀이
❶ 강연자가 제시한 사진에 대하여 설명하고 있는 부분이다. 제시한 시각 자료를 말로써 설명하여 안내함으로써 청중의 이해를 돕고 있다. 운전자의 입장에서 차를 타고 가면서 보는 도로에 쓰인 글자를 찍은 두 사진에서 보이는 글자들이 각각 실제로 바닥에 어떻게 그려져 있는지를 보여 주는 그림을 제시하고 두 경우를 비교하여 이야기하고 있다.
❷ 실제로는 바닥에 그려진 글자가 윗부분으로 갈수록 커지는 모양인데 이것이 운전자가 차를 탄 상태에서 볼 때에는 착시 현상을 일으켜 아래위가 동일한 크기의 글자 모양으로 보이는 경우를 제시하고 있다. 이를 통해 착시 현상이 실생활에 유용하게 사용될 수 있음을 보여 주고 있다.

착시 현상을 바람직하게 이용하는 사례

〈사진 1〉과 〈사진 2〉 모두 착시 현상이 일어난 예들이야. 〈그림 1〉처럼 글자의 크기를 동일하게 만들었을 경우 〈사진 1〉과 같은 착시가 일어나고, 〈그림 2〉처럼 글자 윗부분을 아랫부분보다 두껍고 크게 하여 윗부분이 더 가까워 보이도록 하면 〈사진 2〉와 같은 착시가 일어나. 그런데 도로 위에 〈그림 1〉과 〈그림 2〉의 글자가 있을 경우에 〈그림 2〉의 글자가 운전자에게 더 잘 보인다면, 둘 중 〈그림 2〉의 글자를 사용해야 운전자에게 어린이 보호 구역을 알리는 목적을 달성하기 더 좋겠지. 즉 강연자가 말한 착시 현상을 유리하게 이용할 수 있다는 말은 착시 현상이 일어날 때 우리 생활에 더 유리한 쪽으로 착시가 일어나게 만들 수 있다는 의미인 것이지.

▶핵심 포인트◀

〈그림 1〉의 글자	→	운전자의 눈높이에서 잘 보이지 않음.
〈그림 2〉의 글자	→	운전자의 눈높이에서 잘 보임.

↓

우리 생활에 더 유리하도록
〈그림 2〉의 글자 모양을 선택할 수 있음.

착시 현상을 바라보는 강연자의 태도

이 강연의 목적은 청중에게 '착시 현상'의 개념에 대해 알려 주는 것이야. ⓬에서 강연자는 착시 현상이 우리의 배경지식으로 인해 일어난다는 것을 한 번 더 정리하여 주면서 착시 현상을 윤리적 기준으로 평가할 것이 아니라 자연스럽게 일어나는 인식의 하나로 받아들이고 생활에 도움이 되도록 이용하는 태도가 바람직하다고 말하고 있어.

착시 현상에 대한 강연자의 태도	—	• 옳다, 그르다 하고 판단할 문제가 아님. • 자연스럽게 일어나는 인식의 하나임. • 생활에 도움이 되도록 이용할 수 있음.

21. 이 강연의 내용과 일치하지 <u>않는</u> 것은?

① 우리 주변에서 쉽게 착시 현상을 찾아볼 수 있다.
② 착시 현상을 이용하여 우리 생활에 도움을 줄 수 있다.
③ 착시 현상이 일어나는 이유는 우리가 가진 배경지식 때문이다.
④ 착시 현상은 자연스럽게 일어나는 인식의 하나로 받아들여야 한다.
⑤ 착시 현상은 옳고 그름을 판단할 수 없는 현상이어서 재미있고 신기하다.

22. 강연자에 대한 설명으로 적절하지 <u>않은</u> 것은?

① 청중을 고려하여 경어체를 사용하고 있다.
② 청중에게 도움이 될 만한 정보를 제공하고 있다.
③ 과학적 개념에 대한 자신의 의견을 제시하고 있다.
④ 현상을 비교할 수 있는 시각 자료를 제시하고 있다.
⑤ 설명하는 대상에 대한 반성적 인식을 보여 주고 있다.

23. 이 강연의 내용을 고려할 때, 도로의 어린이 보호 구역 표시가 눈에 잘 띄도록 만드는 방법으로 가장 적절한 것은?

① 글자의 크기를 더 크게 만든다.
② 글자의 색깔을 다양하게 사용한다.
③ 글자가 뒤로 갈수록 크기가 커지도록 쓴다.
④ 글자의 윗부분을 아랫부분보다 두껍고 크게 쓴다.
⑤ 글자의 가운뎃부분을 크게 하여 항아리 형태로 쓴다.

24. ⓫의 착시 현상에 영향을 미친 배경지식으로 적절한 것은?

① 어린이 보호 구역은 저속으로 달려야 하는 곳이다.
② 멀리 있는 것은 작게, 가까이 있는 것은 크게 보인다.
③ 운전자의 눈높이에서는 도로 바닥이 잘 보이지 않는다.
④ 어린이 보호 구역은 도로에서 흔히 볼 수 있는 글자이다.
⑤ 어린이 보호 구역은 운전자가 조심해서 운전해야 하는 곳이다.

|서술형|
25. ⓬의 내용을 고려하여, 이 강연의 목적이 무엇인지 서술하시오.

학습활동

이해 활동

1. 이 강연을 듣고, 강연의 순서에 따라 주요 내용을 정리해 봅시다.

예시 답 |

착시의 내용	착시의 원인이 된 배경지식
 500원 동전이 100원 동전보다, 100원 동전이 50원 동전보다 멀리 있는 것처럼 보인다.	• 멀리 있는 것은 작게, 가까이 있는 것은 크게 보인다. • 500원 동전은 100원 동전보다 크고 100원 동전은 50원 동전보다 크다.
 철길 사진 위에 놓인 두 노란 막대 중 위의 것이 아래의 것보다 길어 보인다.	멀리 있는 것은 작게, 가까이 있는 것은 크게 보인다.
 A보다 B가 밝아 보인다.	그림자가 드리우면 어두워진다.

 굵기가 일정한 글자가 도로에 서 있는 것처럼 보인다.	멀리 있는 것은 작게, 가까이 있는 것은 크게 보인다.

1. 강연을 듣고, 주요 내용 정리하기

지학이가 도와줄게!
강연을 듣고 주요 내용을 정리하는 활동이야. 이 강연은 '착시 현상'에 대한 이해를 높이기 위해 착시와 관련한 다양한 사례를 제시하고 있어. 강연의 내용을 꼼꼼하게 살펴보면 이 활동에 필요한 정보들을 찾을 수 있단다.

시험엔 이렇게!

1. 동전의 크기와 철길 위 막대 길이의 착시에 영향을 미치는 공통된 배경지식으로 적절한 것은?

① 그림자가 있는 곳은 더 어둡다.
② 배경이 어두우면 대상이 잘 보이지 않는다.
③ 한쪽 눈을 가리면 대상을 정확하게 볼 수 없다.
④ 50원, 100원, 500원 동전의 크기는 모두 다르다.
⑤ 멀리 있는 것은 작게, 가까이 있는 것은 크게 보인다.

2. 이 강연에 제시된 사진들을 이해한 내용 중 착시에 의한 것이 아닌 것은?

① 검은 바탕에 놓인 동전 사진에서 세 동전과의 거리가 같지 않군.
② 검은 바탕에 놓인 동전 사진에서 500원 동전이 100원 동전보다 멀리 있어.
③ 철도 사진 배경 속 위의 막대가 아래 막대보다 길어 보여.
④ 철도 사진 배경 속 위의 막대가 아래 막대보다 멀리 있군.
⑤ 원통이 놓인 판의 A와 B의 밝기는 동일하군.

목표 활동

1. 다음은 이 강연에 사용된 매체 자료입니다. 이어지는 활동을 통해 강연에 사용된 자료의 효과를 생각해 봅시다.

① 강연에 사용된 매체 자료 중에서 가장 인상 깊었던 것을 골라 보고, 그 까닭을 이야기해 봅시다.

> **자신이 고른 자료**   예시 답 | 세 번째 자료(원통형의 그림자 착시 자료)

> **까닭**
>
> 예시 답 | 길이나 거리에 관한 착시는 비교적 많이 접했던 데 비해 그림자에 관한 착시는 신선하여 재미있었다.

② 강연자가 사진 자료를 주로 제시한 까닭을 생각해 봅시다.
예시 답 | 어떤 대상을 볼 때 발생하는 현상의 하나인 '착시'의 예를 그림이나 사진을 통해 직접 보여 줄 수 있기 때문이다.

 따지고 보고 듣는, 자료의 효과 판단

매체 자료는 그 효과와 적절성을 판단하며 보고 들어야 합니다. 자료의 효과와 적절성을 평가할 때에는 말하는 이의 의도를 잘 살려 주는 자료인지, 내용에 알맞은 자료인지, 듣는 이와 매체의 특성을 고려하여 사용한 자료인지 판단해야 하며, 자료의 형태, 제시 방법, 제시 순서가 적절한지 평가합니다.

1. 매체 자료의 종류와 효과에 대해 이해하기

✏ 지학이가 도와줄게!

강연에 사용된 매체 자료의 종류와 효과에 대해 생각해 보는 활동이야. 이 강연에서는 여러 번에 걸쳐 매체 자료가 사용되었는데, 만약 매체 자료가 사용되지 않았다면 강연에 어떤 영향을 미치게 될까? 그 차이를 생각해 보면 매체 자료의 효과가 무엇인지 이해하기 쉬울 거야.
이 강연은 착시 현상을 설명하고 있어. 따라서 청중이 착시 현상을 직접 경험해 볼 수 있도록 하기 위해 매체 자료를 사용하고 있지. 착시 현상을 경험하기에 가장 적합한 매체 자료가 무엇인지 생각하며 주어진 활동을 해 보자.

🍎 시험엔 이렇게!!

3. 이 강연에 사용된 매체 자료에 대한 청중의 생각으로 적절하지 **않은** 것은?

① 시청각 매체 자료를 사용하고 있군.
② 강연의 목적에 맞는 매체 자료로군.
③ 청중의 수준을 고려한 매체 자료로군.
④ 착시 현상이 나타난 사례들을 보여 주는군.
⑤ 착시 현상을 설명하기에 적절한 매체 자료로군.

4. 강연자가 사진 자료들을 통해 설명하고자 하는 것은?

① 착시 현상의 원인
② 원근과 관련된 배경지식
③ 사물의 위치에 따른 밝기
④ 동전의 크기가 다른 이유
⑤ 어린이 보호 구역의 효율성

학습활동

2.
강연을 들은 학생들의 대화를 바탕으로 강연의 내용과 관련된 다양한 매체 자료를 찾아보고, 그 효과를 평가해 봅시다.

> 동명 : 이 강연에서 착시 현상을 담은 사진들 정말 신기하지 않았어?
>
> 성혜 : 응, 신기하더라. 그래서 나는 착시 현상이 나타나는 다른 사진이나 영상들을 좀 더 찾아보려고.
>
> 영현 : 나는 일상생활 속에서 접할 수 있는 착시 현상들이 궁금해졌어. 착시 현상이 활용된 다양한 일상생활 속의 사례들을 조사해 봐야겠어.

1 찾은 자료를 종류별로 정리해 보고, 착시 현상을 이해하는 데 가장 효과적인 자료를 선정하여 친구들에게 소개해 봅시다.

예시 답 |

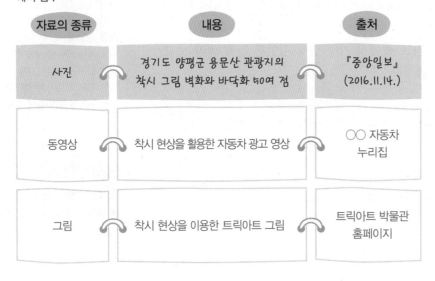

자료의 종류	내용	출처
사진	경기도 양평군 용문산 관광지의 착시 그림 벽화와 바닥화 50여 점	『중앙일보』 (2016.11.14.)
동영상	착시 현상을 활용한 자동차 광고 영상	○○ 자동차 누리집
그림	착시 현상을 이용한 트릭아트 그림	트릭아트 박물관 홈페이지

2 친구들이 소개한 매체 자료를 다음 점검표를 활용하여 평가해 봅시다.

예시 답 | 생략

평가 기준	평가
착시 현상을 이해하는 데 도움이 되는 매체 자료를 선정하였는가?	☆☆☆☆☆
친구들의 관심과 흥미를 끌 만한 매체 자료를 소개하였는가?	☆☆☆☆☆
소개한 매체 자료의 출처를 명확히 제시하였는가?	☆☆☆☆☆

---

2. 매체 자료의 효과 판단하기

지학이가 도와줄게!

착시 현상을 효과적으로 이해하는 데 도움이 될 만한 자료를 탐색하고, 더욱 적절한 자료를 선택함으로써 매체 자료의 효과를 판단하게 하는 능력을 키우기 위한 활동이야. 강연의 내용을 바탕으로 착시 현상과 관련된 매체 자료를 스스로 찾아보되, 인터넷에 전적으로 의존하기보다는 도서관에서 관련 서적을 찾아보는 활동을 병행한다면 보다 정확하고 신뢰할 수 있는 매체 자료를 얻을 수 있을 거야. 수집한 매체 자료는 착시 현상을 이해하는 데 도움이 되는지, 청중의 흥미를 유발할 수 있는지, 출처가 정확한지 등의 평가 기준을 통해 적절성 여부를 판단해 보자.

시험엔 이렇게!!

5. 착시 현상을 설명하기 위해 다음의 자료를 활용했을 때, 이에 대한 긍정적인 평가로 적절하지 **않은** 것은?

자료의 종류	사진
내용	경기도 양평군 관광지의 착시 그림 벽화와 바닥화 50여 점
출처	『중앙일보』(2016. 11. 14.)

① 출처가 명확해서 신뢰성을 높이는군.
② 사진 자료를 사용해서 청중의 관심과 흥미를 유발하는군.
③ 착시 현상을 직접 경험시켜 주니 착시 현상을 이해하는 데 도움이 되는군.
④ 청중의 수준에 맞게 착시 현상을 쉽고 재미있게 이해시킬 수 있는 매체 자료로군.
⑤ 시각 매체 자료를 통해 특정 장소에 대한 관심을 높여 한번 가고 싶게 만드는군.

3. 다음은 학생들이 일상 속의 착시 현상을 조사해 발표한 내용입니다. 각각의 발표를 들으면서 매체 자료의 효과를 생각해 봅시다.

가 여러분, '신비의 도로'에 관해 알고 계십니까? 오르막길인데도 공이나 깡통을 떨어뜨려 보면 굴러 올라가는 모습을 관찰할 수 있는 길입니다. 이런 모습이 마치 도깨비가 장난을 치는 것 같다고 해서 일명 '도깨비 도로'라고 부르기도 한답니다. '도깨비 도로'가 오르막처럼 보이는 것은 주변 환경에 의한 착시라고 합니다. 이런 착시 현상은 가장 유명한 제주도의 '신비의 도로' 외에도 전국 각지에서 발견할 수 있습니다.

나 여러분, '신비의 도로'에 관해 알고 계십니까? 우선 이 영상을 한번 봐 주시기 바랍니다. 어때요? 신기하죠? 방금 영상에서 보신 것처럼 오르막길 위로 사물이 거꾸로 올라가는 것이 마치 도깨비가 장난을 치는 것 같다고 해서 일명 '도깨비 도로'라고 부르기도 한답니다. 이 사진의 길은 오르막처럼 보이지만, 사실은 경사 3도 정도의 내리막길인데요, 이렇게 오르막처럼 보이는 것은 주변 환경에 의한 착시라고 합니다. 이런 착시 현상은 가장 유명한 제주도의 '신비의 도로' 외에도 전국 각지에서 발견할 수 있습니다.

① **가**, **나** 중에서 더 효과적으로 내용을 이해할 수 있었던 것을 고르고, 그 까닭을 이야기해 봅시다.

예시 답 | 동영상과 사진 자료를 활용한 **나**의 말하기가 더 효과적으로 내용을 이해하는 데 도움이 된다. 말로 하는 설명만으로는 잘 이해되지 않았던 '오르막처럼 보이는 내리막길'을 눈으로 확인할 수 있기 때문이다.

② 말하는 이가 다양한 매체 자료를 활용하여 발표했을 때와 활용하지 않고 발표했을 때 어떠한 차이점이 있는지 생각해 봅시다.

예시 답 | 다양한 매체 자료를 제시하면 말로만 전달했을 때보다 효과적으로 듣는 이의 관심과 흥미를 끌 수 있으며, 구체적인 내용을 좀 더 명확하게 설명할 수 있다.

3. 매체 자료 사용 유무에 따른 말하기의 효과 이해하기

★ 지학이가 도와줄게!

매체 자료 없이 말로만 정보를 전달받을 때와 매체 자료가 활용된 말하기를 들을 때를 비교함으로써 매체 자료의 효과를 깨닫도록 하는 활동이야. 매체 자료는 음성이나 문자를 보완하는 역할을 함으로써 듣는 이가 말하기의 내용을 더욱 쉽게, 깊이 있게 이해할 수 있게 해 준다.

시험엔 이렇게!!

6. 이 발표의 목적으로 가장 적절한 것은?
① '신비의 도로'에 대한 홍보
② '신비의 도로'와 관련된 일화 소개
③ '신비의 도로'에 나타나는 착시 현상 설명
④ '신비의 도로'로 대표되는 제주도의 풍경 소개
⑤ '신비의 도로'와 '도깨비 도로'를 찾아가는 방법 안내

7. **가**와 **나** 중, 더 효과적인 발표를 고르고, 그 이유를 적절하게 설명한 것은?
① **가**: **나**의 불필요한 부분을 제거하고 필요한 내용만 간결하게 설명하고 있으므로
② **가**: **나**와 달리 '신비의 도로'에 나타난 착시 현상을 자세히 설명하고 있으므로
③ **가**: **나**와 달리 '신비의 도로'가 '도깨비 도로'로 불리는 이유를 설명하고 있으므로
④ **나**: **가**보다 더 다양한 사례를 사용하여 설명하고 있으므로
⑤ **나**: **가**와 달리 다양한 매체 자료를 사용하여 설명하고 있으므로

학습활동

창의 · 융합 활동

🎧 다음 라디오 광고를 듣고, 이어지는 활동을 해 봅시다.

당신의 아이가 피아노를 배울 때, 배고픔을 참는 법을 배우는 아이들이 있습니다.

일주일 중 6일을 굶어야 하는 이 아이들에게 사랑을 보내 주세요.

희망을 전하겠습니다.

사람이 간다, 희망이 온다. 기아 대책.

총성도 포탄도 울리지 않지만, 이것은 전쟁입니다.

5초에 한 명씩 아이들을 죽이는 적의 이름은 기아.

이 전쟁을 끝내게 해 주십시오.

당신이 허락한다면 저희가 가겠습니다.

사람이 간다, 희망이 온다. 기아 대책.

– 기아 대책 라디오 광고(http://www.kfhi.or.kr)

혼자 하기 😊

1. 라디오 광고의 내용을 더 효과적으로 표현할 수 있게 할 청각 자료를 찾아 봅시다.

예시 답 |

자료를 사용할 부분	자료의 내용
당신의 아이가 피아노를 배울 때, 배고픔을 참는 법을 배우는 아이들이 있습니다.	배경 음악으로 잔잔한 피아노 연주곡을 사용한다. 예 김광민, 「지구에서 온 편지」, 「지금은 우리가 멀리 있을지라도」 등
총성도 포탄도 울리지 않지만, 이것은 전쟁입니다.	멀리서 들리는 총성과 포탄 소리의 효과음을 넣어 준다.
당신이 허락한다면 저희가 가겠습니다. 사람이 간다. 희망이 온다. 기아 대책	멘트의 마무리 부분에 아이들의 해맑은 웃음 소리를 효과음으로 넣어 준다.

매체 자료를 효과적으로 활용하기

◐ 활동 제재 개관
갈래: 광고
성격: 감성적, 설득적
제재: 기아
주제: 기아 대책에 동참하자.
특징
• 아이들의 어려운 상황을 대조를 통해 부각하고 있다.
• 비유적 표현을 통해 기아의 의미를 강하게 전달한다.
• 동일한 문구를 반복하여 설득력을 높이고 있다.

✿ 지학이가 도와줄게! – 1

제시된 글을 라디오 광고로 제작한다고 할 때, 라디오 광고의 특성에 맞는 매체는 무엇인지, 라디오 광고의 목적에 맞는 매체는 무엇인지, 어떤 매체를 사용했을 때 가장 큰 효과를 얻을 수 있는지 생각해 보자.

◐ 라디오 광고에 사용할 수 있는 매체 자료

청각 매체 자료만을 사용함.

↓

배경 음악	분위기를 조성하기 위해 삽입하는 음악
효과음	상황을 실감 나게 표현하기 위해 넣는 소리나 음향
내레이션	성우의 목소리를 사용하여 이야기 형식의 해설을 전달하는 것

2. 다양한 매체 자료를 활용하여 라디오 광고를 영상 광고로 바꾸어 봅시다.

1 라디오 광고와 영상 광고에서 자료의 사용이 어떻게 달라질지 친구들과 이야기해 봅시다.

예시 답 | 라디오 광고에서는 청각 자료만 사용되지만, 영상 광고에서는 청각 자료뿐만 아니라 자막, 그래프, 그림, 사진 등의 시각 자료와 애니메이션, 동영상 등의 시청각 자료 등을 모두 사용할 수 있다.

2 이 라디오 광고를 영상 광고로 바꾸기 위해 추가할 매체 자료를 찾거나 만들어 봅시다.

예시 답 |

매체 자료를 사용할 부분	매체 자료의 종류와 내용	출처
당신의 아이가 피아노를 배울 때, 배고픔을 참는 법을 배우는 아이들이 있습니다.	동영상 자료 – 피아노를 배우는 아이의 모습과 배고픔에 괴로워하는 아이의 모습	제작
총성도 포탄도 울리지 않지만, 이것은 전쟁입니다. 5초에 한 명씩 아이들을 죽이는 적의 이름은 기아.	기아 사망률을 나타낸 그래프	유니세프 한국위원회 (www.unicef.or.kr)
당신이 허락한다면 저희가 가겠습니다. 사람이 간다, 희망이 온다. 기아 대책.	동영상 자료 – 환하게 웃는 아이들의 모습	제작

📖 지학이가 도와줄게! – 2

내용을 전달하는 광고의 종류가 라디오 광고에서 영상 광고로 바뀌게 되면 사용할 수 있는 매체의 종류도 달라져. 라디오 광고는 청각 매체 자료 이외의 자료를 사용할 수 없지만, 영상 광고는 청각 매체 자료뿐만 아니라 시각, 시청각 매체 자료를 모두 사용할 수 있잖아. 표현하고자 하는 내용을 가장 잘 드러낼 수 있는 매체 자료를 생각해 보고 어떤 매체 자료가 더 효과적일지 생각해 보자.

◦ 영상 광고에 사용할 수 있는 매체 자료

시각, 청각, 시청각 매체 자료를 모두 사용할 수 있음.	
시각 매체 자료	그림, 사진, 도표, 그래프 등
청각 매체 자료	배경 음악, 효과음, 내레이션 등
시청각 매체 자료	동영상, 애니메이션 등

활동 더 해 보기 사진으로 시 영상 만들기

모둠별 시 선정 하기 → 선정한 시 이해 하기 → 이야기판 작성하기 → 사진 촬영 및 편집하기 → 완성한 시 영상 보기 → 다른 모둠의 시 영상 평가하기

모둠별로 가장 마음에 드는 시를 한 편 고르고, 시를 모둠원 수에 맞게 나눈 후 각각 맡은 부분에 해당하는 장면에 대한 이야기판을 작성한다. 이야기판이 완성된 모둠부터 스마트폰을 활용한 촬영 및 편집을 진행하도록 한다. 일반 영상의 경우 주변 소음 때문에 원활한 제작이 어려울 수 있으므로 사진을 찍고 그것을 이어 붙인 후 배경 음악과 자막을 넣어 영상을 만들도록 한다. 시의 효과적인 내용 전달을 위해 적절한 사진 및 배경 음악을 선정하였는지 평가할 수 있도록 한다. 분량은 2~4분 정도가 적당하다.

소단원 콕! 짚고 가기

소단원 제재

1. 제재 정리

글쓴이	김경일(1970~)	갈래	강연
성격	정보 전달적, 해설적, 논리적	제재	다양한 착시 현상의 사례와 원인
주제	①□□□□을 통해 세상을 보는 인간		
특징	• 다양한 사례를 바탕으로 착시의 ②□□을 효과적으로 설명함. • 듣는 이의 이해를 돕기 위해 적절한 ③□□ 매체 자료를 사용함. • 공식적인 상황의 말하기에 알맞은 격식 있는 표현을 사용함.		

2. 글의 구성

도입	전개	정리
자기소개 및 화제 제시	다양한 착시 사례와 그 ④□□ 및 착시 현상을 이용한 예	자연스러운 인식의 하나인 착시

핵심 포인트

1. 착시 현상의 예와 원인

착시 현상의 예	착시의 원인
같은 크기로 같은 거리에 놓인 세 개의 동전을 보고, 500원 동전이 제일 멀리 떨어져 있다고 인식함.	멀리 있는 것은 작게, 가까이 있는 것은 크게 보인다는 ⑤□□□□과 500원 동전이 가장 크다는 배경지식의 영향을 받아, 세 동전의 크기가 같게 보인다면 500원짜리 동전이 가장 멀리 떨어져 있을 것이라고 생각했기 때문에
철길 사진 위에 놓인 길이가 같은 두 개의 막대를 보고, 위에 있는 막대가 더 길다고 인식함.	멀리 있는 것은 작게, 가까이 있는 것은 크게 보인다는 배경지식의 영향을 받아, 철길 위 두 막대 중 위에 있는 막대가 더 길 것이라고 생각했기 때문에
원통이 놓인 판자 위 두 네모 칸 A, B의 밝기가 같음에도 이를 보고, B가 더 밝다고 인식함.	그림자가 드리우면 어두워진다는 배경지식의 영향을 받아, 그림자 부분의 B가 더 밝을 것이라고 생각했기 때문에

2. 강연에 사용된 매체 자료의 종류와 효과

매체의 자료 종류	⑥□□ 매체 – 사진
매체 자료의 효과	• 청중이 착시 현상을 보다 쉽게 ⑦□□할 수 있도록 도움. • 청중의 호기심을 자극하여 강연에 집중하게 함.

정답: ① 착시 현상 ② 원인 ③ 시각 ④ 원인 ⑤ 배경지식 ⑥ 시각 ⑦ 이해

소단원 나의 실력 다지기

[01~05] 다음 글을 읽고, 물음에 답하시오.

착시의 예로는 독특하고 흥미로운 것들이 많습니다. 그림으로 확인해 볼까요? 불을 잠깐 꺼 주시겠어요? 자, 이제 한쪽 눈을 손으로 가리세요. 그리고 다른 한쪽 눈으로 여기 동전 세 개를 집중해서 바라봅시다.

어떤 동전이 가장 가까이 있는 것 같나요? 또 어떤 동전이 가장 멀어 보이나요?

정상적으로 착시가 일어났다면 500원 동전이 제일 멀리 떨어져 있는 거로 보일 거예요.

이제 눈을 가렸던 손을 치우고, 동전들을 다시 보시죠. 사실 이 그림에서 동전 세 개는 같은 크기로, 같은 평면에 나란히 배치되어 있습니다. 그런데 왜 한쪽 눈을 가리고 집중해 보았을 때, 동전 셋이 서로 다른 거리에 있는 것처럼 보였을까요? 배경은 어둡고, 우리는 한쪽 눈마저 가렸기 때문에 거리가 얼마나 떨어져 있는지 정확히 알기가 어려웠습니다. 그래서 우리의 뇌는 이미 아는 정보, 즉 배경지식을 활용하여 거리를 판단했던 겁니다. 500원 동전이 100원 동전보다 크고, 100원 동전은 50원 동전보다 크다는 걸 우리는 이미 알고 있지요. 멀리 있는 것은 작게, 가까이 있는 것은 크게 보인다는 사실도요. 이 동전들이 원래 크기 그대로 같은 거리에 나란히 있었다면 500원 동전이 제일 크게, 50원 동전이 제일 작게 보이겠죠? 그런데 이 그림에서는 동전 크기가 셋 다 같아 보이니, 우리 뇌가 어떻게 판단했겠어요? '아, 500원짜리 동전이 가장 멀리 떨어져 있구나.' 하고 판단한 것이죠. 그러니까 뇌가 배경지식의 영향을 받아, ㉠실제로 보고 인식한 사실과 전혀 다르게 ㉡판단한 겁니다. 이런 현상이 바로 착시입니다.

01. 이 강연에 대한 설명으로 적절한 것은?

① 어떤 현상에 대한 원인을 밝히고 있다.

② 어떤 현상으로 인한 부작용을 나열하고 있다.

③ 어떤 현상의 문제점과 그 해결 방법을 제시하고 있다.

④ 대비되는 사례를 제시하여 현상을 부각하고 있다.

⑤ 비유적 표현을 사용하여 주제에 대한 청중의 호기심을 유발하고 있다.

02. 이 강연의 '착시 현상'에 영향을 미친 요소로 적절하지 **않은** 것은?

① 어두운 배경

② 한쪽 눈을 가린 상황

③ 세 동전의 크기에 대한 배경지식

④ 세 동전의 크기가 모두 같다는 정보

⑤ 멀리 있는 것은 작게, 가까이 있는 것은 크게 보인다는 배경지식

활동 응용 문제

03. 강연자가 이 강연을 준비할 때 고려한 내용으로 적절하지 **않은** 것은?

① 사진 자료를 사용하면 사실성을 높일 수 있겠지.

② 질문을 통해 청중이 강연에 집중하도록 해야겠어.

③ 청중이 나의 말에 공감할 수 있도록 매체 자료를 적절히 사용해야겠어.

④ 시각 매체 자료를 사용하면 청중이 강연의 내용을 직접 경험해 볼 수 있겠군.

⑤ 청각 매체 자료를 사용하면 강연 내용에 대한 청중의 이해를 도울 수 있겠군.

활동 응용 문제

04. 청중의 입장에서 강연에 사용된 매체 자료의 적절성을 평가하는 기준으로 적절하지 **않은** 것은?

① 강연자의 수준에 맞는 매체 자료인가?

② 강연의 목적에 부합하는 매체 자료인가?

③ 청중의 관심과 흥미를 끌 만한 매체 자료인가?

④ 강연 내용 이해에 도움이 되는 매체 자료인가?

⑤ 매체 자료가 강연의 흐름에 맞게 제시되었는가?

| 서술형 |

05. 강연의 내용을 고려하여, ㉠과 ㉡의 의미를 서술하시오.

[06~09] 다음 글을 읽고, 물음에 답하시오.

㉮

두 막대의 실제 길이는 같습니다. 위에 있는 막대가 더 길다고 생각한 분들이 꽤 있을 거예요. 이것 역시 멀리 있는 사물은 작게 보이고 가까운 사물은 크게 보인다는 배경지식 때문에 일어난 착시입니다. 그 과정을 살펴볼까요? 사람들은 사진의 배경인 철길을 참고해 위 막대는 멀리 있고 아래 막대는 가깝게 있다고 여깁니다. 그러고는 실제로 길이가 같은 두 막대를 보면서, 멀리 있는 위 막대가 가까이 있는 아래 막대보다 원래는 더 길 거라고 판단하는 거죠.

㉯

자, 그림 속 판자 위의 네모 칸 중 A와 B가 각각 적힌 칸의 밝기를 비교해 보세요. 어떤 칸이 더 밝아 보이나요? 아마 많은 분이 B라고 생각할 겁니다. 그럼 실제로 A와 B 두 칸을 이어 붙여서, 밝기를 비교해 보겠습니다.

어떤가요? 두 칸의 밝기가 같죠? 이때 우리의 뇌가 사용한 배경지식은 '그림자가 드리우면 어두워진다.'라는 것입니다. 위 그림에서 원통의 그림자는 B가 있는 쪽으로 드리워 있습니다. 그림자가 있는 곳은 그림자가 없는 곳에 비해서 어둡겠죠? 우리는 이미 그렇게 알고 있습니다. 그래서 그림자 안에 있는 B는 그림자 때문에 어두워진 결과이고, 원래 B는 보이는 것보다 더 밝았을 거라고 우리 뇌가 판단한 것

이죠. 하지만 뇌의 판단과는 달리, 실제 A와 B, 두 칸의 밝기는 같았습니다. 이 역시 사물을 볼 때 배경지식이 영향을 미쳐, 실제와 다른 것을 자기는 맞게 보았다고 착각한 경우입니다.

---

06. 이 강연의 목적으로 가장 적절한 것은?

① 착시 현상의 중요성을 알리기 위해
② 착시 현상의 다양한 사례와 원인을 설명하기 위해
③ 착시 현상의 다양한 원인과 그 결과를 알려 주기 위해
④ 착시 현상처럼 우리 신체가 오류를 일으킬 수 있다는 것을 이해시키기 위해
⑤ 착시 현상의 과정을 관찰하고 착시 현상이 일어나지 않도록 하는 방법을 찾기 위해

활동 응용 문제

07. (가), (나)의 내용과 일치하지 <u>않는</u> 것은?

① (가): 두 막대의 실제 길이는 같다.
② (가): 대부분의 사람들은 위의 막대가 아래 막대보다 길다고 판단한다.
③ (나): A, B 두 칸의 실제 밝기는 같다.
④ (나): 대부분의 사람들은 B보다 A가 더 밝다고 판단한다.
⑤ (나): B가 원통의 그림자 안에 있다는 사실이 착시에 영향을 준다.

08. 이 강연에 사용된 매체 자료의 효과로 적절하지 <u>않은</u> 것은?

① 강연에 대한 청중의 호기심을 유발한다.
② 강연에 대한 청중의 주의를 집중시킨다.
③ 강연 내용에 대한 청중의 이해도를 높인다.
④ 청중에게 강연의 내용을 요약하여 보여 준다.
⑤ 강연자가 의도한 강연의 목적을 달성시킨다.

| 서술형 |

09. 이 강연의 내용을 고려하여 착시 현상이 일어나는 원인을 서술하시오.

[10~13] 다음 글을 읽고, 물음에 답하시오.

착시는 옳다, 그르다 하고 판단할 문제는 아닙니다. 그런데 착시 현상을 우리 생활에 이롭게 이용할 수는 있습니다. 다음 사진을 한번 보시죠.

이 두 사진을 보면, 도로에 어린이 보호 구역을 알리는 표시가 있습니다. 차의 속도를 늦추고 조심해서 운전하도록 안내하는 글자이지요. 사진 옆에 있는 그림은 '어린이 보호 구역'이라는 글자가 실제로 바닥에 어떻게 그려져 있는지 나타냅니다. 〈사진 1〉은 흔히 볼 수 있는 표시인데 운전자의 눈높이에서는 잘 보이지 않습니다. 이에 비해 〈사진 2〉는 글자가 마치 서 있는 것처럼 잘 보이네요. 도대체 어떻게 했기에 이렇게 보이는 걸까요? 그 해답은 〈그림 1〉과 〈그림 2〉를 비교해 보면 알 수 있습니다. 〈그림 2〉와 같이 글자 윗부분을 아랫부분보다 두껍고 크게 하여 윗부분이 더 가까워 보이도록 했기 때문이지요. 앞에서 보았듯 우리는 '멀리 있는 것은 작게, 가까이 있는 것은 크게 보인다.'라고 알고 있잖아요? 그 지식을 바탕으로 우리의 뇌는 〈그림 2〉의 글자 모양이 아닌, 〈사진 2〉의 모양으로 인식하는 것이죠. 그러고는 다음과 같이 도로에 세워진 글자를 보게 되는 것입니다.

|중략|

자, 지금까지 착시에 관해 살펴봤는데 어땠나요? 우리가 원래 알고 있던 지식 때문에 착시가 일어난다는 점이 재미있기도 하고, 신기하기도 하지요? 다시 말하지만, 착시는 옳고 그름을 판단할 수 없는 현상입니다. 그러니 자연스럽게 일어나는 인식의 하나로 받아들이고, 생활에 도움이 되도록 이용해 보는 게 바람직하겠죠. 앞에서 보았던 '어린이 보호 구역' 표시처럼, 착시 현상을 멋지게 활용할 방법을 한번 찾아보면 어떨까요? 그럼, 여기서 강연을 마치겠습니다.

10. 이 강연에서 강연자가 하였을 말로 적절한 것은?

① 우리의 눈은 의도적으로 착시 현상을 일으킵니다.
② 착시 현상은 배경지식의 영향을 받아 일어납니다.
③ 우리의 부단한 노력으로 착시 현상을 줄일 수 있습니다.
④ 착시 현상은 늘 우리의 생활에 이롭게 쓰여지고 있습니다.
⑤ 착시 현상은 소수의 사람들만이 경험할 뿐 대부분은 경험하지 못합니다.

11. 이 강연을 들은 청중의 반응으로 적절하지 않은 것은?

① 착시 현상이 일어나는 이유를 알게 되었어.
② 〈사진 1〉과 〈사진 2〉는 모두 착시 현상이 일어난 사례로군.
③ 〈그림 2〉의 글자가 차의 속도를 늦추게 하는 데 더 효율적이겠군.
④ 시각 매체 자료 덕분에 강연자가 전달하고자 하는 내용이 쉽게 이해됐어.
⑤ 강연자는 〈사진 1〉보다 〈사진 2〉에서 일어난 착시 현상을 옳다고 생각하고 있군.

활동 응용 문제

12. 이 강연에 사용된 시각 매체 자료에 대한 평가로 적절한 것은?

① 착시 현상으로 인한 문제점을 구체적으로 보여 준다.
② 착시 현상에 장소가 어떤 영향을 미치는지 알려 준다.
③ 착시 현상이 사람에 따라 어떻게 다르게 나타나는지 알려 준다.
④ 착시 현상이 일어날 때와 일어나지 않을 때를 구분하여 보여 준다.
⑤ 착시 현상을 우리 생활에 이롭게 이용할 수 있는 사례를 보여 준다.

|서술형|

13. 이 글에 드러난 착시에 대한 강연자의 생각을 40자 내외의 한 문장으로 서술하시오.

단원 + 단원

통합과 적용

단원+단원, 이렇게 통합·적용했어요!

> **명태의 귀환**
> 매체에 드러난 표현 방법과
> 의도를 평가하며 읽기

+

> **내가 보는 세상은 진짜일까**
> 매체 자료의 효과를
> 판단하며 읽기

↓

> 우리 반에서 있었던 일 중 기억
> 에 남는 사건을 매체 자료를 사
> 용하여 신문 기사로 작성하기

1. 모둠별로 우리 반에서 있었던 일 중 기억에 남는 사건을 선정해 봅시다. 예시 답 |

순서	사건	선정한 까닭
예	우리 반이 체육 대회에서 응원상을 받은 일	개인의 노력이 아니라, 반 친구들 모두의 노력이 뒷받침된 일이기 때문이다.
	강원도 ○○로 떠난 수학여행	학교에서 벗어나 다양한 장소에서 친구들과의 추억을 만들 수 있었기 때문이다.

2. 1에서 선정한 사건을 하나 골라 기사를 쓸 때, 사건의 내용을 효과적으로 전달할 수 있는 적절한 매체 자료를 생각해 봅시다. 예시 답 |

기사 제목	매체 자료의 종류와 내용	자료 선정의 이유
예 '나'보다 '우리'가 더욱 빛난 날	체육 대회 응원 모습이 담긴 사진	사진을 통해 실제 응원 모습을 효과적으로 전달함.
자연과 함께 만든 추억	강원도 설악산을 풍경으로 한 우리 반 단체 사진	우리 반 모든 친구들이 자연 안에 있는 모습을 담아낼 수 있음.

3. 2에서 선정한 자료를 활용하여 신문 기사를 작성해 봅시다.

예시

> 나보다 '우리'가 더욱 빛난 날
>
> 올해 교내 체육 대회에서 우리 반은 50미터(m) 달리기, 400미터(m) 이어달리기, 이인삼각, 서바이벌 깃발 잡기, 단체 8자 줄넘기, 림보 등의 여섯 경기에 출전하였다. 경기마다 3위까지 시상을 했으나 우리 반은 아무것도 받지 못했다. 그러나 응원을 할 때의 아이디어가 좋았고, 협동심이 뛰어났다며 교장 선생님께서 특별히 응원상을 시상하셨다. 담임 선생님께서는 이 상을 받은 것이 어떤 경기 종목에서의 수상보다 의의가 있는 것이라며 우리를 자랑스러워하셨다.

예시 답 | 자연과 함께 만든 추억

올해 우리 반의 수학여행 장소는 강원도였다. 우리 반은 강원도에서 2박 3일 동안 환선동굴, 낙산사, 설악산, 그리고 오죽헌과 경포 생태 습지를 구경했다.

평소에는 보지 못했던 아름다운 자연을 경험할 수 있어 우리 반 친구들 모두 만족도가 높은 수학여행이었다. 자연을 배경으로 사진도 많이 찍고 밤에는 모닥불 앞에서 함께 별을 구경하면서 우리의 우정도 더욱 깊어질 수 있었다.

4. 모둠별로 완성한 기사를 친구들에게 소개해 봅시다.

예시 답 | 생략

5. 매체 자료의 효과와 적절성을 중심으로 다른 모둠의 발표를 듣고 평가해 봅시다.

예시 답 | 생략

대단원을 닫으며

·학습 목표 점검하기·

❶ 명태의 귀환

매체에 드러난 표현 방법과 의도 평가하며 읽기

- 매체를 통해 표현하는 방법에는 어휘나 문장 표현, 삽화, 도표, 사진, 동영상 등이 있으며, 이들은 글쓴이의 의도나 글의 내용을 효과적으로 전달하는 데 도움을 준다.
- 「명태의 귀환」은 우리 바다에서 사라진 명태의 복원을 위한 양식 기술 개발에 관한 기사문이다.

> **잘 모른다면**
> 교과서 179쪽의 내용을 살펴보면 매체 자료의 정의와 효과를 알 수 있을 거야.

❷ 내가 보는 세상은 진짜일까

매체 자료의 효과를 판단하며 듣기

- 매체 자료를 활용하여 들을 때는, 제시된 매체 자료가 적절한 것인지 판단하며 들어야 한다.
- 「내가 보는 세상은 진짜일까」는 다양한 매체 자료를 바탕으로 사실을 왜곡하여 보게 되는 착시 현상을 설명하고 있는 강연이다.

> **잘 모른다면**
> 교과서 193~195쪽의 목표 활동을 살펴보면 매체 자료의 효과를 판단하며 듣기를 더 잘할 수 있을 거야.

·어휘력 점검하기·

다음에 제시된 단어와 〈보기〉의 뜻풀이가 바르게 연결되도록 알맞은 기호를 넣어 보자.

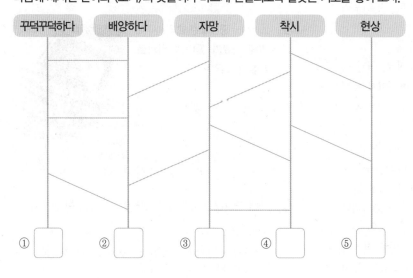

| 꾸덕꾸덕하다 | 배양하다 | 자망 | 착시 | 현상 |

① ☐　② ☐　③ ☐　④ ☐　⑤ ☐

보기

㉠ 바다에서 물고기 떼가 지나다니는 길목에 쳐 놓아 고기를 잡는 데 쓰는 그물.

㉡ 인간이 지각할 수 있는, 사물의 모양과 상태.

㉢ 우리가 어떤 대상을 볼 때, 필요없거나 잘못된 배경지식을 사용하는 바람에 실제와 다르게 해석하는 것.

㉣ 인공적인 환경을 만들어 동식물세포와 조직의 일부나 미생물 따위를 가꾸어 기르다.

㉤ 물기 있는 물체의 거죽이 조금 마르거나 얼어서 꽤 굳어 있다.

정답: ① ㉤　② ㉠　③ ㉡　④ ㉢　⑤ ㉣

[01~04] 다음 글을 읽고, 물음에 답하시오.

가 '국민 생선' 명태

　명태만큼 여러 이름으로 불리는 생선이 있을까? 예로부터 우리나라에서는 잡은 지 얼마 안 된 싱싱한 '생태'로, 또는 꽁꽁 얼린 '동태'로 얼큰하게 탕을 끓여 먹고 매콤하게 찜을 해 먹었다. 꾸덕꾸덕하게 말려 찜 요리에 적당한 '코다리', 노릇노릇하게 구워 먹는 '노가리', 통통한 주머니 안에 작은 알들이 가득한 '명란젓', 꼬들꼬들한 식감을 자랑하는 '창난젓'까지 모두 명태로 만든 것이다. [ ] 눈과 비, 바람을 맞히며 오랫동안 말린 '황태'나 바싹 말린 '북어'로 육수를 우려내 요리의 기본 재료로 쓰기도 한다. 많은 이름에서도 알 수 있듯, 우리 식단에 가장 많이 등장하는 생선이 명태다.

　하지만 명태는 다른 나라에서는 그렇게 인기 있는 생선이 아니다. 살코기 자체에 별다른 맛이나 식감이 없어, 불에 직접 구워 먹기를 좋아하는 식문화에는 어울리지 않기 때문이다. 그래서 외국에서는 다른 생선과 함께 잘게 다져서 어묵을 만들거나, 튀김옷을 입혀 바삭하게 튀겨서 소스를 묻혀 먹는다. [㉯] 하지만 얼큰한 국물을 좋아하는 한국인의 입맛에는 딱 맞는 '국민 생선'이라 해도 손색이 없다. 우리나라에서는 명태를 한 해에 25만 톤(t)이나 소비한다.

나　　　　　　　　　　㉠

　명태는 1970년대만 해도 동해에서 매년 7만 톤(t) 안팎으로 잡힐 만큼 흔했다. 알을 밴 고기일수록 맛이 좋고 어린 고기까지 술안주로 인기 있었던 탓일까. 결국, 우리 바다에서 명태의 씨가 말라 버렸다. 2008년 이후 매년 우리나라 가까운 바다에서 잡히는 명태는 1톤(t) 안팎이다. 지금 우리 식탁에 올라오는 명태는 거의 다 수입한 것으로, 러시아산이 대부분이다. [㉰]

　전문가들은 국산 명태가 사라진 원인 중 하나로, 어린 명태까지 마구잡이로 잡은 것을 든다. 기후가 변하면서 동해의 표층 수온이 변한 것도 원인으로 추정한다. 명태는 차가운 물을 좋아하는 냉수성 어류인데, 수온이 올라가는 바람에 동해가 이제는 명태가 살기 어려운 환경이 되었다는 것이다. 국립수산과학원에 따르면 동해의 연평균 표층 수온은 1970년부터 2016년까지 47년간 섭씨 0.93도(℃)가량 올랐다. [㉱] 이렇게 바닷물이 따뜻해지면서, 1970년대와 1980년대에 많이 잡히던 명태와 정어리, 갈치, 쥐치의 수가 줄어들었다. 특히 명태와 정어리는 2000년대 이후 찾기가 힘들다. 대신에 1990년대부터 오징어, 멸치, 고등어 등이 늘어났으며 예전에는 우리 바다에 거의 없었던 온대성, 아

열대성 물고기들이 많이 나타났다. 모두 기후 변화에 따른 현상이다. [㉲]

---

01. 이 글에 대한 설명으로 적절하지 <u>않은</u> 것은?

① (가): 구체적인 수치를 사용하여 명태가 우리나라에서 인기 있는 생선임을 드러내고 있다.

② (가): 우리나라와 외국의 식문화가 달라서 명태에 대한 선호도가 다름을 설명하고 있다.

③ (가): 명태를 부르는 다양한 명칭을 소개함으로써 명태가 우리나라에서 대중적인 생선임을 설명하고 있다.

④ (나): 과거와 현재의 명태 어획량을 구체적 수치로 제시하여 명태의 어획량이 크게 줄었음을 드러내고 있다.

⑤ (나): 아직까지는 명태가 흔한 생선이지만 조만간 우리 식탁에 국산 명태가 올라오기 힘들어질 것임을 예측하고 있다.

02. (나)에 나타난 문제점의 원인이 <u>아닌</u> 것은?

① 무분별한 포획

② 지나친 수입 의존

③ 지구 온난화의 영향

④ 아열대성으로의 기후 변화

⑤ 동해의 연평균 표층 수온 증가

03. ㉮~㉲ 중, 오른쪽의 시각 매체 자료가 들어갈 위치로 적절한 것은?

노가리

① ㉮　　② ㉯
③ ㉰　　④ ㉱
⑤ ㉲

| 서술형 |

04. ㉠에 들어갈 기사문의 소제목을 〈조건〉에 맞게 쓰시오.

┌ 조건 ┐
• (나)의 내용을 포괄할 수 있도록 소제목으로 작성할 것.
• '명태'라는 단어를 포함하도록 할 것.

[05~10] 다음 글을 읽고, 물음에 답하시오.

가 해양수산부는 국산 명태를 복원할 필요성을 인식하고 2014년 '명태 살리기 프로젝트'를 시작했다. 국립수산과학원 동해수산연구소, 강원도 한해성수산자원센터, 강릉원주대가 함께 연구팀을 꾸렸다. 이 프로젝트는 국산 명태를 대량으로 번식시킬 수 있도록 완전 양식 기술을 개발하는 데 목표를 두었다.

나 그런데 명태를 완전 양식 하려니 걸림돌이 있었다. 우선 동해에서 명태를 찾기가 쉽지 않았다. 어쩌다 명태를 잡더라도 수정란을 얻을 수 있을 만큼 성숙하지 않거나 건강하지 않았다. 명태를 잡아 올리는 과정도 문제였다. 명태는 깊은 바닷속에서 살기 때문에 자망을 이용해서 잡는다. 자망의 그물코는 물고기보다 작아서, 지나가던 물고기들이 그 그물코에 걸려 낚인다. 그물에 걸릴 때 상처가 나거나 스트레스를 받기 때문에, 이렇게 잡힌 명태는 2~3일 안에 죽기 일쑤였다. 결국, 연구팀은 한 마리에 50만 원씩 현상금을 걸고 '살아 있는 명태 어미 고기'를 찾아 나섰다.

몸값까지 걸며 간절히 찾은 덕분일까. 명태 살리기 프로젝트를 시작한 이듬해인 2015년 1월, 건강한 자연산 명태 어미 한 마리를 구할 수 있었다. 그리고 그해 2월, 실내 수조에서 질 좋은 수정란 53만 개를 얻어 인공 부화하였다.

다 '명태 살리기 프로젝트' 연구팀은 명태가 살기에 가장 적절한 수온을 찾기 시작했다. 그 결과 섭씨 7~12도(℃)에서 잘 자란다는 사실을 알아냈다. 그리고 명태를 키우는 실내 수조에 병원체가 얼마나 있는지, 이것이 어린 고기에게 어떤 영향을 미치는지도 연구했다. 어린 고기가 질병에 걸리는 일을 예방해 초기 생존율을 높이기 위해서였다.

또 하나 특별하게 고려한 것은 먹이였다. 알에서 부화한 새끼 명태에게 적합한 저온성 먹이생물이 당장 없었기 때문이다. 보통은 어류 종자를 생산할 때 동물성 플랑크톤인 로티퍼를 먹이로 쓴다. 그래서 명태가 사는 차가운 물에 로티퍼를 넣었더니, 로티퍼는 활력을 잃고 수조 바닥으로 가라앉아 버렸다. 로티퍼는 섭씨 25도(℃) 이상의 환경에서 잘 자라기 때문에, 명태에게 맞는 온도가 로티퍼에게는 너무 낮았던 것이다. 그렇게 가라앉은 로티퍼는 심지어 수질을 악화시키기까지 했다.

연구팀은 '저온성 먹이생물 배양 장치'를 개발해, 로티퍼가 자라는 수조의 온도를 단계적으로 낮췄다. 그런 다음 차가운 물에서도 활기를 띠는 로티퍼만 고른 뒤 따로 배양했다. 이렇게 배양한 로티퍼는 약 섭씨 10도(℃)의 물에서 10 퍼센트(%) 이상 증식했다. 저온성 로티퍼는 명태뿐 아니라 대구 등 다른 냉수성 어류를 사육하는 데에도 큰 역할을 하리라 본다.

연구팀은 고도 불포화 지방산(EPA, DHA) 같은 영양 성분이 든 고에너지 명태 전용 배합 사료도 개발했다. 명태가 잘 성장하고 성숙하는 데 필요한 영양 성분을 이 사료로 공급했다. 그 결과, 연구팀이 사육하는 명태는 자연 상태에서보다 훨씬 빨리 자랐다. 명태는 원래 알을 낳을 정도로 성숙하는 데 3~4년이 걸리지만, 연구팀이 키운 명태는 약 1년 8개월 만에 성숙해 2016년에 알을 낳았다. 명태의 완전 양식을 하는 데 세계 최초로 성공한 것이다.

라 2017년 1월 23일, 해양수산부는 2016년 동해에서 잡힌 명태 가운데 예순일곱 마리의 유전 정보를 분석해 봤더니 그중 두 마리의 유전 정보가 2015년에 방류한 인공 1세대의 것과 일치했다고 밝혔다. 인공적으로 키워 방류한 명태가 자연에 잘 적응해 살고 있다는 뜻이다.

이제부터는 명태를 대량으로 생산할 방법을 찾아야 한다. 국립수산과학원 동해수산연구소 변순규 박사는 "유전적 다양성을 위해 자연산 명태 어미 고기를 계속 확보하고, 1세대 어미를 관리해 질 좋은 수정란을 얻는 기술을 발전시킬 계획"이라고 말했다. 또 "질병을 예방하기 위해 계속 관찰하면서 우수한 종자를 만들 수 있는 기술을 개발할 것"이라고 밝혔다.

마 그렇다면 이렇게 키운 명태를 언제쯤 맛볼 수 있을까? 이제 막 인공 양식 기술을 개발한 수준이므로 양식 명태가 당장 식탁에 오르기는 어렵다. 변 박사는 "어업인들에게 수정란을 분양하고 기술 지도를 하고 있다."라고 말했다. 국립수산과학원에서는 대량 생산이 되면 육지에서는 수조 양식으로, 바다에서는 가두리 양식으로 동시에 명태를 키워 낼 계획도 하고 있다. 이대로라면 머지않아 우리 식탁에 국산 양식 명태가 올라오지 않을까 기대한다.

---

05. (가)~(마)의 중심 내용으로 적절하지 **않은** 것은?

① (가): 국산 명태의 완전 양식을 위한 명태 살리기 프로젝트의 실시

② (나): 명태 살리기 프로젝트가 겪은 여러 가지 문제 상황과 실패

③ (다): 명태 살리기 프로젝트 팀의 다양한 연구와 개발

④ (라): 명태 완전 양식의 성공과 향후 계획

⑤ (마): 명태 살리기 프로젝트의 결과에 대한 전망

| 서술형 |

06. (가)~(마) 중, 〈보기〉의 매체 자료가 들어가기 적절한 문단을 제시하고, 〈보기〉를 추가하였을 때의 효과를 설명하시오.

┤ 보기 ├

07. 이 글의 '명태 살리기 프로젝트'에 대한 독자의 반응으로 적절한 것은?

① '명태 살리기 프로젝트'는 결국 성공하지 못했군.

② '명태 살리기 프로젝트'를 통해 명태의 생태에 대한 정보를 알게 되었어.

③ '명태 살리기 프로젝트' 덕분에 우리 식탁에 국산 양식 명태가 올라올 수 있었군.

④ '명태 살리기 프로젝트'의 목표는 국산 명태의 유전 정보를 확인하는 것이었군.

⑤ '명태 살리기 프로젝트'는 명태의 생태에 맞게 우리 바다의 상태를 바꾸는 데 주력한 셈이군.

| 고난도 |

08. 이 글을 바탕으로 다음은 연구팀이 명태에 대한 연구 결과를 정리한 내용으로 적절하지 <u>않은</u> 것은?

① 일반 로티퍼가 자라는 환경과 명태가 사는 환경은 다르다.

② 섭씨 20도(℃) 이상은 명태가 자라나기에 지나치게 높은 온도이다.

③ 명태를 양식하면 자연 상태일 때보다 성장 속도를 더욱 빠르게 만들 수 있다.

④ 새끼 명태와 보통의 어류 종자를 생산할 때의 먹이는 동일한 것으로 하여도 무방하다.

⑤ 고에너지 명태 전용 배합 사료는 명태가 잘 성장하고 성숙하는 데 필요한 영양 성분을 담고 있다.

09. 〈보기〉와 이 글의 내용을 모두 고려하여 추론한 내용으로 가장 적절한 것은?

┤ 보기 ├

　우리 식단에 가장 많이 등장하는 생선이 명태다. 하지만 명태는 다른 나라에서는 그렇게 인기 있는 생선이 아니다. 살코기 자체에 별다른 맛이나 식감이 없어, 불에 직접 구워 먹기를 좋아하는 식문화에는 어울리지 않기 때문이다. 그래서 외국에서는 다른 생선과 함께 잘게 다져서 어묵을 만들거나, 튀김옷을 입혀 바삭하게 튀겨서 소스를 묻혀 먹는다. 하지만 얼큰한 국물을 좋아하는 한국인의 입맛에는 딱 맞는 '국민 생선'이라 해도 손색이 없다. 우리나라에서는 명태를 한 해에 25만 톤(t)이나 소비한다.

① 수가 줄어든 어종이 명태만은 아닐 텐데, 왜 명태를 복원하게 되었는지 이해할 수 있군.

② 명태 대량 양식이 가능해지면, 다른 나라로 명태를 수출하여 더 큰 이익을 창출할 수 있겠군.

③ 지금은 명태 대량 양식을 통해 명태의 공급이 다시 순조로워지기를 원하는 사람이 많이 없어졌겠군.

④ 양식으로 키운 명태는 원래 우리가 먹었던 명태를 좋아하던 사람들의 입맛을 충족시키기 어렵겠군.

⑤ 명태의 대량 양식이 성공한다 하더라도 자연 상태의 명태를 잡아들일 때에 비하면 명태 공급량은 여전히 많이 모자라겠군.

| 서술형 |

10. '명태 살리기 프로젝트' 팀이 가장 먼저 겪은 문제 상황과 그 원인 두 가지를 한 문장으로 서술하시오.

[11~13] 다음 글을 읽고, 물음에 답하시오.

우리는 사물을 두 번 본다고 할 수 있습니다. 한 번은 감각 그대로, 망막에 맺힌 상을 인식하는 것이고, 두 번째는 그 감각에 배경지식을 적용한 결과대로, 즉 착시대로 보는 것이죠. 이 둘은 일치하지 않을 때가 많은데, 우리는 착시가 일어난 것을 깨닫지도 못한 채 사물을 보곤 합니다. 착시는 옳다, 그르다 하고 판단할 문제는 아닙니다. 그런데 착시 현상을 우리 생활에 이롭게 이용할 수는 있습니다. 다음 사진을 한번 보시죠.

이 두 사진을 보면, 도로에 어린이 보호 구역을 알리는 표시가 있습니다. 차의 속도를 늦추고 조심해서 운전하도록 안내하는 글자이지요. 사진 옆에 있는 그림은 '어린이 보호 구역'이라는 글자가 실제로 바닥에 어떻게 그려져 있는지 나타냅니다. 〈사진 1〉은 흔히 볼 수 있는 표시인데 운전자의 눈높이에서는 잘 보이지 않습니다. 이에 비해 〈사진 2〉는 글자가 마치 서 있는 것처럼 잘 보이네요. 도대체 어떻게 했기에 이렇게 보이는 걸까요? 그 해답은 〈그림 1〉과 〈그림 2〉를 비교해 보면 알 수 있습니다. 〈그림 2〉와 같이 글자 윗부분을 아랫부분보다 두껍게 크게 하여 윗부분이 더 가까워 보이도록 했기 때문이지요. 앞에서 보았듯 우리는 '멀리 있는 것은 작게, 가까이 있는 것은 크게 보인다.'라고 알고 있잖아요? 그 지식을 바탕으로 우리의 뇌는 〈그림 2〉의 글자 모양이 아닌, 〈사진 2〉의 모양으로 인식하는 것이죠. 그러고는 다음과 같이 도로에 세워진 글자를 보게 되는 것입니다.

11. 이 강연의 내용을 바탕으로 〈보기〉의 착시 현상을 해석하였을 때 적절하지 **않은** 것은?

① 막대의 길이에 대한 착시 현상을 보여 주고 있다.
② 착시 현상을 우리 생활에 이롭게 활용한 예의 하나이다.
③ 우리의 망막에 맺힌 상에 따르면 두 막대의 길이는 동일하다.
④ 우리가 사물을 두 번 보았을 때, 이 둘이 일치하지 않는 경우에 해당한다.
⑤ 멀리 있는 것은 작게 보이고, 가까운 것은 크게 보인다는 배경지식이 활용되었다.

| 고난도 |

12. 이 강연에 사용된 〈사진 1〉과 〈사진 2〉에 대한 설명으로 적절한 것은?

① 〈사진 1〉과 〈사진 2〉는 청중이 그릇된 경험을 하게 만든다.
② 〈사진 2〉보다 〈사진 1〉이 도로에 글자를 쓰는 목적에 부합한다.
③ 〈사진 1〉과 〈사진 2〉는 착시가 일어날 때와 일어나지 않을 때를 대조적으로 보여 준다.
④ 〈사진 1〉과 〈사진 2〉에는 글자의 형태 이외에도 착시 현상을 일으키는 다른 요소가 존재한다.
⑤ 〈사진 1〉과 〈사진 2〉는 시각적 감각과 우리의 배경지식이 일치하지 않을 때 나타나는 현상을 다룬다.

| 서술형 |

13. 이 강연의 내용을 바탕으로, 〈조건〉에 맞게 착시 현상의 개념을 서술하시오.

┤ 조건 ├
• 착시 현상이 일어나는 이유를 포함하여 서술할 것.
• '~는 현상'의 문장 형식으로 서술할 것.

[14~17] 다음 글을 읽고, 물음에 답하시오.

 전문가들은 국산 명태가 사라진 원인 중 하나로, 어린 명태까지 마구잡이로 잡은 것을 든다. 기후가 변하면서 동해의 표층 수온이 변한 것도 원인으로 추정한다. 명태는 ☐☐☐☐☐☐☐☐☐☐☐, 수온이 올라가는 바람에 동해가 이제는 명태가 살기 어려운 환경이 되었다는 것이다. 국립수산과학원에 따르면 동해의 연평균 표층 수온은 1970년부터 2016년까지 47년간 섭씨 0.93도(℃)가량 올랐다. 이렇게 바닷물이 따뜻해지면서, 1970년대와 1980년대에 많이 잡히던 명태와 정어리, 갈치, 쥐치의 수가 줄어들었다.

 '명태 살리기 프로젝트' 연구팀은 명태가 살기에 가장 적절한 수온을 찾기 시작했다. 그 결과 섭씨 7~12도(℃)에서 잘 자란다는 사실을 알아냈다. 그리고 명태를 키우는 실내 수조에 병원체가 얼마나 있는지, 이것이 어린 고기에게 어떤 영향을 미치는지도 연구했다. 어린 고기가 질병에 걸리는 일을 예방해 초기 생존율을 높이기 위해서였다.

(다) 착시의 예로는 독특하고 흥미로운 것들이 많습니다. 그림으로 확인해 볼까요? 불을 잠깐 꺼 주시겠어요? 자, 이제 한쪽 눈을 손으로 가리세요. 그리고 다른 한쪽 눈으로 여기 동전 세 개를 집중해서 바라봅시다. [중략]

정상적으로 착시가 일어났다면 500원 동전이 제일 멀리 떨어져 있는 거로 보일 거예요.

이제 눈을 가렸던 손을 치우고, 동전들을 다시 보시죠. 사실 이 그림에서 동전 세 개는 같은 크기로, 같은 평면에 나란히 배치되어 있습니다. 그런데 왜 한쪽 눈을 가리고 집중해 보았을 때, 동전 셋이 서로 다른 거리에 있는 것처럼 보였을까요? 배경은 어둡고, 우리는 한쪽 눈마저 가렸기 때문에 거리가 얼마나 떨어져 있는지 정확히 알기가 어려웠습니다. 그래서 우리의 뇌는 이미 아는 정보, 즉 배경지식을 활용하여 거리를 판단했던 겁니다. 500원 동전이 100원 동전보다 크고, 100원 동전은 50원 동전보다 크다는 걸 우리는 이미 알고 있지요. 멀리 있는 것은 작게, 가까이 있는 것은 크게 보인다는 사실도요. 이 동전들이 원래 크기 그대로 같은 거리에 나란히 있었다면 500원 동전이 제일 크게, 50원 동전이 제일 작게 보이겠죠? 그런데 이 그림에서는 동전 크기가 셋 다 같아 보이니, 우리 뇌가 어떻게 판단했겠어요? '아, 500원짜리 동전이 가장 멀리 떨어져 있구나.' 하고 판단한 것이죠. 그러니까 뇌가 배경지식의 영향을 받아, 실제로 보고 인식한 사실과 전혀 다르게 판단한 것입니다. 이런 현상이 바로 착시입니다.

14. (가), (나)와 (다)의 공통점으로 적절한 것은?

① 문제 해결 과정을 체계적으로 설명하고 있다.
② 구체적인 수치로 문제의 원인을 드러내고 있다.
③ 질문을 통해 전달하고자 하는 내용의 흥미를 유발하고 있다.
④ 청각 매체 자료를 사용하여 주제나 의도를 효율적으로 전달하고 있다.
⑤ 시각 매체 자료를 사용하면 이해 또는 전달이 효과적인 내용을 담고 있다.

15. (가), (나)의 내용을 고려할 때, (가)에 빈칸에 들어갈 내용으로 적절한 것은?

① 차가운 물을 좋아하는데
② 초기 생존율이 높은 편인데
③ 실내 수조에서 키우기 어려운 편인데
④ 어린 물고기일 때 질병에 잘 걸리는데
⑤ 병원체가 얼마나 있는지에 큰 영향을 받는데

| 서술형 |

16. (가)에 추가하기에 적절한 매체 자료를 제시하시오.

┤ 조건 ├

(가)의 핵심 내용과 관련 있는 자료를 제시할 것.

| 고난도 |

17. 다음 질문 중, (다)의 내용을 통해 답을 얻을 수 <u>없는</u> 것은?

① 착시 현상이 일어나는 이유는 무엇일까?
② 착시 현상이 문제가 되는 경우는 없을까?
③ 불을 끄고 그림을 바라보라는 이유는 무엇일까?
④ 착시 현상은 일반적으로 일어나는 정상적인 반응일까?
⑤ 한쪽 눈을 가리고 그림을 볼 때와 두 눈으로 그림을 볼 때의 차이가 무엇일까?

[01~03] 다음 글을 읽고, 물음에 답하시오.

가 '국민 생선' 명태

명태만큼 여러 이름으로 불리는 생선이 있을까? 예로부터 우리나라에서는 잡은 지 얼마 안 된 싱싱한 '생태'로, 또는 꽁꽁 얼린 '동태'로 얼큰하게 탕을 끓여 먹고 매콤하게 찜을 해 먹었다. 꾸덕꾸덕하게 말려 찜 요리에 적당한 '코다리', 노릇노릇하게 구워 먹는 '노가리', 통통한 주머니 안에 작은 알들이 가득한 '명란젓', 꼬들꼬들한 식감을 자랑하는 '창난젓'까지 모두 명태로 만든 것이다. 눈과 비, 바람을 맞히며 오랫동안 말린 '황태'나 바싹 말린 '북어'로 육수를 우려내 요리의 기본 재료로 쓰기도 한다. 많은 이름에서도 알 수 있듯, 우리 식단에 가장 많이 등장하는 생선이 명태다.

하지만 명태는 다른 나라에서는 그렇게 인기 있는 생선이 아니다. 살코기 자체에 별다른 맛이나 식감이 없어, 불에 직접 구워 먹기를 좋아하는 식문화에는 어울리지 않기 때문이다. 그래서 외국에서는 다른 생선과 함께 잘게 다져서 어묵을 만들거나, 튀김옷을 입혀 바삭하게 튀겨서 소스를 묻혀 먹는다. 하지만 얼큰한 국물을 좋아하는 한국인의 입맛에는 딱 맞는 '국민 생선'이라 해도 손색이 없다.

나 국산 명태가 사라졌다

명태는 1970년대만 해도 동해에서 매년 7만 톤(t) 안팎으로 잡힐 만큼 흔했다. 알을 밴 고기일수록 맛이 좋고 어린 고기까지 술안주로 인기 있었던 탓일까. 결국, 우리 바다에서 명태의 씨가 말라 버렸다. 2008년 이후 매년 우리나라 가까운 바다에서 잡히는 명태는 1톤(t) 안팎이다. 지금 우리 식탁에 올라오는 명태는 거의 다 수입한 것으로, 러시아산이 대부분이다.

전문가들은 국산 명태가 사라진 원인 중 하나로, 어린 명태까지 마구잡이로 잡은 것을 든다. 기후가 변하면서 동해의 표층 수온이 변한 것도 원인으로 추정한다. 명태는 차가운 물을 좋아하는 냉수성 어류인데, 수온이 올라가는 바람에 동해가 이제는 명태가 살기 어려운 환경이 되었다는 것이다. 국립수산과학원에 따르면 동해의 연평균 표층 수온은 1970년부터 2016년까지 47년간 섭씨 0.93도(℃)가량 올랐다. 이렇게 바닷물이 따뜻해지면서, 1970년대와 1980년대에 많이 잡히던 명태와 정어리, 갈치, 쥐치의 수가 줄어들었다. 특히 명태와 정어리는 2000년대 이후 찾기가 힘들다. 대신에 1990년대부터 오징어, 멸치, 고등어 등이 늘어났으며 예전에는 우리 바다에 거의 없었던 온대성, 아열대성 물고기들이 많이 나타났다. 모두 기후 변화에 따른 현상이다.

01. (가)에서 사용하기에 적절한 매체의 예를 제시하고, 그 효과를 서술하시오.

┤ 조건 ├
(가)의 내용을 요약한 내용을 포함할 것.

02. 다음은 (나)에 들어갈 그래프 자료이다. 다음 그래프의 의미와 이를 통해 글쓴이가 강조하고자 하는 바가 무엇인지 서술하시오.

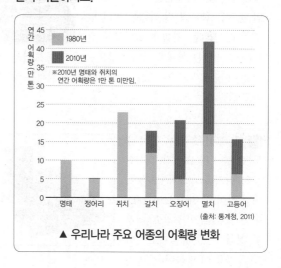

▲ 우리나라 주요 어종의 어획량 변화

03. 명태가 사라지고 있는 원인 중, 〈조건〉에서 언급한 내용과 관련된 원인을 찾아 〈조건〉에 맞게 서술하시오.

┤ 조건 ├
명태가 국민 생선이 된 이유와 명태가 사라지는 이유를 연결하여 서술할 것.

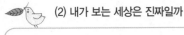
[01~03] 다음 글을 읽고, 물음에 답하시오.

가 철길 위에 노란 막대가 두 개 보이지요? 두 막대 중 어떤 게 더 길어 보이나요? 이제, 실제 길이가 어떤지 확인해 볼까요?

두 막대의 실제 길이는 같습니다. 위에 있는 막대가 더 길다고 생각한 분들이 꽤 있을 거예요. 이것 역시 멀리 있는 사물은 작게 보이고 가까운 사물은 크게 보인다는 배경지식 때문에 일어난 착시입니다. 그 과정을 살펴볼까요? 사람들은 사진의 배경인 철길을 참고해 위 막대는 멀리 있고 아래 막대는 가깝게 있다고 여깁

니다. 그러고는 실제로 길이가 같은 두 막대를 보면서, 멀리 있는 위 막대가 가까이 있는 아래 막대보다 원래는 더 길 거라고 판단하는 거죠.

나 자, 그림 속 판자 위의 네모 칸 중 A와 B가 각각 적힌 칸의 밝기를 비교해 보세요. 어떤 칸이 더 밝아 보이나요? 아마 많은 분이 B라고 생각할 겁니다. 그럼 실제로 A와 B 두 칸을 이어 붙여서, 밝기를 비교해 보겠습니다.

어떤가요? 두 칸의 밝기가 같죠? 이때 우리의 뇌가 사용한 배경지식은 '그림자가 드리우면 어두워진다.'라는 것입니다. 위 그림에서 원통의 그림자는 B가 있는 쪽으로

드리워 있습니다. 그림자가 있는 곳은 그림자가 없는 곳에 비해서 어둡겠죠? 우리는 이미 그렇게 알고 있습니다. 그래서 그림자 안에 있는 B는 그림자 때문에 어두워진 결과이고, 원래 B는 보이는 것보다 더 밝았을 거라고 우리 뇌가 판단한 것이죠. 하지만 뇌의 판단과는 달리, 실제 A와 B, 두 칸의 밝기는 같았습니다. 이 역시 사물을 볼 때 배경지식이 영향을 미쳐, 실제와 다른 것을 자기는 맞게 보았다고 착각한 경우입니다.

01. (가)와 (나)의 내용을 바탕으로 다음의 ㉠, ㉡에 들어갈 말을 서술하시오.

> 착시는 우리가 어떤 대상을 볼 때, 필요 없거나 잘못된 배경지식을 사용하는 바람에 실제와 다르게 해석하는 것을 말합니다. 간단히 말하자면, '그렇게 보았다고 착각하는' 현상이 바로 착시이지요. (가)에서 ㉠_____, (나)에서 ㉡_____이 바로 착시의 대표적 사례라고 할 수 있습니다.

┤ 조건 ├
㉠, ㉡ 모두 '실제', '다르게 해석하는 것'이라는 말을 넣어 서술할 것.

02. 다음은 한 학생이 이 강연을 듣고 정리한 노트의 일부분이다. 다음 표의 ㉮~㉱에 들어갈 내용을 서술하시오.

〈착시가 일어난 원인〉
사물을 볼 때 배경지식이 영향을 미쳐 실제와 다른 것을 자기는 맞게 보았다고 착각하기 때문이다.

	적용된 배경지식	착시
(가)	㉮	㉯
(나)	㉰	㉱

03. 이 강연에서 사용된 매체 자료의 종류를 쓰고, 그 효과를 두 가지 이상 서술하시오.

매체의 개념과 매체 자료의 선택

매체의 개념

매체란 본래 어떤 대상을 전달하는 도구로서 물리적인 특징을 지닌 대상을 뜻한다. 그러나 매체는 이 밖에도 인간이 지닌 생각, 감정, 지식과 같은 정보를 전달하고 공유하는 일종의 매개자(媒介者)로서의 역할을 담당하기 때문에, 인간의 의사소통 수단이 되는 음성 언어나 문자 언어, 인쇄 매체, 전자 매체 등을 모두 포함하는 용어로 설명될 수 있다. 매체가 의미 전달의 물리적 도구인가 혹은 의사소통의 수단으로서의 언어적 표상인가에 대한 논의는 다시 매체 언어에 대한 개념 정의와 맞물려 논의될 수 있다.

매체 언어에 대한 개념 정의는 학자들마다 부분적으로 다룰 수 있지만 대개 매체 언어에 대해 '매체의 언어'라는 단일한 수준의 설명에서부터 '도구로서 매체가 표현하고 있는 문자적·기호적·행위적 형성체'라는 의미, '매체로 실현되는 언어'라는 의미에 이르기까지 매체 언어에 대한 정의는 점차 '매체' 그 자체가 내포한 언어 자체를 지시하는 것에서부터 점차 매체라는 도구를 통해 실현되는 언어적 형상으로서 변화해 왔다.

– 최숙기, 「다매체 시대의 국어 교육의 목표와 방향」,『청람어문교육』42권(청람어문교육학회, 2010, 72쪽)

매체 자료의 선택

매체 자료를 사용하는 데 있어서 가장 먼저 결정해야 할 것은 매체 자료가 말하기 목표를 달성하는 데 도움이 되는지에 관한 결정이다. 즉, 꼭 필요하여 사용해야만 하는지를 우선 결정해야 한다. 그 후에 가장 적합한 매체 자료의 유형을 결정하고, 효과적인 전달 방법을 결정하면 된다.

매체 자료를 사용하는 까닭은 크게 두 가지로 구분할 수 있다. 첫째는 청자의 이해를 돕는 것이다. 복잡하고, 낯설고, 전문적인 개념을 설명할 경우는 매체 자료를 활용하는 것이 발표의 효과를 높이는 데 도움이 된다. 청자가 이해하기 어려운 개념을 쉽게 설명할 수 있는지, 청자가 한눈에 비교하기 어려운 복잡한 자료가 있는지 판단하여 이에 적절한 매체 자료를 선택해야 한다. 둘째는 청자에게 강렬한 인상을 주는 것이다. 이것은 주로 정서적인 측면을 강조하는 것과 관련이 있다. 발표 중에 청자에게 극적인 효과를 불러일으키거나, 발표 후에도 청자가 핵심 내용을 오래 기억하기를 원할 경우 매체 자료를 사용하면 효과적이다.

매체 자료를 제대로 사용하면 발표의 효과를 높일 수 있지만, 잘못 사용하면 발표에 부정적인 영향을 미칠 수도 있기 때문에 주의해야 한다. 우선 발표자의 위상을 말을 하는 사람이 아니라 발표 개요를 서술해 주는 정도로 낮출 수 있다. 둘째, 매체 자료가 생각의 흐름을 방해하고 말의 속도를 늦출 수 있다. 매체 자료는 핵심적인 아이디어를 뒷받침하는 것이지 핵심적인 아이디어 그 자체는 아니다. 셋째, 매체 자료에 과도하게 의존하면 발표의 내용 분석과 내용 개발보다 매체 자료 준비에 더 많은 시간을 할애하게 된다. 즉, 말하기 준비보다 매체 자료 준비에 더 많은 시간을 사용하게 되는 수도 있다. 그러므로 매체 자료의 활용은 그 필요성을 잘 따져야 하며, 발표 준비 단계에서 치밀한 계획에 의해 준비되어야 한다. 특히 발표 준비 시간을 핵심 아이디어 개발보다 시각 매체 자료 제작에 뺏기는 일이 없도록 유의해야 한다.

– 이창덕 외, 『화법 교육론』(역락, 2017, 338~341쪽 참조)

매체 자료의 유형

발표 자료에는 장황한 문장보다는 핵심을 압축적으로 드러내는 문장이 적합하다. 발표 자료 한 장에 한 문단을 통째로 제시하는 경우가 있는데, 이는 청자의 가독성을 크게 떨어뜨리고, 발표자도 이것을 그대로 읽게 되어, 발표의 효과를 크게 떨어뜨린다. 그리고 가능하면 문장을 길게 제시하는 것보다는 그림, 사진, 도표, 그래프 등을 제시하는 것이 매체 자료의 효과를 높이는 데 훨씬 도움이 된다. 문장형 발표 자료의 경우는 텍스트 제시 순서대로 적당한 애니메이션 효과와 함께 차례대로 전달을 하는 것이 효과적이다.

유형	주된 활용 방법과 사례
막대 그래프	수치를 비교함. 특히, 양이나 빈도 비교하기에 적절함. 예 • 은행별 이율 • 컴퓨터 운영 체제별 사용자 수 • 지역별 판매고
꺾은선 그래프	시간에 따른 추세나 변화를 보여 주거나 한 요소가 또 다른 요소에 의해 받는 영향을 보여 주기에 적절함. 예 • 5년간 신규 가입자 수 • 운동 수준에 따른 심장 박동 수 • 연간 기온 변화
원 그래프	부분과 전체의 관계, 상대적 비율, 백분율 등을 보여 주기에 적절함. 예 • 부서별 프로젝트 비용 • 연령별 선호도 비율 • 전 세계의 대륙별 쌀 생산량
흐름도	관련된 일련의 결정이나 행위의 과정을 보여 주기에 적절함. 예 • 문제의 원인을 조사하고 해결하는 단계들 • 조직 내 정보의 흐름 • 컴퓨터 조립하기
표	대량의 데이터를 한꺼번에 보여 주거나(표), 분절된 요소를 병치하거나 비교하기(격자)에 적절함. 예 • 남녀 평균 수명을 보여 주는 통계표 • 연령 및 장소에 따른 독감 감염률 • 상품별 특징 비교 점검표

– 이창덕 외, 『화법 교육론』(역락, 2017, 338~341쪽 참조)

매체 자료의 활용 방안 및 효과

매체 자료를 어떻게 활용할지는 매체 자료의 특성보다 전달할 정보의 성격이나 청자, 매체 자료를 활용하는 환경 등의 영향을 받는다. 즉, 시간적 순서나 논리적 선후 관계가 있는 사건 또는 사물 등을 소개하거나 보고하는 정보 전달에서는 동영상 자료나 일정한 순서로 배열할 수 있는 여러 장의 시각 자료를 효과적으로 활용할 수 있다. 그리고 추상적인 개념이나 용어, 또는 복잡한 구조를 지닌 대상을 설명하는 정보 전달에서는 실제 모습이나 세부적인 내용을 구체적으로 보여 줄 수 있는 사진 자료나 실물 자료, 작동 원리를 보여 줄 수 있는 모형 등을 효과적으로 활용할 수 있다. 그런가 하면 통계나 다양한 양상 등을 정리하여 보고하는 정보 전달에서는 도해나 도표, 표 등으로 개관한 시각 자료를 유용하게 활용할 수도 있다. 또한, 경우에 따라 정보 전달에 필요하다면 시범을 보이는 것도 자기 자신을 매체 자료로 활용한다는 점에서 좋은 방안이 된다.

매체 자료는 청자에게 간접 체험의 효과를 준다. 따라서 정보의 구체적인 내용은 매체 자료를 활용하여 전달하는 것이 효과적이다. 그러면 청자는 화자의 말이 객관적인 사실에 근거를 두었으며 화자가 잘 아는 정보를 제공한다고 받아들인다. 한편, 화자는 전달하려는 정보를 청자가 직관적으로 인식할 수 있도록 시각이나 청각, 촉각 같은 감각을 다양하게 활용하는 것이 좋다.

– 이삼형 외, 『화법과 작문』(지학사, 2017, 66, 67쪽)

정답과 해설

중학교 국어 2-1

① 개성과 표현

(1) 진달래꽃

콕콕 확인 문제 19쪽

1. ① 2. ④ 3. ④ 4. ② 5. 죽어도 아니 눈물 흘리우리다

1. 이 시의 말하는 이는 '나 보기가 역겨워 / 가실 때에는' 이라며 사랑하는 임과의 이별을 가정하여 이별의 슬픔 과 임에 대한 사랑을 노래하고 있다.

2. 공감각적 심상은 감각의 전이가 일어나는 이미지이다. 이 시에는 '진달래꽃'을 통한 시각적 심상은 나타나 있 으나 공감각적 심상은 나타나 있지 않다.

오답 해설

① 이 시의 말하는 이는 1연에서 이별의 상황을 가정하 고 체념하고 있으며, 4연에서 이별의 슬픔을 참아 내고 자 하고 있다.

② '나 보기가∨역겨워(7자)∨/ 가실 때에는(5자)∨/ 말 없이∨고이 보내(7자)∨ 드리우리다(5자)'에서 볼 수 있 듯이 7·5조 3음보 율격의 민요조 운율을 사용하고 있 다.

③ 1, 2, 4연을 동일한 어미 '-우리다'로 마무리하여 운 율을 형성하고 있다.

⑤ 4연을 1연과 비슷한 형태로 마무리하면서 말하는 이 의 정서와 시의 주제를 강조하고 있다.

지식 창고 – 공감각적 심상

하나의 감각적 대상을 다른 종류의 감각으로 전이하여 표현한 이미지를 가리킨다.
㈎ '금으로 타는 태양의 즐거운 울림'(박남수, 「아침 이미 지」)–시각적 심상인 '태양'을 '울림'이라는 청각적 심상으로 표현함(시각의 청각화).

----

3. 이 시의 말하는 이는 임이 떠나가는 길에 진달래꽃을 뿌려 임께서 밟고 가시기를 기원하고 있다. 따라서 진 달래꽃은 말하는 이의 분신과 같은 존재로서 임에 대한 희생적 사랑과 정성을 의미한다고 볼 수 있다.

4. 2연에서 말하는 이는 떠나는 임에게 꽃을 뿌리며 축복 하고 있는데, 여기에는 부처님 가시는 길에 꽃을 뿌려

그 발길을 영화롭게 한다는 축복의 의미를 지닌 '산화공 덕(散花功德)'의 태도가 드러나 있다.

5. 말하는 이는 '죽어도 아니 눈물 흘리우리다'에서 임이 떠나면 슬퍼서 많이 울 것이라는 속마음과 다르게 눈물 을 흘리지 않겠다고 반대로 표현하고 있다. 이러한 표 현법을 반어라고 하는데, 이는 말하는 이의 의도를 강 조하여 표현의 효과를 높여 준다.

시험엔 이렇게!! 20~23쪽

1. ① 2. 진달래꽃 3. ③ 4. 1연과 4연 5. ⑤ 6. 7·5조, 3 음보의 민요적 율격을 지님. / 각 연이 '-ㅂ니다.'로 끝남. / 의태어를 사용함. 7. ②

1. 이 시의 말하는 이는 임을 축복하고 있을 뿐, 임의 공덕 을 예찬하고 있지는 않다. 공덕이란 '착한 일을 하여 쌓 은 업적과 어진 덕'을 말하고, 예찬이란 '무엇이 훌륭하 거나 좋거나 아름답다고 찬양하는 것'을 말하는데, 말하 는 이는 이러한 태도를 드러내고 있지 않다.

오답 해설

②는 4연, ③은 2연, ④는 1연, ⑤는 3연에서 파악할 수 있는 말하는 이의 정서와 태도이다.

2. 말하는 이의 정서와 태도를 바탕으로 해석했을 때, 이 시에서 '진달래꽃'은 말하는 이의 분신과 같은 존재로, 임에 대한 희생적 사랑과 정성을 표현하기 위한 매개물 이며, 떠나는 임의 앞길을 축복하는 소재이다.

3. 이 시는 1, 2행까지 세 번에 끊어 읽고, 3행도 세 번 끊어 읽는 3음보의 운율을 지니고 있다. ③의 경우 '아름 따다 ∨가실 길에∨ 뿌리 우리다∨'와 같이 끊어 읽는다.

4. 이 시의 1연과 4연은 유사한 형태를 띠고 있는데, 즉 4연을 1연과 비슷한 형태로 마무리하면서 주제를 강조 하고 형태의 안정감을 주고 있다.

5. 운율이 주제와 시적 의미를 강조할 수는 있지만, 의미 를 겹치거나 포개어 주제를 강조하는 것은 운율을 만들 어 내는 요소와는 관계가 없다.

6. '봄하늘∨하늘하늘(7자)∨넘노는 길에(5자)∨'에서 알 수 있듯이 7·5조 음수율과 3음보(한 행을 세 번 끊어 읽음.)의 민요적 율격을 지니고 있다. 또한, 각 연이 '-ㅂ니다.'로 끝나 리듬감을 주고 있으며, '하늘하늘',

'송이송이', '너훌너훌'과 같은 의태어를 사용하여 운율을 느끼게 한다.

7. 4연의 '죽어도 아니 눈물 흘리우리다'에서 말하는 이는 겉으로는 임과 이별할 때 죽어도 눈물을 흘리지 않겠다고 말하고 있지만, 이 표현에는 임이 떠나면 너무 슬퍼서 펑펑 울 것이라는 뜻이 숨어 있다. 이와 같이 마음속 생각과는 반대로 표현하는 방식인 반어의 표현 방법을 활용하고 있다.

오답 해설
①은 인용법, ③은 비유법, ④는 생략법, ⑤는 문답법에 대한 설명이다.

소단원 **나의 실력 다지기**   27쪽

1. ④ 2. ② 3. ⑤ 4. ⑤ 5. ③ 6. 1연과 4연, 시의 구조를 안정되게 만들며 운율을 형성하고 시의 주제를 강조한다.

1. 영탄적 표현은 내용을 더욱 강렬하게 드러내기 위한 표현으로, 감탄사(아아, 오호 등)나 감탄형 어미(-구나, -로다, -어라 등) 등을 이용하여 드러낸다. 이 시에는 이러한 표현이 나타나 있지 않으며 이별의 슬픔을 격정적으로 드러낸다기보다 애절하면서도 절제된 태도를 보이고 있다.

오답 해설
③ '영변에 약산'에서 '영변'과 '약산'은 실제 있는 지역 이름과 산 이름이므로 구체적인 지명을 제시하여 향토적 정서를 불러일으킨다고 볼 수 있다.
⑤ 이 시의 말하는 이는 임과의 이별 상황에서 떠나가는 임을 말없이 고이 보내드리겠다고 하고 임이 가실 때에 죽어도 눈물을 흘리지 않겠다고 하며 슬픔을 인고의 의지로 극복해 내고자 하는 인물임을 알 수 있다.

2. 이 시에서 운율을 형성하는 요인은 어미 '-우리다'의 반복, 3음보율, 1연과 4연에서의 동일한 시구의 반복, 수미상관의 구조 등에 있다.

오답 해설
① 소리를 흉내 낸 말인 의성어는 나타나 있지 않다.
③ 특정한 음운을 반복하고 있지 않다.
④ 1연과 4연에서 동일 시구를 반복하여 운율을 형성하고 있는 것이지 첫 행과 마지막 행을 대응시키고 있는 것이 아니다.

⑤ 이 시는 7·5조의 3음보율을 지닌 시이다. 4음보로 끊어 읽는 곳은 나타나 있지 않다.

3. 1연의 '보내드리우리다', 2연의 '뿌리우리다', 4연의 '흘리우리다'의 주체는 말하는 이지만 3연의 '즈려밟고 가시옵소서'의 주체는 떠나는 임이다.

오답 해설
① 임과의 이별을 묵묵히 받아들이는 말하는 이의 체념적 자세를 보여 주고 있다.
② '영변 → 약산'으로 시상을 좁혀 뒤에 나오는 '진달래꽃'을 강조하고 있다.
③ 두 팔을 둥글게 모아 만든 둘레 안에 들 만한 분량을 세는 단위인 '아름'을 시어로 사용하여 임에 대한 사랑을 시각적으로 물량화하고 있다.
④ 부처님 가시는 길에 꽃을 뿌려 그 발길을 영화롭게 한다는 축복의 의미를 지닌 '산화공덕(散花功德)'의 전통을 계승하고 있다.

4. ⓐ는 속마음과 반대로 표현한 반어적 표현 방식을 사용한 것인데, ⑤는 잘생긴 아이를 보며 어른이 진짜로 잘생겼다고 하고 있으므로 속마음을 그대로 표현한 것이라고 볼 수 있으므로 반어적 표현으로 보기 어렵다.

5. '진달래꽃'은 이 시에서 임을 떠올리게 하는 매개체로서의 역할을 하지 않는다. '진달래꽃'은 말하는 이의 분신이자 임에 대한 사랑과 정성을 상징하는 소재이다.

6. 이 시는 첫 연을 끝 연에 다시 반복하는 문학적 구성법인 수미상관의 형태를 띠고 있다. 즉 1연과 4연에서 유사한 구절을 반복적으로 배치하여 형태적 안정감을 부여하고 있다.

(2) 열보다 큰 아홉

콕콕 **확인 문제**   31~33쪽

1. ④ 2. ④ 3. ④ 4. ② 5. 숫자 아홉이 열보다 적거나 작지 않다는 자기 생각을 독자들에게 보여 주기 위해서이다.
6. ③ 7. ⑤ 8. ① 9. ② 10. 이 세상에 완전한 것은 없다는 사실을 아주 오랜 옛날부터 알고 있었기 때문이다./ 다음을 바라볼 수 있는, 미래의 꿈과 그 가능성을 지닌 수이기 때문이다.

1. 이 글에서는 복잡한 대상을 구성 요소나 부분들로 나누어 서술하는 방법인 분석의 서술 방법이 나타나 있지 않다.

오답 해설
① 숫자 열과 아홉을 비교하여 설명하고 있다.
② 숫자 아홉이 들어간 다양한 표현들을 예로 들어 아홉에 대한 독자의 이해를 돕고 있다.
③ '앞길이 구만리 같은' 등의 관용 표현을 활용하여 숫자 아홉이 열보다 결코 작거나 적지 않다는 글쓴이의 생각을 뒷받침하고 있다.
⑤ '~생각해 보기로 합시다.', '-입니다.' ,'-일까요?'에서 볼 수 있듯이 상대에게 말을 직접 건네는 듯한 말투로 서술하고 있다.

2. 완전에 거의 다다른 수, 거기에 하나만 보태면 완전에 이르게 되는 수, 그래서 매우 아쉬움을 느끼게 하는 수는 숫자 아홉에 담긴 의미이다.

3. 글쓴이는 ❹에서 아홉이 열보다 적거나 작지 않다는 생각을 독자들에게 알리기 위해 아홉이 들어간 다양한 표현들을 나열하고 있다. 그런데 ❷에서 든 '무엇을 하기에 그 이상 좋을 수가 없는 경우를 십상 좋다고 한다.'라는 사례는 글쓴이가 열이란 수가 이미 이룰 것을 이룩한 완전한 수이며 성공을 한 수라는 것을 말하기 위해 든 예이다. 따라서 ❹는 나머지 사례들과 그 성격이 다르다고 할 수 있다.

4. ㉠에는 문답법이 드러나 있는데, 글쓴이는 이처럼 스스로 묻고 답하는 형식을 활용하여 아홉이 열보다 적거나 작지 않다는 생각을 강조하고 있다.

오답 해설
①은 인용법, ③은 반복법, ④는 생략법, ⑤는 설의법에 대한 설명이다. 설의법은 '우리에게 물이 없다면 과연 우리는 살아남을 수 있을까?'와 같은 질문을 통하여 사실을 확인하는 방식이다.

5. 글쓴이는 아홉이 열보다 적거나 작지 않다는 생각을 독자들에게 알리기 위해 아홉이 들어간 다양한 표현들을 나열하고 있다.

6. 이 글은 대상에 대한 글쓴이의 생각을 개성 있고 꾸밈없이 드러낸 수필이다. 지식이나 정보를 쉽게 풀어서 객관적으로 전달하는 글은 설명문의 특성에 해당한다.

7. 아홉이 열보다 작은 수인데도 열보다 크다는 모순된 표현을 통해 아홉에 담긴 함축된 의미와 글쓴이의 생각을 효과적으로 표현하고 있다. 이와 같은 표현 방법을 역설법이라고 한다.

오답 해설
① 반어법에 관한 설명 내용이다.
② 대구법에 관한 설명 내용이다.
③ 비유법에 관한 설명 내용이다.
④ 풍자에 관한 설명 내용이다.

지식 창고 – 비유법
• 직유법: '-듯이', '-처럼', '같이', '-인 양' 등의 연결어를 사용하여 직접적으로 빗대어 표현하는 방법
• 은유법: 연결어를 사용하지 않고 비슷한 특성을 가진 다른 것에 빗대어 표현하는 방법 ᅠ예 내 마음은 호수요
• 의인법: 사람이 아닌 대상을 사람처럼 표현하는 방법

----

8. 글쓴이는 숫자 열을 완벽한 숫자로 생각하지만 싫어하는 것은 아니다. 다만 아홉이 가지고 있는 가치가 열보다 더 크다고 생각하는 것이다.

9. ㉠은 관용 표현 중 하나로, 인생에 대한 교훈이나 경계를 표현한 격언에 해당한다. 명언은 사리에 꼭 들어맞는 말로 특정 유명인이 한 말을 일컫는다. 명언으로는 에디슨의 '실패는 성공의 어머니이다.'와 같은 예가 있다.

10. 우리 조상들은 이 세상에 완전한 것은 없다는 사실을 예전부터 잘 알고 있었기 때문에 부족함을 채울 수 있는 미래의 꿈과 그 가능성의 수인 아홉을 더 사랑했다.

시험엔 이렇게!!ᅠᅠᅠᅠᅠᅠᅠᅠᅠᅠ34~40쪽

1. ⑤ ᅠ2. 청소년은 아직 완전하지는 않지만, 아홉이라는 숫자처럼 미래를 향한 가능성이 있다는 것을 중학생 독자들에게 전하기 위함이다. ᅠ3. ⑤ ᅠ4. 열보다 더 크다 ᅠ5. 올림픽에서 금메달을 딴 것은 기쁜 일이지만, 우리나라가 아닌 일본 선수로 수상을 하며 느꼈을 슬픔을 표현한 문구이다. ᅠ6. ⑤
7. 예시 답: 어제 가족들과 지진 참사로 집을 잃은 사람들을 돕자는 방송 프로그램을 보았어. 그런데 일곱 살 난 내 막냇동생이 저금통을 들고 오더니 자기도 집이 무너진 사람들을 돕겠다는 거야. 한 푼 두 푼 모은 <u>코 묻은 돈</u>을 다른 사람들을 위해 쓰겠다고 내놓은 내 동생, 정말 예쁘지 않니? ᅠ8. ②
9. ①

1. 글쓴이에 따르면 넘치지도 않고 모자라지도 않고 조금도 여유 없이 꽉 찬 수는 숫자 열의 특징에 해당한다.

2. 이 글의 끝부분에서 글쓴이는 행여 무엇이 남들보다 모자란 것이 아닌가 싶어서 스스로 괴로워하고 외로워하고 서글퍼해 온 학생이 있다면 열보다 아홉이란 수를 더 사랑하라며, 아홉과도 같은 청소년에게 위로와 격려를 하고 있다.

3. 역설은 겉으로는 모순되어 앞뒤가 맞지 않으나, 그 속에 진실이 함축된 표현 방식을 말한다. 이러한 표현은 독자에게 혼란을 주는 것이 아니라 인상적인 표현으로 독자의 관심을 불러일으킨다.

4. 글쓴이는 아홉의 의미를 열보다 더 크게 생각하고 있으므로 '아홉은 미래의 꿈과 가능성을 담고 있는 수이기 때문에 열보다 더 크다.'고 생각할 것이다.

5. 서로 모순된 의미의 '슬픈'과 '금메달'이 결합되어 겉으로는 이치에 맞지 않는 것처럼 보이지만, 일제 강점기에 일장기를 달고 뛰어야만 했던 손기정이 금메달 수상 순간에 느꼈던 수상의 기쁨과 식민지 국민으로서의 슬픔을 역설을 사용하여 효과적으로 표현한 문구이다.

6. 관용 표현이 사용된 맥락이나 상황을 분리하여 의미를 파악하는 것은 마치 사전에서 한 낱말의 정의만을 외워 어휘 학습을 하는 것과 같으며, 이는 어휘의 확장이나 효과적인 표현을 이해하는 데 도움이 되지 못한다. 따라서 관용 표현의 의미를 제대로 알려면 표현이 사용된 맥락이나 상황과 함께 파악하는 것이 중요하다.

7. '코 묻은 돈'이란 어린아이가 가진 적은 돈을 뜻하는 관용어이다.

8. '겉만 번지르르하다'는 말이나 행동 따위가 실속은 전혀 없이 겉만 그럴듯한 모양을 가리키는 말이다. 따라서 밑줄 친 상황과 어울리는 관용 표현은 '겉보기에는 먹음직스러운 빛깔을 띠고 있지만 맛은 없는 개살구라는 뜻으로, 겉만 그럴듯하고 실속이 없는 경우를 비유적으로 이르는 말.'인 '빛 좋은 개살구'이다.

오답 해설
① 보잘것없는 물건이라도 제 마음에 들면 좋게 보인다는 말이다.
③ 얕은수로 남을 속이려 한다는 말이다.
④ 밑 빠진 독에 아무리 물을 부어도 독이 채워질 수 없다는 뜻으로, 아무리 힘이나 밑천을 들여도 보람 없이 헛된 일이 되는 상태를 비유적으로 이르는 말이다.
⑤ 기본이 되는 것보다 덧붙이는 것이 더 많거나 큰 경우를 비유적으로 이르는 말이다.

9. '아니 땐 굴뚝에 연기 날까'는 실제 어떤 일이 있기 때문에 말이 돈다는 것을 비유적으로 이르는 말이다.

오답 해설
② 바늘을 훔치던 사람이 계속 반복하다 보면 결국은 소까지도 훔친다는 뜻으로, 작은 나쁜 짓도 자꾸 하게 되면 큰 죄를 저지르게 됨을 비유적으로 이르는 말이다.
③ 깊은 산에 있는 호랑이조차도 저에 대하여 이야기하면 찾아온다는 뜻으로, 어느 곳에서나 그 자리에 없다고 남을 흉보아서는 안 된다는 말. 또는, 다른 사람에 관한 이야기를 하는데 공교롭게 그 사람이 나타나는 경우를 이르는 말이다.
④ 소같이 꾸준하게 힘써 일하여 많이 벌어서는 쥐같이 조금씩 먹으라는 뜻으로, 일은 열심히 하여서 돈은 많이 벌고 생활은 아껴서 검소하게 하라는 말이다.
⑤ 교양이 있고 수양을 쌓은 사람일수록 겸손하고 남 앞에서 자기를 내세우려 하지 않는다는 것을 비유적으로 이르는 말이다.

소단원 나의 실력 다지기

1. ⑤ 2. ① 3. ④ 4. ⑤ 5. 열이 조금도 여유가 없이 꽉 차고 다음이 없는 끝나 버린 수인 데 반해, 아홉은 다음을 바라볼 수 있는 미래의 꿈 그 가능성이 있는 수이기 때문이다. 6. ③ 7. ⑤ 8. ④ 9. 예시답: 숫자 아홉이 앞으로 무엇이든 될 수 있는 청소년

1. 이 글에서 글쓴이는 자신의 삶을 회고하거나 성찰하고 있지 않다. 이 글은 대상에 대한 글쓴이의 견해가 드러나 있는 수필이다.

오답 해설
① (나)에서 숫자 아홉이 들어간 관용 표현들을 활용하여 아홉이 열보다 적거나 작지 않음을 나타내고 있다.
② '열보다 큰 아홉'이라는 역설적이고 인상적인 제목으로 독자의 호기심을 불러일으키고 있다.
③ (가)의 앞부분에서 숫자 아홉과 열에 대해 말할 것임을 예고하고 있다.

④ (가)의 '그러면 아홉이란 수는 어떤 수입니까? 두말할 필요도 없이 열보다 하나가 모자라는 수입니다.'에서 스스로 묻고 답하는 문답법을 활용하여 숫자 아홉의 일반적 의미를 나타내고 있다.

2. ①은 숫자 아홉의 특징이고, 이를 제외한 나머지는 모두 숫자 열의 특징을 가리키는 표현들이다.

3. (나)에서는 아홉이 열보다 적거나 작지 않은 예들을 나열하고 있다.

4. ⓐ은 관용 표현(격언)으로 글쓴이가 말하고자 하는 바를 더욱 명확하고 간결하게 표현하고 전달해 준다. 말하고자 하는 대상을 다른 대상에 빗대어 표현하는 것은 비유로, 이는 말하고자 하는 대상을 실감 나게 표현해 준다.

5. 글쓴이는 우리 조상들이 열보다 아홉을 더 사랑한 이유를 토대로 아홉이라는 숫자를 더 크게 생각하는 자신의 견해를 밝히고 있다.

6. 동양에 비해 서양에서 열을 더 사랑했다는 진술은 어디에도 나타나 있지 않다. 글쓴이는 (나)에서 동양에서도 특히 우리나라가 열보다 아홉을 더 사랑했다고 이야기하고 있을 뿐이다.

오답 해설

①은 (가)와 (라)에서, ②는 (나)에서, ④는 (다)와 (라)에서, ⑤는 (라)에서 확인할 수 있다.

7. (마)에서 글쓴이는 '행여 무엇이 남들보다 모자란 것이 아닌가 싶어서 스스로 괴로워하고 외로워하고 서글퍼해 온 학생'에게 열보다 아홉을 사랑하라고 하고 있다.

8. 아직 나이가 젊어서 앞으로 어떤 큰일이라도 해낼 수 있는 세월이 충분히 있음을 표현할 때 쓰는 '앞길이 구만리 같은 사람'이 들어가기에 적절하다.

오답 해설

③ 사귀어 아는 사람이 많아 활동하는 범위가 넓은 사람을 가리킨다.

9. 이 글의 글쓴이는 아홉이 그 부족함 때문에 열보다 큰 수로 여겨진 것처럼 청소년도 아직 완전하지 않기에 미래를 향한 가능성이 크다는 것을 중학생 독자들에게 전달하고자 한다.

(3) 양반전

콕콕 **확인 문제**

49~55쪽

1. ③ **2.** ⑤ **3.** ① **4.** ④ **5.** 양반의 경제적 무능력을 비판과 풍자의 대상으로 삼고 있다. **6.** ⑤ **7.** ④ **8.** ② **9.** ⑤ **10.** 관곡을 갚기 위해 양반 신분을 팔았기 때문에 평민으로서 신분에 맞게 행동하기 위해서이다. **11.** ③ **12.** ④ **13.** ⑤ **14.** ② **15.** 예시 답: 양반은 죽어도 문자 쓴다. / 양반은 안 먹어도 긴 트림 / 양반은 얼어 죽어도 겻불은 안 쬔다. 등 **16.** ⑤ **17.** ③ **18.** ① **19.** ① **20.** 나를 장차 도둑놈으로 만들 작정인가.

1. 이 소설은 조선 후기를 배경으로 양반이라는 허구적 인물을 내세워 양반 계층의 경제적 무능력과 위선을 풍자한 소설이다.

오답 해설

① 신분 질서가 흔들리던 조선 후기 사회를 배경으로 하고 있다.

② 겉치레보다는 실리를 중시하는 작가의 실학사상이 소설 속에 반영되어 있다.

④ 돈을 주고 신분을 사고파는 부정적 현실과 무능력한 양반 계층의 모습을 풍자하고 있다.

⑤ 강원도 감사와 양반 아내의 말을 통해 양반의 경제적 무능을 비판하며 주제 의식을 드러내고 있다.

2. 군수가 양반의 처지를 딱하게 여기고 있는 것은 맞지만 그렇다고 양반의 환자 일부를 갚아 주려 하는 것은 아니다. 양반의 환자를 갚은 사람은 부자이다.

오답 해설

① "당신은 평생 글 읽기만 좋아하더니 관곡을 갚는 데는 아무런 도움이 안 되는군요. 쯧쯧. 양반, 양반이란 것이 한 푼어치도 안 되는 것이구려."라는 양반 아내의 말에서 알 수 있다.

② 강원도 감사가 양반이 사는 고을을 순시하다 관곡 장부를 조사하고 환자를 갚지 못한 양반을 적발해 낸 것으로 보아 자기 임무를 충실히 행하는 사람이라고 평가할 수 있다.

3. 자신은 부자라도 항상 천시를 당하고 수모를 받지만, 양반은 아무리 가난해도 늘 귀하게 대접받기 때문이다. 그래서 부자는 자신의 경제력으로 신분 상승을 하고자 한다.

4. ㉠은 뾰족한 방법을 찾을 수 없었다는 내용이므로 '손을 묶은 것처럼 어찌할 도리가 없어 꼼짝 못함.'이라는 뜻의 '속수무책(束手無策)'이 어울리는 상황이다.

오답 해설

① 동병상련(同病相憐): 같은 병을 앓는 사람끼리 서로 가엾게 여긴다는 뜻으로, 어려운 처지에 있는 사람끼리 서로 가엾게 여김을 이르는 말이다.

② 사생결단(死生決斷): 죽고 사는 것을 돌보지 않고 끝장을 내려고 함을 이르는 말이다.

③ 기사회생(起死回生): 거의 죽을 뻔하다가 도로 살아남을 이르는 말이다.

⑤ 내우외환(內憂外患): 나라 안팎의 여러 가지 어려움을 이르는 말이다.

5. **1**에서는 관아의 곡식을 타다 먹고 갚지 못하는 양반의 모습을 통해 양반 계층의 경제적 무능력을 비판하고 있다.

6. 이 글의 양반과 부자가 신분을 사고파는 것에서 알 수 있듯이 당시 사회는 부유한 평민층이 등장하면서 신분 질서가 무너지기 시작한 때였다.

오답 해설

① 환자를 갚지 못해 옥에 갇힐 처지에 놓인 양반의 모습에서 확인할 수 있다.

② 양반이 관아의 곡식을 꾸어다 먹은 내용에서 확인할 수 있다.

③ 양반의 환자를 갚아 주고 양반 신분을 사는 부자의 모습에서 확인할 수 있다.

④ 평민으로 전락한 양반의 모습과 행동을 통해 확인할 수 있다.

7. 부자는 군수에게 양반 매매 증서를 작성해 달라고 요청한 적이 없다. 매매 증서를 작성하자고 한 사람은 군수이다.

8. **4**에서 군수는 '사사로이 팔고 사더라도 증서를 해 두지 않으면 소송의 꼬투리가 될 수 있다.'며 매매 증서를 작성할 것을 제안한다.

오답 해설

① 군수가 매매 증서를 작성한다고 해서 신분제를 부정적으로 생각한다고 볼 수는 없다. 문제가 되지 않게 거래를 분명히 하자는 것은 오히려 신분 관계를 분명히

하자는 의미이므로 신분제를 인정하고 있다고 보는 것이 더 적절하다.

9. 작가는 신분을 팔고 평민으로 전락한 양반의 겉모습과 행동을 통해 웃음을 유발하면서 양반을 풍자 대상으로 삼고 있다. 즉 명망 높은 양반이 길바닥에 엎드려 머리를 조아리는 것을 희극적으로 보여 줌으로써 몰락한 양반을 풍자하고 있는 것이다.

10. 양반이 평민의 차림새를 하고 군수에게 자신을 '소인'이라 지칭한 것은 부자에게 양반 신분을 팔았기 때문이다. 양반은 자신의 바뀐 신분에 맞게 평민이 벼슬아치를 대하듯 자신을 낮추어 말하고 있다.

11. **5**는 군수가 작성한 첫 번째 양반 매매 증서로서 양반으로서 지켜야 할 의무와 규범, 생활 태도를 담고 있다. 작가는 증서 내용을 통해 양반으로서 지켜야 할 의무와 규범이 공허한 관념이라는 것과 양반들이 현실적으로 무능하며 비생산적인 모습을 보이는 것을 비판하며 풍자하고 있다. 이 증서에서 부자의 말을 인용한 부분은 나타나 있지 않다.

12. 매매 증서를 보면 '밥을 먹을 때 맨상투(아무것도 두르거나 쓰지 아니한 상투)로 밥상에 앉지 말고'라고 하고 있다.

13. '얼음 위에 박 밀듯 왼다.'라는 표현은 '책을 거침없이 유창하게 줄줄 내리읽거나 내리외는 모습'을 비유적으로 이르는 말이다.

14. ㉡은 양반의 경제적 무능함을 풍자하고 있는데, 돈벌이와 관련된 일을 천시하는 양반의 모습을 드러내고 있다.

15. **5**에는 현실적으로 무능하고, 공허한 관념과 체면을 중시하는 양반의 모습이 드러나 있다. 따라서 이러한 모습과 관련된 속담을 찾으면 된다.

• 양반은 죽어도 문자 쓴다.: 양반은 위신을 지극히 생각한다는 말이다.

• 양반은 안 먹어도 긴 트림: 양반은 가난해서 식사를 못했더라도 마치 배불리 먹은 것처럼 길게 트림하는 법이라는 말이다.

• 양반은 얼어 죽어도 겻불은 안 쬔다.: 양반은 아무리 궁하거나 다급한 경우라도 체면을 깎는 짓은 하지 아니한다는 말이다.

16. 부자는 첫 번째 매매 증서 내용을 듣고 양반의 신분을 통해 얻는 이익이 많지 않자 불만을 토로하면서 수정을 요구하고 있다.

17. 겉으로는 양반의 환자를 갚아 주고 신분을 사려는 부자를 칭찬하지만, 양반 매매 증서를 통해 결국 부자가 양반 신분을 사는 것을 포기하게 만들고 있으므로 **7**의 증서가 부자의 신분 매매를 도우려는 군수의 의도를 드러낸다는 진술은 적절하지 않다.

18. **7**의 매매 증서에는 여러 명의 부인을 두는 양반의 모습은 나타나 있지 않다.

19. 이어지는 부자의 말인 "양반이라는 게 이것뿐입니까? ~ 바꾸어 주옵소서."로 볼 때 부자는 첫 번째 매매 증서 내용에 실망하면서 기막혀하고 있음을 예상할 수 있다.

20. '도둑놈'은 백성을 수탈하는 양반을 직접적으로 표현한 말로, 작가는 이러한 부자의 말을 통해 양반층을 비판하고 풍자하고 있다.

> **1.** ③ **2.** 양반의 신분으로서 가질 수 있는 실질적인 권리 및 이익이었습니다. **3.** 양반의 부당한 특권과 횡포를 양반의 특권인 것처럼 늘어놓았기 때문이다. **4.** ⑤ **5.** ③ **6.** 해설 참조

1. 이 글의 양반은 어질고 글 읽기를 좋아하지만, 경제적으로는 무능력한 인물로 그려지고 있다.

2. 군수가 작성한 첫 매매 증서에 양반의 권리, 특권 등 부자가 기대했던 내용은 없고 양반이 지켜야 할 의무와 규범, 생활 태도만 나열되어 있는 것을 본 부자는 자신에게 이익이 되게 수정해 달라고 군수에게 요청하였다.

3. 〈보기〉는 신분과 지위를 이용해 이득을 취하는 양반에 대한 부자의 생각을 직설적으로 표현한 말이다.

4. 양반 계층의 무능함과 특권 의식, 위선적인 태도 등을 비판하고 있는 증서의 내용을 통해 알 수 있다.

5. 대상에 대한 연민과 동정을 불러일으키는 웃음을 유발하는 것은 풍자가 아니라 해학이다. 대상을 희화화, 과장하여 웃음을 유발하는 면에서 풍자와 공통점을 가지나, 해학은 익살스러운 어조로 웃음을 유발하며 대상에

대해 호감과 연민을 느끼게 한다는 점에서 차별화된다.

6. 예시 답
- 제목: 우리 사회에서 장애인들이 겪는 어려움
- 내용 구성: 신호등이 켜지자 수많은 인파가 횡단보도를 건너기 시작한다. 이 인파 속에 한 장애인이 길을 건너는데 도중에 횡단보도가 엄청나게 길어진다. 그러나 아무도 그 장애인에게 관심을 주지 않고 결국 그는 길을 건너지 못한 채 서 있다. 길을 건너는 사람들의 활기찬 모습과 장애인의 절망한 표정을 대비한다.

> **1.** ④ **2.** ① **3.** ④ **4.** ③ **5.** 소인 **6.** ③ **7.** ④ **8.** ⑤ **9.** 첫 번째 매매 증서에 자신이 기대한 내용과 달리 양반의 의무만 제시되어 있었기 때문에 / 첫 번째 매매 증서의 내용이 자신에게 실질적인 이익을 주는 내용이 아니었기 때문에

1. 이 글은 고전 소설이다. 고전 소설은 작품 속 시대상이나 사람들의 삶의 모습을 고려하며 감상할 때 깊이 있는 감상을 할 수 있다. 또한, 문학 작품을 감상할 때에는 작가가 활용한 다양한 표현 방법을 파악하고 그 효과를 이해하면 작가의 의도와 생각을 더 잘 파악할 수 있다.

2. 경제력이 있는 평민이 양반 신분을 사려고 했던 것으로 보았을 때 신분 질서의 엄격함에 동요가 일어났음을 알 수 있다.

3. 부자는 양반은 가난해도 대접을 받지만, 자신은 돈이 많아도 신분 때문에 천대를 받는다면서 신분을 사서 양반이 되려고 하고 있다. 그리고 (다)와 (라)에서 부자가 양반의 환자를 대신 갚고 양반의 신분을 샀음을 알 수 있다.

4. 이 글의 작가는 명망 높은 양반이 길바닥에 엎드려 머리를 조아리는 것을 희극적으로 보여 줌으로써 경제적으로 무능한 양반의 처지를 풍자하고 있다.

5. 양반이 평민의 차림새를 하고 군수에게 머리를 조아리고 엎드려 자신을 '소인'이라 칭한 것은 부자에게 양반 신분을 팔았기 때문이다. 양반은 자신의 바뀐 신분에 맞게 평민이 벼슬아치를 대하듯 자신을 낮추어 말하고 있다.

6. 이 글은 이야기(사건) 밖의 서술자가 사건을 서술하고 있는 전지적 시점의 소설이다.

오답 해설

① 이 글은 개화기 이전에 지어진 고전 소설이자 한문 소설이다.

② 조선 후기의 사회상 중 하나인 양반의 신분 매매를 제재로 하고 있다.

④ 이 글에는 겉치레보다 실리를 중시하는 작가의 실학 사상이 반영되어 있다.

⑤ 돈을 주고 신분을 사고파는 부정적 현실과 양반들의 허례허식, 횡포 등을 풍자의 표현을 통해 간접적으로 비판하면서 웃음을 유발하고 있다.

7. 작가는 양반 계층에 대한 풍자와 비판 의식을 군수가 작성한 두 가지의 매매 증서를 통해 간접적으로 드러내고 있다.

8. ⓜ은 하는 일 없이 놀고먹으며 무위도식하는 양반의 모습을 풍자한 표현이다.

오답 해설

㉠: 돈을 주고 산 양반 신분이므로 양반 중에서 무엇이 되든 상관없다는 말이므로 적절한 진술이다.

㉡: '얼음 위에 박 밀듯'은 말이나 글을 거침없이 줄줄 내리읽거나 내리외는 모양을 비유적으로 이르는 속담이다.

㉢: 매매 증서에서 제시한 양반의 의무와 규범에 어긋나는 짓을 했을 경우 관청에 나와 옳고 그름을 가리겠다는 말은 매매 증서에서 제시한 내용을 어기면 부자가 양반 신분을 빼앗길 수 있음을 의미한다.

㉣: 당시 벼슬아치들이 자신의 권력을 남용하여 재물을 긁어모았기 때문에 문과 합격만 하면 재산을 얼마든지 불릴 수 있다는 의미에서 문과 합격증인 '홍패'를 '돈 자루'라고 표현한 것이다.

9. 첫 번째 매매 증서 내용에 양반의 권리, 특권 등 부자가 기대했던 내용은 없고 양반이 지켜야 할 의무와 규범, 생활 태도만 나열되어 있었기 때문이다.

대단원 평가 대비하기   68~72쪽

1. ① **2.** ③ **3.** ⑤ **4.** ⑤ **5.** 사뿐히 즈려밟고 가시옵소서 **6.** ② **7.** ④ **8.** ④ **9.** 앞길이 구만리 같은 사람 **10.** 아무리 대단한 기록도 깨어질 수 있으므로 더 큰 목표의 달성이 가능하다는 말이다. **11.** ② **12.** ④ **13.** ③ **14.** ⑤ **15.** 예시 답: 처음엔 군수가 양반과 부자 사이의 양반 매매를 원만하게 처리하는 것처럼 보이지만 결과적으로는 부자가 양반 신분을 사는 것을 방해하고 있으니 군수는 부자에게 병 주고 약 준 셈이군. **16.** ⑤ **17.** ② **18.** ⑤ **19.** ② **20.** ④

1. 이 시의 말하는 이는 이별의 상황을 가정하여 노래하고 있는 '나'로, 작품 표면에 드러나 있다.

2. 진달래꽃을 임의 앞길에 뿌리는 행위는 부처님 가시는 길에 꽃을 뿌려 그 발길을 영화롭게 한다는 축복의 의미를 지닌 '산화공덕(散花功德)'의 전통과 관련이 깊다.

오답 해설

① 옛것을 익히고 그것을 미루어서 새것을 앎을 뜻하는 한자 성어이다.

② 자나 깨나 잊지 못함을 뜻하는 한자 성어이다.

④ 누워서 몸을 이러저리 뒤척이며 잠을 이루지 못함을 뜻하는 한자 성어이다.

⑤ 떨어지는 꽃과 흐르는 물이라는 뜻으로, 남녀 간 서로 그리워하는 애틋한 정을 이르는 말이다.

3. 〈보기〉에서는 '나를 버리고 가시는 임은 / 십 리도 못 가서 발병 난다.'라며 임과 이별하고 싶지 않은 말하는 이의 소망을 위협적으로 표현하고 있다.

오답 해설

① 이 시와 〈보기〉의 말하는 이 모두 이별에 대한 정서를 3음보의 전통적 율격으로 표현하고 있다. 즉 〈보기〉 역시 3·3·4조의 3음보율을 보여 준다.

② 이 시에서는 말하는 이의 자기희생적 태도가 드러나는 반면에, 〈보기〉에서는 말하는 이의 자기희생적 태도를 찾아보기 어렵다.

③ 이 시에서는 떠나는 임에 대한 사랑과 축복을 기원하는 모습을 드러내고 있는 반면에, 〈보기〉에서는 이별의 상황에서 임에 대한 원망의 감정을 드러내고 있다.

④ 이 시는 임과 이별하고 싶지 않은 속마음을 직접 드러내지 않고 에둘러 표현하고 있지만, 〈보기〉는 '위협'으로 이별하고 싶지 않은 말하는 이의 소망을 드러낸다.

4. ㉠에는 반어의 표현이 사용되었는데, ⑤에서도 '잊었노라'를 반복하여 속으로는 '당신'을 잊을 수 없다는 말하는 이의 마음을 반어적으로 강조하고 있다.

오답 해설

① '봄빛처럼 포근한 눈'에서 말하는 이가 봄눈을 어떻게 느끼는지 비유(직유법)의 표현 방법을 활용하여 드러내고 있다.

② '찬란한 슬픔의 봄'은 '빛깔이나 모양 따위가 매우 화려하고 아름답다'는 의미를 지닌 '찬란하다'를 '슬픔'이라는 표현과 결합한 역설적 표현이다.

③ '소리 없는 아우성'은 '떠들썩하게 기세를 울려 지르는 소리'인 '아우성'을 '소리 없다'는 표현과 결합한 역설적 표현이다.

④ '내 마음'을 '호수'에 빗대어 표현한 비유(은유법)의 표현 방법이 사용되었다.

5. 3연의 마지막 시행에서는 이별의 정한을 자기희생을 통한 숭고한 사랑으로 승화시키고자 하는 말하는 이의 태도가 드러난다.

6. '완전에 거의 다다른 수'는 아홉의 특징이고, '무엇을 하기에 그 이상 좋을 수가 없이 알맞다'는 것은 '십상 좋다'라는 말의 의미이다. 이 글의 글쓴이는 열을 '이미 이룰 것을 이룩한 완전한 수'라고 하였다.

7. 이 글은 숫자 아홉의 의미와 청소년의 가치를 관련지어 글쓴이가 자기 생각을 서술한 수필이다. 따라서 이 글에는 글쓴이의 청소년 시절을 추리할 만한 단서가 제공되어 있지 않다.

8. '열보다 큰 아홉'은 역설의 표현 방법이 사용되었다. '지는 것이 이기는 것이다.'라는 말 역시 말 자체로만 볼 때는 모순이지만, 그 안에는 양보의 미덕이라는 진실한 의미가 담겨 있는 역설적 표현에 해당한다.

오답 해설

①은 대유법, ②는 과장법과 직유법, ③은 의인법, ⑤는 직유법에 해당하는 표현이다.

지식 창고 – 대유법

하나의 사물이나 관념을 나타내는 말이 경험적으로 그것과 밀접하게 연관된 다른 사물이나 관념을 나타내도록 표현하는 수사법. '흰옷'으로 우리 민족을, '백의(白衣)의 천사'로 간호사를, '요람에서 무덤까지'로 태어나서 죽을

때까지를 나타내는 것 따위이다.

---

9. '앞길이 구만리 같다.'라는 말은 아직 나이가 젊어서 앞으로 어떤 큰일이라도 해낼 수 있는 세월이 충분히 있음을 표현할 때 쓰는 관용 표현이다.

10. 아무리 대단한 기록이라도 뒷사람에 의해 언젠가 깨어지기 마련이므로 먼저 세워진 기록을 절대 불변의 것으로 생각하여 포기하지 말라는 뜻을 담고 있다.

11. 이 글에서는 작가의 사민(양반과 백성) 평등 의식을 찾아볼 수 없다. 서문에 따르면 작가는 오히려 선비에 대한 강한 자부심을 드러내고 있다. 작가는 이 작품을 통해 혼탁한 사회를 개혁하려는 의지가 부족한 양반층과 부패가 심한 관료 사회를 풍자하며 비판하고 있는 것이다.

12. 매매 증서를 작성하는 과정에서 부자는 양반의 부정적인 모습과 행태를 듣고 양반이 되기를 포기하였다.

오답 해설

② 군수는 작가를 대신하여 옳고 그름을 판단하는 역할을 하지는 않는다. 작가는 양반의 부정적인 모습을 군수를 통해 간접적으로 폭로하고 비판하고 있다.

13. (바)에서는 부자가 양반 계층을 '도둑놈'에 비유하며 양반 되기를 포기하고 있는데, 이는 부당한 특권을 남용해 백성을 수탈하고 이득을 취하는 양반층을 비판하고 풍자하기 위해서이다.

14. 부자는 증서의 내용이 자신에게 실질적인 이익이 없자 이에 불만을 품고 증서 내용을 바꿔 달라고 한 것이다.

15. '병 주고 약 준다.'라는 관용 표현은 '남을 해치고 나서 약을 주며 그를 구원하는 체한다는 뜻으로, 교활하고 음흉한 자의 행동을 비유적으로 이르는 말.'로 군수의 부자에 대한 행동을 비유하기에 적절한 표현으로 볼 수 있다.

16. (가)에서 대상을 실제보다 과장되게 묘사한 부분은 찾아볼 수 없다. (가)에는 말하는 이의 속마음과 반대로 표현함으로써 임이 떠나지 않기를 바라는 말하는 이의 소망을 효과적으로 드러낸 반어의 표현이 있다(③).

17. ②에는 아홉 번 꼬부라진 양의 창자라는 뜻으로, 꼬불꼬불하며 험한 산길을 이르는 말인 '구절양장'이 쓰여야 적절하다. '구곡간장'은 굽이굽이 서린 창자라는 뜻으

로, 깊은 마음속 또는 시름이 쌓인 마음속을 비유적으로 이르는 말이다.

오답 해설

① '구만리'는 아득하게 먼 거리를 비유적으로 이르는 말이므로 적절하다.

③ '구중궁궐'은 겹겹이 문으로 막은 깊은 궁궐이라는 뜻으로, 임금이 있는 대궐 안을 이르는 말이므로 적절하다.

④ '구사일생'은 아홉 번 죽을 뻔하다 한 번 살아난다는 뜻으로, 죽을 고비를 여러 차례 넘기고 겨우 살아남을 이르는 말이므로 적절하다.

⑤ '구천'은 땅속 깊은 밑바닥이란 뜻으로, 죽은 뒤에 넋이 돌아가는 곳을 이르는 말이므로 적절하다.

18. 글쓴이는 행여 무엇이 남들보다 모자란 것이 아닌가 싶어서 스스로 괴로워하고 외로워하고 서글퍼해 온 학생에게 꿈과 가능성의 숫자인 아홉을 더 사랑하라고 하며 용기를 주고 있다.

19. (라)와 (마)에서는 비판의 대상인 양반을 직접 공격하는 것이 아니라 우회적으로 비판하는 풍자의 표현 방식이 나타나 있다. 양반이 스스로 평민임을 자처하는 모습을 희화화하거나 양반을 '도둑놈'이라고 하여 양반의 부정적인 모습을 풍자하고 있는 것이다. ② 역시 양반의 글자를 '개잘량(개의 가죽으로 만든 깔개)'과 '개다리소반(다리가 개의 다리 모양인 소반)'이라는 보잘것없는 것과 동일시하여 발음의 유사성을 이용한 언어유희로 양반을 희화화하고 조롱하며 풍자하고 있다.

오답 해설

① 비판하고자 하는 바를 직접적으로 말하고 있다.

④ 자신의 엉덩이를 써먹을 일이 없으니 다른 사람 대신 매를 맞아 주고 돈이나 벌겠다며 우스꽝스럽게 얘기하는 상황에 동정과 연민을 불러일으키는 해학적 표현이 나타나 있다.

20. 작가는 다양한 표현 방법을 사용함으로써 표현 효과를 높여 자기 생각이나 느낌을 독자에게 효과적으로 전달할 수 있다.

(1) 진달래꽃

1. ⓐ: 이별의 상황을 가정하고 체념함. ⓑ: 원망을 뛰어넘는 희생적 사랑을 보임. **2.** 7·5조 3음보의 율격 / '드리우리다', '뿌리우리다', '흘리우리다'에서 '-우리다'라는 어미의 반복 / 1연과 4연에서의 같은 시구의 반복, 수미상관의 구조 **3.** 말하는 이의 임에 대한 사랑의 증표이다. **4.** 작가는 반어의 표현을 활용하여 임이 떠나지 않기를 바라는 말하는 이의 소망을 효과적으로 드러내고 있다.

(2) 열보다 큰 아홉

1. 아홉이 완전하지 않기 때문에 더 큰 수로 여겨지는 것처럼 청소년도 어딘가 부족하고 어설프지만 앞으로 무엇이든 될 가능성을 지닌 존재라는 것을 전달하고 싶었기 때문이다. **2.** ·공통된 표현법과 표현의 원리: 역설로, 겉으로는 모순되어 앞뒤가 맞지 않지만, 그 속에 진실을 함축하고 있는 표현 방식이다. / ·표현의 효과: 단조로운 문장의 형태에 변화를 주어 글쓴이의 생각을 강조하고 효과적으로 전달해 준다. **3.** 예시 답: 암탉이 울면 알을 낳는다.

(3) 양반전

1. (강원도 감사의 말을 통해) 환자를 갚지 못해 곤란한 상황에 이르게 된 양반의 무능한 모습을 풍자한다. / (양반 아내의 말을 통해) 평생 글 읽기만 좋아할 뿐 경제적으로 무능력한 양반의 모습을 풍자한다. / (부자의 말을 통해) 부당한 특권과 횡포를 일삼는 양반의 모습을 풍자한다. **2.** 양반 계층을 직접 비판할 때에는 논리적으로 옳고 그름을 따져 직접 공격할 수 있는 반면, 풍자를 활용해 비판할 때에는 힘 있는 양반을 희화화함으로써 부정적인 대상과 사회 현실을 은근하게 폭로하여 읽는 이에게 쾌감을 준다. **3.** 예시 답: 권력을 이용하여 뇌물을 받는 정치인 / 다른 사람의 노력을 빼앗아 자기가 한 노력인 것처럼 혜택을 누리는 사람 등

(1) 신날래꽃

1. 1연에는 임이 '나'가 보기 싫어 가신다면 임을 말 없이 고이 보내 드리겠다고 하는 말하는 이의 체념의 정서가 나타나 있고, 임에게 진달래꽃을 밟고 가시라고 말하는 3연에는 말하는 이의 희생적 태도가 나타나 있다.

평가 요소	확인(√)
ⓐ에 1연에서 드러난 '체념'의 정서를 넣어 서술하였다.	
ⓑ에 3연에서 드러난 '희생'의 태도를 넣어 서술하였다.	
두 군데 모두 문맥에 맞게 서술하였다.	

2. 이 시에서 운율을 형성하기 위해 반복되고 있는 요소로

는 3음보율, 어미 '-우리다'의 반복, 1연과 4연에서 동일한 시구의 반복 등이 있다.

평가 요소	확인(√)
이 시에서 운율을 형성하는 요소를 찾아 바르게 서술하였다.	
두 가지 이상 서술하였다.	

3. 이 시의 '진달래꽃'은 임의 앞날을 축복하는 소재로 말하는 이의 분신이자 임에 대한 사랑을 표상한다. 〈보기〉의 시에서도 말하는 이는 임을 그리는 마음을 '묏버들'에 담아 임에게 보내고 있다. 따라서 두 소재에 나타난 의미상 공통점은 둘 다 사랑의 증표를 상징하고 있다는 점이다.

평가 요소	확인(√)
'진달래꽃'의 상징적 의미를 바르게 파악하였다.	
〈보기〉의 '묏버들'의 상징적 의미를 바르게 파악하였다.	
두 소재에 담긴 의미상의 공통점을 서술하였다.	

4. 표현의 효과를 높이기 위해 말하는 이가 실제와 반대되는 뜻의 말을 하는 표현 방식을 '반어'라고 한다. 이러한 표현 방식을 통해 실제로 말하고자 하는 바를 더욱 강조하여 드러내는 효과를 보게 된다.

평가 요소	확인(√)
ⓒ에 쓰인 표현 방식이 반어임을 바르게 파악하였다.	
반어의 표현이 주는 효과를 바르게 서술하였다.	
〈조건〉에서 제시한 문장 형태에 맞게 서술하였다.	

(2) 열보다 큰 아홉

1. (라)는 글쓴이가 이 글을 쓴 의도가 드러나 있는 문단이다. 글쓴이는 아홉이 그 부족함 때문에 열보다 큰 수로 여겨진 것과 같이 청소년도 완전하지 않기에 더 큰 존재라는 것을 알리고자 하는 것이다.

평가 요소	확인(√)
글쓴이가 언급한 아홉의 특성 중 하나라도 서술하였다.	
청소년(중학생)의 특성을 서술하였다.	
아홉과 청소년의 특성을 연관 지어 그 까닭을 서술하였다.	

2. 이 글에서는 '아홉은 미래의 꿈과 가능성을 담고 있는 수이기 때문에, 열보다 더 클 수 있다.'는 글쓴이의 생각을, 〈보기〉에서는 과거를 통해 우리가 추구하는 미래를 엿볼 수 있다는 글쓴이의 생각을 역설의 표현으로

강조하고 있다.

평가 요소	확인(√)
공통된 표현법을 바르게 제시하였다.	
역설의 표현 원리를 바르게 서술하였다.	
역설의 표현이 주는 효과를 바르게 서술하였다.	

3. 속담은 그 당시에 살던 사람들의 생각과 처한 상황을 보여 준다. 제시한 속담 역시 남녀 차별적인 전근대적 속담이므로 여성의 능력을 강조하는 긍정적인 표현으로 바꿀 수 있다.

평가 요소	확인(√)
기존 속담의 뜻을 바르게 파악하였다.	
기존 속담을 바탕으로 새롭게 바꾸었다.	
속담에 자기 생각을 담아 의미 있게 바꾸었다.	

(3) 양반전

1. 이 글의 작가인 박지원은 여러 등장인물의 말을 통해 주된 풍자의 대상인 양반의 부정적인 모습을 비판하고 있다.

평가 요소	확인(√)
강원도 감사의 말에서 양반의 무능한 모습을 파악하였다.	
양반 아내의 말에 담긴 양반의 경제적 무능력에 대한 비난을 파악하였다.	
(다)의 매매 증서에 나타난 양반의 부당한 횡포 등 부정적 모습을 파악하였다.	

2. 풍자는 대상을 직접 공격하는 것이 아니라 비웃음, 말장난, 시치미 떼기, 과장 등 간접적인 방법으로 돌려서 부당한 현실이나 힘 있는 대상을 우스꽝스럽게 그려 비판하는 표현법이다.

평가 요소	확인(√)
직접 비판할 때의 특징을 서술하였다.	
풍자를 통해 비판할 때의 특징을 서술하였다.	
100자 내외의 문장으로 서술하였다.	

3. 뉴스나 기사 등을 통해 우리 사회의 부정적인 대상을 찾아보고 답할 수 있도록 한다.

평가 요소	확인(√)
우리가 살아가고 있는 사회의 부정적인 모습을 언급하였다.	
우리 사회의 부정적인 대상을 예로 들어 서술하였다.	

2 발음은 정확히, 글은 바르게

(1) 정확한 발음과 표기

86~100쪽

콕콕 확인 문제

1. ①, ③ 2. ③ 3. ⑤ 4. ① 5. ⑤ 6. 'ㅢ'가 자음을 첫소리로 가지는 경우에는 [ㅣ]로 발음된다. 7. ④ 8. 원칙적인 발음: [마늬], 허용되는 발음: [마네] 9. ④ 10. ② 11. ⑤ 12. ④ 13. (1) [벋꼳] (2) [동녁] (3) [피읍] (4) [논받] (5) [갑끈] 14. ㉠ 두(2) ㉡ 자음 ㉢ 열한(11) 15. ⑤ 16. (1) [할따] (2) [안따] (3) [굼따] 17. ④ 18. ⓐ ㄹ ⓑ ㅂ 19. ② 20. ⑤ 21. ③ 22. ② 23. ⑤ 24. ③ 25. ⓐ 주꾸미 ⓑ 고등어 조림 ⓒ 깍두기 26. 있데 → 있대. 남에게 들은 말을 전하는 것이므로 '다(고) 해'가 줄어든 말인 '-대'를 써야 한다. 27. ④ 28. ② 29. ㉠ 왠 ㉡ 웬

1. 같은 말이라도 사람마다 서로 다르게 발음하여(③) 의사소통에 어려움이 생기는 것을 피하기 위해(①) 표준 발음을 정한 것이다.

2. 특별한 음운 변동 현상이 없는 한 자음과 모음의 원래 소리대로 발음하는 것이 원칙이므로, [기억], [공짜], [신문]으로 발음해야 한다.

3. 'ㅖ'가 '예, 례'로 사용될 때는 늘 [ㅖ]로만 발음한다. '실례'에서는 '례'로 사용되고 있으므로 [ㅖ]로 발음해야 한다.

오답 해설

①, ②, ④ '시계'는 [시계/시게], '혜성'은 [혜:성/헤:성], '비계'는 [비계/비게] 두 가지로 발음된다.
③ '지게'는 [지게]로 발음된다.

지식 창고 – 'ㅖ'의 발음
표준 발음법 제5항
다만 2. '예, 례' 이외의 'ㅖ'는 [ㅔ]로도 발음한다.

계집[계:집/게:집]	계시다[계:시다/게:시다]
시계[시계/시게](時計)	연계[연계/연게](連繫)
몌별[몌별/메별](袂別)	개폐[개폐/개페](開閉)
혜택[혜:택/헤:택](惠澤)	지혜[지혜/지혜](智慧)

---

4. '의리'와 같이 '의'가 단어 첫 글자에 나오는 경우에는 [ㅢ]로 발음된다. 따라서 '의리'도 [의리]로 발음해야 맞다.

오답 해설

②, ④ '희미한'의 '희'나 '하늬바람'의 '늬'는 'ㅢ'가 자음을 첫소리로 가지고 있으므로 [ㅣ]로 발음해야 한다. 따라서 [히미한], [하니바람]이 올바른 발음이다.
③ '토의'의 '의'는 단어 첫 글자에 나오지 않는 경우이므로 [ㅢ]나 [ㅣ]로 모두 발음할 수 있다.
⑤ '우리의'의 '의'는 조사이므로 [ㅢ]나 [ㅔ]로 모두 발음할 수 있다.

지식 창고 – 'ㅢ'의 발음
표준 발음법 제5항
다만 3. 자음을 첫소리로 가지고 있는 음절의 'ㅢ'는 [ㅣ]로 발음한다.

늴리리	닁큼	무늬	띄어쓰기	씌어
틔어	희어	희떱다	희망	유희

---

5. '의'로 쓰여 단어 첫 글자에 나오는 경우에는 [의]로만 발음된다. 따라서 '의의'는 [의의] 또는 [의이]로 발음해야 한다.

지식 창고 – 'ㅢ'의 발음
표준 발음법 제5항
다만 4. 단어의 첫음절 이외의 '의'는 [ㅣ]로, 조사 '의'는 [ㅔ]로 발음함도 허용한다.

주의[주의/주이]	협의[혀븨/혀비]
우리의[우리의/우리에]	강의의[강:의의/강:이에]

---

6. '무늬'의 '늬', '희망'의 '희'를 [니], [히]로 발음하는 것은 'ㅢ'가 자음 'ㄴ'과 'ㅎ'을 첫소리로 하고 있기 때문이다.

7. 'ㅖ'가 '예, 례'로 사용될 때는 늘 [ㅖ]로만 발음된다. '예'와 '례'를 제외한 나머지의 경우에는 [ㅖ]와 [ㅔ]의 두 가지로 발음될 수 있으므로, ④의 '은혜' 역시 [은혜/은헤] 두 가지로 발음될 수 있다.

8. '만의'의 '의'는 조사이다. 조사로 사용된 '의'는 [의/에]의 두 가지로 발음할 수 있다. 따라서 '만'의 'ㄴ'이 '의'의 첫음절로 발음되어 [마늬/마네] 두 가지로 발음될 수 있다.

9. 'ㅖ'가 '예, 례'로 사용될 때는 늘 [ㅖ]로만 발음된다. 따라서 ④의 '예상됩니다'는 [예상됨니다]로 발음해야 한다.

오답 해설

① '계주'의 '계'는 '예'와 '례'를 제외한 나머지의 경우에

해당되므로 [ㅖ]와 [ㅔ]의 두 가지로 발음될 수 있다.
② '안팎의'는 '팎'의 받침이 '의'로 내려가고, 조사 '의'는 [에]로 발음하는 것도 허용한다고 했으므로 [안파께]는 정확한 발음이다.
③ 조사 '의'를 [의]로 발음한 경우이다.
⑤ '람'의 받침이 이어지는 '이'의 첫소리로 발음되어 [센:바라미]로 발음한 경우이다.

10. '낫'과 '낮'의 받침은 뜻을 구별해 줄 뿐이다. 소리는 모두 [낟]으로 발음된다.

11. 국어의 받침에서 발음될 수 있는 것은 'ㄱ, ㄴ, ㄷ, ㄹ, ㅁ, ㅂ, ㅇ'의 7개뿐이다.

12. ① 창밖[창박], ② 숲속[숩쏙], ③ 부엌[부억], ⑤ 낚시[낙씨] 등은 모두 [ㄱ]으로 발음되지만, ④ 앞뜰[압뜰]은 [ㅂ]으로 발음된다.

지식 창고 – 다른 자음의 소리로 나는 받침
표준 발음법 제9항
받침 'ㄲ, ㅋ', 'ㅅ, ㅆ, ㅈ, ㅊ, ㅌ', 'ㅍ'은 어말 또는 자음 앞에서 각각 대표음 [ㄱ, ㄷ, ㅂ]으로 발음한다.

닦다[닥따]	키읔[키윽]	키읔과[키윽꽈]
옷[옫]	웃다[욷:따]	있다[읻따]
젖[젇]	빚다[빋따]	꽃[꼳]
쫓다[쫃따]	솥[솓]	뱉다[밷:따]
앞[압]	덮다[덥따]	

----

13. 'ㄱ, ㄴ, ㄷ, ㄹ, ㅁ, ㅂ, ㅇ'을 제외한 나머지 자음들은 대표음인 [ㄱ, ㄷ, ㅂ] 중의 하나로 발음된다.

14. 서로 다른 두 개의 자음으로 이루어진 받침을 겹받침이라고 한다. 국어에는 'ㄳ, ㄵ, ㄶ, ㄺ, ㄳ, ㄽ, ㄾ, ㅀ, ㅄ, ㄼ, ㄻ, ㄿ' 등 모두 11개의 겹받침이 표기에 사용된다.

15. '늙다'는 [늑따]로 발음되므로 뒤의 자음인 'ㄱ'이 받침으로 소리 난다. '없다[업따]', '여덟[여덜]', '끊다[끈타]', '외곬[외골]' 등은 겹받침 중 모두 앞의 자음이 소리 나는 단어들이다.

16. '핥다[할따]'와 '앉다[안따]'는 겹받침 중 앞의 자음인 [ㄹ]과 [ㄴ]이 소리 나며 '뒤에 오는 '-다'는 앞 자음과 만나 [ㄸ]으로 변한다. '굶다[굼따]'는 겹받침 중 뒤 자음인 [ㅁ]이 소리 나며, 뒤에 오는 '-다'는 앞 자음과 만나 [ㄸ]으로 변한다.

지식 창고 – 앞 자음이 소리 나는 겹받침
표준 발음법 제10항
겹받침 'ㄳ', 'ㄵ', 'ㄼ, ㄽ, ㄾ', 'ㅄ'은 어말 또는 자음 앞에서 각각 [ㄱ, ㄴ, ㄹ, ㅂ]으로 발음한다.

넋[넉]	넋과[넉꽈]	앉다[안따]
여덟[여덜]	넓다[널따]	외곬[외골]
핥다[할따]	값[갑]	없다[업:따]

----

17. 겹받침 'ㄺ'은 단어의 끝이나 자음 앞에서 [ㄱ]으로 발음한다. 따라서 '맑다'는 자음 ㄷ앞에 있으므로 [막따]로 발음된다.

오답 해설
①, ③ 겹받침 'ㄺ'은 활용할 때 모음 앞에서 앞 자음은 [ㄹ]로, 뒤 자음은 이어지는 말의 첫소리로 발음한다. 따라서 '맑은[말근], 맑아[말가]'와 같이 발음한다.
②, ⑤ '맑다'와 같은 용언의 'ㄺ'은 활용을 할 때 'ㄱ' 앞에서 [ㄹ]로 발음한다. 따라서 '맑고[말꼬]', '맑게[말께]'와 같이 발음한다.

지식 창고 – 겹받침 'ㄺ'의 발음
표준 발음법 제11항
다만, 용언의 어간 말음 'ㄺ'은 'ㄱ' 앞에서 [ㄹ]로 발음한다.

맑게[말께]	묽고[물꼬]	얽거나[얼거나]

----

18. 겹받침 'ㄼ'은 ㉠과 같이 대부분 [ㄹ]로 소리 나지만, ㉡처럼 동사 '밟다'의 '밟-' 뒤에 자음이 오면 [ㅂ]으로 발음된다.

19. '넓다'의 겹받침 'ㄼ'은 [ㄹ]로 발음된다.

지식 창고 – 겹받침 'ㄼ' 발음의 예외 규정
표준 발음법 제10항
다만, '밟-'은 자음 앞에서 [밥]으로 발음하고, '넓-'은 다음과 같은 경우에 [넙]으로 발음한다.
(1)

밟다[밥:따]	밟소[밥:쏘]	밟지[밥:찌]
밟는[밥:는 → 밤:는]	밟게[밥:께]	밟고[밥:꼬]

(2)

넓-죽하다[넙쭈카다]	넓-둥글다[넙뚱글다]

----

20. '흙' 뒤에 이어지는 말이 모음이며 실질적 의미를 가진 말이므로 앞뒤 말을 끊어서 발음한다. 따라서 '흙'의 겹

받침 ㄺ은 뒤 자음이 소리 나므로 [흑]으로 발음하고, [흑]의 [ㄱ]은 뒤에 오는 모음의 첫소리로 소리 나므로 [흐귀]로 발음한다.

21. '꽃이'는 받침 뒤에 모음으로 시작하는 말로 실질적인 의미를 지니지 않은 말인 조사가 이어지고 있으므로 'ㅊ'이 그대로 이어지는 말의 첫소리가 되어 [꼬치]라고 발음해야 한다.

22. 'ㅎ' 받침은 뒤에 'ㄱ, ㄷ, ㅈ'이 이어지는 경우 합쳐서 [ㅋ, ㅌ, ㅊ]으로 발음되고, 뒤에 모음으로 시작되는 형식적인 뜻을 가진 말이 이어지면 발음되지 않는다. 따라서 '닿은'은 [다은], '좋다'는 [조타]로 발음해야 한다.

지식 창고 – 받침 'ㅎ'의 발음
표준 발음법 제12항
1. 'ㅎ(ㄶ, ㅀ)' 뒤에 'ㄱ, ㄷ, ㅈ'이 결합되는 경우에는, 뒤 음절 첫소리와 합쳐서 [ㅋ, ㅌ, ㅊ]으로 발음한다.

| 놓고[노코] | 좋던[조ː턴] | 쌓지[싸치] |
| 많고[만ː코] | 않던[안턴] | 닳지[달치] |

---

23. '되+어서'의 줄임말이므로 '돼서'라고 표기해야 한다.

24. ㉢ '짜장면/자장면' 둘 다 표준어에 해당한다.

오답 해설
㉠ 동태찌게(×) → 동태찌개(○). ㉡ 육계장(×) → 육개장(○). ㉣ 곱배기(×) → 곱빼기(○), ㉤ 포장되요(×) → 포장돼요(○)

26. 남에게 듣고 전하는 것이므로 '-대'로 표기해야 한다.

27. '바래다'는 색이 변했다는 뜻이고, '바라다'는 '뭔가 이루어지길 원한다'의 뜻이다. ④는 '~국어를 잘하길 원한다'의 뜻이므로 '~국어를 잘하길 바라.'로 써야 한다.

28. '왠'은 홀로 쓰이지 않고 '지'와 함께 '왠지'라는 부사로 쓰여 '왜 그런지 모르게, 뚜렷한 이유도 없이'의 뜻을 나타낸다. ②는 '왜 그런지 모르겠지만 우리 팀이 승리할 것 같아.'라는 뜻이므로 '왠지'의 쓰임이 적절하다. '웬'은 '어찌 된, 어떠한'의 뜻을 나타내는 관형사이므로 '웬일인가?'와 같이 뒤에 꾸며 주는 말이 있다.

오답 해설
①은 '웬', ③은 '왠지', ④는 '웬 일이야?', ⑤은 '웬'으로 표기되어야 옳다.

29. ㉠은 '지'가 붙어 있으므로 '왠'이, ㉡은 '아기'를 꾸며 주므로 '웬'이 맞다.

소단원 나의 실력 다지기   104~105쪽

1. 의사소통을 원활히 하기 위해서이다.(정확한 국어생활을 하기 위해서이다.) **2.** ② **3.** ③ **4.** ③ **5.** 국어의 받침에서 소리 나는 자음은 'ㄱ, ㄴ, ㄷ, ㄹ, ㅁ, ㅂ, ㅇ' 7개뿐이며, 이 외의 다른 받침들은 대표음인 [ㄱ, ㄷ, ㅂ]으로 바뀌어 소리 난다. **6.** ③ **7.** ④ **8.** ④ **9.** ② **10.** ⑤ **11.** ⑤ **12.** ④ **13.** ②

---

1. 영지가 '댁으로'의 발음을 정확하게 하지 않아서 민호가 말의 뜻을 제대로 이해하지 못하고 있다. 이를 통해 표준 발음을 정하는 이유가 의사소통을 원활히 하기 위해서임을 알 수 있다.

2. 'ㅖ'가 '예, 례'로 사용될 때는 늘 [ㅖ]로만 발음한다. 따라서 '예절'은 [예절]로 발음해야 한다. 그 외의 'ㅖ'는 [ㅖ/ㅔ]로 둘 다 발음할 수 있다.

3. '만의'의 '의'는 조사이므로 [의/에]로 둘 다 발음할 수 있다. 그런데 '만'의 받침 ㄴ이 '의'의 첫소리로 내려가므로 [마늬], [마네]로 발음해야 한다.

4. '안팎'의 뒤에 모음으로 시작하고 실질적인 의미가 없는 조사 '의'가 이어지고 있으므로 '팎'의 받침 ㄲ은 그대로 '의'의 첫소리가 된다. 그런데 조사 '의'는 [의/에]로 둘 다 발음할 수 있으므로 [안파끼]나 [안파께]로 발음된다.

5. 〈보기〉의 단어들은 국어의 받침으로 사용되는 자음이 어떤 소리로 발음되는지를 보여 주는 예들이다. 받침으로 사용되는 자음 중 표기 그대로 발음되는 것은 'ㄱ, ㄴ, ㄷ, ㄹ, ㅁ, ㅂ, ㅇ' 7개뿐이며, 이 외의 다른 **받침**들, 즉 'ㄲ, ㅋ/ㅅ, ㅆ, ㅈ, ㅊ, ㅌ, ㅎ/ㅍ'은 단어의 끝이나 자음 앞에서 [ㄱ, ㄷ, ㅂ] 중의 하나로 발음됨을 알 수 있다.

6. '읊다'의 겹받침 ㄿ은 뒤 자음이 소리 나므로 ㅍ이 대표음 [ㅂ]으로 바뀌어 [읍따]로 발음된다.

7. '붉지'의 겹받침 ㄺ은 자음 ㅈ 앞에 있으므로 [북찌]와 같이 [ㄱ]으로 발음한다. 나머지는 모두 용언의 활용형으로 'ㄱ' 앞에 있으므로 [말꼬], [발끼도], [물께], [일께] 등과 같이 [ㄹ]로 발음한다.

8. '훑고'의 겹받침 'ㄾ'은 자음 ㄱ의 앞이므로 [훌꼬]와 같이 [ㄹ]로 발음한다.

9. '흙 위'의 '위'는 실질적인 의미를 가진 말이므로 '흙'의 겹받침 'ㄺ'이 먼저 대표음으로 바뀌어 [흑]이 되는 과정을 거친다. 그 다음에는 받침 [ㄱ]이 '위'의 첫소리가 되어 [흐귀]로 발음된다.

10. 'ㅎ' 뒤에 'ㅈ'이 결합되는 경우에는, 뒤 음절 첫소리와 합쳐서 [ㅊ]으로 발음하므로, ⑤의 '쌓지'는 [싸치]로 발음해야 한다.

11. '되-'가 문장을 끝맺는 역할을 할 때는 '되어'로 써야 하고, 그것의 줄임말이 '돼'가 되므로, ⑤의 '안 되'는 '안 돼'로 써야 한다.

12. '김치찌게'가 아닌 '김치찌개'가 바른 표기이다.

오답 해설
①은 '육개장', ②는 '맞춤옷', ③은 '갈치조림', ⑤는 '주꾸미 볶음'이 바른 표기이다.

13. 병이 낫기를 바란다는 문맥으로 미루어 볼 때 '낫다'의 활용형인 '나아야'로 써야 한다. '낳다'는 '알을 낳다, 아기를 낳다'에서 쓰이는 말이다.

(2) 쓴 글을 돌아보며

콕콕 **확인 문제**   109~119쪽

1. ④ **2.** ㄱ, ㄹ **3.** ③ **4.** ⑤ **5.** ③ **6.** ③ **7.** ② **8.** ② **9.** 설득 **10.** ② **11.** ② **12.** ⑤ **13.** (1) 발생율 → 발생률, 높히고 → 높이고 (2) 꾸준이 → 꾸준히 **14.** ④ **15.** ①

1. 공자나 맹자가 공부를 한 까닭을 언급하고 있기는 하지만 이는 사람들이 현실적인 이익을 위해 공부를 한다는 문단의 중심 내용과는 어울리지 않는 내용이다. 따라서 문단의 중심 내용을 뒷받침하고 있다고 이해한 것은 적절하지 않다.

2. 글 전체 수준에서는 글을 전체적으로 훑어 읽고, 글을 쓴 목적을 확인하면서 고칠 내용을 생각하며(ㄱ), 글의 주제와 내용이 잘 드러나는 제목인지 검토한다(ㄹ).

오답 해설
ㄴ과 ㄷ은 문단 수준, ㅁ은 문장 수준에서 고쳐 쓸 때 점검할 사항이다.

3. 문장의 호응 관계를 점검하는 것은 문장 수준에서 고쳐 쓸 때 점검할 사항이다.

지식 창고 – 문장의 호응
문장에서 앞에 어떤 말이 오면 거기에 대응하는 말이 따라오는 것을 호응이라고 한다.
※ 문장 호응의 예
마치 ……처럼 / 만약 ……(이)라면 / 결코 ……않다

----

4. 문장과 문장 사이의 연결이 자연스러운지를 살피는 것은 문단 수준에서의 고쳐 쓰기에 해당한다.

5. ㉠은 문맥상 적절하지 않은 어휘로 '다르지'로 고쳐 써야 한다. 그러나 ㉢은 '틀리다'의 의미대로 바르게 사용하고 있으므로 고쳐 쓰지 않아도 된다. '틀리다'는 '셈이나 사실 따위가 그르게 되거나 어긋나다. / 바라거나 하려는 일이 순조롭게 되지 못하다. / 마음이나 행동 따위가 올바르지 못하고 비뚤어지다.'의 의미로 사용되는 단어이다.

6. ㉡은 '좀처럼 모른다.'는 호응 관계가 자연스럽지 않다. 이와 같은 문장 호응의 오류를 보이는 것은 ③으로, '절대로'는 주로 '~ 아니다/해서는 안 된다'의 말과 호응한다.

7. 글의 주제를 바꾸면 주제에 내용을 새로 선정하고 조직하여 글을 아예 새로 써야 한다.

지식 창고 – 고쳐쓰기의 일반 원리
• 첨가: 빠뜨린 부분을 보충함.
• 삭제: 불필요한 부분을 삭제함.
• 대치: 다른 내용으로 바꿈.
• 재구성: 순서를 바꾸거나 어휘를 바꿈.

----

8. 고쳐쓰기를 위해 자신이 쓴 글에 대한 평가를 듣는 것이므로 평가를 하는 사람의 입장을 이해할 필요는 없다.

9. 이 글은 청소년 운동 공간 확보의 필요성을 주장하는 글이다. 따라서 글의 목적은 '설득'에 있다.

10. 문장 간의 연결을 검토하는 것은 문단 수준에서 고쳐

쓸 때 점검할 사항이다.

오답 해설

①, ③ 글의 제목이나 구성의 적절성을 점검하는 것은 글 전체 수준에서의 고쳐 쓰기에 해당한다.

④, ⑤ 문장의 호응이나 단어의 적절성을 점검하는 것은 문장 수준에서의 고쳐 쓰기에 해당한다.

11. 청소년 비만 문제를 해결하려면 청소년이 운동할 공간 확보가 필요하다고 주장하는 글이므로 ⓒ과 같이 청소년이 잘 걸리는 질병을 언급하는 내용은 글의 주제와 목적에 맞는 내용이라고 볼 수 없다.

12. 청소년의 식생활과 관련된 자료는 청소년 운동 공간 확보의 필요성을 주장하는 글에 추가할 내용으로 적절하지 않다.

지식 창고 – 글쓰기 자료 수집과 매체

• 인쇄 매체: 책이나 논문, 지도 등 종이로 인쇄되어 존재하는 매체. 주로 객관적이거나 전문적인 정보, 널리 알려진 사실을 알아보고자 할 때 유용하다.

• 인터넷 매체: 웹사이트나 누리집 등 사이버 공간에 존재하는 매체. 검색을 통하여 쉽고 빠르게 정보를 얻을 수 있다. 다만 인터넷 매체에는 정확하지 않은 정보도 많으므로 자료의 신뢰성에 유의할 필요가 있다.

• 신문·방송 매체: 방송 뉴스나 신문 등 언론을 중심으로 존재하는 매체. 주로 시사적이거나 시의적인 정보를 얻고자 할 때 도움이 된다.

지식 창고 – 자료 수집의 다양한 방법들

• 질문지법(설문 조사): 다수의 사람이 가진 의견을 알고자 할 때, 질문지를 작성하여 직접 조사하는 방법

• 문헌 조사법: 얻고자 하는 정보를 담은 문헌을 조사하여 정보를 얻는 방법

• 실험법: 통제된 상황을 구성해 놓고, 조작된 변인에 따라 어떠한 결과를 나타내는지 알아보는 방법

• 참여 관찰법: 사회·문화적 특징이나 주관적인 정보를 알기 위해 해당하는 집단의 활동에 직접 참여하는 방법

• 면담법: 정보를 가진 대상과 직접 면담하여 깊이 있고 다양한 정보를 얻는 방법

---

13. (1) 받침이 있는 말 다음에는 '률, 렬'로 적고 'ㄴ' 받침이나 모음 뒤에서는 '율, 열'로 적는 것이 바른 표기법

이므로 '발생율'은 '발생률'로 고쳐야 한다. 또한 '높다'라는 형용사에 사동 접사 '-이-'를 넣어 타동사로 만든 것이 '높이다'이다. 사동 접사 '-히-'를 넣은 '높히다'는 잘못된 표현이다.

(2) '-하다'가 붙는 어근에 '-히'나 '-이'가 붙어서 부사가 될 때는 어근의 원형을 밝혀 적어야 한다. '꾸준히'는 '-하다'가 붙는 어근이므로 '꾸준히'로 적어야 한다.

14. 발자크가 작품 길이를 늘이기 위해서 내용을 고쳐 썼다는 사실은 이 글에서 확인할 수 없다.

15. 고쳐쓰기는 자신의 의도가 효과적으로 드러나도록 잘못된 부분을 고쳐 나가는 과정일 뿐, 이를 통해 전문적인 지식을 얻을 수 있다고 보기 어렵다.

소단원 나의 실력 다지기   123~125쪽

1. • (나)의 주제: 공부해야 하는 까닭 • 글을 읽을 대상: 공부하는 까닭을 모르는 학생들(교내 신문을 읽는 사람들) **2.** ④ **3.** ③ **4.** ① **5.** • 고쳐 써야 하는 이유: 문장의 호응 관계가 자연스럽지 않다. • 바르게 고친 문장: 지금은 내가 장차 무엇이 될지, 무엇을 해야 할지 좀처럼 알지 못한다.(지금은 내가 장차 무엇이 될지, 무엇을 해야 할지 모른다.) **6.** ② **7.** ⑤ **8.** ③ **9.** ④ **10.** ⑤ **11.** ③ **12.** ③ **13.** ② **14.** ⑤ **15.** (1) 햇빛이 → 햇볕이 (2) 한국인으로써 → 한국인으로서 (3) 언제나 항상 → 언제나(항상)

1. (가)에서 진희는 교내 신문에 실을 글을 쓰고 있다고 했으므로 예상 독자가 신문을 읽는 학교 친구들임을 알 수 있다. 또한 (나)의 첫 문단에는 '공부를 하는 까닭'이라는 주제가 제시되어 있다.

2. 〈보기〉는 교육이 우리의 삶에서 중요한 것을 깨닫도록 해 주니 공부를 해야 한다는 내용으로, 공부가 미래의 가장 좋은 대비가 된다는 (라)의 결론을 이끌어 내는 근거가 된다. 따라서 〈보기〉는 (다)와 (라)의 사이에 들어가는 것이 적절하다.

3. 고쳐쓰기는 글쓰기의 어느 단계에서든 가능하다.

4. 글의 제목이 적절한지 검토하는 것은 글 전체 수준의 고쳐 쓰기에 해당한다.

오답 해설

②, ⑤는 문단 수준, ③, ④는 문장 수준의 고쳐 쓰기에 해당한다.

5. '좀처럼'은 '~하지 못하다'와 같이 부정문 형태의 서술어와 호응해야 자연스럽다.

6. ㄱ. (나)에서 '이러한 청소년 비만이 왜 생기는 것일까?'와 같이 질문을 던져 독자의 주의를 환기하고 있다.
ㄹ. (나)의 첫 문장에서 대한비만학회와 국민건강보험공단의 2015년 조사 결과를 인용하여 청소년 비만의 심각성을 구체적으로 제시하였다.

7. ㉠은 '청소년들의 비만 예방을 위하여 운동 공간을 충분히 확보해야 한다.'는 글의 주제에 어울리지 않는 내용이다.

8. ㉡의 앞 문장은 뒤의 문장을 이끌어 내기 위한 내용이다. 즉 청소년 비만의 원인은 운동 부족인데, 이러한 운동이 부족하게 된 원인은 청소년이 운동할 공간이 부족하기 때문이라는 주장을 이끌어 내기 위함이다. 청소년 비만의 원인이 계속 연결되고 있으므로 '그리고'를 사용하는 것이 적절하다. '그러므로'와 같은 인과 관계를 보여 주는 접속어를 사용하는 것은 적절하지 않다.

9. '비만'은 신체 구성에 필요한 지방보다 더 많은 양의 지방이 있는 상태를 말하며, '과체중'은 단순히 체중이 정상보다 많은 상태를 말하는 것이므로 같은 의미를 반복한 것이라고 볼 수 없다.

10. (가)~(나)의 주제는 '청소년들의 비만 예방을 위하여 운동 공간을 충분히 확보해야 한다.'이다. 따라서 '운동 시간 부족'이나 '개인의 식습관과 게으름'을 다룬 자료는 주제와 거리가 있으므로 적절하지 않다.

11. 이 글에서 다른 사람이 발자크의 글을 수정한다는 내용은 확인할 수 없다.

12. '여백'은 '글씨나 그림을 그리고 남은 빈 자리'란 뜻으로 '넓은'의 의미를 포함하고 있지 않다.

오답 해설
① 문맥상 '이야기가 빠르지 못하고 느려지다.'의 의미이므로 '늘어지다'로 고쳐 쓰는 것이 적절하다.
② 발자크가 끊임없이 그의 소설을 수정했기 때문에 그의 소설이 어느 작품보다 사실적이고 재미있으며 생동감이 넘쳤던 것이다. 이처럼 앞뒤 문장이 인과 관계로 이어지고 있으므로 접속어를 '그래서'로 고치는 것이 적절하다.
④ '되어'의 줄임 표현이 아니므로 '되겠어'로 쓰는 것이 맞다.
⑤ '한번'은 '지난 어느 때나 기회'를 뜻하는 명사이다. '한'을 띄어 쓸 때는 관형사로 사용된 경우이다.

13. 고쳐쓰기를 하면 예상 독자에게 알맞은 글로 수정할 수 있지만, 예상 독자를 더 잘 분석하게 된다고 볼 수는 없다.

14. 글의 각 단계가 제구실을 하고 단계 간의 연결이 자연스러운지를 점검하는 것은 글 수준의 고쳐 쓰기에 해당한다.

오답 해설
① 독자가 이해하기 쉬운 글이 좋은 글이다. 어려운 한자어나 외래어는 독자의 수준에 맞게 고쳐 써야 한다.
② 글의 주제와 목적에 맞지 않으면 아무리 흥미로운 내용이라도 삭제해야 한다.
③ 한 문단 안에는 하나의 중심 생각이 들어 있어야 한다.
④ 제목은 글의 중심 내용을 드러내는 것이 좋다.

15. (1) '햇볕'은 해가 내리쬐는 뜨거운 기운을 뜻하는 말로, '따사로운 햇볕/햇볕을 쬐다/햇볕이 쨍쨍 내리쬔다.'와 같이 쓰이고, '햇빛'은 '해의 빛'을 뜻하는 말로, '햇빛이 비치다/햇빛을 가리다.'와 같이 쓰인다. 따라서 문맥상 (1)은 '햇볕'으로 쓰는 것이 적절하다.
(2) 지위나 신분 또는 자격을 나타낼 때는 '-으로서'를 쓰고, 어떤 일의 수단이나 도구를 나타낼 때는 '-으로써'를 쓴다.
(3) '언제나'와 '항상'은 의미가 비슷한 말이므로 의미 중복을 피하기 위해 둘 중 하나를 생략한다.

대단원 평가 대비하기   128~131쪽

1. ③ **2.** ① **3.** ② **4.** ⑤ **5.** ① **6.** ② **7.** ④ **8.** ④ **9.** ⑤
10. '쐬요'는 잘못된 표기로, '쐐요'로 써야 한다. '쐐요'는 '쐬어요'의 준말이다. '쐬어'와 '쐐'의 표기가 틀리기 쉬운 것은 [쐬] 발음과 [쐐] 발음의 구분이 어렵기 때문이다. **11.** ⑤
12. ③ **13.** ③ **14.** ⑤ **15.** ⑤ **16.** ① **17.** ⑤ **18.** ② **19.** ⑤
20. ③ **21.** ③ **22.** ⑤ **23.** ④ **24.** 마지막 문장의 '그리고'를 '그 덕분에', '그래서' 등으로 고친다. 마지막 문장과 앞 문장은 원인과 결과의 관계로 이어지고 있기 때문이다.

1. 'ㅖ'가 '예, 례'로 사용될 때는 늘 [ㅖ]로만 발음된다.

2. '의사'와 같이 '의'가 단어 첫 글자에 나오는 경우에는

[ㅢ]로 발음된다.

3. '덮개[덥깨]'만 받침이 [ㅂ]으로 발음되고, 나머지는 '별빛[별삗], 낮잠[낟짬], 히읗[히읃], 햇과일[핻꽈일]'처럼 모두 [ㄷ]으로 발음된다.

4. '읊(다)'는 겹받침에서 뒤의 자음인 'ㅍ'이 대표음인 [ㅂ]으로 바뀌어 [읍따]로 발음된다. 나머지는 '앉(다)[안따], 끊(다)[끈타], 핥(다)[할타], 없(다)[업따]'로 발음되므로 겹받침 중 앞 자음이 소리 나는 경우이다.

5. 동사 '밟다'의 '밟-' 뒤에 자음이 오면 [ㅂ]으로 발음되므로 '밟고'는 [밥꼬]로 발음된다.

   오답 해설
   '넓고[널꼬], 짧다[짤따], 여덟[여덜], 얇지[얄ː찌]'의 겹받침 'ㄼ'은 모두 [ㄹ]로 발음된다.

6. '닭장'은 [닥짱]으로 발음되므로 [ㄱ]으로 소리 난다.

   오답 해설
   ① '닭을'은 겹받침의 [ㄱ]이 이어지는 말의 첫소리가 되어 [달글]로 발음된다.
   ③ '닭만'은 겹받침이 대표음인 [ㄱ]이 된 뒤, 뒤의 오는 첫소리의 영향을 받아 [ㅇ]으로 변해 [닥만→당만]으로 발음된다.
   ④ '삶아'의 겹받침 'ㄻ'의 앞 자음은 받침으로, 뒤 자음은 뒷말의 첫소리로 이어져 [살마]로 발음된다.
   ⑤ '몫까지[목까지]'의 겹받침 'ㄳ'은 앞 자음 소리만 발음된다.

7. ㄴ의 '낳아야[나아야]'와 ㅁ의 '닿았다[다안따]'에서 받침 'ㅎ'은 발음할 때 소리가 나지 않는다. 또한 ㄷ의 '놓고[노코]'에서 받침 'ㅎ'은 발음할 때 뒤에 이어지는 'ㄱ'과 결합하여 [ㅋ]으로 소리 난다.

8. '값을'은 [갑쓸]로 발음된다.

9. ⑤는 '되+어'의 줄임 표현이므로 '돼'로 표기해야 한다.

10. 모음을 줄여 쓸 때 'ㅚ' 뒤에 'ㅓ'가 오면 'ㅙ'로 적는다.

ㅚ+ㅓ→ㅙ	되+어 → 돼 / 뵈+어 → 봬 / 쐬+어 → 쐐 / 괴+어 → 괘
ㅚ+ㅆ→ㅙ	되+었다 → 됐다 / 뵈었다 → 뵀다 / 쐬+었다 → 쐤다 / 괴+었다 → 괬다

11. ⑤의 '웬 일이야?'는 문맥상 '어찌 된 일이야?'의 뜻이므로 '어찌 된, 어떠한'의 뜻을 나타내는 관형사인 '웬'을 사용하여 '웬 일이야?'와 같이 쓰는 것이 맞다. '왠'은 홀로 쓰이지 않고 '지'와 함께 '왠지'라는 부사로 쓰여 '왜 그런지 모르게, 뚜렷한 이유도 없이'의 뜻을 나타낸다.

12. '-데'는 화자가 직접 경험한 사실을 나중에 보고하듯이 말할 때 쓰이는 말로 '-더라'와 같은 의미를 전달하는 데 비해, '-대'는 직접 경험한 사실이 아니라 남이 말한 내용을 간접적으로 전달할 때 쓰인다. ⓒ '의외인데?'에 사용된 종결 어미 '-ㄴ데'는 어떤 일을 감탄하는 뜻을 넣어 서술함으로써 그에 대한 청자의 반응을 기다리는 태도를 나타낼 때 사용되는 어미이다.

   오답 해설
   ①, ② ⓐ는 엄마가 말한 내용을, ⓑ는 친구가 한 말을 간접적으로 전달하고 있으므로 '결정하셨대.', '영리하대.'로 써야 한다.
   ④, ⑤ ⓓ와 ⓔ는 자신의 마음을 말하고 있으므로 '-데'를 써야 한다.

13. '낫다'는 '-을까'가 붙어 형태를 바꿀 때 'ㅅ'이 없어지고 '나을까'가 된다.

14. ㉡은 '바라'를 잘못 표기한 말이다. ①~④는 모두 같은 표기 오류를 보이고 있으나 ⑤는 색이 변했다는 뜻의 '바래다'로 사용된 것이므로 잘못 표기된 예가 아니다.

15. '깍두기'는 '깍두기'로 써야 맞다.

   오답 해설
   '육개장', '떡볶이', '갈치조림', '주꾸미 볶음'이 바른 표기이다.

16. 고쳐쓰기는 글쓰기의 모든 단계에서 가능하다.

17. 중심 문장과 뒷받침 문장의 관련성을 검토하는 것은 '문단 수준에서의 고쳐 쓰기'에 해당한다.

18. 문장 간의 연결을 검토하는 것은 '문단 수준에서의 고쳐 쓰기'에 해당한다.

   오답 해설
   ①, ④는 글 전체 수준, ③, ⑤는 문장 수준에서의 고쳐 쓰기에 해당한다.

19. (나)는 청소년 비만의 원인을 운동 부족에서, 그리고 운동 부족의 원인을 운동 공간 부족에서 찾으면서 청소년 비만 예방을 위해 운동 공간 확보를 주장하는 글이다.

20. 〈보기〉는 문장의 호응이 자연스럽지 않다. '비록'은 '-

ㄹ지라도', '−지마는'과 같은 어미가 붙는 용언과 함께 쓰이는 부사이기 때문이다. 이와 같이 문장의 호응 관계가 바르지 않는 것은 ㉢이다. ㉢의 '좀처럼'은 '~하지 않다'와 같이 부정문 형태의 서술어와 호응해야 자연스럽다.

21. '대가'가 올바른 표기이므로 고칠 필요가 없다.

22. ㉮의 내용은 '청소년들의 비만 예방을 위하여 운동 공간을 충분히 확보해야 한다.'는 (나)의 주제와 내용상 어울리지 않는다.

23. 다양한 주제를 담기 위해 고심했다는 내용은 이 글에서 확인할 수 없다.

24. 발자크가 글을 개선하기 위해 끊임없이 손질한 덕에 그의 소설은 어느 작품보다 사실적이고 재미있으며 생동감이 넘쳤다고 했다. 이처럼 (나)의 마지막 두 문장은 원인과 결과 관계로 이어지고 있으므로 이를 연결하는 접속어로는 '그래서, 그 덕분에, 그리하여' 등을 사용하는 것이 적절하다.

논술형 평가 대비하기　　　　　132~133쪽

(1) 정확한 발음과 표기
1. (1) [하늬바람], [히미하다] (2) 자음을 첫소리로 가지는 'ㅢ'는 [ㅣ]로 발음한다. **2.** 받침 뒤에 모음으로 시작하는 말이 이어질 때 그 말이 실질적 의미를 지니지 않는 말이면 받침의 원래 소리가 뒷말로 이어지고, 실질적 의미를 지닌 말이면 받침이 먼저 대표음으로 바뀌는 과정을 거친 뒤 이어지는 말의 첫소리가 된다. **3.** •겹받침 'ㄺ'은 단어의 끝이나 자음 앞에서 [ㄱ]으로 발음하지만, '맑다'와 같은 용언의 'ㄺ'은 활용을 할 때 'ㄱ' 앞에서 [ㄹ]로 발음한다. •겹받침 'ㄼ'은 본래 [ㄹ]로 발음하는 것이지만 '넓죽하다'와 '넓둥글다', '넓적하다'는 예외적으로 'ㄼ'을 [ㅂ]으로 발음한다. **4.** 잘못된 표기는 '바래', '바램'이다. '바라다'의 활용형은 '바라', '바람'이기 때문이다.

(2) 쓴 글을 돌아보며
1. 〈보기〉는 (다)와 (라)의 사이에 들어가는 것이 적절하다. 〈보기〉는 공부를 해야 하는 진정한 까닭을 언급하고 있으므로 (라)의 결론을 이끌어 내는 근거가 되기 때문이다. **2.** (나)의 두 번째 문장을 삭제해야 한다. (나)는 사람들이 현실적인 이익을 얻기 위해 공부한다는 점을 지적하고 있는 문단이므로, '자기 수양' 즉 도덕적인 성장을 위해 공부를 한다

는 내용은 어울리지 않기 때문이다. **3.** 1문단 마지막 문장을 삭제한다. 주제와 상관없는 내용이기 때문이다. **4.** •'비만이'를 '비만 인구가'로 고쳐야 한다. 문맥상 살이 쪄서 몸이 뚱뚱한, 즉 비만한 사람이 늘고 있다는 뜻이므로 '비만 인구가'로 고쳐 쓰는 것이 더 적절하다. •'높히고'를 '높이고'로 고쳐야 한다. '높다'라는 형용사에 사동 접사 '−이−'를 넣어 타동사로 만든 것이 '높이다'이기 때문이다.

(1) 정확한 발음과 표기
1. '하늬바람'의 '늬'와 '희미하다'의 '희'는 [늬]와 [히]로 발음된다. 이를 통해 자음을 첫소리로 가지는 'ㅢ'는 [ㅣ]로만 발음됨을 알 수 있다.

평가 요소	확인(∨)
단어의 발음을 정확하게 썼다.	
단어의 발음을 통해 'ㅢ'의 발음 규정을 바르게 서술하였다.	
자연스러운 문장으로 맞춤법에 맞게 서술하였다.	

2. 받침 뒤에 다른 말이 이어질 때 모음으로 시작하고 실질적 의미를 지니지 않는 말, 즉 조사나 어미 등이 이어질 경우에는 '숲에 → [수페]'처럼 받침의 원래 소리가 뒷말로 이어져 발음된다. 그리고 실질적 의미를 지닌 말이라면 '숲 안 → [숩안] → [수반]'처럼 먼저 대표음으로 바뀌는 과정을 거친 뒤 이어지는 말의 첫소리가 된다.

평가 요소	확인(∨)
받침 뒤에 모음으로 이어지는 말이 실질적 의미를 지닌 경우와 실질적 의미를 지니지 않은 경우로 나누어 바르게 서술하였다.	
실질적 의미를 지니지 않은 말이 이어질 때 받침의 원래 소리가 뒷말로 이어져 발음됨을 서술하였다.	
실질적 의미를 지닌 말이 이어질 때 받침이 먼저 대표음으로 바뀌는 과정을 거친 뒤에 이어지는 말의 첫소리로 발음됨을 서술하였다.	
자연스러운 문장으로 맞춤법에 맞게 서술하였다.	

3. 본래 받침 'ㄺ'은 단어의 끝이나 자음 앞에서 '닭'은 [닥], '맑다'가 [막따]인 것처럼 [ㄱ]으로 발음하는 것이지만, '맑다'와 같은 용언의 'ㄺ'은 활용을 할 때 'ㄱ' 앞에서 [ㄹ]로 발음한다. 또한 받침 'ㄼ'은 본래 [ㄹ]로 발음하는 것이지만 '밟다'의 '밟−' 뒤에 자음이 오는 경우와 '넓죽하다'와 '넓둥글다', '넓적하다'는 예외적으로 'ㄼ'을 [ㅂ]으로 발음한다.

평가 요소	확인(∨)
'맑고'의 발음을 겹받침 'ㄺ'의 본래 발음 방법과 비교하여 바르게 서술하였다.	
'넓죽한'의 발음을 겹받침 'ㄼ'의 본래 발음 방법과 비교하여 바르게 서술하였다.	
자연스러운 문장으로 맞춤법에 맞게 서술하였다.	

4. '뭔가 이루어지길 원한다'의 의미로 사용되는 단어는 '바라다'이다. '바라다'의 활용형은 '바라, 바라니, 바람' 이므로 '바래'나 '바램'으로 쓰는 것은 잘못된 표기이다.

평가 요소	확인(∨)
자막에서 잘못된 표기를 모두 찾았다.	
표기가 틀린 이유를 바르게 서술하였다.	
자연스러운 문장으로 맞춤법에 맞게 서술하였다.	

(2) 쓴 글을 돌아보며

1. 〈보기〉에서 교육은 우리의 삶에서 중요한 것을 깨닫게 하므로 공부를 해야 하는 이유를 제시하고 있다. 따라서 〈보기〉는 공부가 미래의 가장 좋은 대비가 된다는 (라)의 결론을 이끌어 내는 근거가 된다.

평가 요소	확인(∨)
〈보기〉의 글이 들어가 위치를 바르게 지적하였다.	
〈보기〉의 글이 들어갈 위치를 지적한 이유를 내용을 근거로 하여 적절하게 서술하였다.	
자연스러운 문장으로 맞춤법에 맞게 서술하였다.	

2. (나)는 사람들이 현실적인 이익을 얻기 위해 공부한다는 것이 주된 내용인데, 두 번째 문장은 자기 수양을 위해 공부한다는 내용이어서 문단의 중심 내용과 어울리지 않는다.

평가 요소	확인(∨)
중심 내용을 나타내는 데 적절하지 않아 삭제해야 할 문장을 바르게 찾았다.	
근거를 들어 삭제해야 할 이유를 적절하게 서술하였다.	
자연스러운 문장으로 맞춤법에 맞게 서술하였다.	

3. 글 전체 수준의 고쳐 쓰기에서는 글을 전체적으로 훑어 읽고, 글을 쓴 목적을 확인하면서 주제, 제목, 구성 단계 등을 점검한다. 1문단의 마지막 문장인 '그 밖에도 청소년들은 척추옆굽음증이나 각종 전염병에도 취약한 상태이다.'는 '청소년들의 비만 예방을 위하여 운동 공간을 충분히 확보해야 한다.'는 글의 주제와 거리가 먼 내용이므로 삭제하는 것이 적절하다.

평가 요소	확인(∨)
글 전체 수준에서 점검할 사항으로 고칠 곳을 찾았다.	
고칠 곳을 찾아 그 이유를 바르게 서술하였다.	
자연스러운 문장으로 맞춤법에 맞게 서술하였다.	

4. 문장 수준의 고쳐 쓰기에서는 문장의 호응, 뜻하는 바가 분명하지 않거나 문맥상 적절하지 않은 단어, 표기나 띄어쓰기가 잘못된 단어 등을 점검한다.

• 현대에 비만한 사람, 즉 비만 인구가 늘고 있다는 뜻이므로 '비만 인구가'로 고쳐야 문맥에 맞는 표현이다.

• '높다'라는 형용사에 사동 접사 '-이-'를 넣은 '높이다'가 바른 표현이다. 사동 접사 '-히-'를 넣은 '높히다'는 잘못된 표현이다.

평가 요소	확인(∨)
문장 수준에서 고쳐 써야 할 2곳을 찾아 바르게 고쳐 썼다.	
고쳐 쓴 이유를 근거를 들어 적절하게 서술하였다.	
자연스러운 문장으로 맞춤법에 맞게 서술하였다.	

④ 함께 만드는 의미

(1) 듣고 말하며 나누기

171~178쪽

콕콕 확인 문제

1. ③ 2. 아들의 말의 구체적인 의미를 확인하여 성실하게 대답해 주기 위해서이다. 3. ⑤ 4. 소통을 통해 바람직한 인간관계를 형성할 수 있다. 5. ② 6. 전 세계의 어른들에게 세계의 환경 문제와 빈곤 문제를 해결하기 위해 행동할 것을 촉구하는 것이다. 7. ⑤ 8. ⑤ 9. ②

1. 아버지와 상우(아들)는 대관령 밤길을 걸으며 우정의 참뜻과 친구를 사귀는 기준에 대해 대화를 나누고 있다. 대화의 과정에서 우정과 친구에 관한 의미를 이해하고 공유함으로써 서로 영향을 주고받고 있으며, 대화의 결과 둘의 관계는 더욱 깊어지고 있다. 설득은 한쪽 편이 반대편에게 자기 생각을 따르게 만드는 것이므로, 이 대화의 목적을 설득으로 보기는 어렵다.

2. 아버지는 상우의 질문을 받고 그 질문에 대답을 하기 위해 다시 질문을 하고 있다. 다시 말해, 질문을 통해 아들이 무엇을 묻고자 하는지를 구체적으로 확인하고자 하는 것이다. 따라서 ㉠은 아들의 질문에 성실하게 답변하고자 하는 바람직한 듣기·말하기 태도를 보여 준다.

3. 아버지는 상우와의 대화에서 '어떤 일로든 그 사람이 정말 내 친구구나 하는 걸 확인하게 될 때 마음속에 다시 커다란 우정이 쌓이는 거란다.'라고 이야기한다. 즉 아버지는 친구임을 확인할 수 있는 계기를 통해 우정은 다시 커다랗게 쌓이는 것이라고 보고 이를 상우와 공유하고 있다.

오답 해설

①, ② 아버지와 상우의 대화에 언급되지 않은 내용이다.

③ 아버지는 상우와의 대화에서 '친구를 가려 사귀기는 하되 절대 차별해서 사귀면 안 되는 거야.'라고 이야기한다. 따라서 친구를 차별하여 자신보다 우위에 있는 친구를 골라 사귀어야 우정이 빛이 난다는 생각을 공유하게 되었다고 보기 어렵다.

④ 아버지는 상우와의 대화에서 '무얼 꼭 크게 도와주고 힘든 일을 해 주어야만 좋은 친구인 것이 아니라'고 말한다. 따라서 큰 도움을 주거나 힘든 일을 해 줄 때 우정이 비로소 생겨난다는 생각을 공유하게 되었다고 보기 어렵다.

4. 대화를 통해 서로 의미를 공유하였다는 것은 서로 소통이 잘 이루어졌다는 것을 의미한다. 소통을 통해 서로를 이해하게 되면 친밀하고 바람직한 인간관계가 형성될 것이다.

지식 창고 – 의사소통 참여자들의 상호 작용

일방적인 의사 전달과 이해는 바람직한 의사소통이 아니다. 의사소통은 참여자들이 상호 교섭함으로써 의미를 창조해 가는 협력의 과정이다. 따라서 의사소통에는 상대의 표현에 대한 참여자들의 반응이 중요한 뜻을 지니게 된다. 상호 작용은 한 사람의 언어적 행위가 다른 사람의 언어적 행위에 영향을 미쳐서 서로 관련되어 이루어질 때 비로소 가능해진다. 이러한 상호 작용은 앞서 말한 사람의 언어적·비언어적 행위에 대하여 상대가 적절한 언어적·비언어적 피드백을 줄 때 활발하게 이루어질 수 있다.

---

5. 연설은 공적인 상황에서 다수의 청중을 대상으로 정보를 전달하거나 설득하는 것을 목적으로 하는 공식적 말하기의 유형이다. 따라서 연설자가 누구를 대상으로 어떤 상황에서 무엇에 대해 이야기하는지를 중심으로 내용을 정리해야 한다. 말하는 이인 연설자의 감정이나 기분을 헤아리는 것은 연설의 내용을 정리하는 것과는 직접적인 관련이 없다.

오답 해설

① 말하는 이는 에코의 대표인 열두 살 소녀 세번 스즈키이고, 듣는 이는 유엔 환경 개발 회의 참석자를 비롯한 세상의 모든 어른들이다.

③ 리우의 유엔 환경 개발 회의에서 연설하고 있다.

④ 선진국의 어른들이 환경 문제와 빈곤 문제의 해결을 위해 적극 나서야 한다고 주장하고 있다.

⑤ 환경 문제와 빈곤 문제를 다루고 있다.

6. 이 연설의 직접적 대상은 유엔 환경 개발 회의에 참석한, 각국을 대표하는 어른들이다. 연설자는 이들에게 환경 문제와 빈곤 문제의 심각성을 알리고 이 문제의 해결을 위해 적극 나서 달라고 촉구하고 있다. 이 연설의 목적은 연설의 마지막 문장인 '제발 저희의 바람이 여러분의 행동에 반영되도록 노력해 주십시오.'라는 말

에 직접적으로 드러난다.

7. 이 연설에서 세번 스즈키는 미래의 모든 세대를 위해, 세계 전역의 굶주리는 아이들을 대신하여, 죽어 가는 수많은 동물들을 위하여 연설을 하게 되었음을 밝히면서, 환경 보존과 미래를 위해 어른들이 문제 해결에 나서 줄 것을 촉구하고 있다. 어른들을 설득하여 어른들의 행동과 태도의 변화를 이끌어 내고자 함을 알 수 있다.

오답 해설

① 국제회의에서 발표된 것으로 공적인 성격을 지닌 말하기이다.

② 듣는 이는 유엔 환경 개발 회의에 참석한 각국 대표들이다.

③ 말하는 이는 에코의 대표인 열두 살 소녀이다.

④ 말하는 이인 연설자가 청중에게 일방적으로 이야기를 하는 연설이다.

지식 창고 – 설득 연설

말하는 이가 원하는 방향으로 청중의 생각이나 행동이 바뀌도록 유도하는 연설을 설득 연설이라고 한다. 선거 유세, 사회적 사건에 대해서 관심을 촉구하는 연설 등이 여기에 속하며, 이는 지식이나 정보를 알려 주기 위한 강의나 강연, 재미를 위해 많은 사람 앞에서 재담을 펼치는 것과는 구별된다.

8. 연설을 들을 때에는 자신이 이해하기 어려웠던 내용이나 더 알고 싶은 내용이 있으면 메모해 두었다가 연설이 끝난 후에 질문하는 것이 바람직하다.

지식 창고 – 좋은 듣기 태도

• 뭔가 도움이 될 만한 것을 찾고자 함.
• 말하는 이보다는 말하는 내용 자체에 신경을 씀.
• 말하는 이의 말을 넘겨짚기에 앞서 끝까지 들음.
• 중심 생각, 원리, 개념에 귀를 기울임.
• 구조를 생각하면서 2, 3분 단위로 메모함.
• 듣는 동안 긴장을 풀지 않고 주의를 집중함.
• 주의 산만 요인을 제거하려고 함.
• 어려운 내용을 듣기 위해 학습함.
• 내가 어떤 표현에 신경 쓰는지 알고, 영향을 받지 않으려 함.
• 다음 이야기를 예측하고, 대조하고, 요약하고, 비판하며 들음.

9. 환경 문제를 일으킨 주범은 가난한 나라의 아이들이 아니라 어른들이다. 실제로 이 연설에서 말하는 이는 '여러분이 고칠 방법을 모른다면, 제발 그만 망가뜨리시기 바랍니다!'라고 이야기하고 있다. 지금까지 환경 오염을 일으킨 주범이 바로 '여러분', 즉 부유한 나라인 선진국의 어른들이라고 지적하고 있는 것이다. 따라서 가난한 나라의 아이가 환경 오염의 원인을 스스로에게서 찾는 것은 적절한 반응으로 보기 어렵다.

소단원 **나의 실력 다지기**   184~187쪽

1. ④   **2.** ①   **3.** ③   **4.** 아버지와 아들(상우)이 대관령의 밤길을 걸으며 우정에 관해 이야기하고 있다.   **5.** ④   **6.** ①   **7.** ⑤   **8.** 우정이란 자신이 잘할 수 있는 일로, 신체적 수고를 아끼지 않고 친구를 돕는 것이다.   **9.** ④   **10.** ④   **11.** ⑤   **12.** 오존층이 파괴되고, 병에 걸린 물고기가 발견되었으며, 야생 동식물이 멸종되고, 숲이 사막으로 변하고 있다.   **13.** ④   **14.** ②   **15.** ③   **16.** (부유한 나라의) 어른들이 미래 세대를 위하여 빈곤 문제와 환경 문제의 해결을 위해 적극적으로 나서야 한다.

1. 상우와 아버지는 친구에 관해 대화를 나누고 있다. 우정이란 어떤 것인지, 어떤 친구를 사귀어야 하는지에 대해 묻고 답하며 자유롭게 대화를 나누는 과정을 통해 우정이나 진정한 친구에 관한 의미를 이해하고 공유하고 있다. 상우와 아버지가 서로 협력하여 함께 의미를 구성해 가고 있는 것이다.

오답 해설

①, ② 상우와 아버지는 각자의 견해를 내세우지 않고, 서로 말을 주고받으며 우정에 관한 의미를 함께 만들어 가고 있다.

③ 아버지는 친구에 관해 이야기를 할 때 상우가 이해하기 쉽도록 상우의 눈높이에 맞춰 구체적으로 설명하고 있다. 서로의 말을 이해하지 못해 어려움을 겪는 내용은 없다.

⑤ 상우와 아버지는 각자 알고 있는 것이나 각자의 생각을 자유롭게 이야기하고 있다. 따라서 자기 견해에 맞춰 상대를 설득하려 한다고 보기는 어렵다.

2. 아버지는 '나쁜 친구를 사귀게 되면 함께 나쁜 생각과 나쁜 행동을 하게 되는 것도 사실이고.'라고 말했을 뿐, 친구의 나쁜 점을 지적하고 나무랄 수 있어야 진정한

친구라는 말은 하지 않았다.

오답 해설

② (라)에서 아버지는 '친구란 내가 외롭거나 어려울 때 서로 믿고 도울 수 있'어야 한다고 했다.

③ (라)에서 아버지는 '당장 어렵거나 외롭지 않더라도 그런 친구 곁에 있는 것만으로도 위로가 되고 큰 힘이 될 수 있는 친구가 가장 좋은 친구'라고 말했다.

④ (라)에서 아버지는 '자기보다 나은 친구, 못한 친구 얘기를 하는 건 친구에게 배울 점을 찾으라는 이야기'라고 말하면서 '너희처럼 자라날 때는' '나쁜 친구를 사귀게 되면 함께 나쁜 생각과 나쁜 행동을 하게 되는 것도 사실'이라고 말했다. 따라서 나이나 수준과 상관없이 서로에게 배울 점을 찾으며 좋은 방향으로 함께 성장해 나가는 친구가 좋은 친구임을 유추할 수 있다.

⑤ (나)에서 아버지는 익현이 아저씨를 '4대에 걸친 친구'라고 이야기하면서 오랜 세월에 걸쳐 서로의 사정을 헤아리며 집안 간에 교류하는 친구에 대해 이야기했다.

3. 상우는 (나)에서 아버지가 익현이 아저씨에 대해 이야기할 때 '우와.'라는 감탄사를 사용하거나 '그럼 백 년도 더 넘겠어요.'라고 이야기하면서 상대의 말에 맞추어 적절한 반응을 보이고 있다.

4. (가)에서 말하는 이와 듣는 이는 '상우'와 '아빠'라는 것이 드러나 있다. 그리고 '많이 어두워졌지?', '별도 하나둘 보이고요.'라는 말에서 시간대가 밤이라는 것을 알 수 있고, '이제 몇 굽이만 더 내려가면 우리가 내려가야 할 대관령은 다 내려가는 거야.'라는 말에서 대관령 길을 걷고 있음을 알 수 있다. 또한, (나)~(라)에서 친구나 우정을 주제로 이야기가 이어지고 있음을 확인할 수 있다.

5. 아버지는 상우에게 자신의 친구인 성률이 아빠와 기한이 아저씨에 관한 일화를 들려주고 있다. 평범한 일상생활의 소재인 친구에 관한 이야기를 가지고 대화를 전개하고 있는 것이다.

오답 해설

① (가)의 성률이 아빠와 (나)의 기한이 아저씨에 관한 일화는 진정한 친구가 무엇인가에 대한 교훈과 함께 잔잔한 감동을 준다.

② (가)~(다)는 모두 상우와 아버지가 주고받는 대화로 이루어져 있다.

③ 상우와 아버지는 진정한 친구와 우정에 관한 각자의 경험과 생각을 자유롭고 진술하게 이야기하고 있다.

⑤ 아버지는 우정의 참뜻과 진정한 친구에 관한 지혜를 아들에게 전하고 있다.

6. 상우와 아버지는 친구에 관한 대화를 나눔으로써 우정에 관한 의미를 공유하고 있다. 아버지는 자신의 삶의 경험을 통해 깨달은, 우정의 참뜻과 친구를 사귀는 기준에 대해 이야기를 했고, 상우는 아버지와의 대화를 통해 우정의 의미에 관한 깨달음을 얻고 있다. 예를 들어, (다)에서 상우가 우정에 관해 아버지와 공유하게 된 생각을 찾아보면, 우정은 친구임을 확인할 수 있는 계기를 통해 다시 커다랗게 쌓이는 것이며, 차별하지 않고 친구를 사귀어야 하고, 우정은 친구를 자랑스럽게 여기는 것이라는 생각 등이 있다.

7. 이 글에서 아버지와 아들은 대화를 통해 우정에 관한 의미를 이해하고 공유하고 있다. 대화의 과정에서 의미를 공유하기 위해서는 자기 생각만 옳다는 태도를 버리고 열린 마음으로 대화에 임해야 한다.

8. 기한이 아저씨는 아버지가 이사를 하면 나중에 와서 전기선도 달아 주고 상우 책상도 손봐 주는 친구이다. 그리고 기한이 아저씨가 내기를 걸었을 때 아버지가 택시를 타고 기한이 아저씨에게 간 일화를 통해 아버지는 '몸으로 때워 주는 것만큼 힘든 일도 없고, 또 좋은 친구도 없'음을 깨달았다고 말하고 있다. 따라서 기한이 아저씨를 통해 아버지는 우정이란 자신이 잘할 수 있는 일로, 신체적 수고를 아끼지 않고 도와주는 것임을 말하고자 했음을 알 수 있다.

9. 연설은 대화와 달리 말하는 이와 듣는 이가 입장을 바꿔 가며 말을 주고받는 것이 아니라, 말하는 이가 청중에게 일방적으로 이야기를 하는 것이다.

10. 이 연설에서 동식물의 멸종은 (나)에 언급되어 있다. 하지만 동식물이 멸종되고 있다는 것은 환경 문제가 그만큼 심각하다는 것을 뒷받침하기 위한 근거에 해당한다. (나)~(바)에서 연설자가 일관되게 주장하고 있는 것은, 환경 오염을 막기 위해 어른들이 노력해야 한다는 것이다. 따라서 (가)~(바)에 나타난 연설의 주제는 지구의 환경을 보호해야 한다는 것으로 볼 수 있다.

오답 해설

ⓐ (가)의 자기소개에서 알 수 있다.

ⓑ, ⓒ (라)의 '여러분은 정부의 대표로, ~ 누군가의 자녀입니다.'라는 말에서 알 수 있다.
ⓔ (라)의 '여러분이 고칠 방법을 모른다면, 제발 그만 망가뜨리시기 바랍니다!'라는 말에서 짐작할 수 있다.

11. 말하는 이가 자신은 어린아이일 뿐임을 강조하는 것은, 환경 문제를 해결할 수 있는 사람은 어른들임을 강조하기 위해서이다. 즉 환경 문제 해결을 위해 어른들의 적극적인 노력이 필요함을 말하기 위해서이다.

12. 지구의 환경 오염이 심각하다는 주장을 뒷받침하기 위한 근거는 (나)와 (다)에 제시되어 있다. (나)의 '오존층의 구멍 때문에 햇빛 속으로 나가기가 두렵습니다.'에서 오존층 파괴를, '암에 걸린 물고기들을 발견했습니다.'에서 병에 걸린 물고기의 발견을, '날마다 동식물이 사라지고 있다는, 그들이 영원히 소멸되고 있다는 소식'에서 야생 동식물의 멸종을 근거로 들어 환경 오염의 심각성을 주장하고 있음을 알 수 있다. 또한, (다)의 '여러분은 이미 사막이 된 곳을 푸른 숲으로 되살려 놓을 능력도 없습니다.'에서 푸른 숲의 사막화를 근거로 환경 오염의 심각성을 주장하고 있음을 알 수 있다.

13. 연설과 같은 설득적 말하기를 들을 때에는 비판적 듣기의 방법이 요구된다. 말하는 이의 주장이 타당한지, 그 주장을 뒷받침하는 근거는 적절한지 등을 비판적으로 판단하며 들어야 한다. 말하는 이의 주장을 무조건 수용하기보다는 옳고 그름을 따져 가며 비판적으로 듣는 것이 바람직하다.

지식 창고 – '설득적 말하기'를 듣는 방법
• 말하는 이의 주장에 모순이 없으며 타당한지 판단한다.
• 말하는 이의 주장을 뒷받침하는 근거가 충분하고 객관적이며 적절한지를 따져 본다.
• 근거를 들어 주장을 펼칠 때의 논증 방식은 올바르며 논리적 오류가 없는지 검토한다.
• 목적이나 의도가 정의에 맞고 공공의 이익에 부합하는지 판단한다.

----

14. 이 연설은 유엔 환경 개발 회의라는 국제회의가 개최되는 공적인 자리에서 이루어지고 있다. 다루는 문제는 환경 문제, 빈곤 문제 등 전 세계인이 공유해야 할 중대한 사회 문제이다. 따라서 진지하고 정중하고 엄숙한 태도로 연설을 하는 것이 적절하다.

15. 비유란 어떤 현상이나 사물을 직접 설명하지 않고 다른 비슷한 현상이나 사물에 빗대어서 설명하는 것을 말하는데, 이 연설에서는 이런 비유적 표현은 쓰이지 않았다.

오답 해설
① (마)에서 아버지의 말을 인용하여 문제 해결을 위한 어른들의 행동이 필요하다는 자신의 주장을 분명히 제시하고 있다.
② (가)의 '아무것도 ~ 인색할까요?'와 (다)의 '그런데 ~ 하십니까?'에서 질문을 통해 어른들이 자신의 행동을 스스로 돌아보게 하고 어른들의 태도 변화를 촉구하고 있다.
④ (라)에서 말하는 이는 '여러분이 이 회의에 참석하고 계신 이유'를 잊지 말라고 당부하고 있다. 지구 환경 문제의 해결책 마련이라는 회의의 목적을 상기시키면서 듣는 이의 태도 변화를 이끌어 내고자 하는 것이다.
⑤ (가)에서 말하는 이는 회의가 개최되고 있는 브라질 현지에서 직접 경험한 일을 근거로 들어 빈곤 문제의 해결을 위한 어른들의 노력이 필요하다는 주장을 생동감 있게 인상적으로 전달하고 있다.

16. 이 연설이 이루어진 회의는 각국 정부 대표가 모여 환경 문제를 비롯한 지구촌 문제에 대한 대책을 마련하기 위한 자리이다. 이 자리에서 말하는 이는 그 대책 마련을 촉구하는 연설을 하고 있다. (나)에서 '전쟁에 쓰이는 모든 돈이 빈곤을 해결하고, 환경 문제를 해결하는 데 쓰인다면, 이 지구가 얼마나 멋진 곳으로 바뀔지 알고 있'다고 주장하고, (마)에서 '제발 저희의 바람이 여러분의 행동에 반영되도록 노력해 주십시오.'라고 당부하고 있는데, 이를 통해 전 세계 부유한 나라의 어른들에게 미래 세대를 위하여 빈곤 문제와 환경 문제의 해결을 위해 적극적으로 나서야 한다는 주장을 펼치고 있음을 알 수 있다.

(2) 흑설 공주

콕콕 확인 문제

1. ③ 2. ⑤ 3. ② 4. ② 5. 원작의 주인공은 하얀 피부를 지닌 백설 공주이고, 이 글의 주인공은 검은 피부를 지닌 흑설 공주이다. 6. ⑤ 7. ② 8. ① 9. ② 10. 아름다운 사람은 하얀 피부를 가지고 있어야 한다. 11. ③ 12. ① 13. ② 14. ⑤ 15. 첫째, 공주를 죽이려고 한 자신의 음모가 드러날 수 있고, 둘째, 공주가 살아 있으면 자신이 세상에서 가장 아름다운 사람이 될 수 없기 때문이다. 16. ③ 17. ④ 18. ⑤ 19. 왕비는 공주를 죽이려는 목적을 달성했기 때문에 기뻐하고 있다. 20. 공주가 해독제에 의해 다시 살아날 것이다. 21. ③ 22. ① 23. 흑진주 24. ② 25. 세상에서 가장 아름다운 사람인 흑설 공주가 죽었기 때문이다. 26. ③ 27. ① 28. ② 29. ④ 30. 나무꾼이 흘린 눈물에 책에 묻은 해독제가 녹아 공주의 입으로 흘러 들어가 공주를 살렸다. 31. ③ 32. ⑤ 33. ② 34. ④ 35. 세상 사람들은 누구나 각각 다른 아름다움을 가지고 있거든.

1. 「흑설 공주」라는 제목의 이 작품은 널리 알려진 동화인 「백설 공주」를 창의적·비판적 관점에서 재구성하여 글쓴이가 아름다움에 관한 자기 생각을 드러낸 작품이다.

오답 해설

① 이 글의 갈래는 비평문이 아니라 소설(동화)이다.

② 이 글은 '백설 공주'의 딸인 '흑설 공주'를 주인공으로 삼고 있다.

④, ⑤ 이 글은 원작의 부족한 부분을 보완한 것이 아니라, 원작을 비판적 관점에서 새롭게 재해석한 후 원작과는 다른 주제를 담아 새로운 이야기를 만들어 낸 것이다.

2. 검은 눈이 내리는 장면은 원작에는 없는 것으로, 이 작품에서 작가가 새롭게 상상하여 넣은 것이다.

3. ㉠은 왕비의 소망이 표현된 부분이다. 검은 눈을 아름답다고 느끼고, 검은 눈처럼 아름다운 아기를 낳기를 바라는 마음을 통해 검은 피부를 지닌 아기를 낳게 될 것임을 암시하고 있다.

4. 하얀 피부를 지닌 백설 공주에게서 새까만 피부를 지닌 아기가 태어나자 시녀들은 당황하여 비명을 지른다. 하지만 왕비는 자신의 소망대로 검은 아기가 태어나자 무척 기뻐하며 눈물을 흘린다. 왕비는 시녀들과 달리 진심으로 딸의 탄생을 기뻐하며 딸을 사랑하고 있다.

5. 원작의 주인공인 백설 공주와 이 작품의 주인공인 흑설 공주는 둘 다 왕비의 소망대로 태어난 딸이다. 하지만 이름에서도 알 수 있듯이 피부색에서 차이를 보인다. 백설 공주는 하얀 피부를, 흑설 공주는 검은 피부를 지니고 있다.

6. 흑설 공주는 아버지를 비롯해 어느 누구의 사랑도 받지 못한 채 살아간다. 그래서 자신을 싫어하는 사람들을 피해 사람들 눈에 띄지 않는 곳에 숨어 지낸다. 하지만 스스로 가출했다는 내용은 나와 있지 않다.

7. ⑤에서 흑설 공주는 '무엇에든 욕심이 없는 공주였지만 그 하얀 망토만은 절대로 몸에서 떼어 놓는 법이 없었'다. 따라서 하얀 망토에는 애착을 가지고 있었으므로, 어떤 물건에도 욕심을 내지 않았다는 것은 틀린 설명이다.

8. 공주가 사랑받지 못한 이유는 검은 피부를 지니고 있었기 때문이다. ④의 백성들과 아버지, ⑥의 궁궐의 시녀들이 공주를 대하는 태도에서 짐작할 수 있다.

오답 해설

② 공주의 어머니가 일찍 돌아가신 것은 맞지만, 그것 때문에 사람들이 공주를 사랑하지 않았다는 내용은 나와 있지 않다.

③ 공주가 다른 사람의 아름다움을 질투하는 내용은 본문에 나와 있지 않다.

④ ④에서 아버지인 왕은 '어째서 백설 공주의 딸이 흑설 공주가 되었단 말인가?'라고 한탄하며 검은 피부를 지닌 딸을 사랑스럽게 여기지 않는다. 즉 검은 피부 때문에 공주는 아버지로부터도 사랑받지 못하고 있다. 따라서 아버지로부터 인정을 못 받았기 때문에 공주가 아무에게도 사랑받지 못한 것은 아니다. 살빛이 검은색이었기 때문에 아버지를 비롯해 모든 사람들로부터 사랑받지 못한 것이다.

⑤ ⑤에서 공주는 사람들로부터 놀림을 받고 미움을 받는 것에 길이 들어 고개를 숙이고 다닌다. 즉 사람들로부터 사랑을 받지 못하기 때문에 자신감이 없어진 것이지, 자신 없는 태도 때문에 사랑을 받지 못한 것이 아니다.

9. '하얀 망토'는 어머니인 백설 공주가 떠 준 것이다. 유일하게 자신을 사랑해 준 어머니가 떠 준 하얀 망토를 통해 공주는 위로를 받고자 했을 것이다. 실제로 공주는 하얀 망토를 품에 꼭 안고 자면, '엄마 품에서 잠드는 것처럼 아늑한 행복을 느꼈다.'라고 되어 있다. 따라서

하얀 망토는 어머니에 대한 공주의 그리움을 보여 주는 소재라고 할 수 있다.

10. 4에서 백성들은 '임금님도 왕비님도 모두 고귀한 하얀 피부를 갖고 계신데, 어째서 공주는 저렇게 온몸이 새까맣지? 어유, 보기 싫어라!'라고 말한다. 아버지인 왕 역시 '어째서 백설 공주의 딸이 흑설 공주가 되었단 말인가? 비록 내 딸이지만 사랑스럽지가 않구나.'라고 말한다. 6에서 궁궐의 시녀들 역시 '흑설 공주 앞에서는 자신의 하얀 피부를 뽐내며 공주를 무시하기 일쑤였다.'라고 나와 있다. 이 인물들의 말과 행동을 통해 아름다운 사람은 하얀 피부를 지니고 있어야 한다는 그들의 공통된 생각을 읽어 낼 수 있다.

11. 9에서 왕비는 자신이 직접 나서 흑설 공주를 죽이기로 마음먹고, 늙수그레한 장사꾼 영감처럼 모습을 바꾸고 공주가 있는 집을 찾아간다.

오답 해설

① 9에서 왕비는 자신을 속인 사냥꾼을 잡아들이려고 했으나, 사냥꾼이 이미 다른 나라로 도망가 버렸음을 알 수 있다. 또한, 왕비는 공주의 거처를 8에 나오는 거울을 통해 확인한다.
② 7에서 왕비는 '왕을 설득하여' 공주를 성 밖으로 내보낸다.
④ 7에서 공주를 돕는 일곱 난쟁이들은 「백설 공주」에 나왔던 일곱 난쟁이의 자식'이라고 나와 있다.
⑤ 7에서 공주는 사냥꾼으로부터 도망친 것이 아니라 '사냥꾼의 동정'으로 목숨을 구했음을 알 수 있다.

12. 7과 8에서 왕비는 거울로부터 흑설 공주가 가장 아름다운 사람이라는 말을 듣고 공주를 죽이려고 한다. 9에서도 '나보다 아름다운 사람이 이 세상에 있는 꼴은 절대로 볼 수 없지!'라고 말한다. 이렇게 자신이 세상에서 가장 아름다운 사람이 되기 위해 사람을 죽이는 일도 할 수 있는 것으로 보아, 왕비는 세상에서 가장 아름다운 존재가 되는 것을 가장 중요하게 여김을 알 수 있다.

13. 이 글의 주인공은 흑설 공주이다. 왕비는 흑설 공주를 해치려는 인물로, 공주와 대립하고 갈등하는 인물이다. 주인공인 흑설 공주를 돕는 인물은 일곱 난쟁이들로, 사냥꾼의 동정으로 겨우 목숨을 구한 공주와 함께 지내는 인물들이다.

14. 8에서 거울은 세상에서 가장 아름다운 사람이 흑설 공주라는 진실을 왕비에게 이야기한다. 그러면서 공주가 사는 곳이 '일곱 개의 산 너머 일곱 난쟁이 집'이라는 사실을 알려 준다. 이에 공주의 거처를 알게 된 왕비는 공주를 직접 죽이러 가게 된다. 따라서 거울은 공주가 위기를 극복하도록 돕는 것이 아니라, 공주를 위기에 처하게 만드는 계기를 제공한다.

15. 9에서 왕비는 흑설 공주가 살아 있으면, 자신이 공주를 죽이려 했다는 사실을 언젠가는 세상에 알리고야 말 것이라고 걱정하며, 자신보다 아름다운 사람이 이 세상에 있는 꼴은 절대로 볼 수 없다고 말한다.

16. 10~11은 책 장수 영감으로 변장한 왕비가 공주에게 접근하는 내용이고, 12는 왕비가 공주가 펼쳐 둔 책에 독과 해독제를 바르는 내용이며, 13은 왕비가 책에 바른 독에 의해 공주의 숨이 끊어지는 내용이다. 따라서 10~12는 13의 사건을 뒷받침하는 내용으로 중심 사건은 13에 해당한다.

17. 원작에서는 왕비가 독 사과로 공주를 죽이는데, 이때 왕비는 독만 바르지 해독제는 바르지 않는다. 반면 이 글에서는 12에 나오듯이, 책에 독을 바를 때 해독제도 함께 바른다.

오답 해설

① 10에서 공주가 난쟁이네 집에 살고 있는 사실을 알 수 있으나, 혼자 사는지는 알 수 없다. 실제로 원작과 이 작품 모두에서 공주는 일곱 난쟁이네 집에서 일곱 난쟁이와 함께 살아간다.
② 12~13에는 왕비가 공주를 죽이기 위해 책에 독을 바르고 그 독으로 공주가 쓰러지자 공주의 죽음을 거울로 확인하는 내용이 나온다. 이 부분에서 공주를 죽이기 전에 왕비가 망설이는 대목은 어디에도 없다. 원작에도 왕비는 사악한 존재로 그려지고 있으며 여러 차례에 걸쳐 공주를 직접 죽이려고 시도하는 것으로 보아 공주를 죽이기 전에 망설이는 내용이 있다고 보기는 어렵다.
③ 10에서 '왕비는 독 사과 따위를 들고 가는 짓은 하지 않았다.'라고 말하고 있는데, 실제로 원작에서는 사과에 독을 발라 공주를 죽인다.
⑤ 이 글에서 공주가 사과를 좋아하는지 여부에 대한 내용은 나와 있지 않다.

18. 🔞에서 공주는 영감으로 변장한 왕비가 선물한 책을 읽느라 여념이 없다. 책 읽기에 빠져 있는 공주에게서 책 장수 영감에 대한 의심은 찾아볼 수 없다.

오답 해설

①, ② 🔟에서 공주는 헌책을 파는 사람이 여자가 아니라 남자인 것을 확인하고는 마음이 놓여 문을 열어 준다. 이를 통해 책 장수가 혹시 왕비가 아닐지 의심했다가 남자인 것을 확인하고는 왕비가 아니라고 생각해서 문을 열어 준 것으로 이해할 수 있다.

③ 🔟🔟에서 공주는 왕비가 펼쳐 보이는 책에 자신이 살았던 왕궁의 모습이 담겨 있는 것을 보고는 자신도 모르게 손을 뻗어 그 책을 받아 든다. 자신의 옛 추억을 떠올리며 책을 빨리 읽고 싶어 하는 마음을 엿볼 수 있다.

④ 🔟🔟에서 공주는 왕비가 물 한 잔만 주면 책을 선물로 주겠다는 말에 기뻐서 물을 가지러 안으로 들어간다. 왕비의 말을 있는 그대로 믿고 책을 받고 싶은 마음에 얼른 물을 가지러 간 것이다.

19. 왕비의 웃음은 공주가 죽은 것을 확인하고 기뻐하는 왕비의 심리를 보여 주고 있다. 왕비가 공주를 찾아온 목적이 공주를 죽여 자신이 세상에서 가장 아름다운 사람이 되는 것이었으므로, 목적을 달성하여 기뻐하고 있는 것이다.

20. 해독제는 몸 안에 들어간 독성 물질의 작용을 없애는 약이다. 공주가 펼쳐 둔 페이지에 독을 바른 후 바로 다음 페이지에 그 독을 없앨 수 있는 해독제를 발랐다는 것은, 그 해독제가 공주를 살리게 될 것임을 암시한다.

21. 🔟는 공주를 죽이고 온 왕비가 자신이 세상에서 가장 아름다운 사람임을 거울로부터 확인받고 기뻐하는 내용이다. 🔟~🔟은 일곱 난쟁이들이 공주가 죽은 것을 발견하고 몹시 슬퍼하며 공주를 유리 관에 안치하고 공주의 관을 지키는 내용이다. 따라서 🔟~🔟의 기본적인 내용은 원작과 달라진 점이 없다. 하지만 🔟에서 난쟁이들이 공주의 관에 책을 함께 넣는 내용은 원작에는 없는 내용이다. 작품의 세부 내용에 약간의 변형을 가한 것으로 볼 수 있다.

22. 🔟에서 난쟁이들은 공주가 쓰러진 것을 보고 '예전의 일을 거울삼아 공주의 허리띠도 풀어 보고, 머리에 빗이 꽂혀 있는지, 입안에 독 사과가 남아 있는지 다 뒤져'

본다. 그리고 🔟에서는 '예전에 백설 공주를 담았던 투명한 유리 관에 흑설 공주를 눕'힌다. 이 내용들은 모두 원작의 내용을 직접 드러낸 것으로, '예전의 일'이나 '예전에'가 모두 원작인 「백설 공주」의 이야기를 말하는 것임을 알 수 있다.

오답 해설

ㄷ. 🔟에서 난쟁이들은 공주의 숨이 끊어진 게 확실하다고 생각하며 무척 슬퍼한다. 또한, 공주가 죽었다고 생각하여 공주를 유리 관에 안치한다. 따라서 난쟁이들이 공주가 살아날 것을 알고 있었다고 보는 것은 적절하지 않다.

ㄹ. 책은 이 글에 등장하는 소재이다. 원작에는 공주가 독 사과를 먹고 죽은 것으로 나오며 공주의 관에 책을 함께 넣지도 않는다.

23. 🔟에서 글쓴이는 죽은 흑설 공주의 모습을 '흑진주처럼 영롱하게 빛이 나서 죽은 사람처럼 보이지 않았다.'고 묘사하고 있다. 빛이 날 정도로 아름다운 흑설 공주의 모습을 '흑진주'에 빗대어 표현한 것으로 볼 수 있다.

24. ㉠에 나오는, 공주가 죽기 직전 읽다 만 책의 펼친 쪽에는 공주를 살릴 수 있는 해독제가 묻어 있다. 이 해독제를 죽은 공주 옆에 같이 넣었다는 것은, 이 해독제로 인해 공주가 살아날 것임을 암시하는 것이다.

25. 🔟~🔟에는 난쟁이들이 공주가 죽은 것을 알고 슬퍼하다가 공주를 유리 관에 넣어 숲속에 안치하는 내용이 나온다. 이를 통해 공주가 죽음으로써 세상에서 가장 아름다운 사람이었던 흑설 공주가 사라졌으니 왕비가 가장 아름다운 사람이 되었음을 알 수 있다.

26. 원작의 왕자와 이 글의 나무꾼은 모두 숲을 지나다가 우연히 공주를 발견한다. 따라서 ③은 차이점이 아니라 공통점이다.

27. 원작에서 왕자는 백설 공주의 미모를 보고 첫눈에 반하지만, 이 글의 나무꾼은 예전부터 흑설 공주가 지닌 내면의 아름다움을 알고 사모해 왔다. 이를 통해 참된 사랑은 단지 외모가 아니라 내면의 아름다움을 알고 사랑하는 것임을 글쓴이는 전하고 있다.

28. 공주는 깨어나자마자 나무꾼이 아니라 나무꾼의 눈에 비친 자신의 모습을 바라본다. 그리고 자신의 아름다움을 깨닫는다. 그러자 공주는 눈부시게 아름다운 사람이

된다. 이를 통해 글쓴이는 자신의 아름다움을 스스로 깨닫고 자신감을 갖는 것이 중요함을 전하고 있다.

29. 공주를 죽이려고 했던 왕비의 사악한 음모가 드러나자 사람들은 왕비를 징그럽게 느끼게 된다. 왕비의 추악한 내면을 보게 된 것이다.

30. 공주가 깨어나는 **21**에 나무꾼이 공주를 살린 방법이 나와 있다. 공주의 죽음을 슬퍼하며 흘린 나무꾼의 눈물에 책장에 묻어 있던 해독제가 녹아 공주의 입으로 들어감으로써 공주는 살아나게 된다.

31. 이 부분은 소설 구성 단계상 결말에 해당한다. 결말에서는 그동안 진행되었던 갈등이 해소되고 주인공의 운명이 결정되며 사건이 마무리된다. 이 글에서도 공주와 왕비 간의 갈등이 해소되어 왕비는 벌을 받게 되고, 공주는 나무꾼과 결혼하며 사건이 마무리되고 있다.

오답 해설
① 등장인물과 배경이 제시되며 사건의 실마리가 나타나는 것은 발단에 해당한다.
② 인물 간의 대립과 갈등이 서서히 나타나며 사건이 전개되는 것은 전개에 해당한다.
④ 갈등이 최고조에 이르러 극도의 긴장이 형성되고 주제가 드러나는 것은 위기에 해당한다.
⑤ 갈등이 심화되고 새로운 사건이 발생하여 주인공이 위험에 처하는 것은 절정에 해당한다.

32. 원작에는 백설 공주가 왕자와 결혼하고, 백설 공주는 세상에서 가장 아름다운 사람으로 남는다. 하지만 이 글에서 흑설 공주는 나무꾼과 결혼한 후에 자신의 깨달음을 사람들과 나누고자 노력한다. 즉, 사람들에게 누구나 다 각자의 아름다움을 지니고 있음을 깨닫게 히고, 그래서 흑설 공주의 나라에 사는 모든 사람들이 아름다워지는 놀라운 변화를 만들어 낸다.

오답 해설
① 나무꾼과 공주의 결혼식에 대한 서술은 **23**의 '나무꾼과 공주의 결혼식이 성대하게 거행되었다.'라는 단 한 줄로 처리되어 있다.
② **24**와 **25**에 거울이 등장한 것은 맞지만, **25**에서 거울은 세상 사람들이 모두 나름대로 아름답다고 대답함으로써 이 글의 주제 의식을 전달하는 역할을 한다.
③ 아름다움에 대한 깨달음을 얻은 흑설 공주가 사람들

에게 그 깨달음을 나누어 준다는 결말을 예상치 못한 반전으로 보기는 어렵다.
④ 메리는 공주가 자신이 얻은 깨달음을 사람들에게 나누는 과정을 보여 주기 위해 글쓴이가 설정한 인물이다. 메리로 인해 새로운 갈등이 생겨나고 있지는 않다.

33. ㉠은 하얀 피부만 아름답다고 여겼던 사람들이 이젠 검은 피부를 아름답다고 여겨 검은 피부를 지니기 위해 애쓰는 모습을 보여 준다. 이를 통해 아름다움의 기준은 언제든지 바뀔 수 있음을 보여 주려는 글쓴이의 의도를 짐작할 수 있다.

34. 흑설 공주의 '큰 깨달음'은 아름다움과 관련된 것이다. 다른 사람에 대한 사랑과는 관련이 없다.

오답 해설
① **24**에서 공주는 '자신만이 가지고 있는 아름다움을 찾아내어 바라볼 수 있는' 것이 중요하다고 말하고 있다.
② **24**에서 공주는 '아름다움이란 것은 누구에게나 깃들어 있다는 것'을 사람들에게 알려 주고자 한다.
③ **24**에서 공주는 '다른 사람들이 세운 아름다움의 기준이라는 것은 하루아침에 바뀔 수 있는 허약한 것'이라고 말하고 있다.
⑤ **24**에서 공주는 사람들에게 '자신만이 가지고 있는 아름다움을 찾아내어 바라볼 수 있는 눈을 키워' 줌으로써 모든 사람들이 아름다운 사람이 되도록 돕고 있다.

35. **25**에서 공주는 거울에게 질문을 던진 후 거울이 한 대답을 되새기면서 '세상 사람들은 누구나 각각 다른 아름다움을 가지고 있다'는 깨달음을 다시 한번 말로 표현하고 있다. 이 작품은 이 깨달음을 얻기까지의 과정이라고 할 수 있으며, 이 깨달음이 이 작품을 통해 글쓴이가 진하려는 주제 의식을 압축한 것이라고 할 수 있다.

시험엔 이렇게!!   204~209쪽

1. ② **2.** ④ **3.** ④ **4.** 사냥꾼의 동정으로 목숨을 구한 공주는 일곱 난쟁이들과 함께 지낸다. **5.** ③ **6.** ④ **7.** 아름다움의 기준은 정해져 있지 않다. / 아름다움이 외면에 의해서만 결정되는 것은 아니다. / 모든 사람은 나름의 아름다움을 지니고 있다. **8.** 외모를 보고 첫눈에 반하는 사랑보다는 사랑하는 사람의 죽음을 진정으로 슬퍼하는 진심 어린 마음이 더 소중한 것임을 일깨우기 위해서이다. **9.** ② **10.** ⑤

1. 새 왕비가 공주를 궁궐 밖으로 쫓아내고 공주를 죽이려고 한 것은, 공주가 세상에서 가장 아름다운 사람이라는 거울의 말 때문이다.

2. 새 왕비가 공주를 죽일 때 책에 묻은 독을 이용하는 것은 이 작품에서 재구성된 것이다. 원작에서는 독 사과를 이용하여 공주를 죽인다.

3. 새 왕비는 공주의 아름다움을 질투하여 공주를 죽이는 등 공주와 갈등한다. 하지만 공주가 되살아나 새 왕비의 사악한 음모가 드러나게 되고 그래서 감옥에 갇히며 몰락한다.

4. 새 왕비가 사냥꾼을 시켜 공주를 죽이려고 했을 때, 공주는 사냥꾼의 동정으로 목숨을 구한 후 일곱 난쟁이와 함께 살아가게 된다. 이는 원작에도 동일하게 나타나는 사건이다.

5. 흑설 공주는 검은 피부 때문에 아무에게도 사랑받지 못하며 자라난다. 그리고 자신을 싫어하는 사람들을 피해 숨어 지내다가 책을 좋아하게 된다.

오답 해설
① 왕은 자신의 딸이 검은 피부를 지니고 있다는 이유로 딸을 사랑스럽게 여기지 않는다.
② 왕비는 새하얀 눈이 아니라 검은 눈과 같은 아름다운 아기를 낳기를 소망한다.
④ 난쟁이는 원작에서 백설 공주를 도왔던 일곱 난쟁이의 자식들이다.
⑤ 새 왕비는 마녀가 아닌 늙수그레한 장사꾼 영감으로 변장하여 공주를 직접 찾아간다. 그리고 마법의 책이 아니라 책에 묻은 독으로 공주를 죽인다.

6. 공주의 배우자는 평범한 나무꾼으로, 공주의 외모에 반한 것이 아니라 공주가 지닌 내면의 아름다움을 알고 사람들이 마녀라고 수군거리던 오래전부터 공주를 사모해 왔다.

7. 이 소설의 왕비는 하얀 눈이 아니라 검은 눈을 아름답게 여기고, 검은 눈처럼 새까만 아기가 태어나자 무척 기뻐한다. 이 소설의 작가는 하얀 피부가 아름답다고 생각하는 일반적인 기준에 의문을 제기하며 아름다움의 기준은 정해져 있지 않다는 이야기를 하고 있는 것이다. 또한 아름다움은 외적인 모습에 의해서만 결정되는 것은 아니라는 말을 전하려는 것으로 이해할 수도

있다.

8. 단지 아름다운 외모에 반해 누군가를 사랑하는 것보다 사랑하는 사람에 대한 진심 어린 마음이 더 소중하다는 것을 일깨우기 위해 공주가 깨어나는 방법을 바꾼 것이다.

9. 사람들이 흑설 공주를 아름답다고 느끼게 된 이유는, 공주가 다른 사람을 사랑해서가 아니라 자기 자신의 아름다움을 깨닫고 스스로를 아끼고 사랑할 수 있게 되었기 때문이다.

10. 글쓴이는 아름다움은 절대적인 것이 아니라 상대적인 것으로, 아름다움의 기준은 끊임없이 변한다는 입장을 취하고 있다. ⑤에서도 아름다움에 대한 동양의 기준과 서양의 기준이 다르다고 이야기하고 있으며 그래서 아름다움의 다양성을 인정해야 한다고 했으므로 글쓴이와 유사한 입장을 취하고 있다고 할 수 있다.

오답 해설
① 아름다운 사람의 외모가 대체로 비슷하다고 말하고 있으므로 아름다움의 기준이 어느 정도 정해져 있다는 입장이다. 따라서 아름다움의 기준은 정해져 있지 않다는 글쓴이의 입장에 반대된다.
② 패션 감각을 활용하여 체형을 보완함으로써 외모를 아름답게 만들 수 있다고 말하고 있다. 따라서 외모보다 내면의 아름다움을 발견하는 것이 중요하다는 글쓴이의 입장에 반대된다고 할 수 있다.
③ 아름다움의 보편적 기준이 있다고 했으므로 아름다움의 기준이 상대적이라는 글쓴이의 입장에 반대된다.
④ 외모를 아름답게 가꾸는 이야기를 하고 있으므로 내면의 아름다움을 강조한 글쓴이의 입장에 반대된다고 할 수 있다.

소단원 나의 실력 다지기

1. ④ **2.** ③ **3.** ① **4.** 검은 피부를 지니고 있다. 사람들로부터 사랑받지 못한다. 책을 좋아한다. **5.** ④ **6.** ⑤ **7.** 주인공을 해치려는 사람 **8.** 변장을 한 새 왕비에 의해 공주가 죽음. **9.** ⑤ **10.** ⑤ **11.** ① **12.** • 까닭: 공주가 자신의 아름다움을 깨달았기 때문이다. • 가치: 자신의 아름다움을 찾아내고 자신감을 갖는 것이 중요하다. / 자신의 아름다움을 알고 자신을 사랑하는 사람은 남들의 눈에도 아름답게 보인다. **13.** ⑤ **14.** ③ **15.** 거울 **16.** 우리 모두에게 깃들어 있는 것 / 누구에게나 깃들어 있는 것 / 세상 사람들 누구나 가지고 있는 것 / 모두가 나름대로 가지고 있는 것 등

1. 이 글은 꾸며 낸 이야기인 동화를 재구성한 작품으로 갈래상 동화 또는 소설에 해당한다. 따라서 글쓴이의 실제 경험이 담겨 있지 않으므로, 글쓴이의 실제 경험을 확인하며 읽는 것은 적절하지 않다.

2. 원작에서도 백설 공주의 어머니인 왕비는 공주가 태어난 지 얼마 되지 않아 일찍 세상을 뜬다. 따라서 왕비가 일찍 죽어 공주가 어머니의 사랑을 충분히 받지 못한 것은 두 작품의 공통점에 해당한다.

3. 왕비는 하얀 피부만 아름답다고 느끼는 다른 인물들과 달리 검은 눈을 아름답게 느끼고 검은 눈처럼 새까만 아기를 낳기를 원한다. 그래서 실제로 검은 피부를 지닌 흑설 공주가 태어나자 무척 기뻐한다.

오답 해설
② 시녀들은 새까만 공주가 태어나자 비명을 지르며 당황하는데 이는 까만 피부를 아름답게 여기지 않는 것이다.
③ 백성들은 공주를 이상한 눈으로 바라보며 까만 피부를 가진 흑설을 보기 싫어한다.
④ 왕은 하얀 피부를 지닌 어머니가 까만 피부를 지닌 딸을 낳은 것을 한탄하며 까만 피부를 지녔다는 이유로 딸을 사랑하지 않는다.
⑤ 흑설 공주는 사람들이 자신을 무시하고 싫어하는 것을 당연히 여기고 사람들을 피해 숨어 지낸다. 공주의 자신감 없는 태도를 통해 까만 피부는 아름답지 않다는 생각을 공주 역시 받아들이고 있다고 이해할 수 있다.

4. 원작의 주인공인 백설 공주와 이 글의 주인공인 흑설 공주의 차이점을 정리해 보면, 흑설 공주는 백설 공주와 달리 검은 피부를 지니고 있으며, 그 피부색 때문에 사람들로부터 사랑을 받지 못하고, 그래서 사람들을 피해 숨어 지내다가 책을 좋아하는 아이로 자라난다는 점 등을 들 수 있다.

5. 이 글에서 왕비가 공주를 죽일 때 사용한 소재는 독을 바른 책이다. 하지만 원작에서는 독을 바른 사과를 이용하여 죽인다.

오답 해설
① 작품의 주인공은 둘 다 공주이다.
② 작품의 갈래는 둘 다 동화(소설)이다.
③ 이 작품의 공간적 배경은 왕궁과 난쟁이들의 집, 숲속 등 원작과 유사하다. 이 작품의 배경이 우리나라라

고 할 만한 근거는 없다.
⑤ 작품의 시점은 둘 다 전지적 시점이다.

6. (라)에서 손거울은 공주의 죽음을 확인하기 위해 사용된 소재이다. 손거울을 공주의 코끝에 대 보았으나 김이 서리지 않자 왕비는 공주의 숨이 끊어진 것을 확신한다.

7. 왕비는 주인공인 공주와 갈등하는 인물로 공주를 죽이기 위해 영감으로 변장하여 공주의 집을 직접 찾아간다. 따라서 왕비는 주인공을 해치려는 사람에 해당한다.

오답 해설
'주인공'은 흑설 공주이다. 그리고 (가)~(라)에는 등장하지 않지만, '주인공을 돕는 사람'은 일곱 난쟁이들이고, '주인공을 되살리는 사람'은 나무꾼이다.

8. (가)~(라)는 난쟁이들의 도움으로 살아가고 있는 흑설 공주를 왕비가 직접 찾아가 죽이는 사건을 다루고 있다.

9. (라)에서 나무꾼은 공주가 읽다 만 책을 발견하고는 그 책을 읽다가 공주가 느꼈을 아픔을 떠올리며 슬픔의 눈물을 흘린다. 그 눈물이 책에 묻은 해독제를 녹이면서 공주의 입안으로 들어가 공주는 살아나게 된다.

10. (마)에서 공주가 깨어나는 장면이 묘사되어 있지만, 공주가 나무꾼을 왜 사랑하게 되었는지에 대해서는 서술되어 있지 않다. 다만, (나)~(라)에 서술된 나무꾼의 사랑을 통해, 공주 역시 자신을 사랑해 주고 자신의 죽음을 진정으로 슬퍼한 나무꾼의 진심을 알고 나무꾼을 사랑하게 되었으리라 추측해 볼 수 있다.

11. ㉠이 의미하는 바는 바로 뒤에 이어지는 내용을 통해 짐작할 수 있다. '공주의 허리띠도 풀어 보고, 머리에 빗이 꽂혀 있는지, 입안에 독 사과가 남아 있는지 다 뒤져 보았'다는 난쟁이들의 행동은 모두 원작에 나와 있는 내용으로, 왕비가 백설 공주를 죽이기 위해 취한 세 번의 공격을 보여 준다.

오답 해설
② 나무꾼도 공주처럼 혼자 외롭게 지내며 주로 책을 벗 삼아 생활했다는 것으로 보아 공주가 느꼈을 외로움(괴로움)을 나무꾼은 이해했다는 내용으로 볼 수 있다. 실제로 공주는 사람들의 눈을 피해 궁궐의 작은 도서관 등에서 숨어 지내며 책을 즐겨 읽었기 때문에 책을 마음껏 읽지 못했다는 것은 사실이 아니다.

③ 나무꾼은 '혹시나 하는 마음에' 입맞춤을 해 보고는 공주가 아무 반응이 없자 눈물을 흘린다. 따라서 나무꾼이 입맞춤을 한 것은 공주의 미모 때문이 아니라 공주를 살리기 위해 필요한 행동을 해 본 것이다.

④ 펼쳐진 책에는 독이 아니라 해독제가 묻어 있다. 실제로 이 펼쳐진 책을 읽으며 나무꾼이 흘린 눈물에 해독제가 녹아 공주를 살리게 된다.

⑤ ⓐ은 공주가 눈을 떴을 때 나무꾼이 아니라 자신의 모습을 먼저 보았다는 점을 표현하고 있을 뿐, 공주가 자신을 살린 사람이 나무꾼임을 모른다는 사실을 드러낸다고 볼 수는 없다.

12. 공주가 눈부시게 아름다웠던 까닭은 바로 앞에 서술된 내용을 통해 짐작할 수 있다. 공주는 깨어나자마자 자신의 아름다운 모습을 먼저 보고 자신이 아름다운 존재임을 스스로 깨닫고 미소를 짓는다. 그러자 공주의 아름다움이 눈부시게 빛나기 시작한다. 따라서 공주가 자신의 아름다움을 스스로 깨달았기 때문에 아름다운 존재가 되었음을 알 수 있다. 그리고 이를 통해 글쓴이는 공주처럼 자신의 아름다움을 알고 자신을 아끼고 사랑하는 것이 중요함을 전하고 있음을 알 수 있다.

13. (다)와 (라)에서 공주는 누구에게나 아름다움이 깃들어 있다는 깨달음을 사람들에게 알려 준다. 그리고 공주의 노력으로 공주의 나라에 사는 모든 사람들은 아름다운 사람이 된다. 하지만 원작에서는 백설 공주가 세상에서 가장 아름다운 사람으로 남는다. 따라서 글쓴이는 원작을 읽으면서 세상에서 가장 아름다운 사람이 정해져 있는 것은 아니며 모든 사람이 다 아름다운 사람이 될 수 있다는 말을 하고 싶었음을 알 수 있다.

오답 해설
① 공주는 아름다운 존재로 그려지므로 적절하지 않은 질문이다.
② 새 왕비는 공주를 해치려고 한 사악한 인물로 그려지고 있으므로 적절하지 않은 질문이다.
③ 새 왕비와 공주는 대립하고 갈등하는 관계에 있으므로 적절하지 않은 질문이다.
④ 이 글에는 왕자가 등장하지 않으므로 적절하지 않은 질문이다.

14. 이 글에서는 공주가 나무꾼과 결혼을 하였고, 그 이후에 공주는 사람들이 각자의 아름다움을 깨닫게 도와주

었다는 내용을 다루고 있다. 공주가 왕위를 계승하여 여왕이 되었는지 여부는 알 수 없다.

15. 이 글의 '거울'은 세상에서 가장 아름다운 사람이 누구인지를 알려 주는 역할을 한다. 그 아름다운 존재가 흑설 공주라고 하자 왕비는 공주를 죽이려고 하며 갈등이 시작된다. 하지만 (라)를 보면, '거울'은 세상에서 가장 아름다운 사람이 누구인지 대답을 하지 못한다. 모든 사람이 나름의 아름다움을 지니고 있다는 사실을 깨달은 것이다. 이렇게 아름다움의 판단 기준을 스스로 바꿈으로써 '거울'은 글쓴이의 창의적인 주제 의식을 효과적으로 뒷받침하는 역할을 한다.

16. (다)와 (라)에는 이 글의 주제가 직접 드러나 있다. 그 중에서 (다)와 (라)에서 공통으로 언급되고 있는 내용은 아름다움은 누구나 지니고 있다는 것이다. (다)에서는 '아름다움이란 것은 누구에게나 깃들어 있다'고 했고, (라)에서는 '세상 사람들은 누구나 각각 다른 아름다움을 가지고 있'다고 했다.

대단원 평가 대비하기 220~223쪽

1. ④ 2. ③ 3. ③ 4. 우정이란 친구가 도움을 필요로 할 때 언제든지 찾아가 도와주는 것이다. / 우정이란 친구의 일을 자신의 일처럼 도와주는 것이다. 5. ③ 6. ③ 7. ⑤ 8. 듣는 이에게 질문을 던짐으로써 듣는 이가 자신의 행동을 돌아보게 하고 듣는 이의 태도 변화를 촉구한다. 9. ① 10. ⑤ 11. ③ 12. 공주 스스로 자신의 아름다움을 깨달았기 때문이다. 13. ① 14. ③ 15. ③ 16. 사람들 모두 각자 다른 아름다움을 지니고 있음을 일깨우고자 한다. / 아름다움은 우리 모두에게 깃들어 있음을 알려 주고자 한다. / 자신의 아름다움을 발견하면 누구나 아름다워질 수 있음을 말하고자 한다.

1. 이 글의 대화는 아버지와 아들이 우정과 진정한 친구에 관한 내용을 주제로 이야기를 주고받는 형식을 취하고 있다. 아버지가 자신의 친구들과의 일화를 아들에게 들려주면서 우정의 참뜻과 친구를 사귀는 기준 등에 대해 이야기를 하면서 삶의 지혜를 전하고 있다. 그러나 아들이 아버지를 설득하고자 하는 모습은 나와 있지 않다.

2. 아버지의 질문은 (가), (나), (라)에 나온다. (가)에서 익현이 아저씨를 아느냐고 질문한 것은, 화제에 대한 아들의 배경지식을 확인하기 위한 것이고, (나)에서 '성률

이 아빠가 뭐랬는 줄 아니?'라고 질문한 것은, 아들의 반응을 끌어내면서 아들과 소통하기 위한 것이며, (라)에서 '알았지?'라고 질문한 것은 친구를 차별해서 사귀지 말아야 한다는 것의 중요성을 다시 한번 확인하기 위한 것이다. 아들의 관심사를 파악하기 위해 질문한 것은 없다.

3. (라)에서 아버지는 '친구를 가려 사귀기는 하되 절대 차별해서 사귀면 안 되는 거야.'라고 말한다. 따라서 이는 좋은 친구와 나쁜 친구를 가려 사귀어야 한다고 말한 것으로 보는 것이 적절하다.

4. ㉠의 성률이 아빠는 아버지에게 어려운 일이 생겼을 때 자신의 신체적 힘듦이나 이익을 생각하지 않고 대가 없이 도와주었다. ㉡의 기한이 아저씨도 아버지가 이사할 때마다 와서 도움을 주었다. 따라서 아버지의 두 친구의 모습을 통해 우정이란 친구가 도움을 필요로 할 때 언제든 도움을 주는 것이라고 말할 수 있다.

5. (바)에서 말하는 이는 '여러분이 이 회의에 참석하고 계신 이유가 무엇이며'라고 묻는다. 여기에서 이 연설이 이루어지는 장소가 회의 장소라는 것을 알 수 있다. 그리고 (다)에서 듣는 이는 '정부의 대표, 기업가, 기자나 정치가'라는 사실과 연설의 내용이 환경 문제와 빈곤 문제 같은 사회 문제라는 점을 고려할 때 이 연설이 이루어지는 상황이 공식적인 회의임을 알 수 있다.

오답 해설
① (바)에서 말하는 이는 '저희는 여러분의 아이들입니다.'라고 명시하고 있다. 환경 분야 전문가인 어른이 아니라 환경 문제나 빈곤 문제에 관심이 있는 아이가 말하는 이임을 알 수 있다.
② (다)에서 듣는 이는 '정부의 대표, 기업가, 기자나 성치가'라고 나와 있다.
④, ⑤ 이 연설은 상대를 설득하기 위한 말하기로, 말하는 이는 듣는 이인 각국의 대표(어른)에게 지구의 환경을 지키고 빈곤이 없는 세상을 만들기 위해 노력해 달라고 당부하고 있다.

6. (가)에서 말하는 이는 빈곤 문제와 환경 문제를 주제로 연설하려는 것임을 밝히고 있다. 그리고 (나)에서는 환경 오염의 심각성을 이야기하고 (다)에서는 더 이상 환경을 망가뜨리지 말아 달라고 요청하고 있다. 따라서 이 연설을 듣는 청중이 환경 개발을 지속할 수 있는 방법을 생각하는 것은 말하는 이가 전하려는 의미를 제대로 파악하지 못한 반응이라고 할 수 있다.

7. ㉣은 부유한 나라의 사람들이 가난한 나라의 사람들과 자원을 나누려 하지 않는 현실을 이야기하는 것으로, 빈곤 문제를 지적하는 내용이다. 따라서 환경 문제와는 관련이 없다.

8. ⓐ에서는 나눔을 실천하지 않는 어른들을 비판하고 있고, ⓑ에서는 환경 문제나 빈곤 문제 해결을 위해 노력하지 않는 어른들을 비판하고 있다. 그런데 잘못을 직접 꼬집어 알려 주기보다는 질문의 형식을 사용한 말하기 방식을 통해 듣는 이가 스스로 자신을 돌아보고 잘못된 태도를 바꾸도록 유도하고 있다.

9. 이 글은 원작 「백설 공주」를 비판적, 창의적 관점에서 재구성한 작품이다. 하얀 피부를 지닌 백설 공주만 아름답다고 보는 생각에 비판을 제기하며, 아름다움에 대한 새로운 관점을 제시하고 있다.

오답 해설
② 주인공인 흑설 공주는 책을 좋아하고 자신의 아름다움을 스스로 깨달아 가는 인물로 그려지고 있으며, 공주를 구한 남자도 왕자가 아닌 평범한 나무꾼으로 인물의 성격이나 특징 등에 변화를 주었다.
③ 공주의 성장 과정이나 죽은 공주가 깨어나는 과정 등의 세부 이야기 요소에 변화를 주었다.
④, ⑤ 글쓴이는 하얀 피부뿐만 아니라 검은 피부도 아름답다는 생각을 가지고 있으며, 외모가 아닌 내면의 아름다움이 중요함을 이야기하고 있다. 글쓴이 나름의 가치관에 따라 아름다움의 의미를 재정의하여 재구성된 작품을 통해 전달하고 있는 것이다.

10. (마)에서는 나무꾼의 눈물에 녹은 해독제가 공수의 입안으로 들어가 공주가 깨어나고, 눈을 뜬 공주는 자신의 모습을 보고 자신이 아름다운 사람임을 깨닫는다. 따라서 중심 사건은 공주가 나무꾼의 눈물에 의해 깨어난 것과 깨어난 공주가 자신의 아름다움을 깨닫는 것이라고 할 수 있다.

오답 해설
① (가)의 중심 사건은 '왕비는 살빛이 검은 흑설 공주를 낳고 세상을 떠남.'으로 정리할 수 있다.
② (나)의 중심 사건은 '공주는 자신을 싫어하고 무시하

는 사람들을 피해 숨어 지내다가 책을 좋아하게 됨.'으로 정리할 수 있다.

③ (다)의 중심 사건은 '왕비가 흑설 공주를 직접 죽이기 위해 난쟁이의 집을 찾아감.'으로 정리할 수 있다.

④ (라)의 중심 사건은 '공주는 왕비가 책에 바른 독에 의해 숨이 끊어짐.'으로 정리할 수 있다.

11. 원작 「백설 공주」에서도 새 왕비는 백설 공주의 아름다움을 질투하여 공주를 직접 죽이기 위해 나선다.

오답 해설

① 원작의 백설 공주는 하얀 피부를 지니고 있다.

② 원작의 백설 공주가 책을 좋아한다는 이야기는 나오지 않는다.

④ 원작의 백설 공주는 독 사과를 먹고 죽는다. 따라서 책장에 묻은 독을 손가락에 묻히는 장면은 나오지 않는다.

⑤ 원작에서 백설 공주는 왕자의 입맞춤으로 인해 깨어난다.

12. 사람들이 보기 싫어하던 흑설 공주가 갑자기 아름답게 느껴진 이유는 (마)에 나오듯이, 흑설 공주가 자신의 아름다움을 스스로 깨달았기 때문이다. 죽은 공주가 깨어나면서 나무꾼의 눈에 비친 자기 모습을 보고 자신도 아름다운 사람임을 깨닫고 자신감을 가지게 되었기 때문에 다른 사람들 눈에도 아름다워 보이는 것이다.

13. (마)에서 공주가 얻은 '큰 깨달음'은 글쓴이가 독자에게 전하려는 가치를 집약하여 보여 준다. 공주는 아름다움의 기준은 하루아침에 바뀔 수 있으며, 아름다움은 누구에게나 깃들어 있고, 자신의 아름다움을 스스로 찾아내어 바라볼 수 있어야 한다는 것을 깨달았다. 따라서 글쓴이는 아름다움은 스스로 발견하는 것임을 독자에게 전하고자 한다고 볼 수 있다.

14. (다)에서 일곱 난쟁이가 공주의 죽음을 확인하고 슬퍼하는 것은 원작인 「백설 공주」에도 나오는 공통된 내용이다.

15. (다)에서 난쟁이들이 공주가 쓰러져 있는 것을 발견했을 때 '예전의 일을 거울삼아 공주의 허리띠도 풀어 보고, 머리에 빗이 꽂혀 있는지, 입안에 독 사과가 남아 있는지 다 뒤져 보'는 행동을 한다. 이 행동은 원작에 나오는 내용이다. 원작의 내용을 그대로 가져다 씀으로써 독자에게 재미와 즐거움을 주고 이 작품이 재구성된

것임을 알려 주고 있다.

16. 흑설 공주의 나라에 사는 사람들이 모두 아름다운 사람이 되었다는 이야기를 통해 글쓴이는 우리도 모두 아름다운 사람이 될 수 있음을 전하고자 한다고 볼 수 있다. 흑설 공주가 사람들에게 일깨워 준 것처럼, 누구나 각자의 아름다움을 지니고 있으며 자신의 아름다움을 스스로 발견하면 아름다워질 수 있다는 것을 일깨우고자 하는 것이다.

논술형 평가 대비하기   224~225쪽

(1) 듣고 말하며 나누기

1. (가)는 듣는 이와 말하는 이가 상호 간에 이야기를 나누는 대화로 사적인 성격을 지닌다. 반면에 (나)는 연설자가 청중에게 일방적으로 이야기를 하는 연설로 공적인 성격을 지닌다.   **2.** 아버지는 ㉠의 질문을 통해 아들의 말의 구체적인 의미를 확인함으로써 성실한 듣기·말하기 태도를 보이고 있다. 아들은 ㉡의 질문을 통해 아버지의 말에 적절하게 반응하며 궁금한 것을 물어봄으로써 진지하고 적극적인 태도를 보이고 있다.   **3.** ⓐ 오존층이 파괴되고, 강이 오염되고, 야생 동물이 멸종되고, 숲이 사막으로 변하고 있다. ⓑ 환경을 더 이상 오염시키지 말고, 환경 문제 해결을 위해 어른들이 적극적으로 나서야 한다.

(2) 흑설 공주

1. 왕비의 바람대로 새까만 공주가 태어났지만, 공주는 사람들로부터 사랑받지 못한다.   **2.** 원작의 왕자는 공주의 미모를 보고 첫눈에 반하지만, (마)의 나무꾼은 오래전부터 공주의 괴로움을 알고 공주를 사모하고 있었다. 이러한 변화를 통해 글쓴이는 진정한 사랑은 외모의 아름다움보다 내면의 아름다움을 발견하는 것임을 전하고 있다.   **3.** 하얀 피부를 지닌 사람만 아름답다고 생각하는 편견을 비판하고 있다. / 아름다움의 기준이 정해져 있다고 생각하는 편견을 비판하고 있다.

(1) 듣고 말하며 나누기

1. (가)는 아버지와 아들이 어떤 친구를 어떤 기준으로 사귀어야 하느냐를 주제로 이야기를 나누는 사적 성격의 대화이고, (나)는 스스로를 '어린아이'라고 밝힌 연설자가 '정부의 대표, 기업, 기자나 정치가'와 같은 어른들 앞에서 설득을 목적으로 환경 문제에 관해 자신의 주장을 펼치는 공적 성격의 연설이다.

평가 요소	확인(✓)
(가)의 유형인 '대화', (가)의 성격인 '사적 성격'을 모두 밝혔다.	
(나)의 유형인 '연설', (나)의 성격인 '공적 성격'을 모두 밝혔다.	
'반면에'라는 접속어를 사용하여 두 문장으로 서술하였다.	

2. ㉠은 아버지가 아들의 질문에 성실하게 대답하기 위해 아들이 던진 질문의 구체적인 의미를 확인하는 질문이다. 따라서 아버지는 상대방을 존중하며 성실하게 대화에 임하고 있음을 알 수 있다. ㉡은 아들이 아버지의 말에 맞추어 더 알고 싶은 내용을 질문한 것이다. 따라서 아들은 진지하고 적극적인 태도로 대화에 임하고 있음을 알 수 있다.

평가 요소	확인(✓)
㉠에 담긴 말하는 이의 의도와 아버지의 듣기 · 말하기 태도를 서술하였다.	
㉡에 담긴 말하는 이의 의도와 아들의 듣기 · 말하기 태도를 서술하였다.	
아버지와 아들의 듣기 · 말하기 태도를 각각 한 문장으로 서술하였다.	

3. (나)의 첫 문단에서 말하는 이는 '여러분은 오존층에 난 구멍을 수리하는 방법, 죽은 강으로 연어를 다시 돌아오게 할 방법, 사라져 버린 동물을 되살려 놓는 방법을 알지 못합니다. 그리고 여러분은 이미 사막이 된 곳을 푸른 숲으로 되살려 놓을 능력도 없습니다.'라고 말한다. 오존층 파괴, 강의 오염, 야생 동물의 멸종, 숲의 사막화 등의 실례를 바탕으로 환경 오염이 매우 심각하다는 문제 상황을 제시하고 있는 것이다. 이어서 둘째 문단에서 '여러분이 고칠 방법을 모른다면, 제발 그만 망가뜨리시기 바랍니다!'라고 말해 환경을 더 이상 오염시키지 말라고 당부하고 있고, 마지막 문단에서 '저는 우리가 모두 하나이며, 하나의 목표를 향해 행동해야 한다는 것만은 알고 있습니다.'라고 말해 환경 문제 해결을 위해 어른들이 적극적으로 나설 것을 촉구하고 있음을 알 수 있다.

평가 요소	확인(✓)
ⓐ에 들어갈 환경 오염의 실례 4가지를 서술하였다.	
ⓑ에 들어갈 환경 문제 해결 촉구라는 주장을 서술하였다.	
ⓐ와 ⓑ에 들어갈 내용을 각각 완성된 문장으로 서술하였다.	

(2) 흑설 공주

1. (가)와 (나)는 소설 구성 단계상 발단에 해당하는 부분이다. (가)는 왕비의 바람대로 검은 피부를 지닌 공주가 태어나는 내용이고, (나)는 피부가 검다는 이유로 공주가 사람들로부터 사랑받지 못하는 내용이다.

평가 요소	확인(✓)
(가)의 중심 사건인 '왕비의 바람과 살빛이 검은 공주의 탄생'을 서술하였다.	
(나)의 중심 사건인 '사람들로부터 사랑받지 못하는 공주'에 관한 내용을 서술하였다.	
한 문장으로 서술하였다.	

2. (마)의 나무꾼은 오래전부터 흑설 공주를 사모해 왔고, 공주가 겪었던 괴로움을 나무꾼이 이해하고 있었음을 보여 준다. 이는 원작의 왕자가 공주의 미모를 보고 첫눈에 반한 것과 대조된다. 재구성 과정에서의 이러한 변화를 통해 글쓴이는 진정한 사랑은 외모의 아름다움보다 내면의 아름다움을 발견하는 것임을 전하고자 함을 알 수 있다.

평가 요소	확인(✓)
원작의 왕자와 (마)의 나무꾼의 차이를 적절하게 서술하였다.	
차이를 통해 글쓴이가 전하려는 바를 적절하게 서술하였다.	
차이점과 글쓴이가 전하려는 바를 각각 한 문장으로 서술하였다.	

3. 〈보기〉에서 글쓴이는 아름다움의 기준은 변한다는 이야기를 하면서, 아름다움의 기준이 정해져 있다고 생각하는 편견을 비판하고 있다. ㉠의 시녀들이 보이는 행동과 ㉡의 백성들의 말은 바로 이러한 편견을 적나라하게 보여 준다. 공주의 피부가 검다는 이유만으로 공주를 이상한 눈으로 바라보고 공주를 무시하는 태도를 통해 글쓴이는 하얀 피부를 지닌 사람만 아름답다고 생각하는 편견을 비판하고 있다. 즉 아름다움의 기준이 정해져 있다고 생각하는 편견을 비판하고 있는 것이다.

평가 요소	확인(✓)
〈보기〉를 통해 아름다움의 기준은 변한다는 글쓴이의 생각을 파악하였다.	
㉠과 ㉡에 나타난 아름다움에 대한 편견을 서술하였다.	
한 문장으로 서술하였다.	

5 이해를 돕는 매체

(1) 명태의 귀환

235~243쪽

콕콕 확인 문제

1. ④ **2.** ④ **3.** ① **4.** ③ **5.** 우리 식탁에 가장 자주 등장하는 인기 있는 생선으로, 한 해에 25만 톤이나 소비되기 때문이다. **6.** ④ **7.** ④ **8.** ⑤ **9.** ② **10.** 어린 명태까지 마구잡이로 잡은 것, 기후 변화로 동해의 표층 수온이 상승한 것 **11.** ② **12.** ③ **13.** ⑤ **14.** 명태 완전 양식에 필요한 수정란을 얻을 수 있을 만큼 성숙하고 건강한 명태 어미 고기가 필요했기 때문이다. **15.** ① **16.** ③ **17.** ④ **18.** ⑤ **19.** 명태가 살기에 알맞은 수온에서도 잘 자라는 저온성 로티퍼가 필요했기 때문이다. **20.** ② **21.** ③ **22.** ③ **23.** 인공적으로 양식한 명태가 자연 상태에서 잘 적응해 살 수 있는지 확인하기 위해서

1. 이 글은 동해에서 사라졌던 국산 명태를 인공 양식을 통해 복원에 성공한 과정을 소개하고 있다. 사진, 도표, 그림, 도해 등 다양한 매체 자료를 활용하여 전달하고자 하는 정보를 효과적으로 제시하고 있다.

2. ❸에서 명태는 우리나라에서 다양한 요리로 즐기는 것과 달리 외국에서는 그렇게 인기 있는 생선이 아니라는 사실을 확인할 수 있다. 우리나라와 식문화가 다른 외국에서는 명태를 어묵을 만들거나, 튀김옷을 입혀 바삭하게 튀겨 소스에 묻혀 먹는 정도임을 알 수 있다.

오답 해설

① ❶, ❷에서 우리 국민이 명태를 생태탕, 코다리찜, 명란젓 등 다양한 요리에 활용해 먹고 있음을 알 수 있다.
② ❷에서 잡은 지 얼마 안 된 싱싱한 명태를 '생태', 꽁꽁 얼린 명태를 '동태'라고 부른다는 사실을 알 수 있다.
③ ❶에서 '국민 생선'인 명태가 안타깝게도 2008년 이후 우리 바다에서 사라졌다는 사실을 확인할 수 있다.
⑤ ❸에서 명태 요리가 얼큰한 국물을 좋아하는 우리의 입맛에 딱 맞아 '국민 생선'이라 해도 손색이 없음을 언급하고 있다.

3. ❷에는 코다리찜, 노가리의 사진이 자료로 활용되고 있다. 이러한 사진 자료는 명태 요리의 사실적인 모습을 확인하여 글의 내용을 이해하는 데에 도움이 된다.

4. ❶은 이 글이 기사문임을 고려할 때 전문에 해당한다. 글쓴이는 우리 국민에게 사랑받는 명태가 2008년 이후 우리 바다에서 자취를 감췄는데, 최근 명태 인공 양식에 성공했다는 소식을 접하고 이 글을 쓰게 된 것이다.

5. ❶~❸의 내용에서 명태가 우리 국민의 사랑을 받아서 다양한 요리로 식탁에 오르는 인기 있는 생선이고, 그래서 한 해에 25만 톤을 소비한다는 사실을 확인할 수 있다. 우리나라에서 많은 사람들이 즐겨 먹고 소비하는 생선이므로 '국민 생선'이라고 할 수 있다.

6. 이 글에서는 주요 단락에 소제목을 붙여서 독자의 이해를 돕고 있다. 정보를 전달하는 글에서 이런 소제목은 단락의 내용을 압축하여 제시함으로써 앞으로 다루어질 중심 내용을 예측할 수 있게 한다. 이러한 예측하며 읽기는 글의 내용 파악과 이해에 도움이 된다.

7. 이 글에는 우리나라 주요 어종의 어획량 변화를 보여 주는 그래프와 우리나라 주요 어종의 변화를 보여 주는 지도를 활용한 그림 자료가 사용되었다. 도표 자료는 시청각 자료가 아니라 시각 자료이다.

오답 해설

① 특정한 기간의 주요 어종 변화를 잘 보여 주고 있다.
② 도표 자료를 통해 우리나라 주요 어종의 어획량 변화를 한눈에 알 수 있다.
③ 그림 자료는 1980년대와 2000년대의 우리나라 바다에서 잡히는 어종의 변화를 특징적으로 보여 주고 있다.
⑤ 도표 자료를 통해 주요 어종 어획량의 구체적인 수치를 확인할 수 있다.

8. 동해의 연평균 표층 수온이 1970년대부터 2016년까지 섭씨 0.93도가량 상승하면서 차가운 물을 좋아하는 냉수성 어종인 명태의 서식 환경이 부정적으로 바뀌었음을 추측할 수 있다.

9. ⓛ에서 1980년대에는 동해에서 정어리나 명태가 주로 잡혔으나, 2000년대에는 오징어, 멸치 등이 많이 잡히고 있다는 정보를 확인할 수 있다.

오답 해설

① 1980년대에는 남해에서 주로 쥐치가 많이 잡혔고, 아열대성 물고기는 2000년대에 와서 많이 나타났다.
③ 2000년대까지 동해의 표층 수온이 꾸준히 상승했기 때문에 동해에서 냉수성 어종이 사라진 것이다.

④ 서해에서는 1980년대에는 주로 갈치가, 2000년대에는 주로 고등어가 많이 잡혔음을 알 수 있다.

⑤ 쥐치는 1980년대에는 남해에서 주로 잡혔으나, 수온의 변화로 2000년대에는 우리나라 바다에서 많이 잡히지 않고 있음을 알 수 있다.

10. 5에서 명태가 사라진 이유를 두 가지로 확인할 수 있다. 명태가 사라진 이유는 먼저 어린 명태까지 마구 잡아서 그 어족 자원이 고갈된 탓이다. 그리고 기후 변화로 동해 연평균 표층 수온이 상승해 동해가 차가운 물을 좋아하는 명태의 서식 환경으로 적합하지 않게 된 것도 그 원인이다.

11. 7에 완전 양식에 대한 뜻이 제시되어 있다. 완전 양식은 명태를 인공적으로 키워 종자를 생산하는 기술이다. 그러므로 자연 상태에서 키운다는 서술은 글의 내용과 일치하지 않는다.

12. 6~9에서 활용하고 있는 매체 자료는 세 가지이다. 이 중 연구소에서 양식되고 있는 명태 치어 사진에서는 대상을 사실적으로 확인할 수 있고, 명태 치어 사육에 대해서 쉽게 이해할 수 있다. 명태의 난 발생과 성장 발달 과정을 보여 주는 도해에서는 명태의 한살이를 한눈에 볼 수 있어서 글의 정보를 효과적으로 이해할 수 있다. 그리고 명태 완전 양식 과정이 나타난 표에서는 명태의 양식 과정을 한눈에 볼 수 있어서 글의 내용을 이해하는 데에 도움이 되지만, 이 표에 글쓴이의 의견이 덧붙여진 것은 아니다. 일반적으로 매체 자료를 활용하면 정보를 효과적으로 전달할 수 있고 독자의 흥미와 관심을 끌 수 있으며 대상에 대한 인상을 깊게 하여 오래 기억하는 효과노 얻을 수 있다.

13. 8에서는 건강한 수정란을 얻을 수 있는 명태 어미를 찾는 연구팀의 노력을 엿볼 수 있는데, 이때 포스터나 광고와 같은 시각 자료를 활용하면 살아 있는 명태 어미를 얻기 위해 현상금까지 내건 연구팀의 노력을 효과적으로 부각할 수 있다.

14. 국산 명태를 완전 양식하기 위해서는 동해에서 살아 있는 명태 어미를 잡아 수정란을 얻어야 한다. 그 수정란을 부화하게 한 후, 어린 고기를 건강한 명태 어미가 되도록 키워야 한다. 그러나 연구팀은 수정란을 얻을 수 있을 만큼 성숙하고 건강한 명태 어미를 찾지 못해

서 어려움을 겪었다. 그래서 살아 있는 명태 어미를 찾아 나선 것이다.

15. 이와 같은 정보를 전달하는 글을 읽을 때는 소제목을 통해 단락의 주요 내용을 예측하고, 글의 내용과 관련된 질문을 스스로 만들어 보고 이에 대한 답을 찾으며 읽는 태도가 필요하다. 그리고 제시된 매체 자료에 담긴 정보를 적극적으로 파악하고 그 효과나 적절성을 판단하며 읽을 필요도 있다. 글의 표면적 의미에만 집중하여 문자 하나하나를 읽기보다는 글의 문맥적 의미를 예측, 추리, 재구성하면서 읽는 능동적인 태도가 필요하다.

16. 12에서 연구팀이 개발한 저온성 먹이생물 배양 장치에서 배양된 로티퍼는 약 섭씨 10도의 물에서 10% 이상 증식했다는 사실을 확인할 수 있다. 따라서 ③의 저온성 로티퍼가 대부분 증식했다는 진술은 사실에 어긋난다.

17. 이 글에 제시된 로티퍼 사진은 명태의 먹이생물인 로티퍼의 모습을 사실감 있게 전달하는 효과가 있다. 그러나 글의 내용 이해에 꼭 필요한 자료는 아니라고 평가할 수 있다.

18. 우리나라 연구팀이 세계 최초로 명태의 완전 양식을 위해 연구한 내용은 명태가 살기에 가장 적절한 수온, 수조의 병원체, 저온성 먹이생물 배양 장치, 고에너지 명태 전용 배합 사료이다. 12에서는 저온성 로티퍼는 명태뿐 아니라 대구 등 다른 냉수성 어류를 사육하는 데에도 큰 역할을 하리라는 전망이 나타날 뿐, 연구팀이 저온성 로티퍼를 이용해 대구와 같은 냉수성 어류를 사육했다는 사실은 확인할 수 없다.

19. 연구팀은 명태의 먹이생물로 쓰는 로티퍼가 명태가 잘 살 수 있는 수온에서 활력을 잃고 수조 바닥으로 가라앉아 버리는 문제점을 해결하기 위해서 저온성 먹이생물 배양 장치를 개발하였다. 이 장치를 통해 저온에서 적응하는 로티퍼를 골라 따로 배양해서 명태의 먹이생물로 개발한 것이다.

20. 이 글은 국민 생선인 명태가 2008년 이후 우리 바다에서 사라졌는데, 연구팀이 '명태 살리기 프로젝트'를 통해 완전 양식에 성공한 소식을 전하고자 쓴 글이다. 사라졌던 국산 명태의 복원 사실을 부각하기 위해서 제목을 '명태의 귀환'이라고 붙였다고 추측해 볼 수 있다.

21. 매체 자료를 활용할 때에는 글의 내용, 주제와의 관련성을 충분히 확인해 보고 사용해야 한다. ⓮에는 연구팀이 완전 양식에 성공하여 동해에 방류한 인공 1세대 명태들이 자연에 잘 적응했음을 보여 주고 있다. 이때 실제 명태를 방류하는 사진을 활용하면 사실감이 있고 글 이해에도 도움이 된다.

22. ⓯~⓰에서 글쓴이는 국립수산과학원 동해수산연구소 변순규 박사의 말을 인용하고 있다. 명태 대량 생산을 위한 과제, 대량 생산 계획 등에 대한 전문가의 말을 인용하면 정보에 대한 신뢰감을 줄 수 있고, 글에 대한 독자의 이해도 도울 수 있다.

23. 명태의 복원을 위해서 연구팀은 인공적으로 명태를 양식하였다. 이런 인공 양식 명태가 자연에 잘 적응해 살아가는지를 확인하기 위해서 명태를 방류하고, 동해에서 잡힌 명태의 유전 정보를 분석해 본 것이다.

시험엔 이렇게!! 244~247쪽

1. ⑤ **2.** ⑤ **3.** ⑤ **4.** ④ **5.** ④ **6.** ⑤ **7.** ④

1. 2008년 이후 우리 바다에서 사라진 명태는 여전히 우리 국민에게 인기가 좋아 한 해에 25만 톤이나 소비된다. 그러나 소비되는 대부분의 명태는 국내에서 생산되는 것이 아니라 러시아에서 수입된다.

오답 해설

① 소제목 '국산 명태가 사라졌다'에서 국산 명태가 사라진 원인의 하나로 어린 명태까지 마구잡이로 잡아들인 것을 제시하고 있다.

② 소제목 '명태 완전 양식, 세계 최초로 성공하다'에서 '명태 살리기 프로젝트'를 통해 세계 최초로 명태의 완전 양식에 성공했다는 사실을 확인할 수 있다.

③ 소제목 '국민 생선 명태'에서 명태는 다양한 이름을 가진 생선으로 여러 종류의 음식 재료로 사용된다는 사실을 확인할 수 있다.

④ 소제목 '명태의 오늘과 내일'에서 연구팀이 인공적으로 키워 방류한 명태가 자연에 성공적으로 적응해 잘 살고 있다는 사실을 확인할 수 있다.

2. 명태 치어 사진 자료는 명태 치어에 대한 사실적인 인상을 독자에게 줄 수 있다. 이 사진 자료에서 연구팀이 수정란을 인공 부화하여 명태 치어를 확보했음을 추측해 볼 수 있다.

3. 글에 적절한 매체 자료를 활용하면 독자의 관심과 흥미, 주의를 이끌어 낼 수 있고 정보에 대한 독자의 이해도 높일 수 있다. 그리고 정보에 대한 인상을 강하게 전달하여 오래 기억할 수 있게 하고 구체적인 통계 자료 등을 통해 정보의 신뢰성을 높일 수 있다. 그러나 매체 자료는 다양한 주제를 전달하기 위한 것이 아니고, 글의 주제나 내용과 관련된 정보를 효과적으로 전달하기 위해서 주로 활용한다.

4. 우리나라 주요 어종의 어획량 변화를 보여 주는 도표 자료는 복잡한 수치와 변화 양상을 효과적으로 제시하여 글의 내용에 대한 독자의 이해를 돕는다.

5. 글에 쓰인 매체 자료의 효과와 적절성을 판단할 때에는 먼저 글의 내용과의 관련성을 확인해 보아야 한다. 그리고 주제를 효과적으로 뒷받침하는지, 글의 내용 이해에 도움이 되는지, 자료가 있을 때와 없을 때의 차이 등을 판단해 보아야 한다. 다양한 색채나 도형의 사용 유무보다는 적절한 형태로 적절한 위치에 사용했는지를 판단해 볼 필요가 있다.

6. ⓑ는 도해를 통해 명태의 한살이를 제시해 줌으로써 명태의 양식 과정에 대해 독자가 쉽게 이해할 수 있도록 도와준다. 반면에 ⓒ는 명태의 먹이생물인 로티퍼의 모습을 사진 자료로 사실감 있게 보여 주고는 있지만, 이 자료가 글의 내용을 이해하는 데에 꼭 필요한 것은 아니다.

7. ㉮와 같은 꺾은선 그래프는 시간에 따른 대상의 수치 변화 양상을 구체적으로 드러내는 데에 효과적이다. 그래프는 1970년대부터 2015년까지의 연평균 동해 표층 수온 변화를 구체적으로 보여 주고 있다.

1. ② 2. ⑤ 3. ④ 4. 건강한 수정란을 얻을 수 있는 명태 어미 고기를 동해에서 찾기가 쉽지 않음. 5. ② 6. ④
7. ① 8. ③ 9. ③ 10. ⑤ 11. ③ 12. ⑤ 13. ① 14. ①
15. ④

1. (가)에서 명란젓은 통통한 주머니 안에 작은 알들이 가득한 것으로 명태의 알을 이용한 것임을 알 수 있다. 창란젓은 꼬들꼬들한 식감이 있는데 명태의 내장을 이용한 것이다.

오답 해설

① (다)에서 명태는 깊은 바닷속에 살기 때문에 자망을 이용해 잡는다는 사실을 확인할 수 있다.

③ (가)에서 명태가 여러 이름으로 불리는 생선임을 알 수 있다.

④ (나)에서 동해 표층 수온의 상승으로 1990년대부터 우리 바다에 거의 없었던 온대성, 아열대성 물고기들이 많이 나타난다는 사실을 알 수 있다.

⑤ (다)에서 '명태 살리기 프로젝트' 연구팀은 2015년 1월, 건강한 자연산 명태 어미 한 마리를 구해 수정란 인공 부화에 성공했음을 확인할 수 있다.

2. 〈보기〉의 포스터 내용은 동해의 자연산 어미 명태를 찾는다는 내용이다. 명태 완전 양식을 위해서는 국산 명태에게서 건강한 수정란을 얻어야 한다. 국산 명태를 구하기 위한 연구팀의 노력을 효과적으로 부각할 수 있는 자료이므로 (다)와 관련하여 효과적으로 활용할 수 있다.

3. 우리나라 주요 어종의 어획량 변화를 잘 보여 주는 그래프이다. (나)의 내용과 관련하여 기후 변화로 인한 명태의 어획량 변화 양상을 구체적인 수치로 확인할 수 있는 자료이다.

4. '걸림돌'은 일을 해 나가는 데에 걸리거나 막히는 장애물을 비유적으로 이르는 말이다. 인공 양식에 필요한 수정란을 얻을 수 있는 어미 명태를 동해에서 찾기가 쉽지 않았음을 함축하고 있다.

5. (가), (나)에서는 '명태 살리기 프로젝트'를 진행하면서 인공 양식에 성공하기 위해 연구한 내용들을, (다)에서는 인공 부화에 성공하여 기른 명태들을 동해에 방류하여 자연 적응 상태를 확인한 내용, 또 앞으로 명태 대량 생산을 위해 해결해야 할 과제 등을 제시하고 있다. 그러므로 명태 완전 양식을 통한 국산 명태 복원 과정이 중심 내용이 된다.

6. (다)에서 자연산 명태 어미를 계속 확보해야 하는 이유가 유전적 다양성을 위해서임을 확인할 수 있다.

오답 해설

① (가)의 2문단에서 로티퍼는 섭씨 25도 이상의 환경에서 잘 자란다는 사실을 알 수 있다.

② (가)의 1문단에서 연구팀의 연구 결과 명태는 섭씨 7~12도에서 잘 자란다는 사실을 언급하고 있다.

③ (나)에서 우리나라 연구팀이 세계 최초로 명태 완전 양식에 성공했음을 알 수 있다.

⑤ (나)에서 연구팀이 개발한 명태 전용 배합 사료를 먹은 양식 명태들이 자연 상태에서보다 훨씬 빨리 자란다는 사실을 확인할 수 있다.

7. (가)~(다)는 다양한 연구를 통해 명태 완전 양식에 성공한 과정과 앞으로의 과제에 관한 내용이다. 명태를 이용한 다양한 요리들의 사진 자료는 글의 내용 이해에 전혀 필요한 자료가 아니다.

8. (가)에 제시된 로티퍼 사진 자료는 명태의 먹이생물인 로티퍼의 모습을 사실감 있게 알려 줄 수는 있으나, 글의 내용 이해에 꼭 필요한 자료로 볼 수는 없다.

9. 이 글은 기사문으로, 세계 최초로 우리나라 연구팀이 명태 완전 양식에 성공했다는 소식을 전달하기 위해서 쓴 글이다. 글쓴이는 양식을 통해 명태를 복원한 과정에 대한 정보 전달에 중점을 두고 있으므로 문제 해결을 위한 글쓴이의 주장과 근거가 드러난다는 진술은 적절하지 않다.

오답 해설

① (나)에서 동해의 연평균 표층 수온 변화를 제시하면서 국립수산과학원의 자료임을 밝히고 있다.

② (가)에서 명태가 사라진 원인, 그로 인한 결과가 상세하게 드러난다.

④ (가)와 (나)의 첫 행을 보면 단락 내용을 압축한 소제목을 활용하여 단락의 중심 내용을 예측할 수 있도록 돕고 있음을 알 수 있다.

⑤ (나)에서 완전 양식의 개념을 밝혀서 독자의 이해를 돕고 있다.

10. ㉠의 내용과 관련하여 1970년대부터 2016년까지의 동해의 표층 수온 변화를 보여 주는 꺾은선 그래프를 매체 자료로 활용하면 그 변화 추이를 한눈에 볼 수 있어서 효과적이다.

11. ㉢의 오징어, 멸치, 고등어 등은 냉수성 어종이 아니다. 냉수성 어종은 차가운 물에 살기에 적합한 어종으로 명태나 대구, 정어리 등이 있다.

12. 이와 같은 글을 쓸 때 매체를 활용하려면 정보로서 가치가 있는 자료를 써야 한다. 특별한 정보를 담고 있는 자료보다는 일반적인 사례에 해당하는 자료를 사용하는 것이 적절하고, 다양한 해석이 가능한 자료보다는 정확하고 객관적인 자료를 활용해야 한다.

오답 해설
① 글의 내용과 주제를 효과적으로 드러낼 수 있는 자료이어야 한다.
② 전달하고자 하는 정보를 효과적으로 제시할 수 있는 형태의 자료이어야 한다.
③ 자료의 출처는 분명하고 신뢰성이 있어야 한다.
④ 독자의 상황을 고려하여 흥미, 수준 등을 고려한 자료이어야 한다.

13. 〈보기〉는 우리나라 주요 어종의 변화를 보여 주고 있다. (가)에서 동해 연평균 표층 수온의 상승으로 2000년대 이후에는 명태와 정어리를 찾기 힘들어졌다는 언급을 하고 있으므로 이와 관련하여 활용하기에 적절하다.

14. 동해의 표층 수온의 상승은 차가운 물을 좋아하는 냉수성 어종인 명태에게는 살기 어려운 환경을 만들어서 명태가 동해에서 사라지는 결과를 초래하였다.

15. 연구팀이 개발한 고에너지 명태 전용 배합 사료는 명태가 성장하는 데에 필요한 영양 성분을 갖추고 있다. 그래서 이 사료를 먹고 자란 연구팀의 양식 명태가 자연 상태에서의 명태보다 성장 속도가 훨씬 빨랐다.

(2) 내가 보는 세상은 진짜일까

259~267쪽

콕콕 확인 문제

1. ② **2.** ③ **3.** ② **4.** ⑤ **5.** 동전 세 개 중 500원 동전이 제일 멀리 떨어져 있다고 생각한다. **6.** ② **7.** ① **8.** ④ **9.** ③ **10.** 50원, 100원, 500원 동전의 크기는 모두 다르며 뒤로 갈수록 크다. / 멀리 있는 것은 작게, 가까이 있는 것은 크게 보인다. **11.** ③ **12.** ① **13.** ③ **14.** ③ **15.** 같은 밝기의 두 네모 칸을 보고 그림자가 생기는 부분의 칸이 더 밝아 보인다고 생각한다. **16.** ① **17.** ① **18.** ⑤ **19.** ③ **20.** 망막에 맺힌 상(실제의 시각적 감각)과 배경지식이 일치하는 경우에는 착시 현상이 일어나지 않지만, 망막에 맺힌 상과 배경지식이 불일치하여 배경지식을 적용한 결과대로 인식하는 경우에는 착시 현상이 일어난다. **21.** ⑤ **22.** ⑤ **23.** ④ **24.** ② **25.** 착시 현상이 일어나는 이유와 착시 현상을 대하는 태도에 대한 정보를 전달하고자 하는 강연이다.

1. ❸에서 착시와 관련된 사진 자료를 보조 자료로 제시하여 착시에 대해 설명하고 있다.

2. ❷의 '착시는 우리가 ~ 해석하는 것을 말합니다.'는 착시의 개념이 무엇인지 풀어 설명하는 정의의 방법에 해당한다.

지식 창고 – 다양한 설명 방법
• 분류: 어떤 대상이나 생각들을 공통적인 특성에 근거하여 구분 지어 설명하는 진술 방식
• 대조: 사물의 특성을 그 상대되는 성질이나 차이점을 들어 설명하는 진술 방식
• 정의: 그 대상의 뜻과 의미, 개념 등을 풀어 설명하는 진술 방식
• 열거: 의미상 연관이 있는 여러 가지 사실들을 하나하나 늘어놓으며 설명하는 진술 방식
• 묘사: 대상을 그림 그리듯이 생생하게 그려 내는 진술 방식

---

3. 착시는 '보는 것'이므로 시각적 감각과 관련하여 일어나는 현상이다.

4. 이 강연에서는 착시 현상이 일어나는 원인을 배경지식과 관련하여 설명하고 있는데, ❶~❸ 부분에서는 착시 현상의 원인에 대한 설명은 아직 제시되지 않고 있다.

오답 해설
① ❷에 제시되어 있다.

② **1**에 제시되어 있다.

③ **1**에 제시되어 있다.

④ **3**에 제시되어 있다.

5. 착시는 '그렇게 보았다고 착각하는 현상'으로 **3**의 끝부분에 '정상적으로 착시가 일어났다면 500원 동전이 제일 멀리 떨어져 있는 거로 보일 거'라고 제시하고 있다.

6. 이 강연은 착시에 대한 정보를 전달하는 것을 목적으로 하는 강연이다. 강연을 들을 때에는 비판적으로 듣는 태도가 필요하지만 객관적 정보를 전달하는 것이 주 목적인 이 강연에서는 강연의 문제점을 지적하며 듣는 태도가 나타나기는 어렵다.

7. 착시는 '뇌가 배경지식의 영향을 받아, 실제로 보고 인식한 사실과 전혀 다르게 판단'하는 것이므로 대부분의 사람들에게 공통적으로 나타나는 현상이다.

오답 해설

②, ③ **4**에서 '뇌가 배경지식의 영향을 받아, 실제로 보고 인식한 사실과 전혀 다르게 판단한 겁니다.'라고 하였다.

④, ⑤ **4**에서 '배경은 어둡고, 우리는 한쪽 눈마저 가렸기 때문에 거리가 얼마나 떨어져 있는지 정확히 알기가 어려웠습니다. 그래서 우리의 뇌는 이미 아는 정보, 즉 배경지식을 활용하여 거리를 판단했던 겁니다.'라고 하였다.

8. 이 강연은 '착시'에 대해 설명하고 있으며 '착시'란 '시각'과 관련한 착각 현상이므로, 시각 매체 자료가 청중의 이해를 높이기 좋은 매체가 된다.

오답 해설

① 강연자는 청중에게 '~습니다, ~어요' 등의 높임 표현을 사용하고 있다.

② **3**과 **5**에서 착시와 관련된 예를 나열하여 제시하고 있고, **4**에서는 **3**의 착시 현상이 일어나는 이유를 통해 착시 현상이 어떠한 것인지 설명하고 있다.

③ '동전 셋이 서로 다른 거리에 있는 것처럼 보였을까요?', '두 막대 중 어떤 게 더 길어 보이나요?' 등 청중에게 질문을 던져 주의를 집중시키고 있다.

⑤ 이 강연은 착시 현상의 예를 제시하고 청중에게 질문을 던져 직접 경험하게 한 다음 착시 현상이 나타나는 이유를 설명하는 방식으로 전개된다.

9. ㉠의 앞부분에서 배경이 어둡고 한쪽 눈을 가렸기 때문에 거리를 알 수 없는 상황에서 우리의 배경지식을 통해 거리를 판단하게 된다는 내용이 제시되어 있고, 세 개의 동전 중 500원짜리 동전의 크기가 가장 큰데 세 동전의 거리가 같게 보인다고 제시하였다. 따라서 '멀리 있는 것은 작게, 가까이 있는 것은 크게 보인다'는 배경지식이 적용되어 500원짜리 동전이 가장 멀리 떨어져 있다고 판단하게 될 것이다.

10. 배경지식이란 우리가 이미 알고 있는 지식을 의미한다. **4**에서 설명한 착시 현상에 영향을 미치는 배경지식은 동전의 크기가 다 다르다는 것과 거리에 따라 사물의 크기가 다르게 보인다는 것이다.

11. 이 강연에서는 여러 가지 착시의 예를 제시하여 착시의 개념을 설명하고 있다.

오답 해설

① 자신의 삶에서 강연자가 경험한 내용이나 그로부터 얻은 깨달음과 같은 내용은 나타나 있지 않다.

② 이 강연은 예를 통해 착시의 개념과 원인을 설명하고자 하는 것으로 현상의 문제점과 해결 방안과는 관련이 없다.

④ 착시 현상에 대한 강연자의 비판적 시선은 드러나지 않는다.

⑤ 배경지식의 영향으로 착각을 일으키는 착시 현상을 설명하기 위해 여러 사례를 제시하고 있다. 따라서 대조적인 두 현상이 아니라 동일한 현상을 제시한다.

12. **7**에서는 착시 현상을 직접 경험하게 해 주는 사진 자료를 사용함으로써 착시 현상에 대한 청중의 이해도를 높이고 있다.

13. 이 강연은 착시 현상에 대해 설명하는 것으로 내가 보는 세상이 사실 착시일 수도 있음을 말하고자 하는 것이다.

14. 이 강연은 과학적 현상 중 착시에 대한 개념과 원인을 설명함으로써 정보를 전달해 주고 있다.

15. **7**에서는 그림자에 대한 배경지식으로 인해 같은 밝기의 두 네모 칸의 밝기를 다르게 보는 착시가 일어나는 예가 제시되어 있다.

16. **8**에서 '사물을 볼 때 배경지식이 영향을 미쳐, 실제와 다른 것을 자기는 맞게 보았다고 착각한 경우'라고 설명

하였으므로 착시 현상은 시각적 감각과 배경지식이 더해져 이루어지는 현상이라 볼 수 있다.

오답 해설

② **9**에서 '착시는 옳다, 그르다 하고 판단할 문제는 아닙니다.'라고 하였다.

③, ④ **9**에서 '우리는 착시가 일어난 것을 깨닫지도 못한 채 사물을 보곤 합니다.'라고 하였다.

⑤ **9**에서 '착시 현상을 우리 생활에 이롭게 이용할 수는 있습니다.'라고 하였다.

17. ②~⑤는 **8**의 착시 현상을 경험했을 때 든 사람들의 생각이지만, ①은 착시가 아닌 실제 현상에 대한 설명이다.

18. **10**에서 시각 매체 자료를 제시하기 전에 '착시 현상을 우리 생활에 이롭게 이용할 수' 있다고 말하고 있으므로, **10**의 시각 매체 자료는 착시를 우리 생활에 이롭게 이용한 예를 담은 것이다.

19. **9**에서는 착시 현상은 일어나는 것을 깨닫지도 못한 채 자연스럽게 일어나는 것이며, 옳다 그르다 판단할 문제가 아니라고 말하고 있으며, ⊙ 뒤에 이어지는 문장에서 착시를 우리 생활에 이롭게 이용할 수 있다고 말하고 있으므로 화제를 앞의 내용과 관련시키면서 다른 방향으로 이끌어 나갈 때 쓰는 접속 부사인 '그런데'가 들어가는 것이 적절하다.

오답 해설

① 앞과 뒤의 내용이 그대로 연결될 때 사용할 수 있는 접속어이다.

②, ④, ⑤ 앞과 뒤의 내용이 원인과 결과 등의 관계를 이룰 때 사용할 수 있는 접속어이다.

20. **9**에서 착시 현상이 일어나는 경우에 대한 설명이 제시되어 있다. 우리가 사물을 두 번 볼 때 그 두 번이 일치하면 착시가 일어나지 않고, 일치하지 않으면 착시가 일어난다.

21. **12**에서 강연자는 배경지식 때문에 착시가 일어난다는 점이 재미있고 신기하다고 말하고 있다.

오답 해설

① **11**의 예를 통해 학교 주변 도로에서 착시 현상을 흔하게 볼 수 있음을 알 수 있다.

② **11**의 예를 통해 착시 현상을 이용하면 도로 위의 글

자가 더 잘 보이도록 할 수 있음을 알 수 있다.

③ **12**에서 '우리가 원래 알고 있던 지식 때문에 착시가 일어난다'고 하였다.

④ **12**에서 '그러니 자연스럽게 일어나는 인식의 하나로 받아들이고'라고 하였다.

22. 강연자는 착시 현상에 대한 정보를 청중에게 전달하여 청중을 이해시키고 있으며 착시 현상에 대한 강연자의 반성적 인식은 드러나지 않는다.

23. 강연자는 우리 생활에 착시를 활용하는 방법으로 도로 위에 글자가 서 있는 것처럼 보이게 하는 〈사진 2〉의 방법을 제시하고 있다.

24. **11**에서 '우리는 '멀리 있는 것은 작게, 가까이 있는 것은 크게 보인다.'라고 알고 있잖아요? 그 지식을 바탕으로 우리 뇌는 〈그림 2〉의 글자 모양이 아닌, 〈사진 2〉의 모양으로 인식하는 것이죠.'라고 하였다.

25. **12**는 강연의 마무리 부분으로서, 착시 현상에 대한 지금까지의 설명을 정리하여 전달하는 강연자의 말을 통해 이 강연이 정보를 전달하고자 하는 목적을 지니고 있음을 알게 한다.

지식 창고 - 강연의 구성

- 서론(도입): 주제와 관련된 흥미 있는 말로 청중의 주의를 집중시킴.
- 본론(전개): 청중의 심리를 유도하면서 주제의 구체적인 내용을 전달함.
- 결론(집약, 정리): 내용을 요약하고 강조하여 주장하는 바를 종합적으로 정리함.

시험엔 이렇게!!

1. ⑤ **2.** ⑤ **3.** ① **4.** ① **5.** ⑤ **6.** ③ **7.** ⑤

1. 같은 크기로 나란히 배열된 동전을 보고 일어난 착시 현상과 철길 위 막대의 길이가 다르다고 생각하는 착시 현상은 모두 '멀리 있는 것은 작게, 가까운 것은 크게 보인다'는 우리의 배경지식에 영향을 받았기 때문에 일어난 현상이다.

2. ①~④는 착시 현상에 의한 판단이고, ⑤는 실제의 사실이다.

3. 이 강연에서 사용된 것은 모두 시각 매체 자료이다. 이 강연은 착시 현상을 설명하기 위한 강연이므로 시각 자료가 청중의 이해를 높일 수 있다.

지식 창고 – 매체의 종류
시각 매체(사진, 그림 등), 청각 매체(소리, 음악 등), 복합 매체(동영상)

지식 창고 – 매체를 활용할 때의 장점
• 시청각 자료를 사용하면 발표 내용의 정리가 명확해진다.
• 발표 내용을 보다 구체적이고 직접적으로 제시하면 청중이 내용을 쉽게 이해할 수 있다.

지식 창고 – 매체 자료 구성 시 유의점
① 발표 주제와 내용에 적합한 매체를 선정하여 자료를 구성해야 한다.
② 발표 상황과 맥락, 청중을 고려해야 한다.
• 발표 장소가 자신이 구성한 매체 자료를 사용할 수 있는 여건인지 살펴본다.
• 매체 자료가 청중에게 관심을 끌 수 있는 것인지 생각해 본다.
③ 매체 자료 이용 윤리를 지켜야 한다.
• 다른 사람이 만든 매체 자료는 사전에 미리 사용 허락을 받고 출처를 명확히 밝힌다.
• 매체 자료가 청소년들이 사용할 수 있는 자료인지, 도덕적인 측면에서 내용에 문제가 없는지 살펴본다.

---

4. 제시된 사진 자료는 모두 착시 현상을 경험할 수 있는 것들로 착시 현상이 우리의 배경지식과 관련이 있음을 보여 주는 자료들이다.

오답 해설
② 세 동전의 거리, 두 막대의 길이와 관련된 착시 자료에 해당하는 내용이다.
③ 원통형의 그림자 착시 자료에 해당하는 내용이다.
④ 세 동전의 거리와 관련된 착시 자료에 해당하는 내용이다.
⑤ '어린이 보호 구역' 관련 사진 자료의 경우, '어린이 보호 구역' 글자의 착시 효과를 설명하는 것이지 어린이 보호 구역의 효율성과는 전혀 관련이 없다.

5. 제시된 자료는 착시 현상을 이해하는 데 효과적인 자료로 선정된 자료이다. 특정 장소에 대한 관심을 불러일으킨다는 것은 자료 선정의 목적과 관련이 없으므로 이 시각 자료에 대한 긍정적 평가의 근거로 적절하지 않다.

6. 이 발표는 '신비의 도로'가 '도깨비 도로'로 불리는 이유, 즉 '신비의 도로'에 나타나는 착시 현상을 설명하고자 하는 발표이다.

7. ㉮에 비해 ㉯는 동영상과 사진 자료를 사용하여 착시 현상을 더 구체적으로 설명하고 있다. 이를 통해 청중의 흥미를 유발하고, 이해를 높이고 있으므로 더 효과적인 발표는 ㉯이다.

275~277쪽

소단원 나의 실력 다지기

1. ① **2.** ④ **3.** ⑤ **4.** ① **5.** ㉠ 세 개의 동전은 같은 거리에 놓여 있다. ㉡ 500원짜리 동전이 가장 멀리 떨어져 있다.
6. ② **7.** ④ **8.** ④ **9.** 사물을 볼 때 배경지식을 적용하여 자신이 본 것을 판단하기 때문에 착시가 일어난다. **10.** ②
11. ⑤ **12.** ⑤ **13.** 착시를 자연스럽게 일어나는 인식의 하나로 받아들이고 생활에 도움이 되도록 이용하자.

---

1. 이 강연은 착시 현상의 예를 통해 청중에게 착시 현상의 개념과 그 원인을 이해시키고 있다.

2. 제시한 세 동전의 크기가 같다는 정보 없이, 세 동전은 원래 크기가 모두 다르다는 배경지식이 작용하여 착시 현상이 일어나게 된다.

3. 청중에게 착시 현상을 직접 경험하게 하는 시각 매체 자료를 사용하였을 때 착시 현상에 대한 청중의 이해를 높일 수 있다. 청각 매체 자료는 '착시 현상'과 직접적인 관련이 없다.

오답 해설
① 강연자는 착시를 일으키는 사진을 사용하여 현장감과 사실성을 높이고 있다.
② '어떤 동전이 가장 가까이 있는 것 같나요? 또 어떤 동전이 가장 멀어 보이나요?'처럼 질문을 통해 청중이 집중할 수 있도록 하였다.
③, ④ 시각 자료를 통해 청중이 착시를 직접 경험할 수 있도록 하여 청중이 착시 현상에 대한 설명에 공감하고 쉽게 이해하도록 유도하였다.

4. 매체 자료는 강연을 듣는 청중의 수준에 맞도록 제시되어야 한다.

지식 창고 – 자료의 적절성 판단하기
• 필요한 형태로 제시되었는가?
• 필요한 위치에 제시되었는가?
• 필요한 정보 수준으로 제시되었는가?
• 자료가 글의 내용을 이해하는 데 도움이 되는가?
• 자료의 내용이 정확하고 객관적이며 출처는 믿을 만한가?
• 글쓴이가 사용한 자료가 글쓴이의 주장이나 설명 내용에 적합한가?

지식 창고 – 정보로서 가치가 있는 자료
• 출처가 분명한 자료
• 객관적으로 검증된 자료
• 주제와 긴밀히 연관된 자료
• 일반적인 사례에 해당하는 자료
• 여러 매체 형태로 존재하는 자료
• 읽는 이들의 흥미를 끌 만한 자료
• 여러 방법으로 수집할 수 있는 자료

---

5. '사실 이 그림에서 동전 세 개는 같은 크기로, 같은 평면에 나란히 배치되어 있습니다.'라는 내용을 근거로 ㉠의 의미를 짐작할 수 있다. '정상적으로 착시가 일어났다면 500원 동전이 제일 멀리 떨어져 있는 거로 보일 거예요.'라는 내용을 근거로 ㉡에 들어갈 내용을 짐작할 수 있다.

6. (가)와 (나)는 착시 현상을 보여 주는 두 가지 예이다. 착시 현상을 경험하게 한 후 착시 현상이 일어난 원인에 대해 설명을 하는 동일한 과정을 거침으로써 청중에게 착시 현상의 사례와 원인을 이해시키고 있다.

7. (나)에서 '어떤 칸이 더 밝아 보이나요? 아마 많은 분이 B라고 생각할 겁니다.'라는 부분을 근거로 대부분의 사람들은 A보다 B가 더 밝다고 판단한다는 것을 알 수 있다.

오답 해설
① (가)에서 '두 막대의 실제 길이는 같습니다.'라고 하였다.
② (가)의 '위에 있는 막대가 더 길다고 생각한 분들이 꽤 있을 거예요.'를 통해 알 수 있다.

③ (나)의 '어떤가요? 두 칸의 밝기가 같죠?'를 통해 확인할 수 있다.
⑤ (나)에서는 '그림자가 드리우면 어두워진다.'는 배경지식을 바탕으로 B가 더 밝은 것이라고 착각하게 된다고 하였다.

8. 이 강연에 사용된 매체 자료는 착시를 일으키는 두 가지 시각 매체 자료이다. 이 자료들은 청중의 호기심을 유발하고 청중이 주의를 집중할 수 있도록 하며 청중의 이해도를 높임으로써 착시 현상을 설명하고자 하는 강연 목적에 부합하는 자료들이다. 그러나 강연 내용을 요약하여 보여 주는 자료는 아니다.

9. (가)와 (나)에 제시된 착시 현상의 예는 모두 우리가 본 것에 우리가 가진 배경지식이 적용되어 착각을 일으키게 된다는 것을 보여 주는 예들이다.

10. 강연자는 '우리가 원래 알고 있던 지식', 즉 배경지식 때문에 착시가 일어난다는 점을 재미있고 신기하다고 말하고 있다.

오답 해설
①, ③ 강연자는 착시를 자연스럽게 일어나는 인식의 하나로 받아들이라고 말하고 있으므로 착시는 의도적 현상이 아니다.
④ 강연자는 착시 현상을 생활에 도움이 되도록 이용하는 것이 바람직하다고 말하였으나, 착시가 항상 우리 생활에 이롭게 쓰인다고는 말하지 않았다.
⑤ 착시 현상은 자연스럽게 일어나는 인식의 하나이므로 소수가 아닌 대부분의 사람들이 경험하게 된다.

11. 강연자는 착시를 생활에 도움이 되도록 이용한 사례의 하나로 도로에 쓰인 '어린이 보호 구역'의 두 가지 예를 보여 준다. 〈사진 1〉은 운전자의 눈높이에서 잘 보이지 않는 반면, 〈사진 2〉는 글자가 서 있는 것처럼 잘 보이므로 〈사진 1〉보다 〈사진 2〉에서 일어난 착시 현상이 우리 생활에 도움이 된다. 하지만 강연자는 착시는 옳고 그름을 판단할 수 없는 현상이라고 하고 있으므로, 강연자가 〈사진 1〉보다 〈사진 2〉에서 일어난 착시 현상을 옳다고 생각한다는 반응은 적절하지 않다.

오답 해설
① 강연자는 착시 현상이 '우리가 원래 알고 있던 지식 때문에' 일어난다고 설명하고 있다.

② 〈사진 1〉, 〈사진 2〉는 모두 실제 글자와 도로 위에서 보는 글자의 모양이 다르므로 착시의 예이다.

③ 강연자는 〈사진 2〉가 운전자의 눈높이에서 잘 보인다고 하였으므로 〈그림 2〉의 글자가 차 속도를 늦추게 하는 데 효율적임을 알 수 있다.

④ 〈사진 1〉, 〈사진 2〉, 〈그림 1〉,〈그림 2〉를 통해 우리 생활에 더 도움이 되도록 착시 현상을 이용할 수 있음을 알 수 있다.

12. 제시된 시각 자료는 같은 내용의 글자를 어떻게 표현하느냐에 따라 운전자에게 더 효율적으로 인식시킬 수 있는지를 비교함으로써 청중에게 착시 현상을 우리에게 이롭도록 이용할 수 있음을 깨닫게 한다.

13. 강연의 마무리 부분에서 착시에 대한 강연자의 생각을 찾아볼 수 있다. 착시는 옳고 그름을 판단할 수 없는 자연스러운 현상이므로 생활에 도움이 되도록 이용하자는 것이다.

대단원 평가 대비하기　　　280~284쪽

> **1.** ⑤ **2.** ② **3.** ① **4.** ㉠ 국산 명태의 실종 / 국산 명태가 사라졌다 **5.** ② **6.** (나), 명태 살리기 프로젝트가 겪은 어려움과 심각성을 강조할 수 있다. **7.** ② **8.** ④ **9.** ① **10.** 명태의 수가 줄어 성숙하거나 건강한 어미 명태를 잡기 힘들었고, 명태가 잡히더라도 잡히는 과정에서 받은 스트레스로 인해 오래 살지 못했기 때문에 국산 명태 복원에 필요한 명태를 찾기가 매우 어려웠다. **11.** ② **12.** ⑤ **13.** 망막에 맺힌 상(시각적 감각)에 배경지식을 적용하여 실제와 다르게 대상을 인식하는 현상 **14.** ⑤ **15.** ① **16.** 예시 답: 동해의 연평균 표층 수온의 변화를 보여 주는 그래프 / 우리나라 주요 어종의 어획량 변화를 보여 주는 그래프 **17.** ②

1. (나)에서는 '우리 바다에서 명태의 씨가 말라 버렸다.'는 상황을 유발한 두 가지 이유를 제시하여 명태가 귀해진 현실을 보여 주고 있다. 그래서 지금 우리 식탁에 올라오는 명태는 거의 러시아에서 수입한 것임을 알려 주고 있다.

오답 해설

① 명태가 한 해에 25만 톤이나 소비된다는 수치를 제시함으로써 명태가 우리나라에서 인기 있는 생선임을 드러내고 있다.

② 명태 살코기 자체의 맛이 없어 불에 직접 구워 먹기를 좋아하는 식문화를 가진 나라에서는 그렇게 있기 있는 생선이 아닌 반면, 얼큰한 국물을 좋아하는 한국인 입맛에는 딱 맞다는 것을 설명하고 있다.

③ 생태, 동태, 코다리, 노가리, 황태, 북어 등 명태의 다양한 이름을 제시하면서 이 많은 이름처럼 명태가 우리 식단에 가장 많이 등장하는 생선임을 말하고 있다.

④ 1970년대 7만 톤, 2008년 이후 1톤 안팎으로 잡힌다며 명태의 어획량 수치를 제시하여 명태 어획량의 감소를 구체적으로 제시하고 있다.

2. (나)에서 우리 식탁에 올라오는 명태가 거의 다 수입산인 것은 명태 어획량 감소 문제의 원인이 아니라, 명태의 어획량이 감소되어 나타난 결과이다.

3. 제시된 시각 매체 자료는 명태의 한 종류인 노가리가 요리로 나온 사진 자료이므로 여러 가지 명태의 이름이 나열되는 [㉮]에 들어가는 것이 가장 적절하다.

4. 기사문의 소제목은 본문의 내용을 포괄할 수 있어야 하므로, 명태가 다양한 이름으로 우리나라 사람들에게 사랑받은 명태의 어획량이 급감하고 있다는 (나)의 내용을 반영하는 제목으로 한다. 단 소제목으로 제시될 내용이므로 중심 내용을 포괄하되, 간략하게 표현하도록 주의한다.

5. (나)는 명태 살리기 프로젝트 진행 과정과 인공 부화의 성공을 다루고 있다. 즉 여러 가지 문제 상황이 있었지만, 2015년 2월 질 좋은 수정란 53만 개를 얻어 인공 부화하였다는 내용이 제시되어 있다.

6. 〈보기〉의 매체 자료는 '살아 있는 명태 어미 고기 현상금 포스터'이다. 이와 관련된 내용은 (나)에 제시되어 있다. (나)에서 명태 살리기 프로젝트를 위해 냉내 어미가 필요하였으나, 건강한 자연산 명태를 구하기가 힘들어 현상금까지 내걸었다는 내용이 제시된다. 현상금 포스터를 시각 매체 자료로 제시함으로써 명태 살리기 프로젝트의 어려움과 심각성을 강조할 수 있다.

7. 이 글의 내용을 통해 명태가 섭씨 7~12도(℃)의 차가운 온도에서 잘 자란다는 정보를 알 수 있다.

오답 해설

① (라)에 2016년 동해에서 잡힌 명태의 유전 정보가 인공 1세대와 일치하여 인공 방류한 명태가 자연에 잘 적응

해 살고 있다는 내용이 제시되어 있고, (마)에 명태의 다양한 양식 방법이 연구되고 있고 머지않아 우리 식탁에 국산 양식 명태가 올라오리라는 전망이 제시되어 있으므로 명태 살리기 프로젝트가 성공하였음을 알 수 있다.

③ (마)에서 이제 막 인공 양식 기술을 개발하여 아직 양식 명태가 우리 식탁에 오르기는 어렵다고 하였다.

④ (가)에서 명태 살리기 프로젝트의 목표는 국산 명태를 대량으로 번식시킬 수 있도록 완전 양식 기술을 개발하는 것이라고 하였다.

⑤ 명태 살리기 프로젝트는 우리 바다 상태를 변화시키는 것과 관련된 프로젝트가 아니라, 양식을 통해 명태의 공급량을 늘리는 방법을 개발하는 것이다.

8. (다)에서 보통의 어류 종자 먹이인 로티퍼가 자라는 수온과 새끼 명태가 살아가는 수온이 맞지 않아서 저온성 로티퍼를 따로 배양했다는 내용이 제시되어 있다.

오답 해설

①, ② (다)의 내용으로 볼 때 일반 로티퍼는 섭씨 25도(℃) 이상의 환경에서 잘 자라는 반면, 명태는 섭씨 7~12도(℃)의 차가운 온도에서 잘 자란다.

③, ⑤ (다)의 내용으로 볼 때 명태에게 맞는 고에너지 명태 전용 배합 사료의 개발로 명태가 성숙하는 데 걸리는 시기를 3~4년에서 1년 8개월로 줄일 수 있게 되었음을 알 수 있다.

9. 〈보기〉는 명태가 왜 우리 국민에게 사랑받는지에 대한 이유가 제시되어 있다. 명태는 얼큰한 국물을 좋아하는 한국인의 입맛에 맞아 크게 사랑받은 생선이다. 이러한 내용을 근거로 명태를 복원하게 된 이유를 짐작할 수 있다.

오답 해설

② 〈보기〉에서 명태는 다른 나라에서 그다지 인기 있는 생선이 아니라고 했으므로, 다른 나라로의 수출을 통한 이익 창출을 기대하는 것은 적절한 추론이 아니다.

③ 머지않아 양식 명태가 우리 식탁에 오를 것을 기대한다는 (마)의 내용으로 보아 명태가 우리나라 사람들에게 잊혀졌다고 보기 어렵다.

④ 머지않아 양식 명태가 우리 식탁에 오를 것을 기대한다는 (마)의 내용으로 보아 명태의 질에 차이가 날 것이라는 판단은 적절하지 않다.

⑤ (다)에서 양식 명태의 성숙 기간을 1년 8개월로 줄일 수 있고 (마)에서 대량 생산이 되면 육지의 수조 양식과 바다의 가두리 양식으로 동시에 명태를 키워 낼 계획을 하고 있다고 했으므로 명태 공급량이 빠르게 늘어날 것임을 알 수 있다.

10. (나)의 내용을 통해 '명태 살리기 프로젝트 팀'이 어미 명태를 찾는 첫 과정부터 어려움에 처했음을 알 수 있다.

11. 〈보기〉는 같은 길이의 막대를 다른 길이로 판단한 착시 현상을 보여 주는 예로 우리 생활에 이롭게 활용된 사례는 아니다.

12. 〈사진 1〉, 〈사진 2〉는 모두 착시 현상(시각적 감각과 배경지식을 적용하여 본 상이 일치하지 않아 배경지식을 적용한 결과대로 대상을 인식하는 현상)이 일어난 예이다.

오답 해설

① 착시 현상은 옳고 그름으로 판단할 수 없는 현상이다.

② 〈사진 1〉은 운전자의 눈높이에서 잘 보이지 않는 반면, 〈사진 2〉는 글자가 서 있는 것처럼 잘 보인다. 따라서 〈사진 2〉가 도로에 글자를 쓰는 목적에 더 부합한다.

③ 〈사진 1〉, 〈사진 2〉는 모두 착시 현상이 일어난 예이다.

④ 〈사진 1〉과 〈사진 2〉에서 글자 이외에 착시를 일으키는 요인은 없다.

13. 1문단의 내용을 통해 착시의 개념을 정리할 수 있다.

14. 매체 자료는 청중이나 독자의 흥미와 이해를 높이는 효과가 있는데, 내용의 성격상 (가), (나)와 (다)는 시각 매체 자료가 어울리는 글과 강연이다.

오답 해설

① (가), (나)에 해당하는 내용이다.

② (가), (나)에 해당하는 내용이다.

③ (다)에 해당하는 내용이다.

④ (가), (나)는 기사문이므로 청각 매체 자료를 사용할 수 없으며, 글에 나타나 있지도 않다.

15. (나)에서 명태는 섭씨 7~12도(℃)의 차가운 온도에서 잘 자란다는 내용이 제시되어 있다. (가)의 빈칸은 명태가 사라진 원인으로 동해 표층 수온의 변화를 제시하는 내용과 관련되어 있으며, 빈칸에 연결되는 뒷부분 역시 수온이 올라가는 바람에 동해가 이제는 명태가 살기 어

려운 환경이 되었다는 내용이 제시되어 있다.

16. (가)의 핵심 내용은 기후 변화로 인해 동해 수온이 변화하고 이에 따라 명태, 정어리, 갈치, 쥐치 등의 수가 줄었다는 것이다. 따라서 이러한 내용을 뒷받침 해주는 자료를 매체 자료로 제시할 수 있다.

17. (다)는 예를 통해 착시 현상이 일어난 원인을 설명하는 내용으로 착시 현상이 문제가 되는 경우는 드러나지 않았다.

오답 해설
① 뇌가 배경지식의 영향을 받아, 실제로 보고 인식한 사실과 전혀 다르게 판단하기 때문이다.
③ 우리 뇌가 배경지식을 활용하여 거리를 판단하게 함으로써 착시가 일어나도록 하기 위해서이다.
④ 제시된 사진을 보았을 때 정상적으로 착시가 일어났다면 500원 동전이 제일 멀리 떨어져 있는 것으로 보인다고 했으므로 착시 현상은 일반적으로 일어나는 정상적 반응으로 볼 수 있다.
⑤ 한쪽 눈으로 그림을 보게 함으로써 동전과의 거리가 얼마나 떨어져 있는지 정확히 알기 어렵게 만들고, 이에 따라 우리 뇌가 배경지식을 활용하여 판단하도록 유도한 것이다.

(1) 명태의 귀환

1. (가)에서는 다양한 이름과 요리법에서 알 수 있듯이 명태가 우리 국민에게 사랑받는다는 내용이 제시되어 있으므로, 다양한 명태 요리 사진 자료나 명태의 다양한 이름과 관련된 사진 자료를 제시하여 글의 내용을 보다 구체적으로 독자에게 전달할 수 있다.

2. 1980년부터 2000년대의 명태 어획량의 변화를 보여 주는 그래프로, 명태 어획량이 급격히 줄어들고 있음을 시각적으로 제시함으로써 명태가 사라지고 있는 현상의 심각성을 보여 주고자 한다.

3. 명태는 한국인의 입맛에 맞고 특히 알이나 어린 고기까지 요리의 재료로 인기가 있었기에 어린 고기나 알을 밴 고기까지 마구잡이로 잡아들이게 되면서 명태의 씨가 마르게 되었다.

(2) 내가 보는 세상은 진짜일까

1. ㉠: 실제 길이가 같은 두 막대의 길이가 다르다고 해석하는 것 / ㉡: 실제 밝기가 같은 A, B의 밝기가 다르다고 해석하는 것

2. ㉮: 멀리 있는 사물은 작게 보이고, 가까운 사물은 크게 보인다. ㉯: 위의 막대가 더 길다. ㉰: 그림자가 드리우면 어두워진다. ㉱: B가 더 밝다.

3. 이 강연에서는 시각 매체인 사진을 사용하여 청중의 호기심을 유발하고, 내용에 대한 청중의 이해를 높인다.

(1) 명태의 귀환

1. 이 글은 기사문이며 (가)는 명태의 다양한 이름과 다양한 요리법을 설명하고 있는 부분이다. 사실을 전달하는 기사문이고 (가)가 명태의 명칭과 명태 요리의 종류를 설명하고 있는 부분이므로 명태의 명칭에 따른 모습을 보여 주는 사진 자료와 여러 가지 명태 요리의 사진 자료, 즉 시각 매체를 제시하는 것이 기사문의 내용을 질 전달할 수 있는 방법이 된다.

평가 요소	확인(√)
적절한 매체 자료를 바르게 제시하였다.	
제시한 매체 자료의 효과를 제시하였다.	
(가)의 내용을 적절하게 요약한 내용을 포함하여 서술하였다.	

2. 그래프는 (나)의 내용을 그대로 시각화하여 보여 주고 있다. 글에서 이미 말한 내용을 그래프로 추가로 제시하는 것은 글의 내용을 시각적으로 보여 주어 명태 어

획량이 급감하고 있음을 실감 나게 하여 강조하려는 의도로 볼 수 있다.

평가 요소	확인(√)
그래프가 나타내고 있는 의미를 정확하게 서술하였다.	
그래프를 통해 강조하고자 한 것이 무엇인지를 정확하게 서술하였다.	
자연스러운 문장으로 맞춤법에 맞게 서술하였다.	

3. 명태가 사라지고 있는 이유는 명태의 알과 어린 고기까지 먹는 탓에 명태를 마구잡이로 잡은 것과 동해 표층 수온 상승으로 인한 것이다. 이 중 명태가 국민 생선이 된 이유와 연결할 수 있는 원인은 어린 명태와 알까지 즐겨 먹는 음식 문화로 인한 마구잡이라 할 수 있다.

평가 요소	확인(√)
명태 어획량의 급격한 감소 이유를 한국의 음식 문화와 관련하여 서술하였다.	
명태가 사라지는 직접적인 원인을 서술하였다.	
자연스러운 문장으로 맞춤법에 맞게 서술하였다.	

(2) 내가 보는 세상은 진짜일까

1. (가)에서는 실제로는 같은 길이인데 멀고 가까움에 따라 다르게 보인다는 배경지식으로 인한 착시의 사례를 제시하고 있으므로 ㉠에는 이와 같은 내용이 서술되어야 하며, (나)에서는 실제로는 같은 밝기인데, 그림자가 있는 부분은 어둡다는 배경지식으로 인한 착시를 설명하고 있으므로 ㉡에는 이와 같은 내용이 서술되어야 한다.

평가 요소	확인(√)
㉠과 ㉡ 각각에 알맞은 내용을 서술하였다.	
㉠과 ㉡ 모두 '실제', '다르다고 해석하는 것'이라는 말을 넣어 서술하였다.	

2. 이 글은 착시의 원인을 설명하고 있는 글이다. (가)에서는 길이에 대한 착시를 (나)에서는 밝기에 대한 착시를 설명하고 있으며, 착시의 원인으로 사람들이 가진 배경지식을 들고 있다. 즉 길이에 대한 착시의 원인은 멀고 가까운 것에 대한 인간의 배경지식, 밝기에 대한 착시의 원인은 그림자로 인한 밝고 어두움에 대한 인간의 배경지식에 있음을 서술하고 있다.

평가 요소	확인(√)
(가)와 (나)에 적용된 배경지식을 정확하게 서술하였다.	
(가)와 (나)에서 일어난 착시 현상을 정확하게 서술하였다.	

3. 이 강연에서는 착시 현상을 설명하기 위해 실제 착시 현상을 보여 주는 사진 자료를 사용하고 있다. 사진 자료는 시각 매체 자료에 해당한다. 이 강연에서는 사실을 알려 주기 전에 먼저 사진을 보여 주어 청중의 호기심을 유발하고 있으며, 착시를 일으키는 원인을 설명하면서 실제 길이와 밝기를 증명해 주는 사진을 통해서 청중의 이해를 높이고 있다.

평가 요소	확인(√)
강연에 사용된 매체 자료의 종류를 정확하게 제시하였다.	
강연에 사용된 매체 자료의 효과를 정확하게 서술하였다.	
자연스러운 문장으로 맞춤법에 맞게 서술하였다.	